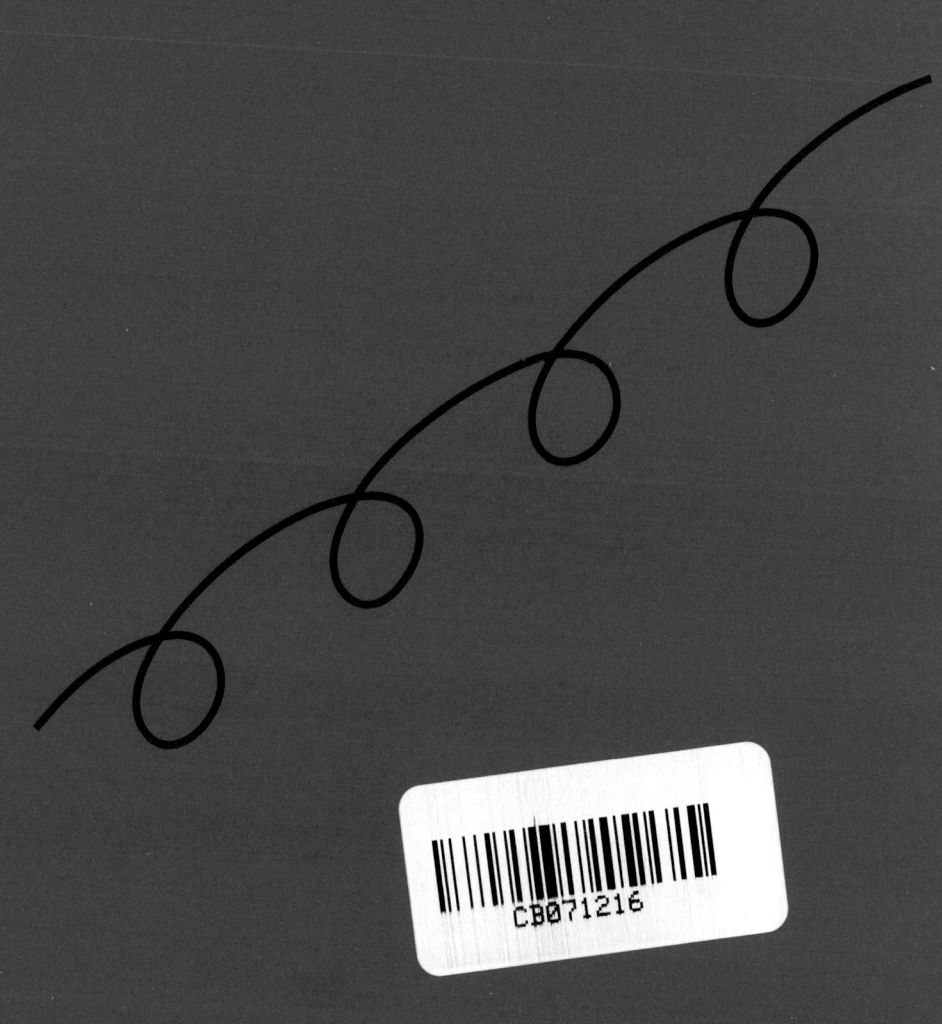

CB071216

PRINCÍPIOS

PRINCÍPIOS
RAY DALIO

Tradução de Vitor Paolozzi

Copyright © 2017 by Ray Dalio

TÍTULO ORIGINAL
Principles: Life and Work

PREPARAÇÃO
Marina Góes

REVISÃO TÉCNICA
Pedro Ferreira de Souza

REVISÃO
Frederico Hartje
Érika Nogueira
Cristiane Pacanowski
Juliana Pitanga

DESIGN DE CAPA E MIOLO
Rodrigo Coral Art & Design

DIAGRAMAÇÃO
ô de casa

ADAPTAÇÃO DE CAPA
Antônio Rhoden | ô de casa

CIP-BRASIL. CATALOGAÇÃO NA PUBLICAÇÃO
SINDICATO NACIONAL DOS EDITORES DE LIVROS, RJ

D147p

Dalio, Ray, 1949-
    Princípios : vida e trabalho / Ray dalio ; tradução Vitor Paolozzi. - 1. ed. - Rio de Janeiro : Intrínseca, 2018.
    592 p. ; 23 cm.

    Tradução de: Principles : Life and Work
    Inclui bibliografia e índice
    ISBN 978-85-510-0342-8

    1. Sucesso nos negócios. 2. Sucesso. 3. Autorrealização. 4. Processo decisório. I. Paolozzi, Vitor. II. Título.

18-48821   CDD: 650.1
                         CDU: 005.336

[2018]
Todos os direitos desta edição reservados à
EDITORA INTRÍNSECA LTDA.
Av. das Américas, 500, bloco 12, sala 303
22640-904 – Barra da Tijuca
Rio de Janeiro – RJ
Tel./Fax: (21) 3206-7400
www.intrinseca.com.br

Para Barbara,
minha metade que me fez inteiro
por mais de quarenta anos.

PARTE I
DE ONDE VENHO
20

1	Meu chamado à aventura: 1949-1967	25
2	Cruzando o limiar: 1967-1979	31
3	O abismo: 1979-1982	47
4	As adversidades em minha jornada: 1983-1994	59
5	A dádiva suprema: 1995-2010	87
6	Retribuindo as bênçãos: 2011-2015	109
7	Meu último ano e meu maior desafio: 2016-2017	135
8	Olhando para trás de um plano mais elevado	139

PARTE II
PRINCÍPIOS DE VIDA
148

1	Aceite a realidade e lide com ela	150
2	Use o Processo de Cinco Etapas para conseguir o que você quer da vida	184
3	Tenha a mente radicalmente aberta	198
4	Compreenda que os circuitos das pessoas são bem diferentes	218
5	Aprenda a tomar decisões de maneira eficiente	248
	Princípios de Vida: Juntando tudo	281
	Sumário e tabela de Princípios de Vida	286

PARTE III
PRINCÍPIOS DE TRABALHO

Sumário e tabela dos Princípios de Trabalho 294

PARA ACERTAR NA CULTURA... 332
1. Confie na sinceridade e na transparência radicais 336
2. Cultive trabalho relevante e relações relevantes 352
3. Crie uma cultura na qual seja ok cometer erros e inaceitável não aprender com eles 362
4. Entre em sincronia e se mantenha assim 370
5. Pondere seu processo decisório pela credibilidade 384
6. Reconheça como superar desacordos 398

PARA ACERTAR NAS PESSOAS... 408
7. QUEM é mais importante do que O QUÊ 412
8. Contrate bem: Contratações ruins são superprejudiciais 418
9. Treine, teste, avalie e filtre as pessoas constantemente 432

PARA CONSTRUIR E EVOLUIR SUA MÁQUINA... 456
10. Opere bem a máquina para atingir seus objetivos 460
11. Identifique e não tolere problemas 484
12. Diagnostique os problemas para chegar às causas raízes 494
13. Aperfeiçoe sua máquina para superar problemas 508
14. Faça o que você se propôs a fazer 530
15. Utilize ferramentas e protocolos para formatar a execução do trabalho 536
16. E, pelo amor de Deus, não negligencie a governança! 542

Princípios de Trabalho: Juntando tudo 551

CONCLUSÃO 555

APÊNDICE: FERRAMENTAS E PROTOCOLOS PARA A MERITOCRACIA DE IDEIAS DA BRIDGEWATER 557

BIBLIOGRAFIA 571

ÍNDICE 573

AGRADECIMENTOS 583

SOBRE O AUTOR 587

INTRODUÇÃO

Antes de começar a contar o que penso, quero deixar claro que sou uma "besta" e não sei muita coisa em relação ao que preciso saber. Independentemente do sucesso que tive na vida, tudo se deve mais a ter aprendido a lidar com o meu *não* saber do que com algo que de fato eu saiba. A coisa mais importante que aprendi foi uma abordagem para a vida com base em princípios que me ajuda a descobrir o que é certo e o que fazer a respeito disso.

Estou transmitindo esses princípios porque me encontro no estágio da vida em que, mais do que continuar sendo bem-sucedido, quero ajudar outros a alcançarem o mesmo. Esses princípios ajudaram muito a mim e a outras pessoas e, por isso, quero dividi-los com você. Cabe a você decidir quão valiosos eles realmente são e, se for o caso, como deseja aplicá-los.

Princípios são verdades fundamentais que servem como base para um comportamento que proverá aquilo que você deseja da vida. Eles podem ser aplicados repetidamente em situações similares para ajudá-lo a conquistar seus objetivos.

Todos os dias, somos bombardeados por situações que exigem um posicionamento. Sem princípios, seríamos forçados a reagir a tudo que a vida joga sobre nós individualmente, como se vivenciássemos cada situação pela primeira vez. Porém, se classificarmos essas situações em categorias e dispusermos de bons princípios para lidar com elas, seremos capazes de tomar decisões adequadas mais rapidamente e, como resultado, melhorar nossa qualidade de vida. Ter um bom conjunto de princípios é como ter uma boa coleção de receitas para o sucesso. Em busca do êxito, todas as pessoas bem-sucedidas agem segundo princípios, embora eles variem enormemente de acordo com o indivíduo e com a área em que escolheram ter suas conquistas.

Ser uma pessoa de princípios significa agir de maneira consistente com esses princípios, que, por sua vez, precisam ser bem fundamentados. Infelizmente, a maioria não consegue realizar isso. E é bastante raro alguém colocar seus princípios no papel e compartilhá-los, o que é uma pena. Eu adoraria conhecer os princípios que guiaram Albert Einstein, Steve Jobs, Winston Churchill, Leonardo da Vinci etc., para entender claramente quais eram seus objetivos, como os conquistaram, e poder comparar suas diferentes abordagens. Gostaria de saber quais princípios são os mais importantes para os políticos que querem meu voto e para todos aqueles cujas decisões afetam a minha vida. Será que temos princípios em comum nos unindo — como família, comunidade, nação, amigos de diferentes nacionalidades? Ou temos princípios conflitantes, que nos dividem? Quais são eles? Sejamos diretos: vivemos um tempo em que é especialmente importante que sejamos claros a respeito dos princípios que nos guiam.

Torço para que este livro estimule você a descobrir seus próprios princípios nas fontes que julgar mais adequadas e que, em um cenário ideal, você os coloque no papel. Fazer isso trará bastante clareza sobre quais são os princípios de cada um e ajudará a se compreenderem melhor. Permitirá que você refine esses princípios à medida que se deparar com novas experiências e que reflita a respeito deles. Isso o auxiliará a tomar decisões melhores e a ser mais bem compreendido.

ESTABELECENDO SEUS PRINCÍPIOS

Cada um de nós estabelece os princípios de maneiras diferentes. Às vezes, por meio das próprias experiências e reflexões. Em outras, eles nos são passados por terceiros, como nossos pais. Em um terceiro cenário, adotamos pacotes holísticos de princípios, como os advindos de religiões e enquadramentos jurídicos.

Por termos natureza e objetivos individuais, cada um de nós deve escolher princípios que correspondam a esses dois aspectos. Embora não seja necessariamente ruim utilizar os princípios de outros, adotá-los sem refletir a respeito pode ter como consequência o risco de agir de maneira inconsistente com seus objetivos e sua natureza. Além disso, você, assim como eu, provavelmente não sabe tudo e só tem a ganhar se admitir isso. Para extrair o máximo da vida é preciso reunir coragem para pensar de forma independente, mantendo a mente aberta e lúcida a fim de descobrir o melhor rumo a tomar. Se não for possível em um primeiro momento, procure refletir sobre os motivos que o impedem — provavelmente são eles o maior obstáculo no caminho de obter mais daquilo que você quer da vida.

Isso conduz ao meu primeiro princípio:

● Pense por você mesmo e decida: 1) o que você quer; 2) o que é certo; e 3) o que fazer para atingir o nº 1 tendo em vista o nº 2...

... e faça isso com humildade e mente aberta, porque só assim é possível chegar a uma fórmula adequada. É importante ser claro a respeito dos próprios princípios, porque eles afetarão todos os aspectos da sua vida, diversas vezes ao dia. Por exemplo, nas relações, os nossos princípios e os dos outros determinam como será nossa interação. Pessoas que compartilham dos mesmos valores e princípios se dão bem. Quando os princípios se chocam, a relação está fadada a mal-entendidos e conflitos. Pense nas pessoas mais próximas em seu círculo social: os valores delas estão alinhados com os seus? Você nem sequer sabe quais são os valores ou princípios delas? Frequentemente os princípios das pessoas com quem nos relacionamos não estão claros. Esse aspecto é especialmente problemático em situações de trabalho, em que é preciso que a equipe compartilhe princípios em busca do sucesso. Ser cristalino a respeito dos meus princípios é a razão pela qual me dediquei tanto a elaborar cada frase deste livro.

Os princípios que você adota podem ser qualquer coisa, desde que sejam autênticos — isto é, desde que reflitam genuinamente seus valores e seu caráter. Você irá se deparar com milhões de escolhas ao longo da vida, e seu curso de ação está relacionado aos princípios nos quais se baseia. Não costuma demorar para que as pessoas que nos cercam identifiquem os princípios que realmente nos guiam. Ser considerado uma fraude é a pior coisa do mundo; isso faz com que você perca não só a confiança das pessoas, mas também o respeito próprio. Desse modo, é preciso ser claro sobre seus princípios, e as ações devem ser um reflexo do discurso. Se inconsistências surgirem, você deve ser capaz de explicá-las. Colocar os princípios no papel é o melhor a fazer, porque assim será possível refiná-los.

Enquanto compartilho meus princípios, gostaria de deixar claro que não quero que sejam seguidos cegamente. Ao contrário, quero que você questione cada palavra e selecione deste livro os preceitos mais adequados aos seus interesses.

MEUS PRINCÍPIOS E COMO OS APRENDI

Aprendi os meus princípios ao longo da vida, cometendo vários erros e gastando muito tempo refletindo a respeito deles. Desde pequeno, sempre fui um pensador curioso e independente que perseguia metas audaciosas. Eu ficava entusiasmado ao visualizar objetivos e tive alguns fracassos dolorosos tentando alcançá-los. Mas, ao mesmo tempo, aprendi princípios que me ajudaram a não repetir os erros, mudei e melhorei, tornando-me capaz de projetar e perseguir objetivos ainda mais ousados. Também passei a ser capaz de fazer isso com rapidez e consistência durante muito tempo. Desse modo, a meu ver, a vida se parece como a sequência descrita no gráfico da página 13.

Creio que o segredo para o sucesso esteja em saber lutar por um grande objetivo e em fracassar bem, isto é, ser capaz de experimentar fracassos dolorosos — fonte de grande aprendizado —, mas não um fracasso grande o suficiente para tirá-lo do jogo.

Essa dinâmica de aprendizado e evolução tem se mostrado a melhor abordagem para mim em virtude da minha maneira de ser e do meu trabalho. Minha capacidade de memorização sempre foi péssima; nunca gostei de seguir instruções, mas sempre adorei descobrir o fun-

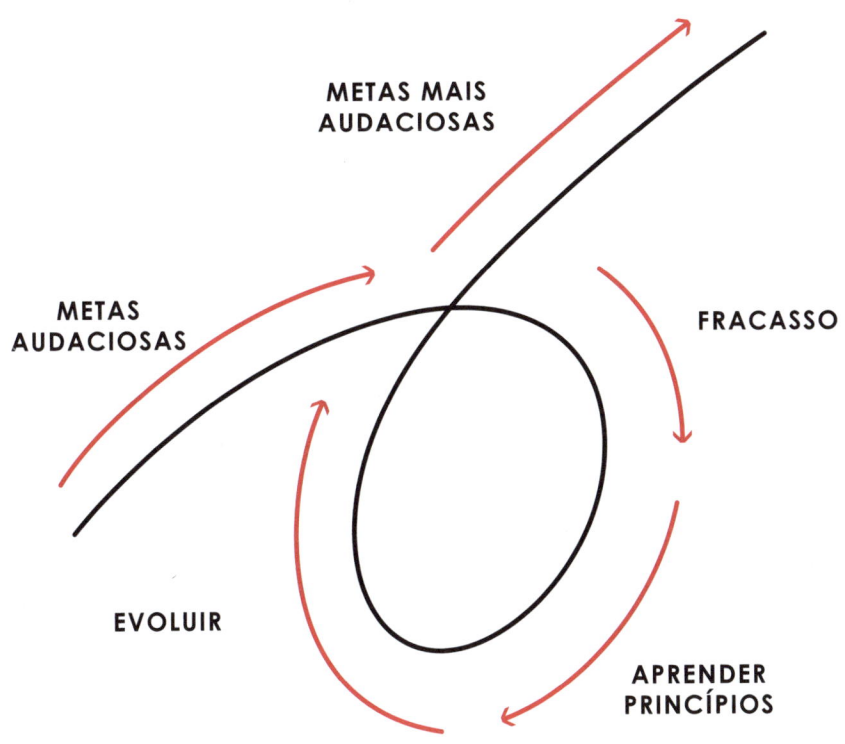

cionamento de tudo por conta própria. Minha memória ruim me fez odiar a escola; porém, aos doze anos, me apaixonei por acompanhar os mercados. Para fazer dinheiro na bolsa é preciso ser um pensador independente que aposta contra o consenso e acerta. Isso acontece porque a visão consensual já está incorporada aos preços de mercado. Nesse ramo, é inevitável que você erre uma quantidade dolorosa de vezes, portanto é fundamental se especializar para chegar ao sucesso. O mesmo se aplica a ser um empresário bem-sucedido: é preciso ser um pensador independente e estar fundamentado para apostar contra o consenso, o que também significa errar uma quantidade considerável de vezes. Como eu era tanto investidor quanto empresário, desenvolvi um medo saudável de estar errado e uma abordagem para a tomada de decisão que maximiza minhas chances de estar certo.

● Tome decisões que sejam ponderadas pela credibilidade.

Meus erros dolorosos fizeram com que minha perspectiva mudasse de "Eu sei que estou certo" para "Como é que sei que estou certo?". Errar fez com que eu tivesse a humildade necessária para equilibrar meus movimentos ousados. Saber que eu poderia estar errado e questionar por que outras pessoas inteligentes viam as coisas sob outra óptica me levaram a olhar para tudo não só com os meus olhos, mas também com os dos outros. Isso me permitiu enxergar muito mais dimensões. Aprender a pesar as opiniões de terceiros e filtrá-las em busca do melhor — em outras palavras, de modo que minhas tomadas de decisão fossem ponderadas pela credibilidade — aumentou minhas chances de estar certo e foi muito estimulante. Ao mesmo tempo, aprendi a:

● Agir de acordo com princípios...

... formulados com objetividade suficiente para que sua lógica seja avaliada, deixando claro a todos que suas ações corroboram seu discurso.

INTRODUÇÃO

A experiência me ensinou quão valioso é refletir a respeito dos meus critérios para tomar decisões, bem como colocá-los no papel sempre que for preciso deliberar sobre algo, de modo que adquiri esse hábito. Com o tempo, minha coleção de princípios se tornou uma espécie de coleção de receitas para meu processo decisório. Ao compartilhá-los com o pessoal da Bridgewater Associates, minha empresa, e ao convidar todos a me ajudar a testá-los na prática, fui aperfeiçoando cada um deles. Na verdade, pude refiná-los a ponto de enxergar a importância de:

● Sistematizar o processo de tomada de decisão.

Descobri que podia fazer isso expressando meus critérios em forma de algoritmos que, por sua vez, pudessem ser executados por computador. Ao executar paralelamente os dois sistemas de tomada de decisão — o que opera dentro da minha cabeça e o que opera no computador —, descobri que a máquina é capaz de tomar decisões melhores porque é capaz de processar um número de informações muito maior do que o meu cérebro, sem a influência das emoções e mais rapidamente. Isso permitiu que eu e minha equipe pudéssemos multiplicar nosso conhecimento ao longo do tempo, melhorando assim a qualidade das decisões que tomamos em coletivo. Descobri que esses sistemas de tomada de decisão — sobretudo quando ponderados pela credibilidade — são incrivelmente poderosos e que em pouco tempo mudarão profundamente a maneira com que pessoas ao redor do mundo fazem todo tipo de deliberação. Nossa abordagem baseada em princípios para delinear o processo decisório não apenas melhorou nossas decisões financeiras, gerenciais e no campo dos investimentos, como também nos ajudou a adotar alternativas melhores em todos os aspectos da vida.

Se os princípios que você segue são sistematizados/computadorizados é uma questão de menor importância. O aspecto mais relevante é que você desenvolva os próprios princípios e, se possível, coloque-os no papel, especialmente se estiver trabalhando em equipe.

Essa abordagem e os princípios aos quais se submetia, e não eu, fizeram com que um garoto de classe média comum de Long Island se tornasse bem-sucedido de acordo com uma série de avaliações — como abrir uma empresa no meu apartamento de dois quartos e transformá-la na quinta empresa privada mais importante dos Estados Unidos (de acordo com a *Fortune*), tornando-me uma das cem pessoas mais ricas (de acordo com a *Forbes*) e uma das cem mais influentes do mundo (de acordo com a *Time*). Isso me levou a um lugar de onde pude ver o sucesso e a vida de maneira bem diferente da qual havia imaginado, e graças a isso obtive trabalho e relações relevantes, aspectos que valorizo mais do que os meus sucessos convencionais. Isso deu a mim e à Bridgewater muito mais do que eu havia sonhado.

Até pouco tempo eu não queria dividir esses princípios com pessoas de fora da Bridgewater porque não gosto de chamar a atenção e por achar que soaria presunçoso. Porém, depois que antecipamos com sucesso a crise financeira de 2008-2009, a empresa e sua operação singular receberam muita atenção da mídia, assim como meus princípios. A maior parte das reportagens, no entanto, foi distorcida e sensacionalista, então em 2010 disponibilizei nossos princípios no site da empresa para que as pessoas tirassem as próprias conclusões. Para minha surpresa, houve mais de três milhões de downloads e fui inundado com cartas de agradecimento de toda parte do mundo.

Esse conhecimento será transmitido em dois livros: um sobre Princípios de Vida e Trabalho, e outro sobre Princípios Econômicos e de Investimento.

COMO ESSES LIVROS SÃO ORGANIZADOS

Como passei a maior parte da vida adulta pensando em finanças e atuando como investidor, pensei em escrever sobre os princípios econômicos e de investimento primeiro. No entanto, decidi começar pelo outro por se tratar de princípios mais globais e por já ter visto como funcionam bem para as pessoas, independentemente da carreira que sigam. Como os dois livros funcionam muito bem em conjunto, foram combinados neste único volume cujo prefácio "De onde venho" é minha breve autobiografia.

INTRODUÇÃO

Parte I: De onde venho
Compartilho algumas das experiências — e principalmente dos erros — que levaram à descoberta dos princípios que norteiam minha tomada de decisão. Para falar a verdade, ainda me sinto um pouco inseguro quanto a contar minha história de vida temendo que isso desvie o leitor dos próprios princípios e das relações de causa e efeito universais e atemporais nas quais ele se inspira. Por esse motivo, não me incomodarei se você decidir pular essa parte do livro. Caso opte pela leitura, tente olhar para além de mim e da minha história, buscando enxergar a lógica e o mérito dos princípios que descrevo. Pense a respeito deles, avalie-os e decida quanto, ou se, podem ser aplicados a você e às suas circunstâncias de vida. E, mais importante, avalie se podem ajudá-lo a atingir seus objetivos.

Parte II: Princípios de Vida
Os princípios globais que guiam minha abordagem em relação a tudo estão definidos em "Princípios de Vida". Nesta seção, explico detalhadamente meus princípios e mostro como se aplicam no mundo em que vivemos, nas nossas vidas e relações privadas, nos negócios e na formação de políticas públicas, e, naturalmente, na Bridgewater. Compartilho também o Processo de Cinco Etapas que desenvolvi para atingir metas e fazer escolhas eficientes; divido alguns dos insights que tive em psicologia e neurociência e explico como os apliquei na minha vida pessoal e nos negócios. Trata-se do cerne do livro propriamente dito, porque mostra como tais princípios podem ser aplicados a praticamente tudo e por qualquer pessoa.

Parte III: Princípios de Trabalho
Compartilho uma visão bem detalhada da maneira incomum de operar da Bridgewater. Explico como solidificamos nossos princípios através de uma meritocracia de ideias empenhada em construir conteúdo e relações relevantes por meio de sinceridade e transparência radicais. Nesta parte, explico essa dinâmica desde os processos mais básicos e como ela pode ser aplicada a praticamente qualquer organização para torná-la mais eficaz. Como você verá, somos simplesmente um grupo de pessoas que se empenha em ser excelente no que faz, reconhecendo que há muitas coisas que não sabemos. Acreditamos que o desacordo respeitoso e racional entre pensadores inde-

pendentes pode ser convertido em tomadas de decisão ponderadas por credibilidade, um resultado mais inteligente e eficaz do que a soma das partes. Por acreditar que a força de um grupo é muito maior do que a força de um indivíduo, creio que esses Princípios de Trabalho sejam ainda mais importantes do que os Princípios de Vida nos quais se baseiam.

O que virá depois deste livro
Este livro de papel será seguido por um livro interativo na forma de um aplicativo que o conduzirá a vídeos e experiências de imersão, de forma que seu aprendizado seja mais experimental. O aplicativo também vai conhecê-lo melhor à medida que você for utilizando-o, com o intuito de lhe oferecer aconselhamento mais personalizado.

Este livro será seguido por outro volume contendo duas partes, Princípios Econômicos e de Investimento, no qual transmitirei os princípios que funcionaram para mim e que acredito que possam ajudá-lo nessas áreas.

Depois disso, não haverá nenhum conselho que eu possa oferecer que não esteja nestes dois livros e terei encerrado esta fase da minha vida.

Pense por você mesmo!

1) O que você quer?

2) O que é certo?

3) O que você vai fazer a respeito disso?

PARTE I

DE ONDE VENHO

O tempo é como um rio que nos leva adiante para encontros com a realidade. Ela, por sua vez, exigirá que tomemos decisões. Não podemos parar nosso curso nem evitar tais encontros. Mas podemos, sim, abordá-los da melhor maneira possível.

Quando somos crianças, outras pessoas, em geral nossos pais, nos guiam durante os encontros com a realidade. À medida que crescemos, começamos a fazer nossas próprias escolhas. Decidir o que perseguiremos (os objetivos) influencia nossos caminhos. Se você quer ser médico, faculdade de medicina; se quer ter uma família, encontrar um parceiro, e assim por diante. Ao perseguir essas metas, enfrentamos problemas, cometemos erros e nos deparamos com nossas fraquezas. Aprendemos sobre nós mesmos, sobre a realidade, e tomamos novas decisões. Ao longo da vida tomaremos milhões e milhões de decisões que serão, essencialmente, apostas, algumas delas grandes, outras pequenas. Vale a pena pensar no que nos leva a tomar um ou outro caminho porque, no fim das contas, são eles que determinam nossa qualidade de vida.

Todos nascemos com diferentes capacidades intelectuais, mas ninguém nasce com aptidões para tomar decisões. Nós as aprendemos a partir dos encontros com a realidade. Embora o caminho trilhado por mim seja único — tendo nascido de pais específicos, buscando uma carreira específica, tendo colegas específicos —, creio que os princípios que aprendi durante a jornada funcionem igualmente bem para a maioria das pessoas e dos caminhos possíveis. Ao avançar por esta parte do livro, tente deixar minha imagem de lado e se concentrar nas relações de causa e efeito subjacentes — as escolhas que fiz e suas consequências, o que aprendi com elas e como modificaram meu processo de tomada de decisão. Pergunte a si mesmo o que quer, busque exemplos de outras pessoas que conseguiram o que queriam e tente identificar os padrões de causa e efeito por trás dessas conquistas, aplicando-os para atingir as próprias metas.

Para ajudá-lo a compreender de onde venho, ofereço um relato honesto da minha vida e carreira, dando ênfase especial aos meus erros e fraquezas e aos princípios que aprendi a partir deles.

CAPÍTULO 1

MEU CHAMADO À AVENTURA:
1949-1967

Nasci em 1949 e cresci em um bairro de classe média de Long Island, filho único de um músico de jazz profissional e uma mãe em tempo integral. Era um garoto comum, vivendo em uma casa comum, e um aluno abaixo da média. Adorava passar o tempo com os amigos — jogando futebol americano na rua, beisebol no quintal de um vizinho, quando pequeno, e correndo atrás de garotas, quando mais velho.

Temos forças e fraquezas inatas de acordo com nossa carga genética. Minha fraqueza mais óbvia é uma péssima capacidade de memorização. Não conseguia, e ainda não consigo, me lembrar de fatos cujo significado não é autoexplicativo (como números de telefone) e não gosto de seguir instruções. Ao mesmo tempo, sempre fui bastante curioso e adoro descobrir as coisas por mim mesmo, embora isso não fosse tão óbvio na época.

A necessidade de memorização não era o único motivo pelo qual eu não gostava da escola; a maioria das coisas que os professores julgavam importantes não parecia relevante para mim. Por isso, nunca entendi os benefícios de me sair bem na escola além da aprovação da minha mãe.

Ela me adorava, e minhas notas baixas a preocupavam. Até o ensino médio, me obrigava a ir para o quarto estudar por algumas horas antes de poder sair para brincar, mas aquilo era muito difícil para mim. Seu apoio, no entanto, era irrestrito. Ela enrolava e prendia os jornais que eu entregava e fazia cookies para comermos enquanto assistíamos a filmes de terror nos sábados à noite. Eu tinha dezenove anos quando ela morreu. Na época, não conseguia imaginar que algum dia eu voltaria a rir. Hoje, sorrio sempre que penso nela.

Por ser músico, meu pai trabalhava até a madrugada — três da manhã, mais ou menos —, e então dormia até tarde nos fins de semana. Por conta disso, nossa relação durante minha juventude não foi muito além das constantes broncas para que eu cumprisse tarefas como cortar a grama ou aparar as trepadeiras, o que eu detestava. Ele era um homem responsável lidando com uma criança irresponsável. Hoje, as lembranças de como interagíamos parecem engraçadas. Por exemplo, uma vez ele mandou que eu cortasse a grama e decidi fazer apenas o jardim, deixando o quintal para mais tarde. Só que choveu por alguns dias e a grama do quintal ficou tão alta que precisei usar uma foice. Isso demorou tanto que, quando acabei, o jardim já estava muito alto para usar o cortador de grama, e assim sucessivamente.

Após a morte de minha mãe, eu e meu pai ficamos muito próximos, especialmente quando comecei a construir minha própria família. Eu gostava dele e o amava. Ele tinha um jeito tranquilo, divertido, como é comum na maioria dos músicos, e eu admirava sua personalidade forte, uma característica que imaginava ser resultado da vida durante a Grande Depressão e de lutar na Segunda Guerra Mundial e na Guerra da Coreia. Lembro-me dele já com mais de setenta anos, dirigindo sem hesitar durante grandes tempestades de neve e removendo o acúmulo com uma pá como se não fosse nada de mais. Depois de tocar em boates e gravar discos durante a maior parte da vida, já sexagenário começou uma segunda carreira como professor de música para alunos do ensino médio e de uma escola técnica local, que seguiu até o dia em que teve um infarto, aos 81 anos. Ele viveu por mais uma década após esse incidente, sempre muito lúcido.

Eu me opunha sempre que não queria fazer algo, mas quando alguma tarefa me animava, eu era irrefreável. Por exemplo, embora resistisse aos afazeres domésticos, fazia com muita vontade as mesmas tarefas em outras casas para ganhar dinheiro. A partir dos oito anos comecei a entregar jornal, remover neve das calçadas, carregar tacos de golfe, recolher louça suja e lavar pratos em um restaurante perto de casa, além de reabastecer prateleiras em uma loja de departamentos. Não me lembro de meus pais me incentivarem a trabalhar, então não sei como isso começou. Sei que ganhar dinheiro para me virar sozinho nesses primeiros anos me ensinou muitas lições valiosas que eu não teria aprendido na escola ou brincando.

A psicologia dos Estados Unidos dos anos 1960 era caracterizada por aspiração e inspiração — atingir metas grandiosas e nobres. Diferente de tudo que vi desde então. Uma das minhas primeiras lembranças é de John F. Kennedy, um homem inteligente e carismático com visões grandiosas de mudar o mundo para melhor — explorar o espaço, conquistar a igualdade de direitos e eliminar a pobreza. Ele e suas ideias tiveram um forte impacto na minha maneira de pensar.

Os Estados Unidos estavam então em seu auge em relação ao restante do mundo, respondendo por 40% da economia global (comparado a aproximadamente 20% dos dias atuais); o dólar era a moeda global e a força militar norte-americana era dominante. Ser "liberal" significava estar comprometido em avançar de maneira rápida e justa, enquanto ser "conservador" era o mesmo que estar preso a modos antiquados e injustos. Ou ao menos era como eu e a maioria das pessoas ao meu redor pensávamos. Na nossa visão, vivíamos em um país rico, progressista, bem administrado, cuja missão era um rápido desenvolvimento em todas as áreas. Posso ter sido ingênuo, mas não estava sozinho.

Naquele tempo todos falavam do mercado de ações, que ia muito bem, e era responsável por muita gente fazer dinheiro. Isso incluía os frequentadores do Links, o clube de golfe onde comecei a carregar tacos com doze anos. Apliquei o dinheiro que ganhava ali no mercado de ações. Meu primeiro investimento, na Northeast Airlines, foi baseado no fato de ela ser a única empresa que eu conhecia cuja ação era vendida a menos de 5 dólares. Pensei que quanto mais ações tivesse, mais dinheiro faria. Era uma estratégia burra, mas tripliquei meu dinheiro. Na época, a Northeast Airlines estava à beira da falência e foi comprada por outra empresa. Dei sorte, mas não sabia disso na época. Apenas pensei que era fácil fazer dinheiro na bolsa de valores e me viciei.

Naquela época, a *Fortune* vinha com cupons destacáveis que enviávamos pelo correio para receber relatórios anuais gratuitos das quinhentas maiores empresas listadas na revista. Pedi de todas. Ainda me lembro de ver o infeliz carteiro carregando os relatórios até nossa porta, e mergulhei em cada um deles. Foi assim que dei início a uma biblioteca sobre investimentos. À medida que o mercado de ações continuava a subir, a Segunda Guerra Mundial e a Depressão pareciam lembranças distantes, e investir dava a impressão de ser apenas uma questão de comprar qualquer coisa e depois assistir a seu valor aumentar. Porque ele certamente aumentaria, segundo o senso comum, tendo em vista que a gestão da economia havia se transformado em ciência. Afinal, as ações tinham quase quadruplicado nos dez anos anteriores e algumas cresceram ainda mais do que isso.

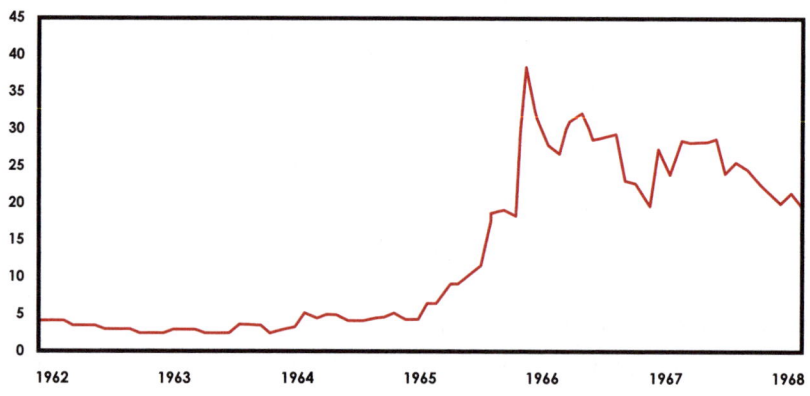

Como resultado, a *dollar cost averaging* — em suma, investir todo mês o mesmo valor, independentemente do número de ações que possam ser compradas — era a estratégia mais seguida pela maioria das pessoas. Naturalmente, escolher as melhores ações era ainda melhor, então era isso que todos tentávamos fazer. Havia milhares à disposição, todas em ordem listada nas últimas páginas do jornal.

Ao mesmo tempo que gostava de jogar nos mercados, eu também gostava de passar tempo com os amigos, seja pelo bairro, na infância, usando identidades falsas para entrar em bares quando ainda era adolescente, seja hoje, em festivais de música ou em viagens para mergulho. Sempre fui um pensador independente inclinado a assumir riscos em busca de recompensa — não apenas na bolsa de valores, mas na maioria das coisas. Sempre tive muito mais medo do tédio e da mediocridade do que do fracasso. É claro que prefiro "excelente" a "péssimo", mas "péssimo" ainda é melhor do que "medíocre" — ao menos tem um quê de personalidade. A frase que meus amigos escolheram para marcar minha formatura do ensino médio era uma citação de Thoreau: "Se um homem marcha a um passo diferente daquele de seus companheiros é porque ouve outro tambor. Deixe que siga o som que escuta, ainda que seja lento e distante".

Em 1966, meu último ano no ensino médio, o mercado de ações continuava a expandir com força, e eu estava ganhando dinheiro e me divertindo, matando aula com meu melhor amigo, Phil, para surfar e fazer o que geralmente os adolescentes fazem em busca de diversão. É claro que eu não sabia naquela época, mas 1966 seria o auge do mercado de ações. Depois dele, eu descobriria que quase tudo o que eu pensava saber sobre ele estava errado.

CAPÍTULO 2

CRUZANDO O LIMIAR:
1967-1979

Cheguei a esse período com os vieses que havia recolhido de minhas experiências e daquelas pessoas que me cercavam. Em 1966, os preços dos ativos refletiam o otimismo dos investidores quanto ao futuro. Mas, entre 1967 e 1979, surpresas econômicas desagradáveis levaram a quedas inesperadas e significativas. Não apenas a economia e os mercados decaíram; o sentimento social das massas também se deteriorou. Viver nessa época me ensinou que, embora quase todos esperem que o futuro seja uma versão ligeiramente modificada do presente, na prática é bastante diferente. Eu não sabia isso em 1967. Certo de que em algum momento as ações reagiriam, continuei comprando mesmo com o mercado em queda. Perdi dinheiro até entender o que estava acontecendo de errado e aprender como poderia lidar com isso. Fui notando aos poucos que os preços refletem as expectativas humanas: sobem quando os resultados são melhores do que o esperado e caem quando piores. E o julgamento da maioria das pessoas costuma ser influenciado por experiências recentes.

Naquele outono ingressei na C.W. Post Campus of Long Island University já de recuperação por causa da média C que trazia do ensino médio. A diferença é que eu adorava a faculdade, um lugar onde era possível aprender sobre coisas que me interessavam, e não por obrigação. Tive ótimas notas. Outro aspecto que eu adorava era estar fora de casa e ser independente.

Aprender a meditar também ajudou. Quando os Beatles visitaram a Índia, em 1968, para estudar meditação transcendental no *ashram* do guru indiano Maharishi Mahesh Yogi, fiquei curioso para aprender. Aprendi e adorei. A meditação me beneficiou bastante ao longo da vida. A expansão de consciência que ela ensina me permite pensar de maneira mais clara e criativa.

Por causa do meu amor pelos mercados — e porque a obtenção do diploma não dependia do domínio de uma língua estrangeira —, me formei na área de finanças, o que permitiu que eu aprendesse o que me interessava, dentro e fora de sala. Aprendi muito sobre o mercado futuro de commodities com um colega de classe muito interessante, um veterano da Guerra do Vietnã um tanto mais velho. As commodities eram atraentes porque podiam ser negociadas com margens de garantias muito baixas no mercado futuro, o que significava que eu podia alavancar a limitada quantidade de dinheiro que tinha para investir. Se tomasse decisões acertadas, o que era o meu plano, poderia pegar dinheiro emprestado para ganhar mais. Mercados futuro de ações, títulos de dívida e câmbio não existiam então. O mercado futuro de commodities era formado por mercadorias estritamente reais como milho, soja, gados bovino e suíno. Foi com eles que comecei a negociar e aprender a respeito.

Meus anos na faculdade coincidiram com a era do amor livre, das experiências com drogas para expandir a mente e da rejeição à autoridade tradicional. Sobreviver a isso produziu um efeito duradouro em mim e em muitos da minha geração. Causou, por exemplo, profundo impacto em Steve Jobs, por quem passei a ter simpatia e admiração. Como eu, Jobs aderiu à meditação e se interessava menos em ser aluno do que em visualizar e construir coisas novas e incríveis. A época em que vivemos ensinou a nós dois a questionar o *status quo* — uma postura que ficou absolutamente clara nos icônicos "1984" e "Aos Loucos", campanhas da Apple que falavam diretamente a mim.

Para os Estados Unidos como um todo, foram anos difíceis. À medida que aumentava o número de convocados para o serviço militar e de jovens voltando para casa em caixões, a Guerra do Vietnã dividia o país. Houve um sorteio baseado na data de nascimento para determinar a ordem de alistamento. Lembro-me de ouvir o sorteio pelo rádio enquanto jogava sinuca com amigos. Calculava-se que seriam convocados os nascidos nos primeiros 160 dias sorteados, ou em torno disso, embora tenham listado todos os 366. O meu aniversário foi o 48º.

Eu não era inteligente o suficiente para ter medo de ir à guerra porque, ingenuamente, acreditava que nada de ruim podia me acontecer; eu não queria ser convocado porque minha vida estava caminhando, e suspendê-la por dois anos parecia uma eternidade. Meu pai, contudo, era fortemente contrário ao conflito e não queria que eu fosse de jeito nenhum, ainda que ele mesmo tivesse acreditado e lutado nas duas guerras anteriores. Ele fez com que eu fosse ao médico e, nessa consulta, descobriu-se que eu tinha hipoglicemia, o que garantiu minha dispensa. Quando olho para trás, vejo que escapei do serviço por mera questão técnica — meu pai, em suma, me ajudou a fugir do alistamento —, e isso agora me provoca sentimentos conflitantes. Sinto culpa por não ter feito minha parte, aliviado por não ter vivido, como tantos outros, as danosas consequências da guerra, e apreço por meu pai pelo amor por trás do esforço de me proteger. Não tenho ideia do que faria se tivesse que enfrentar a mesma situação hoje.

À medida que o cenário político e a economia dos Estados Unidos pioravam, o ânimo do país foi entrando em depressão. A Ofensiva do Tet, em janeiro de 1968,[1] pareceu passar a ideia de que os Estados Unidos perdiam a guerra; no mesmo ano, Lyndon Johnson decidiu não concorrer a um segundo mandato e Richard Nixon foi eleito, dando início a uma era ainda mais difícil. Ao mesmo tempo, o então presidente da França, Charles de Gaulle, estava convertendo as reservas em dólar do seu país por ouro, convencido de que os Estados Unidos estavam imprimindo dinheiro para financiar gastos com a guerra. Ao observar a movimentação conjunta de notícias e mercado, comecei a enxergar o panorama completo e a compreender a relação de causa e efeito entre os dois.

Por volta de 1970 ou 1971, notei que o ouro estava começando a valorizar nos mercados globais. Até então, como a maioria das pessoas, eu não prestava muita atenção às taxas de câmbio porque o sistema cambial havia se mantido estável durante toda minha vida. Mas, com notícias cada vez

---

1 Um ataque surpresa simultâneo dos norte-vietnamitas a mais de cem cidades no Vietnã do Sul.

mais frequentes sobre o assunto, passei a ficar atento. Aprendi que outras moedas tinham seu valor fixado em relação ao dólar, que o dólar era fixado em relação ao ouro, que os americanos não tinham permissão para possuir ouro (embora eu não soubesse exatamente por quê) e que outros bancos centrais podiam converter suas células de dólares em ouro, maneira pela qual se asseguravam de que não seriam prejudicados se os Estados Unidos imprimissem dólares demais.

Ouvi as autoridades norte-americanas classificarem como tolice as preocupações quanto ao dólar e a excitação em relação ao ouro, garantindo que sua moeda era sólida e que o ouro, apenas um metal arcaico. O aumento do ouro era especulação, diziam as autoridades, e os responsáveis por isso se dariam mal assim que tudo se acalmasse. Na época, eu ainda confiava na honestidade das instituições públicas e de seus porta-vozes.

Na primavera de 1971, concluí minha graduação com uma média quase perfeita, o que me garantiu um lugar na Harvard Business School. No verão antes do início das aulas, consegui um emprego como escriturário no pregão da Bolsa de Valores de Nova York. Na metade do verão, a questão do dólar chegava perto de um ponto de ruptura. Circulavam relatos de que os europeus não aceitariam mais dólares de turistas americanos. O sistema monetário global vivia um processo de colapso, mas isso ainda não estava claro para mim.

Então, em um domingo, 15 de agosto de 1971, o presidente Nixon foi à televisão anunciar que os Estados Unidos não manteriam a promessa de permitir que dólares fossem trocados por ouro, o que levou a moeda a despencar. Como o governo havia prometido não desvalorizar a moeda, assisti ao seu discurso boquiaberto. Em vez de tratar dos problemas fundamentais por trás da pressão sobre o dólar, Nixon continuou a culpar especuladores, escolhendo as palavras para dar a impressão de que agia com a intenção de fortalecer a moeda, embora suas ações fizessem exatamente o oposto. Ao permitir essa "flutuação" do dólar, ao permitir que ele afundasse como uma pedra, o discurso de Nixon parecia uma mentira para mim. Nas décadas seguintes, vi autoridades proferirem garantias semelhantes inúmeras vezes, logo antes de alguma desvalorização da moeda. Aprendi a não acreditar no governo quando ele garante que não permitirá que tal coisa aconteça. Quanto mais veementes são essas promessas, provavelmente mais desesperadora é a situação e, portanto, maiores as chances de haver de fato uma desvalorização.

Enquanto ouvia Nixon falar, me perguntei o que esses acontecimentos significavam. O dinheiro como o conhecíamos — um recibo para obter ouro — não existia mais. Não podia ser boa coisa. Para mim, ficava claro que a era promissora personificada por Kennedy estava se esvaindo.

Na manhã de segunda-feira entrei no pregão da bolsa esperando um pandemônio. Havia, sim, um pandemônio, mas não do tipo que eu previa: em vez de cair, o mercado de ações tinha dado um salto de 4%, um avanço significativo no escopo de um único dia.

Para tentar compreender o que se passava, passei o restante daquele verão estudando desvalorizações em outros períodos. Aprendi que tudo o que estava acontecendo — a moeda rompendo seu elo com o ouro e desvalorizando, o mercado de ações disparando em reação — já havia acontecido antes, e que relações lógicas de causa e efeito tornavam inevitáveis coisas como essa. Percebi que meu fracasso em antecipar isso tinha a ver com o fato de ter sido surpreendido por algo inédito desde que nascera, embora já tivesse ocorrido muitas vezes antes. A mensagem que a realidade me transmitia era: "É melhor estar ciente do que aconteceu a outras pessoas em outros tempos e outros lugares, senão você não saberá se está suscetível e, caso se concretize, não saberá como lidar com elas".

Ao entrar para a Harvard Business School naquele outono, me animava a oportunidade de conhecer pessoas de inteligência extraordinária, de todas as partes do planeta, futuros colegas de classe. E, por mais altas que fossem minhas expectativas, a experiência se revelou ainda melhor. Convivi com pessoas do mundo todo e partilhamos ótimos momentos em um ambiente eclético e empolgante. Não havia um professor diante do quadro-negro nos dizendo o que deveria ser decorado, tampouco provas para avaliar nossa capacidade de memorização. Em vez disso, líamos e analisávamos estudos de caso e depois, em grupos, definíamos nosso curso de ação diante de tal problema. Esse era o meu tipo de faculdade!

Enquanto isso, graças à onda de impressão de cédulas que se seguiu à derrocada do padrão-ouro, a economia e o mercado de ações disparavam. As ações dispararam em 1972, e a moda na época era o Nifty 50. Esse conjunto de ações de cinquenta grandes empresas apresentava crescimento rápido e constante, e acreditava-se amplamente que não tinha como dar errado.

Por mais quente que o mercado de ações se mostrasse, eu estava mais interessado em negociar commodities. Assim, na primavera, implorei ao diretor da área da Merrill Lynch que me desse um emprego temporário no verão. Ele ficou surpreso, pois alunos de faculdades como a Harvard Business School geralmente não se interessavam por commodities, consideradas uma enteada obscura da indústria de corretagem de Wall Street. Até onde sei, naquela época nenhum estudante da HBS havia trabalhado no mercado futuro de commodities em parte alguma. A maioria das empresas de Wall Street nem sequer tinha divisões para o mercado futuro de commodities e a da Merrill Lynch era pequena, com a sede escondida em uma rua lateral e mobiliada com escrivaninhas simples de metal.

Alguns meses depois, ao regressar para o meu segundo ano na HBS, teve início a primeira crise do petróleo, e o preço dos galões quadruplicou em questão de meses. A economia desacelerou, os preços das commodities dispararam e, em 1973, o mercado de ações despencou. Mais uma vez, não antevi — mas, em retrospecto, pude ver que as peças do dominó haviam caído segundo uma sequência lógica.

Nesse caso, os gastos excessivos financiados pela dívida dos anos 1960 haviam continuado no início dos anos 1970. O Fed (Federal Reserve, banco central dos Estados Unidos) havia financiado essa gastança com políticas de crédito facilitado, mas, ao pagar suas dívidas com papel-moeda desvalorizado, em vez de honrá-las com dólares lastreados em ouro, na prática os Estados Unidos deram um calote. Naturalmente, com toda essa impressão de dinheiro, o dólar desvalorizou. Isso permitiu mais crédito facilitado, que levou a mais gastos. O salto de inflação que se seguiu ao colapso do sistema monetário fez o preço das commodities subirem muito mais. Reagindo a isso, em 1973 o Fed apertou a política monetária, o que bancos centrais fazem quando inflação e crescimento estão muito acentuados. Esse movimento, por sua vez, causou a pior queda das ações e o pior enfraquecimento da economia desde a Grande Depressão. O Nifty 50 foi particularmente atingido, caindo bastante.

A lição? Quando todos pensam a mesma coisa — por exemplo, que o Nifty 50 é uma aposta garantida —, isso quase com certeza se reflete no preço, e fazer essa aposta provavelmente será um erro. Também aprendi que para cada ação (como dinheiro e crédito fáceis) há uma consequência (nesse caso, inflação mais alta) que, grosso modo, é proporcional a essa ação, gerando uma reação aproximadamente igual e oposta (aperto monetário) e viradas no mercado.

Eu estava começando a enxergar a repetição de padrões, e isso me fez perceber que quase tudo no mundo é "mais uma daquelas" — a maioria das coisas aconteceu várias vezes antes por razões de causa e efeito lógicas. É claro que continuou sendo difícil identificar exatamente o que está acontecendo e compreender as relações de causa e efeito por trás disso. Embora em retrospecto quase tudo parecesse inevitável e lógico, em tempo real as coisas não eram nem um pouco claras.

As pessoas vão atrás do que está em alta; por causa disso, o investimento em ações saiu de moda após 1973. Negociar commodities virou a nova onda. Tendo background nessa área e um MBA de Harvard, me tornei uma mercadoria concorrida. A Dominick & Dominick, uma empresa de corretagem centenária de porte médio, me contratou como diretor de commodities por 25 mil dólares anuais, o que estava muito perto do salário máximo inicial dos formandos da HBS naquele ano. Meu novo chefe me colocou para trabalhar em conjunto com um funcionário mais velho e experiente e nos deu a tarefa de montar uma divisão de commodities. Era muita areia para o meu caminhão, mas na época eu era arrogante demais para me dar conta disso. É provável que tivesse aprendido muitas lições dolorosas se continuasse por mais tempo nesse emprego, mas a crise do mercado de ações acabou com a Dominick & Dominick antes que pudéssemos avançar.

Enquanto a economia ia ladeira abaixo, o escândalo de Watergate dominava as manchetes e vi de novo como política e economia se entrelaçam, em geral com a economia em primeiro plano. Essa espiral descendente fez a sociedade mergulhar no pessimismo. Todos venderam suas ações e o mercado continuou a cair. As coisas não podiam piorar muito, mas todos estavam com medo de que isso acontecesse. Era a imagem invertida do que eu havia testemunhado em 1966, quando o mercado estava no auge. Mas, da mesma forma que antes, o consenso estava errado. Quando o pessimismo é a palavra de ordem, as pessoas vendem tudo, os preços geralmente caem muito e o governo precisa agir para melhorar as condições.

Não deu outra: o Fed relaxou a política monetária e as ações bateram no fundo do poço em dezembro de 1974.

Nessa época eu era solteiro e morava em Nova York; estava aproveitando bastante, me divertindo com os amigos da HBS e saindo com várias garotas. Meu colega de quarto namorava uma cubana e arrumou um "encontro às cegas" com uma amiga dela, uma espanhola exótica chamada Barbara, que mal falava inglês. A barreira do idioma não foi um problema, pois nos comunicávamos de outras maneiras. Barbara me arrebatou por quase dois anos até que resolvemos morar juntos, casar, ter quatro filhos e compartilhar uma vida incrível. Ainda sinto a mesma emoção do começo, mas Barbara é reservada demais para que eu diga mais a seu respeito.

Ao mesmo tempo que trabalhava em uma corretora, eu também investia por conta própria, e, embora tenha ganhado mais do que perdido ao longo do tempo, só consigo me lembrar dos investimentos que deram errado. Certa vez investi bastante dinheiro em carne de porco. Durante vários dias esse mercado atingiu o limite de baixa — o que significa que havia caído tanto que as negociações precisaram ser interrompidas. Mais tarde descrevi o impacto dessa experiência a Jack Schwager, autor de *Hedge Fund Market Wizards*:

> *Naqueles tempos havia telões indicando os preços das commodities; eles emitiam um sinal sonoro sempre que os preços mudavam. Toda manhã, na abertura do pregão, eu via e ouvia o mercado descer duzentos pontos, o limite diário, e ficar congelado nessa cotação. Eu sabia que tinha perdido muito mais do que isso, já que o valor das potenciais perdas adicionais ainda estava indefinido. Foi uma experiência bastante palpável... [e] me ensinou a importância de controlar os riscos, porque eu nunca mais iria querer passar por aquela dor. Esse episódio fortaleceu meu medo de estar errado e me ensinou que é preciso ter certeza de que a aposta ou conjunto de apostas não seja capaz de me fazer perder mais do que uma quantia aceitável. Para trabalhar com ações é preciso ser cauteloso e agressivo ao mesmo tempo. Sem agressividade não se faz dinheiro e sem cautela não se consegue mantê-lo. Acredito que qualquer um que tenha lucrado na bolsa precisou enfrentar dores horrendas em algum momento. É como trabalhar com eletricidade: a qualquer momento pode haver um choque. Com o*

episódio da carne de porco, e outros que vieram depois, senti o choque e o medo que vem com ele.

Quando a Dominick & Dominick encerrou suas atividades no varejo, fui trabalhar em uma corretora maior e mais bem-sucedida. Durante minha curta passagem, ela incorporou várias outras empresas e mudou de nome diversas vezes até se tornar a Shearson, ainda que Sandy Weill tenha ficado no comando por todo o tempo.

Na Shearson, eu era responsável pelo hedging de futuros, que incluía tanto os futuros de commodities quanto os financeiros. Eu ajudava clientes cujas empresas estavam expostas a riscos de preços a administrá-los utilizando o mecanismo de proteção proporcionado pelos mercados futuros. Desenvolvi bom conhecimento na área de grãos e gado, o que me levava a fazer viagens frequentes ao oeste do Texas e às regiões agrícolas da Califórnia. Os corretores da Shearson, os pecuaristas e os comerciantes de grãos com quem eu lidava eram ótimas pessoas e logo fui apresentado ao universo em que viviam. Frequentei bares típicos, cacei pombos e participei de churrascos. Trabalhávamos e nos divertíamos bastante. Mesmo tendo ficado na Shearson por pouco mais de um ano, nossa amizade se prolongou por muitos outros.

Por mais que eu adorasse o emprego e os colegas de trabalho, não me encaixava na organização da Shearson. Eu era muito doido. Um exemplo: como brincadeira, uma que agora me parece muito estúpida, uma vez contratei uma stripper para deixar cair sua capa enquanto eu dava uma palestra na convenção anual na Associação de Grãos & Ração da Califórnia. Também dei um soco na cara do meu chefe. É claro que fui despedido.

No entanto, corretores, seus clientes, e até mesmo quem me mandou embora, gostavam de mim e decidiram me manter como consultor. Melhor do que isso, estavam dispostos a me pagar por isso. Assim, em 1975 fundei a Bridgewater Associates.

O COMEÇO DA BRIDGEWATER

Na verdade, foi um *re*começo. Assim que me formei na Harvard Business School e fui para a Dominick & Dominick, montei paralelamente um pequeno negócio com Bob Scott, um colega de Harvard. Entrando em contato com alguns parceiros em outros países, tentamos, sem muito empenho, exportar commodities dos Estados Unidos. Batizamos o empreendimento de Bridgewater porque estávamos "bridging the waters"* e o nome soava bem. Em 1975, não havia restado muito dessa empresa, mas, como já existia o registro, resolvi retomá-la.

A sede era o meu apartamento de dois quartos. Quando um colega de faculdade com quem eu dividia o apartamento se mudou, transformei o quarto dele em escritório. Eu trabalhava com outro amigo do rúgbi, e contratamos uma jovem excelente para ser nossa assistente. Eis a Bridgewater.

Eu passava a maior parte do tempo acompanhando os mercados e me colocando na posição dos clientes para mostrar-lhes a melhor maneira de lidar com os riscos. E, é claro, continuei a fazer negócios por conta própria. Embarcar em um projeto entre amigos com o qual poderíamos ajudar clientes a vencer nos mercados era muito mais divertido do que ter um emprego de verdade. Enquanto fosse possível cobrir meus gastos básicos para viver, eu sabia que seria feliz.

Em 1977, Barbara e eu decidimos ter um filho, e, então, nos casamos. Mudamos para um apartamento alugado em um prédio de poucos andares em Manhattan e transferi a empresa. Os russos estavam comprando muitos grãos na época e queriam minha consultoria. Assim, eu e Barbara fomos para a União Soviética em lua de mel e a negócios. Chegamos a Moscou na noite de réveillon e pegamos um ônibus que, sob uma neve fraca, nos levou do aeroporto sem graça, passando pela catedral de São Basílio, até uma grande festa com um monte de russos incrivelmente simpáticos e a fim de se divertir.

Meus negócios sempre me levaram a conhecer lugares diferentes e pessoas interessantes. Lucrar com essas viagens é apenas a cereja do bolo.

MODELANDO MERCADOS COMO MÁQUINAS

Eu estava realmente mergulhando nos mercados de gado, carne, grãos e sementes. Eram ramos que eu adorava por serem concretos e menos su-

---

* Algo como "construindo pontes sobre águas". (N. do T.)

jeitos a percepções distorcidas de valor do que as ações. Enquanto ações podem ficar muito caras ou baratas porque os "muito ingênuos" continuam a comprá-las ou vendê-las, o gado vai parar nos balcões dos açougues, onde tem seu preço definido de acordo com o que os consumidores estão dispostos a pagar. Eu podia visualizar os processos que levavam a essas vendas e notar as relações que existem sob elas. Como o gado se alimenta de grãos (principalmente milho) e farinha de soja, e como milho e soja competem por área de plantio, esses mercados são bastante semelhantes. Aprendi quase tudo que se pode imaginar a respeito do assunto — quais eram as áreas de plantio e safras médias nas principais regiões de cultivo; como converter níveis pluviométricos em diferentes semanas da época de crescimento em estimativas de safra; como projetar tamanhos de colheitas, custos de transporte e inventário de gado segundo peso, localização e taxas de engorda; e como projetar a proporção de carcaça em relação ao peso do animal vivo, a margem dos varejistas, as preferências do consumidor para cortes de carne e número de cabeças a serem abatidas em cada estação.

Isso não era aprendizado acadêmico. Pessoas com prática no negócio me mostravam o funcionamento dos processos agrícolas e eu organizava as informações em modelos que usava para mapear as interações entre essas partes ao longo do tempo.

Por exemplo, sabendo quantos bois, frangos e porcos estavam sendo alimentados, a quantidade de grãos que comiam e em quanto tempo ganhavam peso, eu podia projetar quando e quanta carne chegaria ao mercado, bem como quando e quanto milho e farinha de soja seriam consumidos. Da mesma forma, observando o tamanho da área cultivada com milho e soja em todas as regiões agrícolas, fazendo regressões que mostravam como as chuvas afetavam as safras em cada uma dessas áreas e utilizando previsão do tempo e dados pluviométricos, eu podia projetar o tamanho e a estimativa de chegada ao mercado da produção de milho e soja. Para mim, tudo isso parecia uma maravilhosa máquina com relações de causa e efeito. Ao compreender essas relações, eu podia definir regras para tomada de decisão (ou princípios) que podia modelar.

Esses modelos iniciais não se comparam com os que usamos hoje; eram meros rascunhos, analisados e convertidos em programas de computador com a tecnologia que eu podia pagar na época. Bem no começo, fazia regressões com a minha calculadora de bolso Hewlett-Packard HP-67, traçava gráficos com lápis de cor e registrava as negociações em cadernos. Com a chegada dos computadores pessoais, passei a digitar os números e vê-los convertidos em planilhas que representavam os resultados. Sabendo como gado bovino, porcos e frangos avançavam pelos seus estágios de produção, como competiam pelos dólares dos carnívoros, o que influenciava o tipo e a razão da compra desses indivíduos e como as margens de lucro dos embaladores e varejistas influenciaria seus comportamentos (por exemplo, que cortes de carne ganhariam destaque nos anúncios), era possível ver como a máquina produzia preços de gado bovino, porcos e frangos nos quais eu podia apostar.

Por mais básicos que fossem esses modelos iniciais, eu adorava construí-los e refiná-los — e eles eram bons o suficiente para me render dinheiro. A abordagem para a determinação de preço que eu usava era diferente daquela que eu havia aprendido nas aulas de economia, em que oferta e demanda eram medidas em termos de quantidade vendida. Achei muito mais prático medir demanda como a quantia gasta (em vez de quantidade comprada) e examinar quem eram compradores, vendedores e suas motivações. Vou explicar essa abordagem em *Princípios Econômicos e de Investimento*.

Essa abordagem diferenciada era um dos principais motivos pelos quais eu captava movimentos econômicos e de mercado que os demais deixavam passar. A partir desse ponto, sempre que olhava para qualquer mercado — commodities, ações, títulos de dívida, moedas, o que fosse —, eu enxergava e compreendia desequilíbrios imperceptíveis para quem definia oferta e demanda da maneira convencional (como unidades equivalentes).

Visualizar sistemas complexos como máquinas, compreender as relações de causa e efeito dentro deles, escrever os princípios usados para lidar com eles e alimentar o computador com essas informações a fim de que ele pudesse "tomar decisões" por mim se tornaram práticas comuns.

Não me entenda mal: minha abordagem estava longe de ser perfeita. Lembro-me bem de uma aposta "impossível de perder" que custou cerca de 100 mil dólares do meu próprio bolso. Na época, isso era a maior parte do meu patrimônio líquido. Ainda mais grave, o erro também custou aos meus clientes. A lição mais dolorosa, repetidamente apresentada, é que nunca se pode ter certeza de nada — mesmo nas apostas mais seguras sempre existirão riscos à espreita capazes de causar grande impacto. É sempre melhor presumir que você está deixando alguma informação passar. Essa lição mudou a minha abordagem para a tomada de decisão de muitas maneiras que irão reverberar ao longo deste livro — é a isso que atribuo boa parte do meu sucesso. Mas eu ainda cometeria muitos outros erros antes de mudar completamente minha maneira de agir.

CONSTRUINDO O NEGÓCIO

Embora fosse bom fazer dinheiro, ter um trabalho e relações relevantes era muito melhor. Para mim, trabalho relevante é ser completamente absorvido por uma missão, e relações relevantes são aquelas em que existe preocupação mútua e genuína entre as partes.

Pense a respeito: não faz sentido colocar o dinheiro como objetivo porque ele não tem valor intrínseco — o valor vem daquilo que se pode comprar, e dinheiro não pode comprar tudo. É mais inteligente começar com o que você realmente quer, com os seus objetivos reais, e então voltar a atenção ao que é necessário para alcançá-los. Dinheiro é necessário, mas não a única coisa, e certamente também não a mais importante depois de ultrapassado o estágio em que se tem o suficiente para conseguir o que se quer.

Ao meditar sobre quais são essas coisas, vale a pena pensar nos seus valores relativos, de modo a pesá-las de forma adequada. No meu caso, eu queria igualmente trabalho relevante e relações relevantes. O dinheiro era secundário desde que suficiente para assegurar minhas necessidades básicas. Pensando sobre importância das grandes relações e do dinheiro, ficou claro que o primeiro tópico era mais importante, uma vez que não existe soma de dinheiro que eu vá aceitar em troca de uma relação relevante. Nada que eu possa comprar com esse dinheiro é mais valioso do que as pessoas. Assim, trabalho relevante e relações relevantes eram e ainda são meus objetivos principais, e tudo o que fiz foi por eles. Fazer dinheiro foi uma consequência.

No fim dos anos 1970, comecei a enviar minhas observações sobre os mercados para os clientes por telex. A gênese dessas *Observações diárias* ("Grãos e sementes", "Gado e carnes", "Economia e mercados financeiros") era bem simples: mesmo que nosso negócio primário fosse o gerenciamento da exposição ao risco, nossos clientes também ligavam para saber minha opinião a respeito dos mercados. Atender essas chamadas começou a tomar muito tempo, então decidi que seria mais eficiente escrever meus pensamentos diariamente para que outros pudessem entender minha lógica e me ajudar a aprimorá-la. Foi uma boa lição de disciplina, já que eu era obrigado a fazer pesquisas e refletir todos os dias. Mas logo esse canal se tornou um meio de comunicação vital para o nosso negócio. Hoje, quase quarenta anos e 10 mil publicações mais tarde, as *Observações diárias* são lidas, ponderadas e discutidas por clientes e autoridades ao redor do mundo. Ainda faço esse exercício, embora hoje conte com a colaboração de outros funcionários da Bridgewater, e espero continuar enquanto as pessoas quiserem ou até eu morrer.

Além de fornecer observações e conselhos aos clientes, passei a gerenciar suas posições ao comprar e vender em seu nome. Às vezes eu recebia uma taxa fixa mensal; às vezes, uma porcentagem dos lucros. Entre os clientes da minha consultoria nessa época estavam o McDonald's, um enorme comprador de carne, e a Lane Processing, na época a maior produtora de frango no país. Fiz com que ambas ganhassem muito dinheiro, sobretudo a Lane Processing, que lucrou ainda mais especulando nos mercados de grãos e soja do que criando e vendendo frangos.

Por volta dessa época, o McDonald's havia concebido um produto novo, o McNugget, mas estava relutante em lançá-lo temendo que o preço do frango subisse e estreitasse sua margem de lucro. Produtores como a Lane não concordavam em vender ao McDonald's a preço fixo, preocupados com o fato de *eles* mesmos ficarem apertados se os custos subissem.

Refletindo a respeito, me ocorreu que, em termos econômicos, um frango pode ser visto como uma máquina simples composta de "pintinho mais ração". O custo mais volátil com o qual os produtores de frango precisavam se preocupar era o preço da ração. Mostrei à Lane como usar uma mistura de mercados futuros de milho e farinha de soja para assegurar o custo, de forma que pudessem cotar um preço fixo para o McDonald's. Após reduzir bastante o risco do preço, o McDonald's lançou o McNugget em 1983. Fiquei muito satisfeito por ter ajudado a tornar isso possível.

Eu identificava tipos semelhantes de relações de preços nos mercados de gado e carne. Mostrei a pecuaristas como podiam assegurar ótimas margens de lucro ao fazer o hedge de boas relações de preço entre seus custos (gado de engorda, milho e farinha de soja) e aquilo que venderiam (boi gordo) seis meses depois. Desenvolvi uma forma de vender diferentes cortes de carne fresca para entrega futura com preços fixos bem abaixo dos preços da carne congelada, mas que ainda resultavam em grandes margens de lucro. Combinar o profundo entendimento dos clientes a respeito da "máquina" dos seus próprios negócios com meu conhecimento sobre o funcionamento dos mercados produziu vantagens mútuas, ao mesmo tempo que tornou os mercados mais eficientes no geral. Minha capacidade de visualizar tais máquinas complexas nos deu uma vantagem competitiva sobre aqueles que trabalhavam sem pensar muito, e no fim mudou a maneira como essas indústrias operavam. E, como sempre, era ótimo trabalhar com quem eu gostava.

Em 26 de março de 1978, minha mulher deu à luz nosso primeiro filho, Devon. Ter um filho foi a decisão mais difícil que já tomei: era imprevisível e irrevogável. No fim, acabou se revelando também a melhor de todas. Não vou me estender muito sobre minha vida familiar neste livro, mas investi nela o mesmo tipo de intensidade que dediquei à carreira e uni as duas. Para dar uma ideia de como elas estavam entrelaçadas na minha cabeça, o nome de Devon foi escolhido por ser o de uma das raças mais antigas de gado conhecidas pelo homem, entre as primeiras importadas para os Estados Unidos e reconhecida por sua alta fertilidade.

CAPÍTULO 3

O ABISMO:
1979-1982

De 1950 a 1980, dívida, inflação e crescimento subiram e desceram juntos em ondas progressivamente mais amplas. Na década de 1970, houve três dessas ondas. A primeira veio após a quebra da vinculação do dólar ao ouro, em 1971, como resultado da desvalorização do dólar. A segunda, entre 1974 e 1975, levou a inflação ao seu maior nível desde a Segunda Guerra Mundial. O Fed apertou a oferta de dinheiro, subindo as taxas de juros a níveis recordes e causando a pior retração do mercado de ações e da economia desde os anos 1930. A terceira e maior onda veio entre 1979 e 1982, um dos maiores ciclos de altas e quedas da economia e do mercado desde o período 1929-1932. As taxas de juros e a inflação dispararam e desmoronaram; ações, títulos de dívida, commodities e moedas atravessaram um dos períodos mais voláteis de toda a história e o desemprego atingiu o maior patamar desde a Grande Depressão. Foi uma época extremamente turbulenta para a economia global, para os mercados e para mim, pessoalmente.

No período 1978-1980 (assim como em 1970-1971 e em 1974--1975), diferentes mercados começaram a se mover em conjunto, mais influenciados por oscilações na expansão monetária e do crédito do que por mudanças em seus equilíbrios individuais de oferta e demanda. Esses grandes movimentos foram exacerbados pela crise do petróleo, que se seguiu à queda do xá do Irã. A volatilidade desse mercado levou à criação dos primeiros contratos futuros de petróleo, e enxerguei nisso algumas oportunidades (a essa altura também já havia mercados futuros de taxas de juros e câmbio, e eu já apostava em ambos).

Como todos os mercados estavam sendo guiados por esses fatores, mergulhei em macroeconomia e registros históricos (sobretudo taxas de juros e dados sobre câmbio) para aprimorar minha compreensão da máquina em ação. Quando a inflação começou a subir em 1978, percebi que o Fed provavelmente apertaria a oferta de dinheiro. Em julho de 1979, a inflação estava claramente fora de controle e o presidente Jimmy Carter nomeou Paul Volcker para a presidência do banco central. Alguns meses mais tarde, Volcker anunciou que o Fed limitaria a expansão da oferta monetária a 5,5%. De acordo com meus cálculos na época, 5,5% de crescimento na base monetária romperia a espiral inflacionária — mas também estrangularia a economia e os mercados e provavelmente causaria uma crise de dívida catastrófica.

UMA MONTANHA-RUSSA DE PRATA

Pouco antes do Dia de Ação de Graças, tive um encontro com Bunker Hunt, então o homem mais rico do mundo, no Clube do Petróleo, em Dallas. Bud Dillard, um amigo e cliente texano com grandes negócios no ramo do petróleo e do gado, havia nos apresentado cerca de dois anos antes e conversávamos sempre sobre a economia e os mercados, especialmente sobre a inflação. Poucas semanas antes do nosso encontro, militantes iranianos haviam invadido a embaixada dos Estados Unidos em Teerã, fazendo 52 cidadãos americanos reféns. Havia filas imensas para comprar gasolina e uma enorme volatilidade nos mercados. Pairava no ar uma sensação de crise — a nação estava confusa, frustrada e irritada.

A visão de Bunker da crise da dívida e dos riscos inflacionários era bem similar à minha. Nos últimos anos ele vinha querendo tirar sua fortuna do papel-moeda e, assim, vinha comprando commodities, principalmente prata, um ativo que tinha começado a adquirir por cerca de 1,29 dólar a onça como forma de se proteger da inflação. Ele continuou comprando e comprando enquanto a inflação e a cotação da prata subiam, até que, em essência, havia tomado controle do mercado desse ativo. A essa altura, a prata estava sendo negociada na casa dos 10 dólares. Disse a ele que talvez fosse uma boa hora para pular fora, porque o Fed estava implementando uma política monetária suficientemente restritiva a ponto de elevar as taxas de juros de curto prazo em detrimento das de longo prazo (o que era chamado de "inversão da curva de juros"). Sempre que isso acontecia, tanto a economia quanto os ativos com hedge contra a inflação despencavam. Mas Bunker estava no negócio do petróleo, e os produtores do Oriente Médio com quem mantinha relações continuavam preocupados com a desvalorização do dólar. Disseram a Bunker que também comprariam prata como proteção contra a inflação, de modo que ele não vendeu o metal na expectativa de que a cotação continuaria a subir. Eu pulei fora.

Em 8 de dezembro de 1979, Barbara e eu tivemos nosso segundo filho, Paul. As coisas mudavam rapidamente, mas eu adorava toda aquela intensidade.

No começo de 1980, a prata havia chegado a quase 50 dólares e, embora já fosse muito rico, a fortuna de Bunker aumentou. Apesar de ter feito bastante dinheiro com a alta da prata até 10 dólares, eu estava batendo a cabeça na parede por ter perdido a escalada rumo aos 50 dólares. Por outro lado, ter abandonado o negócio não me fez perder dinheiro. Há momentos de ansiedade na carreira de todo investidor, quando as expectativas não estão alinhadas com a realidade e ele não sabe se está diante de grandes oportunidades ou de erros catastróficos. Como eu tinha uma forte tendência a fazer previsões corretas, porém antecipadas, fiquei inclinado a achar que fosse esse o caso. Realmente era, mas achei imperdoável ter perdido um movimento de alta de 40 dólares.

Quando a queda enfim aconteceu, em março de 1980, a prata despencou para abaixo dos 11 dólares. A queda arruinou o patrimônio de Bunker e quase levou junto toda a economia dos Estados Unidos.[2] O Fed teve que intervir para impedir um efeito dominó. Tudo isso imprimiu uma

---

2 Sua incapacidade de honrar os compromissos, especialmente as chamadas de margem nas corretoras, poderia ter resultado em calotes em cascata.

lição indelével na minha cabeça: *timing* é tudo. Fiquei aliviado por estar fora desse mercado, mas assistir ao homem mais rico do mundo — que também era alguém por quem eu tinha simpatia — quebrar foi chocante. Contudo, não foi nada se comparado ao que viria depois.

EXPANDINDO A EQUIPE

Mais tarde no mesmo ano, um ótimo sujeito chamado Paul Colman se juntou à Bridgewater. Havíamos construído uma boa amizade em virtude de nossos negócios na indústria de gado e carne, e eu respeitava sua inteligência e seus valores. Assim, convenci-o de que deveríamos conquistar o mundo juntos. Ele trouxe seus maravilhosos filhos e sua esposa de Guymon, Oklahoma, e nossas famílias tornaram-se inseparáveis. Tocávamos a empresa no improviso. Como a parte comercial do prédio em que eu também morava era em geral uma bagunça — ossos de frango e outros restos de comida do jantar espalhados pela mesa —, fazíamos todas as reuniões com clientes no Harvard Club. Paul salvava da bagunça uma camisa azul limpa e uma gravata para que eu tivesse algo apresentável para vestir. Em 1981, decidimos criar nossos filhos em um ambiente mais rural e nos mudamos para Wilton, Connecticut, para gerenciar a Bridgewater de lá.

Nossa rotina de trabalho consistia em contestar as ideias um do outro e tentar encontrar as melhores respostas; um "toma lá dá cá" constante apreciado por ambos, especialmente vivendo em tempos em que havia tanto a ser compreendido. Nossos debates sobre os mercados e as forças que os moviam avançavam pela madrugada; inseríamos dados no sistema antes de dormir e, pela manhã, observávamos os resultados.

MINHA PREVISÃO DA GRANDE DEPRESSÃO

Entre 1979 e 1981 a economia estava em piores condições do que durante a crise financeira entre 2007 e 2008, e os mercados, ainda mais voláteis. De fato, alguns diriam que foi o período mais volátil da história. Os gráficos a seguir apresentam dados desde a década de 1940 e mostram a oscilação das taxas de juros e do ouro.

TAXA DOS TÍTULOS DE CURTO PRAZO DO TESOURO AMERICANO

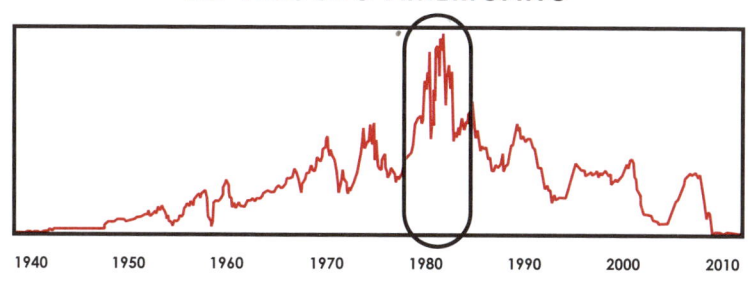

RENDIMENTO DOS TÍTULOS DE DEZ ANOS

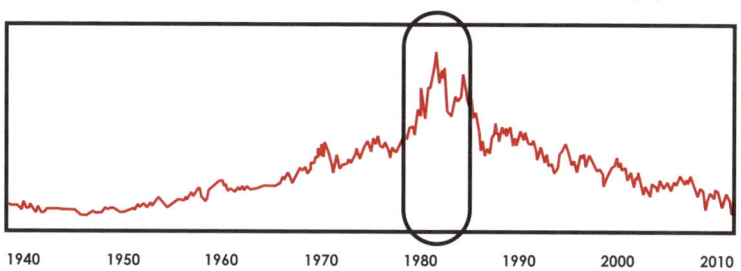

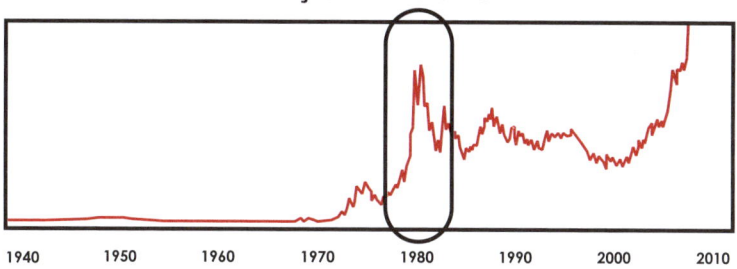

PREÇO DO OURO

Como é possível ver, não houve nada parecido antes de 1979-1982, um dos períodos mais cruciais dos últimos cem anos. O pêndulo político global se moveu para a direita, levando ao poder Margaret Thatcher, Ronald Reagan e Helmut Kohl. "Liberal" deixou de significar ser a favor do progresso e passou a representar "pagar pessoas para não trabalhar".

No meu ponto de vista, o Fed estava em um beco sem saída. Seria necessário que ele: a) imprimisse dinheiro para aliviar os efeitos da dívida e manter a economia em movimento (o que já havia empurrado a inflação para 10% em 1981 e estava fazendo com que as pessoas trocassem títulos da dívida pública por ativos com hedge contra a inflação); ou b) quebrasse a espinha dorsal da inflação com um forte aperto monetário (que, por sua vez, esmagaria os endividados, já que a dívida estava nos níveis mais altos desde a Grande Depressão).

O agravamento do problema era visível tanto em virtude dos níveis progressivamente mais altos de inflação quanto dos níveis progressivamente piores da atividade econômica. Ambos pareciam caminhar rumo a um ponto crítico. As dívidas continuavam aumentando de forma muito mais rápida do que a renda necessária para que os endividados pudessem quitá-las, e bancos americanos emprestavam vastas somas — muito mais do que tinham em capital — a países emergentes. Em março de 1981, escrevi uma *Observação diária* intitulada "A próxima depressão em perspectiva", cuja conclusão afirmava que "a enormidade da nossa dívida implica que a depressão será tão grave ou pior do que a testemunhada na década de 1930".

Era uma opinião extremamente controversa. Para a maioria das pessoas, "depressão" era uma palavra assustadora usada por sensacionalistas e excêntricos, e não algo a ser levado a sério por pessoas ponderadas. Mas eu havia estudado dívida e depressões que remontavam ao ano de 1800, havia feito cálculos e estava confiante de que a crise da dívida liderada pelos países emergentes se aproximava. Eu precisava dividir isso com meus clientes. Como minhas opiniões eram muito controversas, pedi que algumas pessoas examinassem meu raciocínio e destacassem as falhas. Ninguém conseguiu encontrar qualquer equívoco na lógica que construí, embora todos relutassem em endossar minha conclusão.

Por acreditar que a escolha era entre inflação crescente e depressão deflacionária, eu mantinha ouro (que tem bom desempenho com inflação crescente) e títulos da dívida pública (que têm bom desempenho em depressões deflacionárias) em meu portfólio. Até aquele ponto, ouro e títulos haviam se movido em direções opostas, conforme as expectativas de inflação subiam ou desciam. Manter essa estratégia parecia muito mais seguro do que investir em alternativas como dinheiro vivo, que perderia valor em um ambiente de inflação, ou ações, que entrariam em colapso em uma depressão.

Em um primeiro momento, os mercados não estiveram a meu favor. Mas minha experiência com prata e outros negócios havia deixado claro que eu tinha um problema crônico de *timing*; desse modo, acreditei que estava apenas adiantado e que logo minhas expectativas se tornariam realidade. Não demorou muito. No outono de 1981, as políticas restritivas do Fed causavam um efeito devastador, minhas apostas em títulos começavam a dar resultado e minhas visões excêntricas pareciam acertar na mosca. Em fevereiro de 1982, o Fed aumentou temporariamente a liquidez para evitar uma crise. Em junho, enquanto a busca pela conversão de ativos aumentava, respondeu imprimindo dinheiro, aumentando assim a liquidez para o nível mais alto desde a nomeação de Paul Volcker. Mas isso ainda não foi o bastante.

MEU MAIOR ENGANO

Em agosto de 1982, o México deu um calote na sua dívida. A essa altura, estava claro para quase todo mundo que uma série de outros países faria o mesmo. Era uma questão bastante séria: os bancos americanos tinham emprestado cerca de 250% do seu capital a outros países tão em risco quanto o México. A concessão de empréstimos nos Estados Unidos freou bruscamente.

Por ser um dos poucos a prever esse cenário, comecei a receber muita atenção. O Congresso vinha fazendo audiências para tratar da crise e me convidou para participar; em novembro, fui entrevistado por Louis Rukeyser no *Wall $treet Week*, um programa obrigatório para quem trabalha com mercado financeiro. Em ambas as ocasiões, declarei veementemente que caminhávamos rumo a uma depressão e apresentei meus argumentos.

Após o calote do México, a resposta do Fed foi facilitar o crédito, provocando um salto histórico no mercado de ações. Embora surpreso, interpretei a alta como uma reação espasmódica ao movimento do Fed. Afinal, em 1929 uma alta de 15% precedeu o maior *crash* de todos os tempos. Em outubro, emiti um memorando que detalhava meu prognóstico. Na minha opinião, havia 75% de chances de que os esforços do Fed não seriam suficientes, causando um novo *crash*; 20% de chances de sucesso inicial em estimular a economia, mas ainda resultando em fracasso; e 5% de que o estímulo seria o suficiente, mas ao custo de uma hiperinflação. Para me proteger do pior cenário, comprei ouro e títulos de curto prazo do tesouro, um *spread* contra eurodólares e uma forma de apostar no aumento dos problemas de crédito a um risco limitado.

Eu estava totalmente errado. Um tempo depois a economia respondeu aos esforços do Fed, reagindo de maneira não inflacionária. Em outras palavras, a inflação caiu e o crescimento acelerou. Houve um grande estouro da boiada no mercado financeiro, e pelos dezoito anos seguintes a economia dos Estados Unidos desfrutou do mais longo período de crescimento não inflacionário de sua história.

Como isso foi possível? Por fim, compreendi: à medida que o dinheiro saiu desses países endividados rumo aos Estados Unidos, a situação mudou completamente. Esse movimento provocou uma valorização do dólar e pressões deflacionárias na economia do país, o que, por sua vez, permitiu ao Fed cortar as taxas de juros sem aumentar a inflação. Isso alimentou um *boom*. Os bancos estavam protegidos porque os empréstimos concedidos pelo Fed haviam sido em dinheiro vivo e os comitês de credores e organizações internacionais de reestruturação financeira, como o Fundo Monetário Internacional (FMI) e o Banco de Compensações Internacionais (BIS), providenciaram tudo para que as nações endividadas pudessem pagar o serviço da dívida com novos empréstimos. Dessa maneira, todo mundo poderia fingir que a situação estava controlada e os novos empréstimos seriam amortizados ao longo de muitos anos.

Minha experiência durante esse período foi como levar um monte de golpes na cabeça com um taco de beisebol. Estar tão errado — e especialmente diante de tamanha atenção da mídia — foi uma humilhação inacreditável e me custou quase tudo que havia construído na Bridgewater. Eu tinha sido um babaca arrogante, confiante em uma opinião inteiramente incorreta.

Assim, após oito anos de trabalho, ali estava eu de mãos vazias. Embora tivesse acertado muito mais do que errado ao longo desses anos, meu peão estava de volta ao início do tabuleiro.

Em dado momento eu havia perdido tanto dinheiro que já não conseguia mais arcar com os salários da empresa. Tive que demitir praticamente todo meu pessoal e enxugar o quadro até restarem apenas dois funcionários — Colman e eu. Então chegou a hora de Colman. Em lágrimas, ele e a família fizeram as malas e voltaram para Oklahoma. A Bridgewater agora era apenas eu.

Perder pessoas com quem eu tanto me preocupava e chegar bem perto de perder o sonho de ser meu próprio patrão foi devastador. Para fechar as contas, cheguei a pegar um empréstimo de 4 mil dólares com meu pai até conseguir vender nosso segundo carro. Eu estava em uma encruzilhada: deveria pôr uma gravata e arrumar um emprego em Wall Street? Essa não era a vida que eu queria. Por outro lado, tinha uma família de dois filhos para sustentar. Percebi que estava diante de um dos grandes pontos de virada da minha vida, e minhas escolhas teriam enormes implicações para mim e para o futuro da família.

DESCOBRINDO UMA SAÍDA PARA O MEU INCONTROLÁVEL PROBLEMA DE INVESTIMENTO

Ganhar dinheiro no mercado financeiro não é fácil. Como muito bem colocou o brilhante trader e investidor Bernard Baruch:

> *Se você está pronto para desistir de todas as outras coisas e estudar a história e o background completos do mercado e das principais companhias cujas ações estejam sendo negociadas — se puder fazer tudo isso com o mesmo zelo com que um estudante de medicina se dedica à anatomia, tiver o sangue--frio de um jogador, o sexto sentido de um vidente e a coragem de um leão, então há uma mínima chance.*

Em retrospecto, os equívocos que levaram ao meu *crash* particular pareciam constrangedoramente óbvios. Primeiro, fui tomado por um excesso insano de confiança e me deixei levar pelas emoções. Aprendi (mais uma vez) que, independentemente de quanto soubesse e de quanto trabalhasse com afinco, jamais poderia ter certeza o suficiente para proclamar afirmações como as que disse no *Wall $treet Week*: "Não haverá um pouso suave. Posso afirmar isso com absoluta certeza porque sei como os mercados funcionam". Até hoje fico chocado e constrangido com tamanha arrogância.

Segundo, mais uma vez vi quão importante é estudar história. No fim das contas, o resultado tinha sido "mais uma daquelas". Eu deveria ter percebido que dívidas na própria moeda de um país podem ser reestruturadas com sucesso com a ajuda do governo e que quando bancos centrais fornecem estímulo simultaneamente (como fizeram em março de 1932, no ponto mais baixo da Grande Depressão, e de novo em 1982) inflação e deflação podem ser contrabalançadas. Como em 1971, eu falhara em identificar as lições deixadas pela história. Ao perceber isso, procurei tentar compreender todos os movimentos das grandes economias e dos mercados ao longo do último século e elaborei princípios de tomada de decisão. Todos foram cuidadosamente testados e são, portanto, atemporais e universais.

Terceiro, fui lembrado de como é difícil prever o *timing* dos mercados. Minhas estimativas de níveis de equilíbrio a longo prazo não eram suficientemente confiáveis — muitas coisas podiam acontecer entre o momento em que eu fazia minhas apostas e a hora (se é que ela chegaria) em que minhas estimativas se concretizariam.

Observando essas falhas, percebi que, se eu quisesse avançar sem estar muito suscetível a outra surra, precisaria de uma boa dose de autoavaliação e de algumas mudanças, começando por aprender a lidar melhor com a agressividade natural que eu sempre demonstrara ao perseguir algo que queria.

Imagine que, para ter uma vida grandiosa, seja preciso atravessar uma floresta cheia de perigos. Você pode ficar em segurança onde está e ter uma vida comum ou pode arriscar a travessia da floresta e ter uma vida incrível. Como você refletiria a respeito dessa escolha? Reserve um momento para pensar nisso porque é o tipo de decisão que, de alguma forma, todos temos que tomar.

Mesmo após meu *crash* eu sabia que a opção era correr atrás de uma vida incrível, com todos os riscos. Então a questão era: "Como atravessar a floresta perigosa sem morrer?" Hoje em dia entendo que esse momento de ruptura foi uma das melhores coisas que poderiam ter acontecido. Graças a ele, passei a ter a humildade necessária para equilibrar minha agressividade. A lição aprendida com esse grande medo de estar errado mudou minha mentalidade. Eu havia trocado o "estou certo" para o "como sei que estou certo?" e compreendi que a melhor maneira de responder a essa pergunta seria conhecendo a perspectiva de outros pensadores independentes que trilham o mesmo caminho que eu. Colocando nossos pontos de vista em debate, eu seria capaz de compreender os argumentos deles e testar os meus. Todos aumentariam as chances de estarem certos.

Em outras palavras, só quero estar certo; não faz diferença se a resposta certa foi dada ou não por mim. Aprendi a ter a mente radicalmente aberta e permitir que outras pessoas apontem aspectos que eu possa estar deixando passar. Descobri que só assim poderia ter êxito:

1. Procurando as pessoas mais inteligentes e de cujas opiniões eu discordasse a fim de tentar compreender seu raciocínio.
2. Sabendo o momento de não ter uma opinião.
3. Desenvolvendo, testando e sistematizando princípios atemporais e universais.
4. Equilibrando riscos de modo a não anular um bom potencial de valorização e, ao mesmo tempo, reduzir o potencial de desvalorização.

Seguir esses passos aumentou significativamente os meus lucros em relação aos riscos, e os mesmos princípios se aplicam a outros aspectos da vida. Mais importante ainda, essa experiência me levou a erguer a Bridgewater com base em um sistema de meritocracia de ideias. Minha empresa não seria nem uma autocracia tendo a mim como único líder nem uma democracia em que o voto de todos teria o mesmo peso. Seguiríamos o regime de uma meritocracia, encorajando embates respeitosos, explorando e ponderando as opiniões das pessoas de acordo com seus méritos.

Deixar às claras e explorar essas opiniões divergentes me ensinou muito sobre o modo de pensar dos indivíduos. Passei a ver que as maiores fraquezas do ser humano são o lado inverso de suas maiores forças. Por exemplo, algumas pessoas costumam assumir muitos riscos, enquanto outras têm aversão a se expor a eles; algumas focam demais nos detalhes, enquanto outras veem apenas o quadro geral. A maioria pende demais para um lado e não tem o suficiente do outro. De modo geral, deixamos de lado nossas fraquezas ao agir de acordo com nosso comportamento natural, uma dinâmica que nos leva a fracassar. O que acontece após um fracasso é da maior importância. Pessoas bem-sucedidas mudam de modo a continuar se aproveitando de suas forças ao mesmo tempo que compensam as fraquezas; pessoas malsucedidas, não. Mais adiante descreverei estratégias específicas para mudança, mas o ponto importante a observar aqui é que reconhecer e aceitar nossas fraquezas traz mudanças benéficas.

Ao longo dos anos seguintes descobri que a maioria das pessoas muito bem-sucedidas que conheci havia enfrentado grandes fracassos tão dolorosos quanto os meus, erros que em último caso ensinaram lições para a vitória. Ao rever sua demissão da Apple em 1985, Steve Jobs disse: "Foi um remédio de gosto horrível, mas o paciente precisava dele. Às vezes a vida pode atingi-lo na cabeça com um tijolo. Não perca a fé. Estou convencido de que a única coisa que me fez seguir em frente foi o fato de amar o que fazia".

Hoje sei que para ter um desempenho excepcional é preciso forçar nossos limites e que durante esse processo vamos quebrar a cara de maneira bem dolorosa. Quando isso acontecer, você provavelmente vai pensar que fracassou, mas o fracasso só existe quando desistimos. Acredite se quiser: toda dor é passageira, e muitas outras oportunidades surgirão, mesmo que você não consiga enxergá-las naquele momento. Para aumentar as chances de sucesso, o mais importante a fazer é: reunir as lições aprendidas nos fracassos, tornar-se mais humilde e abrir a mente de modo radical. Ah, e seguir em frente.

Minha última lição talvez seja a mais importante, porque se aplicou repetidas vezes durante minha vida. A princípio eu acreditava estar diante de uma escolha "tudo ou nada": podia assumir muitos riscos esperando alta taxa de retorno (e eventualmente me ver arruinado) ou reduzir meus riscos e me conformar com uma taxa de retorno menor. A questão é que eu precisava tanto de baixo risco quanto de retorno alto e, ao ir em busca de meios para isso, aprendi a agir com cautela sempre que estivesse diante de duas alternativas aparentemente conflituosas. Desse modo é possível conseguir calcular as chances de obter o máximo possível de cada uma delas. Quase sempre existe um bom caminho que você ainda não descobriu. Procure até encontrar, em vez de se contentar com a escolha que está diante dos seus olhos no momento.

Por mais difícil que isso fosse, finalmente consegui minha fatia do bolo e a oportunidade de degustá-la. Chamo essa fórmula de "Santo Graal do investimento", o segredo por trás do sucesso da Bridgewater.

CAPÍTULO 4

AS ADVERSIDADES EM MINHA JORNADA:
1983-1994

Após chegar ao fundo do poço, eu estava quebrado a ponto de não ter dinheiro para pagar uma passagem de avião para visitar um potencial cliente no Texas, mesmo que as comissões a ganhar fossem muito maiores do que o custo da passagem. Não viajei. Aos poucos, no entanto, fui recuperando clientes, renda e, por fim, montei uma equipe nova. Com o tempo, minhas altas cresceram em magnitude e minhas baixas foram tão toleráveis quanto didáticas. Nunca imaginei que aquilo se tratava de construir (ou reconstruir) uma empresa. O tempo todo eu estava apenas indo atrás do que precisava para seguir no jogo.

Computadores estavam entre os bens mais valiosos que adquiri; eles me ajudavam a pensar. Sem eles, a Bridgewater nem de longe teria conquistado tanto sucesso.

Os primeiros computadores para uso pessoal chegaram ao mercado no fim dos anos 1970 e eu usava essas máquinas do mesmo modo que os econometristas: aplicando estatísticas e poder computacional a dados econômicos para analisar os mecanismos da máquina econômica. Como escrevi em um artigo de dezembro de 1981, acreditava (e ainda acredito) que "teoricamente (...) se houvesse um computador capaz de armazenar todos os fatos do mundo e perfeitamente programado para expressar matematicamente todas as relações entre todas as partes do mundo, o futuro poderia ser previsto com exatidão".

Eu, porém, estava muito longe disso. Embora o sistema que eu usava nos primórdios fornecesse insights valiosos sobre o ponto que potencialmente estabilizaria os preços, eles não me ajudaram a desenvolver estratégias robustas de trading; apenas mostravam que uma aposta específica no fim acabaria valendo a pena. Por exemplo, após uma análise, o sistema chegaria à conclusão de que o preço de alguma commodity deveria ser, digamos, por volta de 75 centavos. Se naquele momento estivesse em 60 centavos, eu saberia que queria comprá-la, mas não seria capaz de prever que a cotação cairia a 50 centavos antes de chegar a 75. Também não saberia quando comprar e vender. Raramente, ainda que com bastante frequência, o sistema estava errado e eu perdia muito dinheiro.

"Aquele que vive segundo a bola de cristal está destinado a comer cacos de vidro" é um ditado que eu citava muito naquele tempo. Entre 1979 e 1982, comi cacos de vidro o suficiente para perceber que o mais importante não era prever o futuro, mas saber como reagir apropriadamente às informações disponíveis em cada momento. Eu precisaria ter um vasto arquivo de dados sobre economia e mercado ao qual pudesse recorrer — e, como era o caso, eu tinha.

Desde muito cedo tive o hábito de anotar os critérios de decisão usados ao adotar uma posição de mercado. Desse modo, todas as vezes que eu fechava um negócio, podia refletir sobre como os critérios utilizados haviam funcionado. Pensei que, escrevendo esses critérios como fórmulas (hoje em dia, em um termo mais sofisticado, "algoritmos") e aplicando-os em dados históricos, poderia testar quão bem minhas regras teriam funcionado no passado. Na prática funcionava assim: eu usava minhas intuições como ponto de partida, como sempre fizera, mas as expressava de forma lógica, como critérios para tomada de decisão, classificando-os de maneira sistemática e criando um mapa mental do que fazer em cada situação específica. Então submetia dados históricos ao sistema para ver como minha decisão teria funcionado no passado e, dependendo dos resultados, modificava as regras como necessário.

Testávamos os sistemas recuando no tempo tanto quanto possível, geralmente mais de um século, fazendo simulações com as realidades de todos os países dos quais tínhamos dados. Isso me deu uma grande perspectiva sobre o funcionamento da máquina economia/mercado ao longo do tempo e sobre como apostar nela. Esse processo foi um treinamento que me levou a aprimorar os critérios, de modo a torná-los atemporais e universais. Depois de analisar essas relações foi possível começar a inserir dados no sistema em tempo real, fazendo com que o computador processasse informações do mesmo modo que o meu cérebro quando diante de uma tomada de decisão.

O resultado foi a criação dos sistemas originais de taxas de juros, ações, câmbio e metais preciosos da Bridgewater, que posteriormente foram combinados em um sistema único de gerenciamento do portfólio de apostas. Esse sistema era como um eletrocardiograma dos sinais vitais da economia; à medida que eles mudavam, mudava também nosso posicionamento. Mas, em vez de seguir as recomendações do computador cegamente, eu as comparava com a minha própria análise. Quando a decisão do computador era diferente da minha, eu examinava o motivo. Na maior parte das vezes eu tinha negligenciado algum aspecto. Nesses casos, o computador me ensinava. Em outras ocasiões era eu que pensava a respeito de algum novo critério que o sistema tinha deixado passar e então eu ensinava o computador. Eu e ele nos ajudávamos mutuamente. Não demorou muito para que o computador, com sua poderosa capacidade de processamento, ficasse muito mais eficiente do que eu. E isso era ótimo; era como ter um grande gênio do xadrez ajudando a calcular meus movimentos, com a diferença de que esse jogador operava de acordo com um conjunto de critérios que eu compreendia e acreditava serem lógicos, de modo que não havia razão para que tivéssemos alguma discordância fundamental.

O computador era muito melhor do que o meu cérebro para "pensar" várias coisas ao mesmo tempo, e o fazia com mais precisão e rapidez e menos emoção. Em virtude de sua memória excelente, ele também poderia se sair melhor na tarefa de fundir o meu conhecimento com o das pessoas que trabalhavam na Bridgewater, à medida que ela crescia. Em vez de discutir sobre nossas conclusões, meus parceiros e eu discutíamos a respeito de nossos diferentes critérios para tomar decisões. Para resolver os desacordos, testávamos os critérios de maneira objetiva. Para nós, a rápida expansão do poder de processamento dos computadores naquela

PRINCÍPIOS

época era como um constante fluxo de dádivas divinas. Lembro quando a RadioShack começou a vender um joguinho de xadrez computadorizado muito barato. Demos um para cada cliente nosso com a mensagem "uma abordagem sistematizada da Bridgewater". Aquele *gamezinho* de xadrez tinha nove níveis e podia me destroçar no segundo. Era divertido colocar meus clientes para enfrentá-lo; uma forma de fazer com que enxergassem quão difícil era derrotar decisões tomadas por um computador.

É claro que sempre tínhamos a liberdade de burlar o sistema, o que fizemos menos de 2% das vezes, quase sempre para tirar o dinheiro da mesa durante eventos extraordinários não programados, como o ataque ao World Trade Center. Embora o computador fosse muito melhor do que nós em diversos aspectos, faltava a ele imaginação, compreensão e lógica — características que possuíamos. Por isso a parceria entre o cérebro dele e os nossos era tão boa.

Esses sistemas de tomada de decisão eram muito melhores do que os sistemas de previsão que eu usava antes, principalmente porque incorporavam nossas reações aos acontecimentos, permitindo que lidássemos com um espectro mais amplo de possibilidades. Eles também podiam incluir regras de prazos. Em um artigo de janeiro de 1987, intitulado "Fazer dinheiro × Fazer previsões", expliquei:

> *Para falar a verdade, previsões não têm muito valor, e a maioria das pessoas que as fazem não lucra muito no mercado financeiro... Isso acontece porque nada é garantido. Quando alguém analisa as probabilidades de todas as variáveis que afetam o futuro em busca de uma previsão, acaba tendo como resultado uma ampla gama de possibilidades afetadas por outras variáveis, não um resultado altamente provável... Acreditamos que os movimentos do mercado refletem movimentos econômicos. Movimentos econômicos são refletidos em estatísticas econômicas. Ao estudar as relações entre estatísticas econômicas e movimentos do mercado, desenvolvemos regras precisas para identificar importantes alterações no ambiente economia/ mercado e, por sua vez, em nossas posições. Em outras palavras, em vez de prever mudanças no ambiente econômico e mudar posições em antecipação a elas, captamos essas mudanças enquanto estão ocorrendo*

e movimentamos nosso dinheiro para mantê-lo investido nos mercados com melhor desempenho nesse ambiente.

Ao longo das últimas três décadas construindo tais sistemas, incorporamos muito mais tipos de regras que comandam cada aspecto de nossas operações. À medida que dados em tempo real são divulgados, nossos computadores analisam informações de mais de cem milhões de bases e dão instruções detalhadas para a rede, tudo isso de uma forma que faz sentido lógico para mim. Sem esses sistemas, provavelmente eu estaria falido ou teria morrido do estresse de tentar tanto. Com certeza não teríamos nos saído tão bem no mercado financeiro. Como você verá mais tarde, no momento estou desenvolvendo sistemas similares para nos ajudar a tomar decisões gerenciais. Acredito que a dinâmica mais valiosa para quem quer aprimorar um processo de tomada de decisão consiste em: pensar com cuidado nos princípios que norteiam essas escolhas, colocá-los em palavras e depois transformá-los em algoritmos computacionais, se possível testar os algoritmos retroativamente e também aplicá-los em simulações de tempo real, tudo isso em paralelo às decisões tomadas pelo seu cérebro.

Estou, no entanto, pondo o carro na frente dos bois. Vamos voltar para 1983.

RESSUSCITANDO A BRIDGEWATER

No fim de 1983, a Bridgewater tinha seis funcionários. Até então, eu não fizera nenhum marketing; os negócios que conseguíamos vinham do boca a boca e de pessoas que liam meus telex diários e viam minhas aparições públicas. Mas claramente havia uma demanda crescente pelo tipo de pesquisa que fazíamos, e me dei conta de que poderíamos vendê-la para suplementar nossa renda de consultoria e trading. Assim, contratei um sétimo funcionário, um ex-vendedor chamado Rob Fried que batia de porta em porta oferecendo Bíblias. Carregando um projetor e uma pilha enorme de slides, pegamos a estrada em busca de interessados em um pacote de pesquisa ao custo mensal de 3 mil dólares que incluía meus telex diários, teleconferências semanais, relatórios quinzenais e trimestrais e atas de reuniões também trimestrais. Ao longo do ano seguinte, Rob trouxe para a nossa cartela de clientes uma série de investidores institucionais, incluindo General Electric, Keystone Custodian Funds, Banco Mundial, Brandywine, Loomis Sayles, Provident Capital Management, Singer Company, Loews Corporation, GTE Corporation e Wellington Management.

A essa altura, nosso negócio era composto por três áreas principais: consultoria, gerenciamento de riscos para companhias remunerado com comissões sobre o lucro e venda de pacotes de pesquisa. Trabalhávamos com todo tipo de instituições privadas, financeiras e governamentais que tinham posições no mercado — bancos, empresas internacionais diversificadas, produtores de commodities, produtores de alimentos, empresas públicas de gás, eletricidade, água etc. Entre nossas funções estava, por exemplo, construir um plano para ajudar uma multinacional a lidar com a variação cambial decorrente da operação em diferentes países.

Minha abordagem era imergir em um negócio até sentir que as estratégias oferecidas por mim fossem as mesmas que eu usaria se estivesse dirigindo a empresa. Eu desmembraria cada empresa em componentes lógicos e montaria um plano para gerenciar cada parte, usando diversas ferramentas financeiras, sobretudo instrumentos derivativos. Os componentes mais importantes a separar eram os lucros vindos do *core business* e lucros e perdas especulativos provenientes das variações de preço. Fazíamos isso para deixar claro ao cliente como seria estar em uma posição de "risco neutro", ou seja, a posição adequadamente protegida que alguém sem visão dos mercados tomaria. Eu aconselharia aos clientes que se afastassem dessa posição apenas quando quisessem especular, o que deveriam fazer somente de maneiras controladas e com total conhecimento dos possíveis efeitos em seu *core business*. Essa abordagem era uma revelação para a maioria dos nossos clientes. Dava a eles clareza e controle, e rendia melhores resultados. Quando os clientes optavam por ter a Bridgewater especulando por eles, ficávamos com uma parcela dos lucros.

Essa abordagem de estabelecer uma posição de "risco neutro" em relação ao *benchmark* e fazer alguns desvios com apostas controladas foi a gênese do estilo de gestão de investimentos que mais tarde chamaríamos de "sobreposição alfa", no qual exposição passiva ("beta") e ativa ("alfa") são separadas. O rendimento de um mercado (tal como o de ações) em si é chamado de seu beta. Alfa é o rendimento proveniente de apostas feitas contra os outros. Com a sobreposição alfa, oferecíamos um modo de fazer apostas independentes do desempenho intrínseco do mercado. Abordar o mercado dessa maneira me ensinou que um dos segredos para ser um investidor de sucesso é apenas assumir apostas nas quais se sinta totalmente confiante e diversificá-las bem.

Em meados dos anos 1980, um de nossos clientes era Alan Bond, empresário ousado e uma das pessoas mais ricas da Austrália. *Self-made man*, Bond era famoso por ser o primeiro não americano a vencer a corrida de barcos America's Cup nos seus, então, 132 anos de história. Como Bunker Hunt, Bond fez péssimas apostas e foi forçado a pedir falência. Prestei consultoria a ele e sua equipe durante ascensão e queda, então pude assistir à tragédia de perto. Seu caso foi a clássica confusão de negócios e especulação e partir para o hedging quando já era tarde demais.

Bond pegou dólares emprestados para comprar ativos na Austrália, entre eles cervejarias. Fez isso porque as taxas de juros nos Estados Unidos estavam menores do que em seu país de origem. Embora não tenha se dado conta, Bond estava especulando que o dólar americano, moeda com a qual pagaria o empréstimo, não subiria. Quando o dólar americano subiu em relação ao australiano em meados dos anos 1980 e os ganhos com as vendas de cerveja em dólares australianos não eram suficientes para saldar a dívida, a equipe dele me procurou. Calculei qual seria a posição da Bond Corp se fizessem hedge cambial e vi que isso acarretaria perdas que iriam arruiná-los. Meu conselho foi que esperassem. Quando o dólar australiano subiu, avisei que chegara a hora dos hedges, mas a equipe não me deu ouvidos, acreditando que o problema cambial havia desaparecido. Não demorou muito para o dólar australiano despencar e eu ser chamado para uma reunião de emergência. Não havia muito o que fazer sem acarretar perdas severas, e, assim, mais uma vez não tomaram uma atitude. Só que o dólar australiano não reagiu. Ver um dos homens mais ricos e talentosos do planeta perder tudo causou um grande impacto em mim.

Também fazíamos projetos específicos de consultoria relacionados aos mercados. Em 1985, trabalhei com Paul Tudor Jones, ótimo amigo e excelente trader, para preparar um contrato de futuros de dólares americanos (um índice negociável que seguia o preço do dólar americano em relação a uma cesta de moedas estrangeiras) que era negociado (e ainda é) na Bolsa de Algodão de Nova York. Também trabalhei com a Bolsa de Futuros de

Nova York para ajudar a montar e vender seu contrato de futuros CRB (um índice negociável que segue o preço de uma cesta de commodities).

Diferentemente da maioria das pessoas que trabalha no mercado financeiro, nunca tive qualquer desejo de construir produtos de investimento, sobretudo os convencionais, só porque venderiam bem. Tudo o que eu queria era negociar e construir relações, fazendo por nossos clientes exatamente o que faria se estivesse no lugar deles. Mas também adorava criar coisas novas, particularmente se fossem grandes e revolucionárias. Em meados dos anos 1980, algumas visões estavam claras para mim: primeiro, estávamos apontando boas decisões nos mercados de taxas de juros e câmbio, e os gestores de investimentos que compravam nossas pesquisas estavam fazendo dinheiro. Segundo, estávamos gerindo com sucesso as posições de taxas de juros e câmbio para diversas empresas. Com essas duas frentes indo tão bem, imaginei que a própria Bridgewater poderia se tornar uma gestora de investimentos bem-sucedida. Assim, bati na porta das pessoas que geriam o fundo de pensão do Banco Mundial, especialmente Hilda Ochoa, que na época era a diretora de investimento. Embora não administrássemos ativos e não tivéssemos qualquer histórico nesse campo, ela nos deu uma conta de 5 milhões de dólares de títulos dos Estados Unidos para cuidarmos.

Foi um enorme ponto de virada para nós, já que representou o início da Bridgewater como a conhecemos hoje. A estratégia que usamos para o Banco Mundial oscilava entre manter posições líquidas e títulos de vinte anos do Tesouro americano, posições que nos dariam apostas alavancadas na direção das taxas de juros. Quando nossos sistemas indicavam que as pressões nas taxas de juros provocariam queda, comprávamos títulos de vinte anos do Tesouro; quando apontavam para a alta das taxas de juros, ficávamos com posições líquidas. Nosso desempenho foi muito bom e, em pouco tempo, outros grandes investidores institucionais nos procuraram. Mobil Oil e Singer foram as contas seguintes e outras vieram em rápida sucessão. Avançamos até nos tornarmos os gestores de títulos americanos de melhor desempenho no mundo.

ATRAVESSANDO A "PORTA FECHADA" DA CHINA

Um dos melhores aspectos de trabalhar com consultoria era ter a oportunidade de viajar. Quanto mais incomum o lugar, mais interessante eu o achava. Essa curiosidade me levou a Pequim em 1984. As únicas imagens que havia visto da China durante a infância e adolescência retratavam a multidão exibindo *O livro vermelho de Mao*. Ter a chance de atravessar o que ainda era essencialmente uma "porta fechada" foi atraente.

O diretor do nosso pequeno escritório em Hong Kong era conselheiro da CITIC, a "companhia janela" que era o único negócio na China autorizado a lidar com o mundo exterior. Pequim é cheia de pessoas maravilhosas e incrivelmente hospitaleiras que nos apresentaram à tradição de beber *shots* de moutai aos gritos de *ganbei!* [vira tudo!]. Pura diversão. A primeira viagem, que fiz com minha mulher e algumas outras pessoas, deu início a uma jornada extremamente recompensadora de mais de trinta anos, que impactou de forma profunda a mim e a minha família.

Na época, não havia mercados financeiros na China. Em determinado momento, um pequeno grupo formado por nove empresas chinesas (incluindo a CITIC), denominado Stock Exchange Executive Council (SEEC), uma espécie de comissão de valores mobiliários, passou a desenvolvê-los. A comissão começou a operar em 1989, pouco antes do incidente na Praça da Paz Celestial, e isso foi bastante prejudicial, fortalecendo a visão de que eram uma instituição muito capitalista. O SEEC operava a partir de um pequeno quarto de hotel, quase sem nenhum financiamento. Ainda me lembro do latão de lixo embaixo da escada metálica que levava até o escritório. Eu tinha o mais profundo respeito pelo risco que esses jovens estavam assumindo com a empreitada em tempos tão turbulentos e fiz uma pequena doação para ajudá-los, também contente por dividir meu conhecimento com eles. Essas pessoas construíram do zero os mercados da China e o braço regulatório de valores mobiliários do governo.

Em 1994, estabeleci uma nova empresa, a Bridgewater China Partners. A essa altura eu já estava certo de que a China se tornaria a maior economia do mundo no século XXI. Como quase ninguém investia no país, ainda era possível fechar bons negócios. Eu podia fazer dinheiro apresentando oportunidades de investimento aos clientes e fornecendo a eles expertise ao estreitar suas relações com companhias norte-americanas. Em troca, ganharíamos ações nessas companhias. Essencialmente, estávamos montando na China a primeira firma de *private equity* sediada nos Estados Unidos.

No lançamento, levamos à China um pequeno grupo de investidores institucionais, que juntos representavam 70 bilhões de dólares em ativos. Ao voltarmos, concordamos em seguir adiante abrindo conjuntamente um banco mercantil em Pequim. Embora eu soubesse que ingressar naquele território até então pouco conhecido exigiria muita experimentação e aprendizado, logo percebi que subestimara enormemente a complexidade da tarefa e o tempo que ela exigiria. Estava sempre ao telefone às três da manhã, tentando compreender a contabilidade pouco confiável e o controle questionável das companhias nas quais tínhamos interesse, enquanto minhas responsabilidades na Bridgewater esperavam por mim ao raiar do dia.

Depois de um ano dessa rotina, pude ver que não seria possível administrar a Bridgewater e a Bridgewater China Partner ao mesmo tempo, portanto, fechei a empresa. Ninguém fez ou perdeu dinheiro, porque eu não havia me sentido suficientemente confortável com o que examinara para investir. Tenho certeza de que se tivesse me devotado de forma integral às atividades do braço chinês teríamos feito enorme sucesso, mas, por outro lado, a Bridgewater não seria o que é hoje. Embora tenha deixado passar essa grande oportunidade, não me arrependo da escolha. Aprendi que se você trabalha duro e com criatividade, pode conseguir praticamente qualquer coisa, mas não tudo o que quiser. Maturidade é a capacidade de abrir mão de boas oportunidades para ir atrás de oportunidades ainda melhores.

Apesar de ter aberto mão desse projeto, a China continuou sendo parte importante da minha vida e da minha família. Amávamos o país, especialmente as pessoas de lá. Em 1995, Barbara, eu e nosso filho de onze anos, Matt, decidimos em conjunto que ele passaria um ano em Pequim, estudando em uma escola chinesa. Ele moraria com Madame Gu, uma amiga que se hospedara conosco nos Estados Unidos durante os dias da Praça da Paz Celestial e que Matt conhecera aos três anos durante uma visita à China. Os padrões de vida na China eram muito diferentes daqueles com os quais Matt estava acostumado em Connecticut. Por exemplo, o apartamento em que Madame Gu e o marido viviam tinha água quente para o banho somente dois dias por semana, e a escola de Matt só tinha aquecimento quando o inverno já estava adiantado, obrigando os alunos a usar casaco durante as aulas. Matt não falava chinês e nenhum dos colegas sabia inglês.

Isso não era apenas uma grande aventura para Matt; era algo totalmente sem precedentes, e foi preciso uma autorização especial do governo chinês. Fiquei animado por Matt. Eu sabia que ver um mundo diferente abriria sua mente. Barbara precisou de um pouco de convencimento e algumas visitas a um psicólogo infantil para ficar segura, mas ela mesma morara em muitos países e sabia que havia sido benéfico para elas. Por fim, ficou receptiva ao plano, ainda que não muito contente com a ideia de se separar do filho.

A difícil, mas transformadora, jornada de Matt afetou profundamente seus valores e objetivos. Por ter se apaixonado pela China (ele diz que se tornou meio chinês naquele ano) e por ter aprendido o valor da empatia em relação ao valor da riqueza material, aos dezesseis anos Matt criou uma organização beneficente chamada China Care para ajudar órfãos chineses com necessidades especiais. Foi gestor do projeto durante doze anos (algo que faz até hoje, em menor escala) e depois redirecionou seus esforços para a Endless, sua nova empresa cujo objetivo é repensar o papel da informática em países emergentes. Aprendi muito com Matt, especialmente sobre as alegrias da filantropia, e ambos aprendemos sobre a enorme satisfação trazida por relações pessoais relevantes. Ao longo dos anos, eu (e, por sua vez, a Bridgewater) também construí relações significativas com muitas pessoas maravilhosas na China, e ajudamos muitas instituições financeiras ainda imaturas a se tornarem gigantes sofisticadas.

A China não era o único país com o qual a Bridgewater se envolveria em escala social e governamental. Por meio de seus representantes, os fundos de investimento dos governos de Cingapura, Abu Dhabi e Austrália, além de autoridades russas e europeias vieram bater à nossa porta. As experiências que tive, as perspectivas que adquiri e a ajuda que pude fornecer formaram um conjunto de recompensas tão grande quanto as demais que consegui ao longo da carreira.

O contato com o povo e as instituições de Cingapura me deixou entusiasmado. Não havia e ainda não há líder que eu admire mais do que Lee Kuan Yew, que transformou um país atrasado e infestado de mosquitos em economia modelo. Tenha em mente que pude conhecer e admirar vários líderes globais. Um dos momentos mais emocionantes foi um jantar com ele em minha casa em Nova York, pouco antes de sua morte, em 2015. Lee marcou o encontro para que discutíssemos a situação da economia mundial. Convidei também o ex-presidente do Fed, Paul Volcker (outro herói meu), o ex-secretário do Tesouro, Bob Rubin (cuja amplitude de experiências forneceu grande perspectiva) e Charlie Rose (uma das pessoas mais curiosas e perspicazes que conheço).

Além de responder às suas perguntas, questionamos Lee sobre assuntos e líderes globais. Como havia conhecido pessoalmente quase todos os líderes do mundo ao longo dos últimos cinquenta anos, perguntamos a Lee quais eram as qualidades que distinguiam os grandes dos ruins e o que pensava daqueles que estavam no comando naquela época. Ele apontou Angela Merkel como a melhor líder no Ocidente e considerava Vladimir Putin um dos melhores do planeta. Explicou que representantes de uma nação devem ser julgados de maneira contextualizada, explicou as dificuldades de liderar um país como a Rússia e por que achava que Putin fazia isso tão bem. Também refletiu sobre sua relação única com Deng Xiaoping, que considerava o melhor de todos os líderes.

Adoro conhecer pessoas interessantes de lugares interessantes e ver o mundo através de seus olhos. Independentemente de qual seja sua situação financeira e social. Ver a vida com os olhos dos povos indígenas que conheci em Papua-Nova Guiné foi tão esclarecedor para mim quanto ganhar as perspectivas de líderes políticos e econômicos, empresários que mudaram o mundo e cientistas de ponta. Jamais me esquecerei do religioso cego que conheci em uma mesquita na Síria, que me explicou sua conexão com Deus e o Alcorão. Encontros desse tipo me ensinaram que a grandeza e a vilania humanas não têm a ver com fortuna ou outras medidas convencionais de sucesso. Também aprendi que julgar as pessoas antes de realmente ver as coisas por seus olhos é um obstáculo para a compreensão de suas circunstâncias — e que isso não é inteligente. Incentivo que você seja curioso o bastante para querer entender como essas pessoas que veem as coisas de maneira diferente chegaram a essas visões. Você vai achar interessante e valioso, e a perspectiva mais ampla que ganhará vai ajudá-lo a decidir o que fazer.

MINHA FAMÍLIA E MINHA FAMÍLIA POR EXTENSÃO

Minha família, os colegas de trabalho, que são minha família por extensão, e meu trabalho em si sempre foram extremamente importantes para mim.

Administrar meus afazeres e a vida doméstica tem sido um desafio tão grande para mim quanto para qualquer pessoa, e por desejar que ambos os universos fossem incríveis, eu os misturava sempre que possível. Por isso meus filhos iam comigo em viagens de negócios. Quando comecei a levar Devon, e depois Matt, para minhas reuniões de negócios na China, nossos anfitriões sempre foram gentis, oferecendo leite e biscoitos. Uma grande lembrança de Abu Dhabi foi quando meus clientes/amigos levaram meu filho Paul e eu para o deserto, a fim de comer com as mãos uma cabra assada recém-abatida. Perguntei a Paul, que vestia a tradicional roupa branca que haviam lhe dado, o que estava achando, e ele respondeu: "O que poderia ser melhor do que estar de pijama, sentado no chão e comendo com as mãos com pessoas legais?". Todo mundo riu. Lembro-me de outra ocasião quando meu filho mais velho, Devon, então com cerca de dez anos, trouxe para os Estados Unidos xales de seda que comprara na China por 1 dólar e revendeu por 20 dólares em um shopping pouco antes do Natal — o primeiro sinal de seu tino para os negócios.

Em meados dos anos 1980, a Bridgewater tinha cerca de dez funcionários, então aluguei uma casa de fazenda grande e antiga. Parte dela era ocupada pela empresa e parte por minha família. O ambiente era bastante informal e familiar: todos estacionavam na entrada, nos reuníamos ao redor da mesa da cozinha e meus filhos deixavam a porta do banheiro aberta enquanto estavam no vaso sanitário. Os funcionários acenavam quando passavam em frente.

Mais tarde, a fazenda foi colocada à venda e comprei e reformei um celeiro na propriedade. Minha mulher, nossos filhos (que já eram quatro) e eu vivíamos em um pequeno apartamento dentro do celeiro. Adaptei o palheiro como escritório e optei por um aquecedor elétrico por ser mais barato de instalar. Era um ótimo lugar para festas e havia espaço suficiente para jogarmos futebol, vôlei e fazer churrascos. Na festa de Natal da empresa fazíamos um grande jantar com minha família, em que cada um levava um prato e demonstrava seus dotes culinários. Após alguns drinques, o Papai Noel aparecia e sentávamos em seu colo para tirar fotos e descobrir quem havia se comportado ou aprontado durante o ano. A noite sempre acabava com todo mundo dançando. Também fazíamos todo ano um "Dia brega", no qual era obrigatório escolher a roupa mais cafona possível. Acho que já deu para entender, certo? A Bridgewater era uma pequena comunidade de amigos que trabalhava e festejava bastante.

Bob Prince se juntou à Bridgewater em 1986, antes de fazer trinta anos, e três décadas depois ainda somos sócios e parceiros no cargo de diretores de investimento (CIO). Desde o início, Bob e eu debatíamos ideias como se estivéssemos em um dueto de jazz. É algo que ainda adoramos fazer e que só vamos parar quando um de nós morrer. Bob também é um excelente professor, tanto para os clientes quanto para os colegas de trabalho. Além de ser um dos idealizadores e mais importantes pilares da Bridgewater, também se tornou um irmão.

Em pouco tempo, a Bridgewater começou a se parecer com uma empresa de verdade. O celeiro ficou pequeno e nos mudamos para um pequeno escritório em um shopping center; no fim da década de 1980, já éramos vinte pessoas. Mas mesmo enquanto crescíamos nunca pensei nos colegas de trabalho como empregados. Sempre quis ter — e estar cercado de pessoas que também quisessem — uma vida repleta de trabalho relevante e relações relevantes, e para mim uma relação relevante é aberta e honesta a ponto de os envolvidos serem diretos uns com os outros. Nunca dei valor às relações mais tradicionais, frias, em que as pessoas exibem uma fachada de polidez e não falam o que realmente pensam.

Creio que todas as organizações têm basicamente dois tipos de pessoas: as que trabalham para ser parte de uma missão e as que trabalham por um contracheque. Quis me cercar de pessoas com uma necessidade semelhante à minha: compreender o mundo através das próprias reflexões. Sempre fui franco com meus associados, esperando o mesmo em retorno. Eu lutava por aquilo que achava ser o melhor e queria que fizessem o mesmo. Quando pensava que alguém cometia uma burrice, deixava isso claro, e esperava que fizessem o mesmo comigo. Era melhor para todos nós. Para mim, é como devem ser relações fortes e produtivas. Operar de qualquer outra forma seria contraproducente e antiético.

NOVAS REVIRAVOLTAS NA ECONOMIA E NOS MERCADOS

Os anos de 1987 e 1988 foram repletos de reviravoltas que ajudaram a modelar minha abordagem em relação à vida e aos investimentos. Fomos uma das raras empresas de gestão de investimentos com ações vendidas a descoberto no portfólio antes de 19 de outubro de 1987. Esse dia, que ficaria conhecido como "Segunda-Feira Negra", registrou a maior queda percentual na história do mercado de ações em um único dia. As atenções se voltaram para nós porque subimos 22% quando a maioria caiu bastante. A mídia nos classificou como integrantes dos "Heróis de Outubro".

Naturalmente, me sentia muito bem no início de 1988. Havia crescido em uma era de alta volatilidade e aprendera que, quando a onda fosse boa, a melhor maneira de agir era firmar o pé e surfá-la. Usávamos nossos indicadores para captar fundamentos em processo de mudança, e nosso sistema de análise de tendências para confirmar que as oscilações de preço eram consistentes com aquilo que os indicadores sugeriam. Quando ambos apontavam a mesma direção, tínhamos um sinal forte; quando estavam conflitantes, tínhamos pouco ou nenhum sinal. Mas em 1988 praticamente não houve volatilidade. Nossos sistemas não funcionaram e acabamos perdendo pouco mais da metade do lucro de 1987. Doeu, mas também nos ensinou algumas lições importantes e fez com que Bob e eu trocássemos nosso sistema de análise de tendências por medidores de valor e controle de risco mais eficientes.

Até então, nossos sistemas haviam sido binários — mudávamos de uma posição totalmente comprada para uma totalmente vendida quando cruzávamos um limite predeterminado (bem parecido com a dinâmica de títulos de dívida *versus* posições líquidas adotada na gestão para o Banco Mundial). Mas não estávamos sempre igualmente confiantes em nossas visões, e também era péssimo pagar custos de transações a cada alteração de posição. Isso deixava Bob maluco. Lembro-me de vê-lo correndo ao redor do prédio do escritório para se acalmar. No fim daquele ano mudamos para um sistema mais variável que nos permitia medir as apostas em relação ao tamanho de nossa confiança. Desde então, inúmeras vezes as modificações que Bob fez nos nossos sistemas mostraram-se benéficas.

Nem todo mundo na Bridgewater via tudo como nós dois. Alguns duvidavam dos sistemas, sobretudo quando não iam bem, embora erros sempre possam acontecer em tomadas de decisão. Foi preciso muita argumentação para persuadir alguns colegas de que deveríamos seguir em frente. Mas, mesmo quando não os convencia, o contrário também não funcionava: ninguém conseguia mostrar por que a abordagem de especificar, testar e sistematizar claramente nossa lógica não era preferível a tomar decisões de modo menos sistematizado.

Todos os grandes investidores e as abordagens de investimento passam por momentos ruins; perder a confiança neles é um erro tão comum quanto se apaixonar por eles quando vão bem. Como a maioria das pessoas é mais emocional do que lógica, costuma reagir de maneira exacerbada a resultados de curto prazo; a maioria desiste e vende suas ações por pouco quando os tempos são ruins e compra por muito quando os tempos são bons. Creio que isso é tão verdadeiro para as relações quanto para os investimentos — os sábios se mantêm fiéis a fundamentos sólidos durante altas e baixas, enquanto os impulsivos reagem à aparência das coisas sob o viés da emoção, entrando em ondas quando elas estão altas e saindo delas quando não estão.

Apesar de nosso desempenho relativamente baixo, 1988 foi um grande ano para a Bridgewater. Resultados fracos levaram a reflexões e aprendizados, que por sua vez levaram a aperfeiçoamentos sistemáticos. Percebi que tempos ruins, quando acompanhados por boas reflexões, fornecem algumas das melhores lições, não apenas para os negócios, mas também para as relações. Temos muito mais supostos amigos quando estamos por cima porque todo mundo gosta de ficar ao lado dos vencedores, certo? Só que amigos de verdade agem no sentido oposto.

Aprendo muitas coisas com os meus períodos de dificuldade, não apenas por proverem erros com os quais aprender, mas também por me ajudarem a descobrir quem são os meus verdadeiros amigos, aqueles que se manterão ao meu lado em todas as situações.

O PRÓXIMO DEGRAU PARA A BRIDGEWATER

No fim da década de 1980, ainda éramos uma empresa pequena, com apenas duas dúzias de funcionários. Bob me apresentou a Giselle Wagner em 1988. Por vinte anos, ela seria minha sócia na administração da parte não relacionada a investimentos da Bridgewater. Dan Bernstein e Ross Waller chegaram em 1988 e 1989, respectivamente, ambos recém-saídos da Dartmouth College. Na época, e por um bom tempo ainda, eu tendia a contratar pessoas formadas sem muita experiência, mas inteligentes, determinadas e comprometidas com a missão de tornar a empresa grande.

Caráter, criatividade e bom senso têm mais valor para mim do que experiência. Creio que isso se deva ao fato de eu mesmo ter aberto a Bridgewater apenas dois anos após me formar e por acreditar que capacidade de compreensão é mais importante do que qualquer conhecimento específico. A meu ver, os jovens estavam produzindo inovações substanciais, e isso me entusiasmava. Faltava apelo aos mais velhos produzindo tudo à moda antiga. Preciso acrescentar, no entanto, que colocar responsabilidades nas mãos de pessoas inexperientes nem sempre deu muito certo. Algumas dolorosas lições sobre as quais você lerá mais adiante me ensinaram que pode ser um equívoco subestimar demais a experiência.

A essa altura, os 5 milhões de dólares do Banco Mundial tinham virado 180 milhões de dólares em investimentos que administrávamos para uma série de clientes, mas ainda tentávamos uma posição melhor no ramo dos investimentos institucionais. Quando Rusty Olson, CIO do fundo de pensão da Kodak, nos procurou para resolver um problema nessa área, agarramos a oportunidade. Rusty era um inovador notável, um homem de grande caráter que havia começado na Kodak em 1954 e assumira seu fundo de pensão em 1972; era muito respeitado como líder no mundo dos fundos de pensão. Já fazia algum tempo que lhe enviávamos nossas pesquisas, e em 1990 ele nos escreveu pedindo opinião a respeito de uma grande preocupação que tinha. O portfólio da Kodak investia de forma pesada em ações, e Rusty estava receoso com o que poderia acontecer em um cenário de queda acentuada do valor de seus ativos. Vinha, portanto, buscando meios de fazer um hedge contra esse risco sem reduzir o rendimento esperado.

O fax de Rusty chegou na tarde de uma sexta-feira, e entramos imediatamente em ação. Conseguir esse cliente inovador e de prestígio faria uma grande diferença, e sabíamos que éramos capazes de apresentar um trabalho de grandeza única para a Kodak. Nosso conhecimento sobre títulos de dívida e engenharia financeira era extenso. Além disso, tínhamos uma perspectiva histórica sem paralelo na indústria. Bob Prince, Dan Bernstein e eu trabalhamos sem parar no fim de semana, analisando o portfólio da Kodak e a estratégia que Rusty estava considerando. Em seguida, escrevemos nossas considerações em um longo memorando.

Da mesma forma que eu havia decomposto o negócio de um produtor de frango nos anos 1970 e de muitas outras empresas desde então, desmontamos o fundo de pensão da Kodak para melhor entender sua "máquina". As soluções que propusemos se inspiravam nas ideias de engenharia de portfólio que mais tarde seriam fundamentais na construção do modelo singular de gestão financeira da Bridgewater. Rusty convidou Bob e a mim para uma visita a Rochester e voltamos para casa com a conta de 100 milhões de dólares. Isso mudou o jogo. Não apenas nos trouxe muita credibilidade, como também nos forneceu uma confiável fonte de receita em uma época em que precisávamos.

DESCOBRINDO O "SANTO GRAAL DO INVESTIMENTO"

Meus fracassos no início da carreira me ensinaram que, por mais confiança que tivesse em uma aposta, eu ainda poderia estar errado — e que diversificação era a chave para reduzir riscos sem reduzir o rendimento. Se eu pudesse construir um portfólio cheio de fluxos de rendimento[3] de alta qualidade e apropriadamente diversificados (cujo zigue-zague se contrabalançasse), teria condições de oferecer aos clientes um retorno geral do portfólio muito mais consistente e confiável do que eles conseguiriam em outra parte.

Décadas antes, o economista Harry Markowitz, vencedor do prêmio Nobel, havia inventado um modelo amplamente utilizado que permitia alimentá-lo com um conjunto de ativos e seus esperados rendimentos, riscos e correlações (mostrando com que similaridade esses ativos tinham desempenhado no passado) e determinar o "mix mais eficiente" desses ativos em um portfólio. Mas esse modelo nada dizia sobre os efeitos incrementais de mudar qualquer uma dessas variáveis nem sobre como lidar com o fato de estar inseguro quanto a essas suposições. A essa altura eu já nutria um medo terrível sobre o que aconteceria se minhas suposições estivessem erradas, portanto queria compreender a diversificação de maneira bem simples. Pedi a Brian Gold, que havia pouco concluíra um curso de matemática em Dartmouth e se juntara à Bridgewater em 1990, para construir um gráfico mostrando como a volatilidade de um portfólio declinaria e sua qualidade (medida pelo rendimento obtido em relação ao risco) cresceria se fosse feito

---

3 Por "fluxos de rendimento" me refiro aos rendimentos provenientes da execução de uma regra de decisão específica — pense neles como linhas num gráfico que rastreia o valor de um investimento ao longo do tempo, e a decisão de ou deixá-lo continuar a crescer em valor ou vender.

o acréscimo incremental de investimentos com diferentes correlações. Explicarei isso mais detalhadamente em *Princípios econômicos e de investimento*.

Esse gráfico simples produziu um impacto que imagino ter sido o mesmo que Einstein sentiu ao descobrir a teoria da relatividade. Vi que, tendo de quinze a vinte fluxos de rendimento bons e não correlacionados, era possível reduzir drasticamente meus riscos sem diminuir o retorno esperado. Era muito simples e ao mesmo tempo seria um avanço fantástico se funcionasse tão bem na prática quanto no papel. Batizei isso de "Santo Graal do Investimento" porque mostrava o caminho para fazer uma fortuna. Isso foi outro momento-chave no nosso aprendizado.

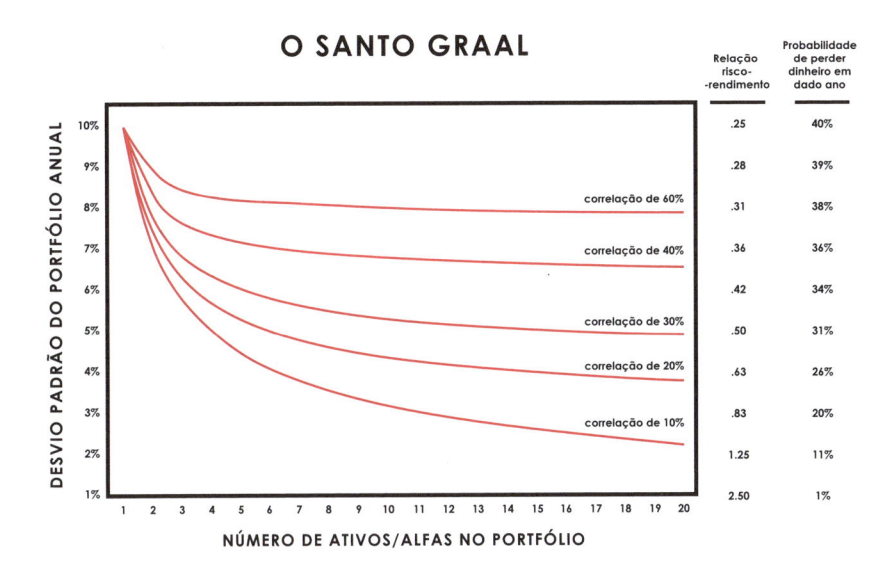

O SANTO GRAAL

Correlação	Relação risco-rendimento	Probabilidade de perder dinheiro em dado ano
	.25	40%
	.28	39%
correlação de 60%	.31	38%
correlação de 40%	.36	36%
	.42	34%
correlação de 30%	.50	31%
correlação de 20%	.63	26%
correlação de 10%	.83	20%
	1.25	11%
	2.50	1%

Eixo Y: DESVIO PADRÃO DO PORTFÓLIO ANUAL (1% a 10%)
Eixo X: NÚMERO DE ATIVOS/ALFAS NO PORTFÓLIO (1 a 20)

O princípio que descobrimos se aplica igualmente bem para todas as formas de tentar fazer dinheiro. Não importa se você é dono de um hotel, se administra uma empresa de tecnologia ou se faz qualquer outra coisa, o seu negócio produz um fluxo de rendimento. Ter alguns bons fluxos de rendimento não correlacionados é melhor do que ter apenas um, e saber como combiná-los é ainda mais eficaz do que ser capaz de escolher bem esses fluxos (embora, é claro, você tenha que fazer as duas coisas). Na época (e até hoje), a maioria dos gestores de investimento não explorava isso. Eles operavam seus investimentos em uma única classe de ativo:

ações, títulos de dívida etc. Os clientes desses gestores aplicavam com a expectativa do retorno geral da classe daquele ativo (por exemplo, o índice do mercado de ações S&P 500) e alguns extras das apostas que os gestores faziam ao investir mais ou menos em ativos específicos (por exemplo, comprando mais ações da Microsoft do que estava no índice). Mas ativos individuais dentro de uma classe de ativos em geral têm uma correlação de 60% entre si, o que significa que sobem ou descem juntos mais da metade das vezes. Como mostrou o gráfico Santo Graal, um gestor de ações podia pôr mil ações com correlação de 60% em seu portfólio que isso não iria diversificá-lo muito mais do que se tivesse colocado apenas cinco. Seria fácil ganhar desses caras equilibrando nossas apostas da maneira que o gráfico indicava.

Graças ao processo de registrar sistematicamente meus princípios de investimento e os resultados que poderia esperar, eu tinha uma grande coleção de fluxos de rendimento não correlacionados. Na verdade, algo em torno de mil. Como negociávamos uma série de classes de ativos diferentes e havíamos programado e testado diversas regras de trading fundamentais dentro de cada uma delas, tínhamos à disposição um número muito maior de classes de alta qualidade do que um gestor comum que monitorasse um número menor de ativos e que provavelmente não estaria negociando de forma sistemática.

Trabalhei com Bob e Dan para filtrar da pilha nossas melhores regras de tomada de decisão. Uma vez selecionadas, fizemos testes retroativos ao longo de períodos amplos de tempo, usando os sistemas para simular como as regras de tomada de decisão teriam trabalhado juntas no passado.

Ficamos boquiabertos com os resultados. No papel, essa nova abordagem melhorava nossos retornos por um fator de três a cinco vezes por unidade de risco, e conseguíamos calibrar a quantidade desejada de retorno com base na quantidade de risco que éramos capazes de tolerar. Em outras palavras, podíamos fazer rios de dinheiro a mais do que outros investidores, com um risco menor de sermos colocados para escanteio, algo que quase acontecera comigo antes. Batizei esse sistema de "matador" por dois motivos: ou nossos resultados seriam bons de matar ou cometeríamos suicídio caso tivéssemos deixado de notar algum aspecto importante.

O sucesso dessa abordagem me ensinou um princípio que aplico à minha vida como um todo: fazer várias boas apostas não correlacionadas, equilibradas e bem alavancadas é o jeito mais garantido de ter muitas vantagens sem se tornar vulnerável.

Por mais entusiasmados que estivéssemos com essa nova abordagem, avançamos com cautela. De início, demos ao sistema um peso de 10% e ele fez dinheiro em dezenove dos vinte meses do período de teste. Ao ganharmos mais confiança, decidi procurar um seleto grupo de investidores institucionais que conhecia bem para ver se gostariam de apostar na estratégia com contas de teste de 1 milhão de dólares. Sabia que pedir um investimento relativamente modesto tornaria a proposta tentadora. A princípio batizei o produto de "Top 5%" por ser essencialmente construído em cima dos melhores 5% de nossas regras de tomada de decisão; depois mudei para Alfa Puro, para transmitir a ideia de que era feito inteiramente de alfas. Como o Alfa Puro não tinha nenhum beta, não era nem um pouco inclinado a subir ou descer junto com qualquer mercado. Seu rendimento dependia somente da nossa capacidade de superar os outros.

Essa abordagem de "sobreposição alfa" totalmente inovadora permitia que os investidores recebessem os retornos da classe de ativos escolhida (o S&P 500, um índice de títulos de dívida, commodities — o que fosse) mais o retorno do portfólio de apostas que estávamos fazendo em todas as classes de ativos. Como nossa abordagem não tinha precedentes, explicamos a lógica com cuidado, mostrando como era muito menos arriscada do que abordagens tradicionais. Também salientamos nossa expectativa de desempenho cumulativo e qual seria o âmbito de desempenho esperado ao seu redor. Para os clientes, era mais ou menos como ser presenteado com o projeto de um avião que nunca voara antes, mas que no papel parecia radicalmente melhor do que qualquer outro nos céus. Quem teria coragem suficiente para embarcar?

Alguns clientes captaram os conceitos e ficaram animados em mudar as regras; outros não entenderam ou trabalhavam para organizações que se recusavam a tentar alternativas pioneiras. Falando francamente, ficamos entusiasmados que alguns estivessem dispostos a tentar. Hoje, por mais de 26 anos, esse novo tipo de avião vem voando exatamente como havíamos previsto, lucrando em 23 desses 26 (com perdas modestas nos outros três)

ALFA CUMULATIVO BRUTO VS. EXPECTATIVAS (IN)

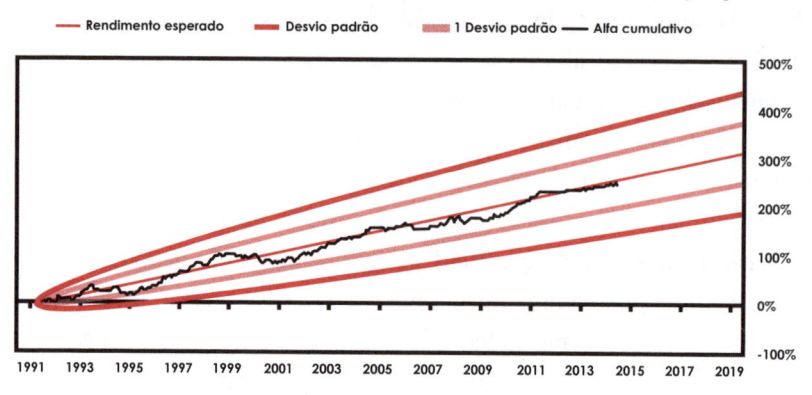

e fazendo mais dinheiro no total do que qualquer outro fundo de hedge na história. Embora os conceitos de gestão de investimento na base do Alfa Puro tenham mudado nossa indústria, a jornada desde a concepção até a total aceitação consumiu muitos anos de aprendizado e trabalho exaustivo de um grupo de dedicados sócios.

OFERECENDO AO MUNDO NOSSO SISTEMA MATADOR

O Alfa Puro representava a melhor maneira que conhecíamos de gerir dinheiro ativamente, mas também sabíamos que, se quiséssemos gerir uma quantidade significativa de dinheiro institucional, seria preciso aceitar que somente um número limitado de clientes inovadores tentaria a abordagem. Assim, enquanto procurávamos convencer os clientes a adotarem nosso modo, na virada dos anos 1990 para os 2000, o Alfa Puro representava apenas algo em torno de 10% do total de ativos que gerenciávamos.

Ainda que não fosse possível negociar ações e commodities em nossas contas exclusivas de títulos de dívida, aplicávamos ao portfólio os princípios de estruturação que havíamos descoberto e utilizado com o Alfa Puro. A ideia era dar aos nossos clientes com portfólio de títulos um rendimento maior com níveis menores de risco. Isso incluía negociar títulos de governos estrangeiros, dívida do mercado emergente, títulos atrelados à inflação, títulos corporativos e as exposições cambiais que vinham com investimentos estrangeiros. Nos nossos portfólios com menos restrições, fazíamos cerca de cinquenta apostas diferentes, um número bem maior do que o que gestores tradicionais costumavam negociar. Isso nos deu uma grande vantagem e nos colocou no topo de muitas tabelas de desempenho de investimento ano após ano.

O Alfa Puro foi apenas o primeiro de uma série de desenhos inovadores que levamos aos clientes. Em 1991, havíamos nos tornado os primeiros gestores de sobreposição cambial para investidores institucionais. Na época, os investidores institucionais estavam colocando porções maiores de seus portfólios nos mercados globais de ações e títulos de dívida. Embora trabalhar com mercados internacionais acrescentasse uma diversidade valiosa ao investimento, também produzia uma exposição cambial sem controle. Isso era um grande problema, porque acrescentava risco sem aumentar o retorno esperado. Como negociávamos moedas havia muitos anos e tínhamos expertise em engenharia de portfólio, estávamos em ótima posição para resolver esse problema. Logo nos tornaríamos os maiores gestores cambiais ativos do mundo.

Também produzimos outras estratégias novas e eficazes para gerenciar dinheiro, e todas decolaram conforme o planejado. Todas permitiram oferecer expectativas de desempenho claramente definidas, expressas em um gráfico que mostrava uma linha de lucro acumulado e as variações esperadas ao redor dela. Podíamos fazer isso porque a sistematização do nosso processo decisório nos permitiu testar exaustivamente o desempenho de nossas tomadas de decisão sob uma ampla variedade de condições.

SISTEMATIZANDO NOSSO APRENDIZADO A PARTIR DOS ERROS

Naturalmente, continuamos a cometer erros, ainda que estivessem todos dentro da nossa margem de expectativa. Adquirimos o hábito de vê-los como oportunidades para aprender e melhorar, por isso extraíamos o máximo dessas situações. Um de nossos equívocos mais memoráveis aconteceu no início da década de 1990, quando Ross, encarregado do trading na época, se esqueceu de fazer uma negociação para um cliente e o dinheiro ficou parado. Quando o erro foi descoberto, o dano já estava em várias centenas de milhares de dólares.

A falha nos custou caro. Eu poderia ter tomado uma atitude drástica como demitir Ross e deixar claro que erros não seriam tolerados. Mas, como erros acontecem o tempo inteiro, isso só teria encorajado outras pessoas a esconder suas falhas, o que teria resultado em erros ainda maiores e mais custosos. Acredito plenamente que devemos trazer à tona problemas e desavenças e buscar entender o que precisaria ser feito para melhorar. Assim, Ross e eu trabalhamos para construir um "registro de erros" no departamento de trading. A partir dali, sempre que houvesse qualquer tipo de desfecho ruim (um negócio não executado, custos de transação significativamente maiores do que o esperado etc.), os traders registravam e acompanhávamos a situação. À medida que fazíamos um rastreamento consistente desses episódios e lidávamos com eles, nossa máquina de execução de negócios ia sendo continuamente aperfeiçoada.

Ter um processo para garantir que os problemas sejam trazidos à tona e que suas causas sejam diagnosticadas também garante constante aprimoramento.

Por esse motivo, insisti que um registro de ocorrências fosse adotado em toda a Bridgewater. A regra era simples: qualquer processo com erro deveria ser registrado, caracterizando a gravidade da situação e deixando claro quem fora o responsável. Se você registrasse seu erro, maravilha. Omiti-lo era uma falta grave. Segundo essa lógica, os próprios associados reportavam os problemas ao gerente responsável, o que era muito melhor do que o gerente ter que descobri-los. O registro de erros (que agora chamamos de Registro de Ocorrências) foi nossa primeira ferramenta de gestão. Aprendi mais tarde quanto elas são importantes para reforçar comportamentos desejados, e isso nos levou a criar uma série delas, que descreverei mais tarde.

A cultura de trazer problemas e desavenças à tona, porém, gerou desconforto e situações de conflito, sobretudo quando chegou ao ponto de analisar as fraquezas das pessoas. Não demorou muito até atingirmos a ebulição.

MEU PROBLEMA "INTRATÁVEL" COM PESSOAS

Certo dia de inverno em 1993, Bob, Giselle e Dan me convidaram para um jantar cujo objetivo declarado era me dar um feedback sobre como eu afetava as pessoas e o moral da empresa. Primeiro recebi deles um memorando que, essencialmente, descrevia que minha abordagem para gestão de pessoal estava tendo um efeito negativo. Eles colocaram a questão da seguinte maneira:

O que Ray faz bem?
Ele é brilhante e inovador. Compreende mercados e gestão financeira. É intenso e cheio de vida. Tem padrões bastante elevados e os deixa claro para as pessoas que o cercam. É bem-intencionado em relação a trabalho em equipe, construção de um sentimento coletivo de propriedade, manutenção de condições de trabalho flexíveis e recompensa bem as pessoas.

O que Ray não faz tão bem?
Às vezes diz coisas ou age com os funcionários de modo a fazer com que se sintam incompetentes, desnecessários, humilhados, derrotados, desimportantes, oprimidos ou simplesmente mal. As chances de isso acontecer aumentam quando Ray está sob estresse. Nessas horas, suas palavras e ações lhe rendem animosidade, e esses episódios deixam uma marca duradoura. Em vez de impulsionar os associados, Ray os desmotiva. Isso reduz a produtividade e a qualidade do ambiente de trabalho, e os efeitos vão muito além do funcionário em questão. O tamanho reduzido da empresa e a comunicação aberta significam que todos são afetados quando uma pessoa é desmotivada, maltratada e abordada sem o devido respeito. O sucesso da companhia depende muitíssimo da capacidade de Ray de gerir pessoas tão bem quanto gere o dinheiro. Caso contrário o crescimento não será como esperado, afetando a todos.

Receber um memorando como esse doeu e me surpreendeu. Nunca imaginara que estava produzindo esse tipo de efeito. Essas pessoas eram minha família. Não queria que se sentissem "incompetentes, desnecessárias, humilhadas, derrotadas, desimportantes, oprimidas ou simplesmente mal". Mas por que não falavam isso diretamente para mim? O que eu estava fazendo de errado? Meus padrões eram altos demais? Para que a Bridgewater continuasse a ser uma empresa do tipo "uma em dez mil" precisávamos ter pessoas excepcionais em nossa equipe, submetidas a padrões extremamente elevados. Eu estava exigindo demais?

Para mim, era mais uma encruzilhada: eu precisava escolher entre uma de duas opções que parecem essenciais, mas mutuamente excludentes: 1) sinceridade total entre os associados, incluindo investigações para trazer à tona problemas e fraquezas a fim de que pudéssemos lidar diretamente com tais situações; 2) ter funcionários felizes e satisfeitos.

De imediato me lembrei de que, diante da escolha entre duas alternativas que aparentemente se chocam, é preciso ir devagar para descobrir como extrair o máximo possível de cada uma delas. Quase sempre existe um bom caminho que você ainda não descobriu e a resposta certa é procurar por ela em vez de ficar com a opção que no momento parece a melhor.

Meu primeiro passo foi me assegurar de que sabia exatamente quais eram os problemas e como lidar com eles. Assim, perguntei a Bob, Giselle e Dan o que achavam que estava acontecendo. Fiquei sabendo que eles, pessoalmente, e muitos outros que me conheciam bem não se sentiam tão desmoralizados porque sabiam que sou uma pessoa bem-intencionada. Caso contrário teriam pedido demissão, porque, conforme me foi colocado, "o salário não era suficiente para ficarem aguentando minhas merdas".

Os três sabiam que eu queria o melhor para eles e para a Bridgewater; sabiam que para tanto eu precisava ser radicalmente sincero com todos e que eles fossem sinceros comigo. Não apenas porque isso produziria melhores resultados, mas também porque sinceridade é, a meu ver, fundamental em qualquer relação. Todos concordávamos quanto a isso, mas, como algumas pessoas estavam desconfortáveis, algo tinha que mudar.

Enquanto as pessoas com quem eu tinha contato me compreendiam, gostavam de mim e em alguns casos até me amavam, aquelas com quem eu tinha menos contato ficavam ofendidas pelo meu jeito direto. Estava claro que eu precisava ser mais bem compreendido e também compreender melhor os outros. Nesse momento, percebi a importância de deixar claros os nossos princípios e conhecer os do outro em uma relação.

Isso deu início ao nosso processo de décadas de colocar princípios no papel, o que evoluiu para os Princípios de Trabalho. Esses princípios eram uma espécie de acordo sobre como lidaríamos uns com os outros e também minhas reflexões sobre como deveríamos encarar as situações do ambiente de trabalho. Como a maioria delas se repetia com pequenas variações, os princípios eram sempre aprimorados. Quanto à nossa maneira de nos relacionar, os aspectos mais importantes eram:

1. Expor francamente nossos pensamentos.
2. Dialogar com respeito e estar propenso a mudar de opinião em virtude do aprendizado.
3. Estabelecer em consenso uma forma de solucionar impasses (votando ou tendo autoridades claras, por exemplo) e em seguida deixá-los para trás, sem ressentimentos.

A meu ver, são passos fundamentais para otimizar os processos de qualquer organização ou relação. Para que um sistema de tomada de decisão coletiva seja eficiente, as pessoas precisam ter certeza de que ele é justo.

Estar em sintonia com Princípios de Trabalho bem definidos da mesma forma com que estávamos alinhados aos nossos princípios de investimento foi essencial para que compreendêssemos melhor uns aos outros. Nossa maneira única de operar — com sinceridade e transparência radicais —, algo que conduzira a resultados excepcionais, é contraintuitiva e emocionalmente difícil para alguns.

Para tentar compreender como seria possível criar trabalho e relações relevantes por meio dessa atitude sem rodeios, conversei com neurocientistas, psicólogos e educadores ao longo das décadas seguintes. Aprendi muitas coisas, mas posso resumir da seguinte maneira: existem duas partes no cérebro de cada pessoa, a superior, lógica, e a inferior, emocional. Chamo-as de os "dois vocês". Essas partes lutam pelo controle do indivíduo. Nosso comportamento é conduzido, em geral, pela maneira com que administramos esse conflito, e esse conflito era exatamente a principal motivação para os problemas apontados em mim por Bob, Giselle e Dan. Enquanto a parte lógica do cérebro pode facilmente entender que ter noção das próprias fraquezas é bom (porque é o primeiro passo para ultrapassá-las), a parte emocional em geral odeia isso.

CAPÍTULO 5

A DÁDIVA SUPREMA:
1995-2010

Em 1995, a Bridgewater tinha 42 funcionários e 4,1 bilhões de dólares sob gestão. Era muito mais do que eu havia esperado, especialmente ao considerar que doze anos antes a empresa era apenas eu. Embora tudo estivesse muito melhor e mais estável, ainda agíamos como no início: enfrentando os mercados, pensando de maneira independente e criativa sobre como fazer nossas apostas, cometendo erros, trazendo esses erros à tona, diagnosticando-os para entender sua origem, planejando novas e melhores maneiras de fazer as coisas, implementando mudanças sistematicamente, cometendo novos erros e daí por diante.[4] Essa abordagem repetitiva e evolutiva permitiu que estivéssemos sempre refinando os sistemas de investimento que comecei a construir em 1982. Na época, mostramos que algumas mentes brilhantes e computadores trabalhando em conjunto poderiam derrotar os jogadores grandes e bem equipados do establishment. Àquela altura, nós mesmos estávamos virando o establishment.

À medida que as regras de decisão e a quantidade de dados em nosso sistema ficavam mais complexos, contratávamos programadores jovens e mais capacitados do que nós para converter nossas instruções em código, bem como

---

[4] Essa abordagem é o que eu chamo de "Processo de Cinco Etapas". Vou falar mais detalhadamente adiante.

recém-formados inteligentes para ajudar nas pesquisas de investimento. Um desses novos gênios, Greg Jensen, ingressou como estagiário na Bridgewater em 1996. Como Jensen se destacava, o escolhi para ser meu assistente de pesquisas. Jensen fez imensas contribuições ao longo das décadas seguintes e assumiu o terceiro posto de diretor de investimentos junto a mim e Bob Prince, tornando-se nosso terceiro CEO. Jensen se tornou para mim uma espécie de afilhado.

Também investíamos em computadores cada vez mais poderosos.[5] Essa mudança permitiu que tivéssemos mais tempo para analisar a movimentação diária dos mercados, analisando as situações de uma perspectiva mais elevada, estabelecendo conexões novas e criativas e produzindo inovações para os clientes.

DESCOBRINDO OS TÍTULOS ATRELADOS À INFLAÇÃO

Por volta dessa época, tive um jantar com David White, o homem encarregado do dinheiro da Fundação Rockefeller. David perguntou qual seria a engenharia mais adequada para que o portfólio da fundação produzisse rendimentos 5% acima da taxa de inflação dos Estados Unidos. Minha resposta foi um portfólio de títulos de dívida estrangeiros alavancados e atrelados à inflação, com hedge de exposição cambial. Os títulos tinham que ser estrangeiros porque na época não havia títulos do Tesouro americano atrelados à inflação, e a fundação precisava de hedge em relação ao dólar para que não houvesse risco cambial.

Posteriormente, refletindo sobre a questão, percebi que podíamos criar uma classe de ativos totalmente nova e radicalmente diferente, então Dan Bernstein e eu fizemos pesquisas mais detalhadas sobre um portfólio com essas características. De acordo com nossa análise, essa nova classe de ativos teria um desempenho ainda melhor do que havíamos pensado. Na verdade, sua eficácia seria singular porque poderíamos arquitetá-la para ter o mesmo rendimento esperado que um portfólio de ações, mas com menos risco e com correlação negativa entre títulos e ações durante longos períodos. Os clientes adoraram. Em pouco tempo nos tornamos os primeiros gestores de títulos de dívida globais atrelados à inflação.

---

5 Vou explorar mais o tópico de trabalhar com sistemas de tomadas de decisões com auxílio de computadores no Capítulo Cinco de Princípios de Vida, "Aprenda a tomar decisões de maneira eficiente".

Em 1996, o vice-secretário do Tesouro dos Estados Unidos, Larry Summers, começou a estudar se o país deveria emitir os próprios títulos atrelados à inflação, e como éramos os únicos gestores com portfólio semelhante, nossa consultoria foi solicitada.

Dan e eu fomos a Washington para um encontro com Summers, seus colegas do Tesouro e alguns representantes de empresas conhecidas de Wall Street. Chegamos atrasados (pontualidade não é um dos meus pontos fortes) e as portas do grande salão de reuniões no Tesouro estavam trancadas. Eu não ia deixar que isso me impedisse e fiquei batendo até alguém vir abrir. Era um salão amplo com uma mesa no centro e uma galeria para a imprensa na lateral. Só havia um lugar vazio à mesa, com o nome de Dan à frente. Havíamos concordado que ele seria o nosso representante, já que fizera a maior parte do trabalho de preparação. Só que eu me esquecera desse detalhe. Fui até a galeria da imprensa, peguei uma cadeira e coloquei-a ao lado da de Dan. Eu também teria um assento à mesa. Dan descreve esse episódio como uma analogia sobre como, em geral, eram as coisas para nós nos anos 1990: precisávamos abrir caminho. Mais tarde, Larry Summers declararia que os conselhos recebidos foram os mais importantes para a estruturação desse mercado. Quando o Tesouro realmente criou os títulos, o modelo adotado era o nosso.

DESCOBRINDO A PARIDADE DE RISCO

Em meados dos anos 1990 eu tinha dinheiro suficiente para montar um fundo para minha família, portanto comecei a pensar em qual seria o melhor mix de alocação de ativos para preservar a riqueza por várias gerações. Nos meus anos como investidor, eu vira todos os tipos de cenários econômicos e de mercado e todas as maneiras como fortunas podiam ser criadas e destruídas. Sabia o que guiava o rendimento dos ativos, mas também que, independentemente da classe de ativos trabalhada, em determinado momento ela perderia a maior parte do valor. Isso incluía dinheiro vivo, que é o pior investimento a longo prazo porque perde valor com a inflação e os impostos.

Eu também sabia como era difícil antecipar as oscilações que causam essas perdas. Depois de uma vida devotada a isso, e de uma boa parcela de equívocos, eu não confiava que outras pessoas pudessem fazê-lo tão bem quando eu não estivesse mais por perto. Encontrar investidores com bom desempenho em todos os cenários econômicos — inflação subindo e descendo, *booms*, bolhas estourando — é como encontrar uma agulha no palheiro. E esses investidores não vivem para sempre, então contar com eles não era uma opção viável. Não queria que a fortuna criada para proteger minha família desaparecesse após minha morte. Por isso era importante criar um mix de ativos que pudesse ser bom sob quaisquer circunstâncias.

Eu sabia quais mudanças de cenário provocavam movimentações nas classes de ativos e que essas relações permaneciam essencialmente inalteradas havia séculos. Existiam apenas duas grandes forças com as quais me preocupar: crescimento e inflação. Ambas poderiam subir ou descer. Vi que, com a descoberta de quatro estratégias diferentes de investimento — cada uma com melhor desempenho em um cenário específico (crescimento e inflação em expansão, crescimento em alta e inflação em queda etc.) —, eu poderia construir um mix equilibrado a longo prazo e ao mesmo tempo imune a perdas severas. Como essa estratégia nunca mudaria, praticamente qualquer um poderia implementá-la. Assim, com a ajuda de Bob e Dan, criei um portfólio para investir o dinheiro do meu truste de maneira segura pelos próximos séculos. Batizei-o de "Portfólio para todos os climas".

Entre 1996 e 2003 fui o único "cliente" a investir nele, porque não o vendíamos como um produto. No entanto, em 2003, o diretor do fundo de pensão da Verizon, um antigo cliente, me disse que estava procurando uma abordagem como essa. Após a Verizon, outros clientes rapidamente vieram atrás, e doze anos depois gerenciávamos quase 80 bilhões de dólares. Havíamos desenvolvido outro conceito com capacidade para modelar o mercado. Vendo seu sucesso, outros gestores de investimento criaram as próprias versões. Agora ele é conhecido de modo genérico como investimento com "paridade de risco".

CONTINUAR SENDO UMA MARCA COBIÇADA OU VIRAR UMA GRANDE INSTITUIÇÃO?

Desenvolvendo produtos como esse a Bridgewater decolou. Em 2000, estávamos gerindo mais de 32 bilhões de dólares, quase oito vezes mais do que cinco anos antes. O número de funcionários havia dobrado, e foi preciso trocar o pequeno escritório no shopping center por um espaço maior. Escolhemos um escritório localizado em uma reserva ambiental nas margens do rio Saugatuck.

O crescimento da embarcação, no entanto, não garantia mar calmo. Construir o negócio e gerir investimentos, dois empregos desafiadores, exigia de mim o desenvolvimento de dois conjuntos distintos de aptidões. Ao mesmo tempo era preciso continuar sendo um bom pai, marido e amigo. As exigências desses papéis foram mudando com o tempo, e, portanto, também as aptidões.

A maioria das pessoas presume que os desafios atrelados à construção de um grande negócio sejam maiores que os inerentes à construção de um menor. Isso não é verdade. Ir de uma empresa de cinco pessoas para uma de sessenta era tão desafiador quanto ir de uma de sessenta para uma de setecentas. E de setecentas para 1.500. Olhando para trás, não posso dizer que os desafios foram menores ou maiores em qualquer uma das fases pelas quais passamos. Foram apenas diferentes.

Por exemplo, quando a empresa era só eu, o desafio era fazer quase tudo sozinho. Quando aprendi e ganhei o suficiente para contratar pessoal, o desafio era administrá-lo. Do mesmo modo, os desafios de enfrentar oscilações econômicas e de mercado estavam sempre mudando. Na época isso não estava claro, mas agora me parece óbvio: quando uma pessoa evolui, os desafios que irá enfrentar evoluem também — o atleta olímpico enfrenta tantas dificuldades em sua categoria de desempenho quanto o novato.

Em pouco tempo, nos deparamos com outra escolha crucial: que tipo de empresa queríamos ser? Deveríamos continuar crescendo ou permanecer daquele tamanho?

Em 2003 eu chegara à conclusão de que precisávamos deixar de ser apenas uma marca cobiçada e virar uma instituição de grande porte. Isso resultaria em aprimoramento em vários aspectos — melhor tecnologia, melhores controles de segurança, um grupo melhor de talentos — e nos tornaria mais estáveis e perenes. Contrataríamos mais pessoal para as áreas de tecnologia, infraestrutura e outras, além de recursos humanos e TI para dar apoio e treinamento aos demais

Giselle foi contra o crescimento de forma veemente. Segundo ela, a chegada de muita gente ameaçaria nossa cultura, e o tempo e a atenção necessários para contratar, treinar e administrar os novos funcionários diluiria nosso foco. Embora concordasse com seus pontos, não gostava da ideia de não pôr em prática nosso potencial. Minha impressão sobre essa nova encruzilhada não era novidade — a pergunta se poderíamos simultaneamente ter o bolo e comê-lo era apenas um teste de nossa criatividade e caráter. Usar a tecnologia para extrair o máximo das pessoas era uma alternativa, por exemplo. Após um longo debate, decidimos ir em frente.

ELABORANDO PRINCÍPIOS

Desde o episódio do Memorando de Feedback do Ray nos anos 1990, passei a compartilhar meus Princípios de Trabalho de maneira muito mais explícita, tal qual fazia com meus princípios de investimento. De início, enviei nossa filosofia por e-mail para a empresa inteira. Sempre que surgia algum novo cenário de tomada de decisão, eu refletia sobre os critérios usados nessa deliberação e criava um novo princípio. A ideia era que as pessoas pudessem estabelecer conexões entre a situação a enfrentar, o princípio que eu havia usado para lidar com ela e o curso de ação tomado. Cada vez mais enxergávamos as situações como "mais uma daquelas" — contratar, demitir, determinar remuneração, lidar com desonestidade —, e para todas havia um princípio adequado. Com essas diretrizes no papel, eu podia encorajar a meritocracia de ideias e estimular a reflexão da equipe para que refinasse os princípios e, por fim, aderisse a eles.

Vivíamos um processo evolutivo constante: catalogar situações possíveis, criar um princípio para lidar com cada uma delas e sincronizar essa dinâmica entre todos os líderes e gerentes da Bridgewater. Ao longo do tempo, me deparei com praticamente todos os cenários possíveis na administração de uma empresa e criei algumas centenas de princípios que cobriam quase todos eles. Essa coleção virou uma espécie de biblioteca para o processo decisório, a base do que você encontrará em "Princípios de Trabalho".

Não bastava, contudo, codificar e ensinar nossa filosofia; tínhamos que vivê-la. À medida que a empresa crescia, nosso modo de levar isso a cabo evoluía. No começo da Bridgewater, todos se conheciam, então era fácil ser radicalmente transparente — as pessoas podiam comparecer às reuniões que quisessem e se comunicar com as outras de maneira informal. Com a expansão, isso se tornou logisticamente impossível e um verdadeiro problema.

Como as pessoas poderiam se engajar produtivamente com a meritocracia de ideias se não sabiam tudo que se passava? Sem transparência, as pessoas criariam versões — de acontecimentos que muitas vezes se davam a portas fechadas — que melhor atendessem aos seus interesses. Em vez de virem à tona para que fossem solucionados, os problemas ficariam sob o tapete. A verdadeira meritocracia de ideias só é possível com transparência, quando todos têm a oportunidade de ver as coisas com os próprios olhos.

Para garantir que isso acontecesse, exigi que todas as reuniões fossem gravadas e disponibilizadas a todos, com raríssimas exceções (quando discutíamos assuntos bastante privados como saúde pessoal ou informação proprietária acerca de um negócio ou regra de decisão). De início, eu enviava as gravações não editadas, mas assistir às reuniões na íntegra tomava muito tempo. Montei uma pequena equipe para editar o conteúdo de modo que destacasse os momentos mais importantes, e depois acrescentamos perguntas para criar estudos de caso de "realidade virtual" que poderiam ser usados em treinamentos.[6] Com o tempo, essas gravações viraram um "modelo de treinamento" para novos funcionários e também uma janela de observação do fluxo contínuo de situações e seus princípios.

Essa abertura conduziu a algumas discussões bem francas sobre quem fizera o que e por quê, além de ter sido bastante esclarecedor compreender melhor nossas diferentes maneiras de pensar. No mínimo, eu passaria a apreciar pessoas que um dia tive vontade de estrangular. Além do mais, percebi que gerentes que não compreendem diferentes linhas de raciocínio também não compreendem diferentes cursos de ação adotados pelos membros da equipe. Esse insight nos levou a explorar a psicometria.

DESCOBRINDO OS TESTES PSICOMÉTRICOS

Quando meus filhos eram bem pequenos, fiz com que fossem testados por uma brilhante psicóloga chamada Sue Quinlan. Suas avaliações precisas forneceram um grande mapa sobre como eles se desenvolveriam nos anos futuros. Como o teste foi muito bem-sucedido, trabalhei com Sue e uma

---

6 Com os avanços na tecnologia digital, continuamos a inovar os métodos para registrar e distribuir esse conteúdo.

equipe de psicólogos em busca dos melhores testes para determinar as características dos membros de nossa equipe. Em 2006, fiz a avaliação conhecida como Tipologia de Myers-Briggs (MBTI) pela primeira vez e achei a descrição que ela fez de minhas preferências notavelmente precisa.

Muitas das diferenças descritas — como aquelas entre "pessoas intuitivas", que tendem a focar no panorama geral, e "pessoas sensitivas" que dão mais atenção a fatos e detalhes específicos — eram extremamente relevantes para os conflitos e desacordos que enfrentávamos na Bridgewater. Comecei a procurar outras metodologias que pudessem aprofundar nossa compreensão uns dos outros. As coisas andaram devagar no começo, principalmente porque a maioria dos psicólogos era muito melindrada em relação a explorar diferenças. Até que conheci Bob Eichinger, um excelente psicólogo que me indicou uma série de outros testes bastante úteis.

No começo de 2008, submetemos a maioria dos gerentes da Bridgewater à Tipologia de Myers-Briggs e os resultados me impressionaram. Não podia acreditar que alguns deles pensavam da maneira descrita pelo teste. Quando pedi que dessem uma nota em uma escala de um a cinco de quão bem o teste os havia descrito, mais de 80% deram quatro ou cinco.

O JOGO DAS ESTATÍSTICAS DE DESEMPENHO

Mesmo com os dados coletados pela Tipologia de Myers-Briggs e por demais testes, continuava difícil ligar os pontos entre os resultados da empresa e as informações a respeito das características dos associados. As mesmas pessoas entravam nas mesmas reuniões o tempo todo, repetiam os mesmos processos, obtinham respostas semelhantes e não questionavam o motivo disso.

Recentemente me deparei com um estudo que revelou o seguinte viés cognitivo: as pessoas negligenciam consistentemente as evidências de que um indivíduo é melhor do que outro em determinada área e presumem que ambos são igualmente bons. Era exatamente o que estávamos vendo.

Por exemplo, pessoas com pouco poder de imaginação estavam sendo designadas para tarefas criativas, pessoas com baixa percepção de detalhes estavam sendo designadas para tarefas minuciosas, e por aí vai. Precisávamos descobrir um modo de deixar ainda mais claras as características de cada um. Comecei então a criar algo parecido com um jogo de cartas muito popular entre as crianças, no qual cada carta elenca as estatísticas de desempenho de determinada coisa (um carro, uma moto, um jogador de basquete etc). A ideia era que essas cartas pudessem circular pela empresa e fossem usadas na hora de distribuir responsabilidades. Assim como não se poderia esperar que um carro de passeio tivesse aceleração maior do que um carro de Fórmula 1, não daríamos a um associado de visão generalista uma tarefa que exigisse atenção aos detalhes.

De início, essa ideia encontrou muita resistência. As pessoas temiam que as cartas não fossem precisas, que sua montagem exigisse muito tempo e que o único resultado disso seria classificar os colegas de maneira injusta. Com o tempo, no entanto, a mentalidade em relação a essa abordagem 100% honesta foi mudando. Aos poucos, os associados compreenderam que ter às claras esse tipo de informação a respeito dos colegas era mais libertador do que restritivo. Quando essa metodologia virou norma, todos desfrutaram o conforto de se sentir à vontade sendo como realmente são. Era como se estivessem em família.

Como essa maneira de operar era muito incomum, vários psicólogos behavioristas foram à Bridgewater avaliá-la. Recomendo a leitura dessas avaliações, que foram esmagadoramente favoráveis.[7] O psicólogo de Harvard Bob Kegan chamou a Bridgewater de "uma prova de que buscar excelência nos negócios e realização pessoal não precisam ser mutuamente excludentes e que, muito pelo contrário, podem ser essenciais uma à outra".

Preciso explicar ainda que minhas circunstâncias pessoais na época também me levaram à psicologia e à neurologia. Embora a ideia seja manter a privacidade da minha família ao longo deste livro, vou compartilhar esta história sobre meu filho Paul por ser relevante e porque ele mesmo trata do assunto de maneira aberta.

Após se graduar na Tisch, a escola de cinema da Universidade de Nova York, Paul foi trabalhar em Los Angeles. Um dia, se encaminhou até a recepção do hotel em que estava hospedado enquanto procurava por apartamento e destruiu o computador dos funcionários. Ele foi preso e espancado pela polícia na cadeia. Paul foi diagnosticado com transtorno bipolar e liberado sob minha custódia para ser internado como paciente psiquiátrico.

---

[7] Você pode encontrar na bibliografia referências a livros de Robert Kegan, Edward Hess e Adam Grant.

Foi o início de uma montanha-russa de três anos que levou nossa família aos picos das crises de mania de Paul e ao fundo do poço de suas depressões. Passamos esse período às voltas com os meandros do sistema de saúde dos Estados Unidos e em conversas com alguns dos mais brilhantes e atenciosos psicólogos, psiquiatras e neurocientistas em atividade. Nada estimula mais o aprendizado do que a dor e a urgência — e a experiência com Paul era fonte de ambas. Em alguns momentos a sensação era de estar de mãos dadas com Paul à beira de um precipício. De um dia para outro era impossível saber se conseguiria segurá-lo ou se ele despencaria.

Trabalhamos intensamente para compreender a situação e decidir o que fazer a respeito. A ajuda recebida e a personalidade de Paul fizeram com que ele superasse esse período. Ter caído no abismo fez dele um homem melhor porque o ajudou a encontrar em si mesmo a força necessária para seguir. Paul, que antes vivia fora de controle — ficava fora até de madrugada, era desorganizado, bebia e fumava maconha —, hoje toma disciplinadamente sua medicação, medita, dorme cedo e evita drogas e álcool. Ele sempre foi um rapaz extremamente criativo, mas pouco disciplinado. Hoje exibe ambas as características. É um homem mais produtivo, tem um casamento feliz, é pai de dois meninos, um cineasta talentoso e batalha para ajudar outras pessoas que enfrentam o transtorno bipolar.

A transparência radical em relação à sua bipolaridade e seu comprometimento em ajudar outros na mesma situação são fontes de inspiração para mim. Seu primeiro longa-metragem, *Tocados pelo fogo*, recebeu muitas críticas positivas, trazendo esperança e rumo a muitas pessoas cujas vidas poderiam ter se perdido para o transtorno bipolar. Lembro-me de vê-lo filmando uma cena baseada em uma conversa real entre nós. Ele estava se comportando de modo obsessivo e eu tentava argumentar. Ali, naquele momento, eu via simultaneamente o ator que interpretava Paul em seu pior momento e o verdadeiro Paul em seu ápice, dirigindo a cena. Minha mente fez um voo por toda sua jornada — das profundezas do abismo até se metamorfosear no herói cheio de força diante de mim, um herói em uma missão para ajudar outras pessoas a superarem o que ele havia superado.

Essa viagem pelo inferno me trouxe uma compreensão muito mais profunda de como e por que vemos as coisas de maneiras diferentes. Aprendi que boa parte do nosso modo de pensar é fisiológica e pode ser alterada. Por exemplo, as oscilações de Paul aconteciam porque seu cérebro secretava dopamina e outros reagentes de maneira irregular. Essas alterações poderiam ser compensadas controlando-as e também a seus gatilhos. Aprendi que gênio criativo e insanidade são conceitos bem próximos, que a mesma química que cria insights pode causar distorções da realidade, e que estar preso aos próprios pensamentos é absurdamente perigoso. Em seus períodos de "loucura", ele acreditava em seus argumentos ilógicos, por mais estranhos que soassem aos outros. Embora isso aconteça de forma muito mais acentuada dentro do quadro do transtorno bipolar, eu observava algum grau desse comportamento na maioria das pessoas. No entanto, ao aprender que é possível controlar a atividade cerebral para produzir efeitos drasticamente melhores, aprimorei minha maneira de me relacionar com as pessoas, algo que explicarei em detalhes no Capítulo 4 da Parte II, "Compreenda que os circuitos das pessoas são bem diferentes".

TRANSFORMANDO A BRIDGEWATER EM UMA EMPRESA SÓLIDA E DE PONTA

Em 2008, durante nossa reunião anual no mês de junho, na qual respondíamos a perguntas dos funcionários, declarei que a Bridgewater era, e sempre havia sido, "terrível e incrível". Passados quase cinco anos de rápido crescimento rumo a transformar a Bridgewater em uma instituição, nos deparamos com um novo conjunto de problemas. Mas problemas não eram de todo novidade. A Bridgewater sempre enfrentou percalços, um preço a pagar por iniciativas arrojadas e evolução veloz.

Por exemplo, a tecnologia havia mudado tão rápido ao longo dos anos que literalmente passamos de réguas de cálculo para softwares de planilhas e então para inteligência artificial avançada. Em um cenário de transformações tão velozes, parecia sem sentido ajustar tudo muito detalhadamente quando algo novo e melhor com certeza surgiria. Assim, nossa tecnologia era construída de maneira leve e flexível, o que fazia sentido na época, mas também criou uma série de problemas carentes de solução. Essa abordagem de rápidas transformações e flexibilização era corrente em todas as áreas da empresa, o que fez com que vários departamentos ficassem sobrecarregados com o passar do tempo. Embora gostássemos de ser uma empresa de ponta, enfrentávamos dificuldades para nos transformar em uma companhia sólida, sobretudo, na área não ligada a investimentos. Precisávamos renovar a Bridgewater em vários sentidos — e não seria fácil.

Em 2008, eu trabalhava cerca de 80 horas por semana em dois empregos de tempo integral (supervisionando os investimentos e a empresa) e, na minha opinião, não me saía suficientemente bem em ambos. A sensação era de que eu e a empresa, de modo geral, perdíamos a excelência. Desde o início, eu virava bem a chave de alternância entre gestão de investimento e administração de negócio. Mas agora, que havíamos nos tornado uma empresa maior, a parte administrativa exigia muito mais tempo do que eu tinha. Avaliei todas as minhas responsabilidades e descobri que precisaria dedicar cerca de 165 horas semanais para atingir em ambas frentes o nível de excelência que eu considerava satisfatório. Era obviamente impossível.

A fim de delegar o máximo possível de tarefas, me questionei se outras pessoas poderiam executar os mesmos processos com a mesma excelência e, se a resposta fosse sim, quem seriam elas. Todos concordaram que a maioria deles não poderia ser delegada de maneira adequada. Eu havia falhado em descobrir e treinar outros com quem pudesse dividir minhas responsabilidades.

Para mim, um líder de sucesso é aquele que orquestra uma equipe capaz de executar bem os processos em sua ausência. O degrau logo abaixo é quando o próprio líder é capaz de realizá-los com excelência. No nível mais baixo da escada encontra-se o líder incapaz de fazer bem ele mesmo. Ao refletir sobre minha posição, pude ver que, apesar de todas as coisas incríveis que havíamos conquistado, eu não estava no topo desse patamar. Na verdade, ainda lutava para chegar ao segundo melhor nível (fazer as coisas bem eu mesmo), embora a empresa fosse extremamente bem-sucedida.

Na época, a Bridgewater tinha catorze chefes de departamento e 738 associados. Eu supervisionava os chefes de departamento junto com um comitê de administração, o qual fora criado porque eu sabia que não deveria confiar em decisões que tomasse sozinho sem ser questionado. Havia estruturado as linhas de comando de modo que respondesse eu mesmo ao comitê e que seus membros respondessem pela supervisão da empresa. Eu queria que eles também tivessem a responsabilidade de produzir excelência disseminada e desejava estar a serviço para ajudá-los a cumprir essa meta.

Em maio de 2008, escrevi um e-mail aos cinco membros, com cópia para todos os associados, cujo conteúdo era: "Estou recorrendo à instância superior para informar-lhes que cheguei ao meu limite. Tanto a qualidade do meu trabalho quanto o equilíbrio dele com a minha vida pessoal estão sendo afetados de forma inaceitável".

A CRISE ECONÔMICA E FINANCEIRA DE 2008

Reconhecer que eu estava sobrecarregado, por si só, não seria o suficiente para reduzir o fluxo de responsabilidades recaindo sobre mim, sobretudo na área de investimento durante aquele que se revelou um período de turbulência histórica.

Nossos princípios econômicos e de mercado foram desenvolvidos para serem atemporais e universais. Surpresas dolorosas e frequentes ao longo do tempo, inéditas para mim, mas que haviam ocorrido em outros tempos e lugares — como a desvalorização de 1971 ou a crise da dívida no início dos anos 1980 —, serviram de lições. Em outras palavras, eu sabia que precisávamos compreender todos os movimentos importantes da economia e do mercado, não só os que eu tinha vivenciado, e ter certeza de que os princípios que definiam nosso posicionamento teriam funcionado em qualquer momento do passado, em qualquer país.

Em decorrência disso, no começo dos anos 2000, havíamos incluído um "medidor de depressão" em nossos sistemas. Eles especificavam o curso de ação a ser adotado se certa configuração de acontecimentos começasse a se desenrolar, indicando maior risco de crise de endividamento e depressão econômica. Em 2007, esse medidor sinalizou que uma bolha de dívida estava se aproximando do limite — o serviço da dívida estava superando os fluxos de caixa projetados. Como as taxas de juros estavam muito próximas de 0%, eu sabia que os bancos centrais não poderiam re-

PRINCÍPIOS

laxar a política monetária o suficiente para conter o declínio como haviam feito em recessões passadas. Era a exata configuração de um período de depressão econômica.

Minha razão e meus instintos se voltaram imediatamente para a lembrança da experiência de 1979-1982. Eu tinha trinta anos de conhecimento acumulado em relação ao episódio do passado, mas, ao mesmo tempo, muito menos confiança. Embora a dinâmica da economia me parecesse clara, eu tinha bem menos segurança de estar certo. Lembrei-me de como me parecera claríssimo o colapso da dívida que em 1982 afundaria a economia — e quão dolorosamente errado eu estivera.

A experiência também me fez aprender muito mais sobre crises de endividamento e seus efeitos no mercado financeiro. Fiz pesquisas e negócios durante algumas delas, incluindo a crise da dívida latino-americana nos anos 1980, a crise da dívida japonesa nos anos 1990, a explosão da Long-Term Capital Management em 1998, o estouro da bolha pontocom em 2000 e os efeitos dos ataques ao World Trade Center e ao Pentágono em 2001. Com a ajuda da equipe da Bridgewater, estudei livros de história e jornais antigos, revisitando o dia a dia do período da Grande Depressão e da República de Weimar, comparando passado e presente. O exercício confirmou meus piores temores. Parecia inevitável que em pouco tempo um grande número de indivíduos, empresas e bancos começassem a ter graves problemas de dívida e que o Fed não poderia baixar as taxas de juros para amortecer o golpe, como fora o caso em 1930-1932.

O temor de estar enganado me fez procurar outros pontos de vista inteligentes em busca de falhas no meu raciocínio. Também quis que a teoria fosse examinada por autoridades relevantes. Seria um modo tanto de testá-la quanto de deixar essas pessoas cientes da situação segundo o meu ponto de vista. Fui a Washington me reunir com a equipe do Tesouro dos Estados Unidos e da Casa Branca. Apesar da cortesia de me receberem, o cenário que eu apresentava pareceu-lhes exagerado demais, especialmente quando vários sinais indicavam que a economia estava em expansão. A maioria dos ouvintes não se aprofundou muito nos nossos argumentos ou cálculos antes de descartá-los, com uma exceção: Ramsen Betfarhad, subassistente de política interna do vice-presidente Dick Cheney. Ele examinou todos os nossos números e ficou preocupado.

Como nossas previsões faziam sentido e como não conseguimos encontrar quem refutasse nossas opiniões, equilibramos os portfólios de nossos clientes para que apresentassem vantagens consideráveis e desvantagens limitadas. Aquilo funcionaria bem se estivéssemos certos, e, caso contrário, havíamos estruturado um plano B. Embora julgássemos que a Bridgewater estava bem preparada para encarar o momento, nutríamos certa preocupação tanto de estarmos certos quanto de estarmos errados. A perspectiva de a economia global despencar de uma catarata era assustadora em virtude do que poderia acontecer com quem estivesse despreparado.

Assim como em 1982, com a deterioração das condições e as circunstâncias que se desenrolavam cada vez mais como havíamos previsto, as autoridades começaram a prestar mais atenção em nós. Betfarhad me chamou para outra reunião na Casa Branca. Tim Geithner, presidente do Fed de Nova York, também. Levei Bob, Greg e um jovem analista chamado Bob Elliot para um almoço com Geithner. Ele ficou branco diante dos números que apresentamos. Quando nos perguntou de onde aquilo saíra, informei que todos os dados eram de domínio público. Apenas havíamos reunido o material e analisado o panorama de modo diferente.

Dois dias após nossa reunião com Geithner, o Bear Stearns ruiu. Isso não deflagrou muita preocupação na maioria das pessoas ou nos mercados, embora fosse um sinal do que viria pela frente. Somente seis meses mais tarde, quando foi a vez do Lehman Brothers, é que todos ligaram os pontos. Àquela altura, as peças do dominó começaram a cair rapidamente, e, ainda que não conseguissem conter todos os danos, as autoridades, especialmente o presidente do Fed, Ben Bernanke, reagiram de maneira brilhante para criar "uma maravilhosa desalavancagem" (ou seja, uma forma de reduzir o fardo da dívida ao mesmo tempo que se mantinham a economia em crescimento e a inflação baixa).[8]

Resumindo, a Bridgewater conduziu bem os clientes durante esse período, antecipando movimentos do mercado e evitando perdas. Nosso fundo principal rendeu mais de 14% em 2008, um ano em que muitos outros investidores registraram perdas superiores a 30%. Teríamos feito

---

8 As ações do secretário do Tesouro, Hank Paulson, sobretudo a injeção de dinheiro do governo em bancos sistemicamente importantes, também foram cruciais.

ainda mais se não fosse o medo de estarmos enganados, o que nos levou a equilibrar as apostas em vez de colocarmos mais fichas na mesa em uma tacada tola e arrogante. Eu sabia que não era a maneira correta de fazer apostas, por isso não me arrependo. Sei que teríamos lucrado mais se estivéssemos menos equilibrados naquele momento, mas não teríamos sobrevivido e tido sucesso por tempo suficiente para estar em semelhante posição nos dias de hoje.

A crise da dívida de 2008 foi outra daquelas como a de 1982, e ambas foram como muitas outras antes e muitas outras que virão. Foi muito bom refletir a respeito dos erros dolorosos que cometi e do valor dos princípios que eles me deram. Quando o próximo terremoto chegar, em aproximadamente 25 anos ou sabe-se lá quando, provavelmente virá como uma surpresa e trará enorme sofrimento, a menos que esses princípios estejam adequadamente codificados em algoritmos dentro de nossos computadores.

AJUDANDO OS FORMULADORES DE POLÍTICAS

Nossos princípios econômicos e de mercado eram muito diferentes da maioria dos outros, o que explica nossos diferentes resultados. Vou explicar essas diferenças em *Princípios Econômicos e de Investimento*, então não entrarei em mais detalhes sobre eles agora.

Como disse o ex-presidente do Fed Alan Greenspan: "Os modelos fracassaram na hora em que mais precisávamos deles... O JP Morgan dissera que a economia americana estava acelerando três dias antes [do colapso do Lehman Brothers]... O modelo deles falhou. O modelo do Fed falhou. O modelo do FMI falhou... Isso me fez questionar: o que aconteceu?". Bill Dudley, presidente do Fed de Nova York, acertou na mosca quando disse: "Creio que exista um problema fundamental em termos de como macroeconomistas examinam o panorama econômico, o crescimento e a inflação... Se você olhar para esses macromodelos, eles geralmente não contam com um setor financeiro. Não admitem a possibilidade de que esse setor poderia essencialmente derreter e, portanto o impulso da política monetária poderia ficar totalmente incapacitado. Então acho que a lição da crise é trabalhar muito mais para assegurar que o pessoal das finanças esteja falando com o pessoal da macroeconomia e construindo modelos mais robustos." Ele estava certo. Nós, "o pessoal das finanças", vemos o mundo de maneira bem diferente dos economistas. Em virtude do nosso sucesso, o governo nos procurava mais, o que me levou a ter muito mais contato com formuladores de políticas econômicas de alto escalão dos Estados Unidos e de outras partes do mundo. Em respeito à privacidade de nossas conversas, não vou entrar em detalhes, exceto para dizer que, após a crise, os governos se abriram muito mais aos nossos modos não tradicionais de encarar a economia e os mercados e ficaram mais céticos em relação ao pensamento econômico tradicional, que fracassou tanto em sinalizar quanto em evitar a crise.

A maioria das conversas era unilateral; eu em geral respondia a perguntas e não perguntava nada que fosse colocá-los na incômoda posição de ter que evitar responder por medo de revelar alguma informação confidencial. Participei desses encontros sem fazer julgamentos e sem considerar as ideologias particulares dos meus interlocutores. Abordei-os como um médico, apenas querendo produzir o impacto mais benéfico possível.

Eles queriam minha ajuda porque minha perspectiva macroeconômica global como investidor era muito diferente da deles como autoridades. Éramos ambos produtos de nossos ambientes. Investidores pensam de maneira independente, antecipam o que ainda não aconteceu e colocam dinheiro de verdade em jogo com suas apostas. Formuladores de políticas vêm de ambientes que alimentam consenso, que os treinam para reagir ao que já ocorreu e que os preparam para negociações, não para apostas. Por não terem o benefício do constante feedback da qualidade de suas decisões, algo do qual nós, investidores, dispomos, não fica claro no âmbito governamental quem são os bons e os maus tomadores de decisões. Eles também têm que ser políticos. Até as autoridades mais capazes e de maior visão têm que constantemente desviar sua atenção dos problemas imediatos que estão enfrentando para combater as objeções de outras autoridades, e os sistemas políticos pelos quais têm que navegar frequentemente são disfuncionais.

Embora no longo prazo a máquina econômica seja mais poderosa do que qualquer sistema político (maus políticos serão substituídos e sistemas políticos ruins serão trocados), a interação entre os dois é o que guia os ciclos econômicos no aqui e agora — e com frequência isso não é bonito de assistir.

OBTENDO GRANDES RETORNOS

Nossos retornos em 2010 foram os melhores da história — quase 45% e 28% nos dois fundos Alfa Puro e perto de 18% no Para Todos os Climas — quase unicamente porque os sistemas de processamento de informação estavam operando de maneira esplêndida. Eram alternativas muito melhores do que usar apenas o cérebro. Sem eles, teríamos que gerir dinheiro da maneira antiga e dolorosa: tentando sopesar mercados e influências e reunir tudo em um portfólio de apostas. Teríamos que contratar e supervisionar vários gestores de investimentos; precisaríamos entender como cada um tomava suas decisões (não se pode confiar cegamente em ninguém), ficando atentos ao que faziam e por quê, ao mesmo tempo que seria necessário lidar com todas as questões relacionadas às suas diferentes personalidades. Por que eu iria querer fazer isso? Parecia um modelo de gestão administrativa obsoleto, como usar um mapa em vez de seguir um GPS. É claro que construir o sistema foi dificílimo — havíamos precisado de mais de trinta anos.

Ter muito dinheiro para gerenciar pode prejudicar o desempenho; os custos de entrar e sair de posições podem ser elevados porque ser grande demais pode empurrar os mercados. Ter feito mais de 40% em 2010 havia nos colocado na posição de precisar devolver muito dinheiro para clientes que na verdade queriam nos dar mais para gerir. Ao longo dos anos, nossa preocupação sempre tinha sido manter a Bridgewater confortavelmente a um passo de se transformar em uma empresa grande demais. Não queríamos matar a galinha dos ovos de ouro.

Nossos clientes não queriam o dinheiro de volta — queriam que os fizéssemos crescer. Estávamos diante do quebra-cabeça de maximizar nossa capacidade sem afetar o desempenho. Era algo novo, porque nunca tivéramos tanto dinheiro. Rapidamente descobrimos que se apenas ajustássemos o que fazíamos e criássemos um novo fundo que gerisse dinheiro do mesmo modo que o Alfa Puro, mas investindo somente nos mercados mais líquidos, teríamos um cenário cujos retornos seriam parecidos e o risco esperado (volatilidade) apenas levemente maior.

Programamos essa nova abordagem nos computadores, fizemos testes retroativos para ver como funcionava em todos os países e períodos e explicamos em detalhes aos clientes para que entendessem a lógica por trás daquilo. Por mais que eu ame e tenha me beneficiado com a inteligência artificial, acredito que somente o ser humano é capaz de fazer tais descobertas e só depois programar os computadores para fazê-las. É por isso que acredito que as pessoas certas, trabalhando em equipes informatizadas, são a chave para o sucesso.

Perto do fim do ano abrimos o Alfa Puro Mercados Principais e nossos clientes investiram 15 bilhões de dólares. Desde então os rendimentos têm sido como o esperado — isto é, aproximadamente o mesmo que os do Alfa Puro (na verdade, um pouco melhor). Nossos clientes adoraram. De fato, essa nova opção ficou tão popular que em 2011 tivemos que fechá-la a novos investimentos.

ENTRANDO NO RADAR E FICANDO ACIMA DELE

Quando a Bridgewater e eu passamos a receber indesejada atenção pública por termos antecipado a crise financeira, percebi que o sucesso é uma faca de dois gumes. Nosso desempenho fora da curva, nossa maneira inovadora de olhar para a economia e os mercados e nossa cultura incomum fizeram de nós constante objeto de interesse. Eu sempre quis ficar fora do radar, então evitava contatos com a imprensa. Isso não impediu que escrevessem a nosso respeito, é claro, produzindo matérias quase sempre de cunho sensacionalista. Eu era retratado como um investidor super-herói que caminhava sobre as águas ou como o líder de uma seita, às vezes ambos.

É péssimo estar sob os holofotes por ser bem-sucedido. Os australianos chamam isso de "síndrome da papoula mais alta", em analogia às papoulas que se destacam no campo e têm mais chances de serem cortadas. Eu não gostava da atenção da mídia e, em especial, não gostava quando equivocadamente retratavam a Bridgewater como uma seita, porque sentia que isso estava prejudicando nossa capacidade de recrutar pessoas de excelência. Ao mesmo tempo, notei que, como não deixávamos a mídia ver de fato nosso modelo de operação, tais descrições sensacionalistas eram inevitáveis.

Assim, no fim de 2010, decidi tornar públicos meus *Princípios* — que explicavam exatamente o que estávamos fazendo e por quê. Coloquei-os em nosso site para que pudessem ser lidos e compreendidos por qualquer pessoa de fora da companhia.

Isso foi uma decisão difícil, mas bastante acertada. A maioria das pessoas entendeu, e muitos além do pessoal da Bridgewater se beneficiaram com a leitura. Mais de três milhões de pessoas fizeram o download dos *Princípios*; algumas até traduziram para suas línguas por conta própria. Recebi um grande número de notas de agradecimento de pessoas relatando que a leitura dos *Princípios* havia transformado suas vidas.

PREPARANDO A BRIDGEWATER PARA O SUCESSO SEM MIM

Desde criança aprendi fazendo. Eu mergulhava de cabeça nas coisas que queria e tentava sobreviver por tempo suficiente para aprender com meus erros e evoluir. Se eu mudasse com a rapidez necessária para me tornar sustentável em qualquer coisa que eu estivesse fazendo, usava isso como base para prosperar. Sempre tive grande confiança na minha capacidade de compreender o funcionamento de tudo, e ao longo do tempo essa capacidade foi sendo aprimorada. Como resultado, costumava contratar pessoas que pensavam exatamente do mesmo jeito que eu: gente que mergulha nos desafios, desmonta seu quebra-cabeça e depois age. Sempre acreditei que se meus associados tivessem caráter, bom senso, criatividade e o objetivo de conquistar nossa missão compartilhada, eles descobririam o segredo para o sucesso em um ambiente no qual teriam a liberdade de descobrir como tomar as decisões corretas. Sabia que ficar em cima da equipe, controlando-a e algemando-a, nunca daria certo porque ninguém gostaria disso. Não seria possível extrair qualquer vantagem da equipe se eu ficasse o tempo todo dizendo o que fazer. Além disso, não queria trabalhar com quem precisasse desse tipo de liderança.

A partir dos anos 1990 comecei a reconhecer as barreiras emocionais que impediam a maioria das pessoas de encarar as próprias fraquezas e os próprios problemas. Em vez de aceitar situações ambíguas e desafios complicados, elas tendem a ficar desconfortáveis. Somente as exceções têm o mix certo de bom senso, criatividade e caráter para dar forma à mudança, e quase todo mundo precisa de ajuda para chegar lá. Então divulguei os princípios para que fossem usados por aqueles que os achassem bons e debatidos abertamente por quem pensasse o contrário. Imaginei que com o tempo entraríamos em sincronia em relação a como situações específicas deveriam ser enfrentadas.

Embora quase todos tenham concordado com a ideologia dos princípios, muitos continuavam lutando para converter isso em atitudes efetivas. Era sinal de que os hábitos e as barreiras emocionais continuavam mais fortes que o raciocínio. Os treinamentos e as fitas de realidade virtual ajudaram muito, mas ainda não eram o bastante.

Independentemente do esforço investido no processo de seleção de novos funcionários e no treinamento para que trabalhassem dentro da nossa meritocracia de ideias, era inevitável que muita gente ficasse aquém. Minha abordagem era contratar, treinar, testar e, então, demitir ou promover rapidamente. O plano era diferenciar o mais rápido possível as contratações excelentes das comuns para nos livrar da segunda categoria, repetindo o processo inúmeras vezes até que a porcentagem de pessoal realmente ótimo fosse alta o suficiente para atender às nossas necessidades.

Para que isso funcionasse, todavia, precisávamos contar com uma equipe de padrões elevados e que não hesitasse em eliminar quem não tivesse as qualidades necessárias. Muitos novos funcionários (e alguns mais antigos) continuavam relutantes em investigar a fundo as características dos colegas, o que piorava as coisas. É duro ser duro com as pessoas.

A maioria das pessoas que vêm para a Bridgewater é do tipo aventureiro e sabe no que está se metendo. Compreendem que as chances de aquela posição não dar certo são maiores do que o normal, mas aceitam o risco porque os ganhos no caso de sucesso são muito maiores do que as perdas caso não dê certo. No pior cenário, aprendem muito sobre si mesmas, têm uma experiência interessante e partem para outro emprego; no melhor cenário, se transformam em parte de uma equipe excepcional que conquista coisas excepcionais.

Novos contratados geralmente passam por um período de aclimatação de dezoito a 24 meses até que se sintam confortáveis com a sinceridade e a transparência tão essenciais na cultura da Bridgewater — sobretudo a aceitação de seus erros e a descoberta de como lidar com eles. Algumas pessoas, no entanto, nunca se adaptam. Já me disseram que entrar para a Bridgewater é um pouco como entrar para uma versão intelectual de uma unidade de elite da Marinha dos Estados Unidos; outros descrevem como ir para uma escola de autodescoberta administrada por uma espécie de Dalai Lama. Quem prospera diz que, a despeito de a temporada de ajuste ser difícil, também é um período de alegrias em virtude da excelência que atingem e das relações extraordinárias que estabelecem. E aqueles que não podem ou se recusam a se adaptar têm que ser cortados — isso é essencial para manter a excelência da Bridgewater.

Durante um bom tempo, fui o responsável por estabelecer e manter a cultura dos padrões elevados. Mas em 2010 eu tinha sessenta anos e estava havia 35 no comando da Bridgewater. Embora esperasse continuar bem por mais ou menos dez anos, estava pronto para colocar minha energia em outras coisas. Ainda que quisesse estar sempre extremamente envolvido com os mercados, também queria passar mais tempo com minha família e meus amigos, ajudar formuladores de políticas e ir atrás de algumas novas paixões (como mergulho e filantropia), bem como qualquer coisa mais que me interessasse. Meu plano era deixar o posto de CEO e ajudar meus substitutos como um mentor. Eu continuaria como investidor e, com o restante do tempo livre, aproveitaria a vida ao máximo enquanto ainda podia.

Como acontece em todas as empresas, o que definiria se a Bridgewater teria ou não sucesso seriam as pessoas e a cultura. Quem está no comando de uma empresa precisa fazer escolhas importantes todos os dias. O processo de tomada de decisão é o que determina o caráter da companhia, a qualidade de suas relações e os resultados que produz. Quando o bastão estava nas minhas mãos, eu era responsável pela maior parte das decisões importantes. Agora elas estariam nas mãos de outros. Ainda que fossem ter à disposição uma cultura bem estabelecida e princípios de senso comum que haviam funcionado por décadas, só na prática seria possível saber se tudo correria bem.

CAPÍTULO 6

RETRIBUINDO AS BÊNÇÃOS:
2011-2015

Para mim, a vida consiste em três fases. Na primeira, somos dependentes de outros e aprendemos. Na segunda, outros dependem de nós e trabalhamos. Na terceira e última, não dependem mais de nós, não precisamos mais trabalhar e estamos livres para saborear a vida.

Eu estava começando a transição da segunda para a terceira fase. Intelectual e emocionalmente, o entusiasmo que eu tinha em ser bem-sucedido não se igualava ao entusiasmo de ver as pessoas com as quais eu me preocupava serem bem-sucedidas sem mim.

Eu precisava fazer a transição da saída de dois trabalhos na Bridgewater: supervisionar a administração da empresa como CEO e supervisionar a gestão de nossos investimentos como CIO. Eu não pararia de investir porque isso é um jogo que amo desde os doze anos, algo que continuarei fazendo até morrer. Mas não queria ser *necessário* nos dois papéis porque era preciso desvincular minha imagem como essencial para o funcionamento da empresa.

Meus sócios e eu compreendíamos que, em uma empresa comandada pelo fundador e com uma cultura diferenciada, a transição da primeira geração de liderança para a seguinte é difícil, especialmente se o líder ocupou o posto por muito tempo. O exemplo mais recente disso foi a transição da Microsoft com a saída de Bill Gates do posto de CEO em 2008, mas houve muitos outros.

A questão que mais me preocupava era se eu deveria sair da administração totalmente ou continuar envolvido como um mentor. Por um lado, gostava da ideia de deixá-la, porque daria à nova liderança a liberdade de encontrar seus próprios caminhos para o sucesso sem a minha sombra pairando por sobre seus ombros. Meus amigos me incentivaram a fazer isso — "declarar vitória", pegar minhas fichas e seguir adiante. A questão é que eu não confiava que a transição correria bem, já que não havia feito isso antes. Tudo em minha vida se dá por um processo de tentativa e erro — errando, identificando o que fiz de errado, criando novos princípios e finalmente tendo sucesso —, e para mim estava claro que o processo de transição deveria seguir essa lógica. Eu também achava que seria injusto jogar minha pesada carga de trabalho sobre quem herdaria as responsabilidades de CEO. Eu sabia que Lee Kuan Yew, o sábio fundador e líder de Cingapura por 41 anos, fizera a transição das suas responsabilidades de liderança passando pelo processo de ser mentor e vi como dera certo. Então, por todos esses motivos, decidi que assumiria esse papel. Isso significava que eu não falaria nada ou falaria por último, mas que sempre estaria disponível para dar conselhos. Meus sócios gostaram da ideia.

Concordamos que deveríamos começar o mais breve possível, para que os meus substitutos pudessem ganhar experiência e pudéssemos fazer ajustes conforme necessário. Como as dúvidas eram maiores do que as certezas, precisaríamos ser cautelosos. Esperávamos que o processo levasse alguns anos — dois ou três, talvez até dez. Como havíamos trabalhado juntos por vários anos, estávamos otimistas quanto ao prazo mínimo.

No primeiro dia de 2011, anunciei à empresa que estava deixando o cargo de CEO, com Greg Jensen e David McCormick me substituindo. Em 1º de julho, passei minhas responsabilidades administrativas a Greg, David e o resto do comitê de administração. Simultaneamente, explicamos nosso "plano de transição de até dez anos" aos clientes.

APRENDENDO A DAR FORMA

A nova equipe de administração enfrentou dificuldades nos cerca de dezoito meses que se seguiram. Diagnosticamos as falhas da mesma forma que um engenheiro identificaria as falhas de uma máquina operando abaixo do ideal. A ideia era redesenhar essa máquina para que trabalhasse melhor. Como diferentes pessoas produzem diferentes resultados, sempre que montamos uma equipe procuramos "desenhar" o melhor mix de atributos para atingir nossas metas. Assim, examinamos meus atributos em relação aos outros para ver o que faltava, o que chamamos de "lacuna Ray". Para deixar claro, estávamos examinando a lacuna Ray porque eu era a pessoa que partia. A lacuna analisada teria outro nome se fossem Bob, David ou Greg deixando a empresa.

Greg e David listaram minhas várias responsabilidades e as diferenças entre as qualidades que eles e eu trazíamos para lidar com elas. Todos concordaram que a lacuna estava na capacidade de moldar determinado cenário, algo que chamamos de "formatação".

Para visualizar o que quero dizer com "formatação" e "formatadores", pense em Steve Jobs, provavelmente o maior e mais icônico formatador da nossa era, medido pelo tamanho e pelo sucesso das mudanças que imprimiu no mercado. Um formatador é alguém que surge com visões únicas e valiosas, que as constrói de maneira maravilhosa e que geralmente vence as dúvidas e a oposição dos outros. Jobs construiu a maior e mais bem-sucedida empresa do mundo revolucionando computação, música, comunicações, animação e fotografia com produtos de design belíssimo. Elon Musk (da Tesla, da SpaceX e da SolarCity), Jeff Bezos (da Amazon) e Reed Hastings (da Netflix) são outros grandes formatadores do mundo dos negócios. Na filantropia, Muhammad Yunus (da Grameen), Geoffrey Canada (da Harlem Children's Zone) e Wendy Kopp (da Teach for America) vêm à mente; e, em liderança política, Winston Churchill, Martin Luther King Jr., Lee Kuan Yew e Deng Xiaoping. Bill Gates tem sido um formatador no mundo dos negócios e da filantropia, como foi Andrew Carnegie. Mike Bloomberg, na área de negócios, filantropia e liderança política. Einstein, Freud, Darwin e Newton, formatadores gigantes nas ciências. Cristo, Maomé e Buda foram formatadores religiosos. Todos construíram com sucesso suas visões originais.

Os exemplos que citei são expoentes, mas formatadores têm tamanhos diferentes. Talvez você mesmo conheça alguns. Eles podem ser, na região em que você vive, os líderes de mercado, de organizações sem fins lucrativos ou da comunidade — as pessoas que promovem a mudança e constroem organizações duradouras. Meu objetivo era identificar quem seriam os futuros formatadores da Bridgewater, ajudar aqueles que estavam me substituindo a se tornarem pessoas com essa característica ou ainda descobrindo formatadores do lado de fora e trazendo-os para dentro.

Em 5 de outubro de 2011, alguns meses após eu começar a pensar no que faz um formatador, Steve Jobs morreu. Escrevi sobre ele nas nossas *Observações diárias*, uma das pouquíssimas vezes em que usei o espaço para falar de algo não relacionado a investimentos, porque o admirava como homem capaz de visualizar e realizar de maneiras arrebatadoras. Pouco depois, Walter Isaacson publicou a biografia de Jobs. Notei algumas semelhanças entre nós, especialmente quando o biógrafo citava as próprias palavras de Jobs. Logo em seguida, um artigo intitulado "Será Ray Dalio o Steve Jobs dos investimentos?" saiu na *aiCIO*, uma destacada publicação da área. O texto também apontava uma série de similaridades entre nós — que eu, como Jobs, comecei meu negócio do nada (o dele, de uma garagem; o meu, de um quarto no meu apartamento), que nós dois criamos produtos inovadores e que remodelaram o modo de operar das áreas em que atuávamos, e que tínhamos estilos de administração singulares. A Bridgewater frequentemente tem sido chamada de Apple do mundo dos investimentos, mas, esclarecendo, eu não pensava que a Bridgewater ou eu chegávamos aos pés da Apple ou de Jobs.

O livro de Isaacson e o artigo indicavam outros paralelos em nossos backgrounds, objetivos e em nossa abordagem — por exemplo, nós dois éramos pensadores independentes, rebeldes, que trabalhavam incessantemente em busca de inovação e excelência; nós dois éramos adeptos da meditação e queríamos "deixar uma marca no universo"; e ambos éramos notoriamente duros com as pessoas. É claro que também havia diferenças importantes. Gostaria que Jobs tivesse compartilhado os princípios que usou para atingir seus objetivos.

Eu, todavia, não estava interessado apenas em Jobs e seus princípios; queria conhecer as características de todos os formatadores em busca de entender melhor semelhanças e diferenças entre eles, postulando um arquétipo do formatador típico. Eu utilizara essa abordagem para compreender tudo. Por exemplo, havia feito um amplo estudo de recessões a fim de construir um paradigma atemporal das recessões e entender as diferenças entre elas. Fiz isso para todos os movimentos da economia e dos mercados, e me inclinava a repetir o procedimento em relação a praticamente tudo, porque essa abordagem me ajuda a entender como as coisas funcionam. Fazia sentido repetir isso para entender os formatadores também.

Eu e Isaacson começamos a explorar as qualidades de Jobs e de demais formatadores, a princípio em uma conversa particular no escritório dele e mais tarde em um fórum público na Bridgewater. Li outras duas biografias escritas por ele — de Albert Einstein e de Benjamin Franklin — e apresentei a ele meus questionamentos a fim de tentar extrair que características os dois homens tinham em comum.

Depois fui atrás dos formatadores notórios que eu conhecia — Bill Gates, Elon Musk, Reed Hastings, Muhammad Yunus, Geoffrey Canada, Jack Dorsey (do Twitter), David Kelley (da IDEO), entre outros. Todos tinham construído empresas para dar vida aos conceitos que visualizaram e feito isso repetidas vezes durante longos períodos. Pedi que gastassem uma hora de seu tempo com avaliações de personalidade para descobrir seus valores, capacidades e abordagens. Ainda que não sejam perfeitas, essas avaliações têm sido de valor inestimável. (Na verdade, venho adaptando-as e refinando-as para ajudar no nosso recrutamento e administração.) As respostas que esses formatadores forneceram a perguntas padronizadas me deram provas objetivas e estatisticamente comprováveis acerca de suas semelhanças e diferenças.

Deu para ver que eles têm muito em comum. Todos são pensadores independentes e não deixam nada ou ninguém entrar no caminho de suas metas audaciosas. Eles têm mapas mentais muito fortes de como tudo deve ser feito e, ao mesmo tempo, disposição para testá-los no mundo real, mudando suas abordagens para torná-las mais eficientes. São extremamente resilientes porque a necessidade que têm de atingir suas metas é maior do que a dor que suportam enquanto lutam para conquistá-las. Mais interessante, talvez, é que têm uma visão de alcance mais amplo que a maioria das pessoas, seja isso uma característica que lhes vem naturalmente, seja porque sabem como atingi-la valendo-se de pessoas capazes de visualizar o que eles mesmos não conseguem. Todos são capazes de enxergar tanto o quadro geral quanto os pequenos detalhes (e graduações entre esses dois extremos) e de sintetizar as perspectivas que ganham nesses níveis diferentes, ao passo que a maioria das pessoas vê apenas uma coisa ou outra. São ao mesmo tempo criativos, sistemáticos e práticos.

São assertivos e, ao mesmo tempo, de mente aberta. O mais importante: fazem tudo com fervor, são intolerantes com membros da equipe que não atendam ao padrão de excelência e querem produzir um impacto grande e benéfico no mundo.

Vejamos Elon Musk. Logo que criou a Tesla e me mostrou o seu carro pela primeira vez, tinha tanto a dizer sobre a chave eletrônica que abria as portas quanto sobre sua vasta visão de como a Tesla se encaixa no futuro dos transportes e como isso é importante para o planeta. Depois, quando lhe perguntei como decidiu criar a SpaceX, a ousadia de sua resposta me deixou impressionado:

"Por muito tempo achei inevitável que alguma coisa ruim aconteceria em uma escala planetária: uma praga, um meteoro, algo que exigiria que a humanidade recomeçasse em algum outro lugar, como Marte. Um dia entrei no site da Nasa para ver que progresso estavam fazendo com o programa espacial de exploração de Marte e percebi que sequer pensavam em ir até lá em um futuro próximo.

"Consegui 180 milhões de dólares quando eu e meus sócios vendemos o PayPal e me ocorreu que, se gastasse 90 milhões para comprar alguns mísseis balísticos intercontinentais ICBM da antiga União Soviética e enviasse um para Marte, eu poderia inspirar a exploração, em vez da Nasa."

Quando perguntei qual era o background que ele tinha em relação aos foguetes, ele respondeu "nenhum". "Só comecei a ler livros a respeito", explicou.

É assim que formatadores pensam e agem.

Às vezes, a determinação extrema para atingir os objetivos pode fazer com que esses indivíduos pareçam duros ou insensíveis, o que se reflete no resultado das suas avaliações. Nunca nada está suficientemente bom, e para eles a distância entre realidade e expectativa é, ao mesmo tempo, uma tragédia e uma fonte inesgotável de motivação. Ninguém pode atrapalhar o caminho deles rumo aos objetivos. Em uma das avaliações de personalidade, há uma categoria na qual todos foram muito mal chamada "Preocupação com os outros". Mas isso não significa exatamente aquilo que soa.

Vejamos Muhammad Yunus, por exemplo, um grande filantropo que devotou a vida a ajudar os outros. Yunus foi condecorado com o Nobel por desenvolver as ideias de microcrédito e microfinanças e ganhou a Medalha de Ouro do Congresso, a Medalha Presidencial da Liberdade, o Prêmio Gandhi da Paz, entre outras distinções. Contudo, teve nota baixa em "Preocupação com os outros". Geoffrey Canada, que dedicou a maior parte da vida adulta a cuidar de crianças necessitadas em uma grande área do Harlem de Nova York, também foi mal em "Preocupação com os outros". Bill Gates, que está devotando boa parte de sua fortuna e energia para salvar e melhorar vidas, foi igualmente mal. Claro, Yunus, Canada e Gates se preocupam com as pessoas. No entanto, os testes de personalidade lhes deram notas baixas. Por quê? Ao conversar com eles e repassar as perguntas que levaram a essas notas, ficou claro: quando diante da escolha entre atingir um objetivo ou agradar (ou não desapontar) aos outros, todas as vezes eles escolheram atingir o objetivo.

Por meio desse processo investigativo, aprendi que existem tipos totalmente diferentes de formatadores. A discrepância mais importante está no campo em que ocorre essa formatação: no das invenções, no da gestão e administração, ou em ambos. Por exemplo, Einsten atuava só no primeiro. Jack Welch (que comandou a GE) e Lou Gerstner (que comandou a IBM) eram grandes administradores/líderes de pessoas, mas não precisavam ter a mesma inventividade. Os casos raros foram pessoas como Jobs, Musk, Gates e Bezos, visionários inventivos que administraram grandes empresas para concretizar essas visões.

Muitas pessoas têm comportamento semelhante ao de um formatador, no sentido de que tiveram uma grande ideia e chegaram ao ponto em que puderam vendê-la por muito dinheiro. Não são formatadores consistentes. O Vale do Silício está cheio de tipos como esse, indivíduos que talvez devessem ser chamados de "inventores". Também notei alguns líderes de organizações incríveis que não podem ser considerados formatadores clássicos, uma vez que não tiveram as visões originais e as construíram; em vez disso, entraram em negócios existentes e os lideraram bem. Somente verdadeiros formatadores se movem de maneira consistente de um sucesso para o outro e mantêm essa posição por décadas, e essas são as pessoas que quero colocar na Bridgewater.

Meu estudo de formatadores e minhas reflexões sobre minhas próprias qualidades deixaram claro que ninguém enxerga a extensão total do que é necessário para ser excepcionalmente bem-sucedido, embora alguns sejam melhores do que outros. Os que se dão melhor são capazes de enxergar mais longe e ao mesmo tempo triangulam bem com outras pessoas brilhantes, que veem as coisas de maneiras diferentes e complementares.

Essa percepção tem sido importante para um processo bem-sucedido de transição após a minha saída. Durante a minha gestão, eu identificava os problemas e projetava meus próprios meios de contorná-los. Com a minha saída, pessoas com outro modo de pensar percorrerão esse caminho. Meu trabalho como mentor era ajudá-los a ter sucesso nisso.

Esse exercício me lembrou que, embora existam muitas pessoas no mundo, podemos dividi-las em poucos conjuntos de características, e que o mesmo vale para as situações que enfrentamos. Assim, combinar os tipos certos de pessoas com os tipos certos de situações é crucial.

Como Gates e Jobs tinham se desligado havia pouco tempo da Microsoft e da Apple, acompanhei as empresas atentamente para melhor compreender como poderia ajudar a Bridgewater a avançar sem mim. Certamente, a diferença mais notável entre elas e a Bridgewater estava na nossa cultura de meritocracia de ideias, sinceridade e transparência radicais para trazer à tona problemas e fraquezas e lidar com eles de maneira rápida e direta.

SISTEMATIZANDO NOSSA MERITOCRACIA DE IDEIAS

Quanto mais eu pesquisava sobre as características humanas, mais claro ficava que há tipos diferentes de pessoas e que, em geral, os mesmos tipos nas mesmas circunstâncias produzirão os mesmos tipos de resultados. Simplificando: ao compreender as características de alguém podemos ter uma ideia muito boa do que esperar. Assim, estava mais motivado do que nunca a continuar reunindo dados e construir sistemas detalhados que nos ajudassem a combinar bem indivíduos e responsabilidades. Fazer isso baseado em evidências fortaleceria a meritocracia de ideias ao alinhar as responsabilidades das pessoas com seus méritos.

Embora isso parecesse muito claro e lógico para mim, era muito mais difícil de atingir na prática. Cerca de um ano após o início da transição, notei que muitos novos gerentes (e alguns antigos) ainda não conseguiam enxergar os padrões de comportamento das pessoas ao longo do tempo (em outras palavras, não conseguiam ligar os pontos entre como as pessoas são e os resultados que produzem). A relutância deles em investigar mais a fundo o que as pessoas são estava dificultando o processo.

Em determinado momento, percebi que os desafios que estávamos tendo com a tomada de decisões gerenciais não existiam nas de investimento, e esse insight foi muito valioso. Percebi que, empregando análise de grandes volumes de dados e outros algoritmos, nossos computadores podiam juntar os pontos de maneira mais eficiente do que qualquer um de nós, repetindo o sucesso que tiveram ao estabelecer conexões nos mercados. Esses sistemas também não tinham vieses pessoais e barreiras emocionais para superar, de modo que os objetos de análise não podiam ficar ofendidos por conclusões baseadas em análise de dados computadorizadas. Na verdade, as pessoas poderiam examinar dados e algoritmos, avaliá-los e sugerir modificações, se quisessem. Éramos como cientistas tentando desenvolver testes e algoritmos para analisar objetivamente a nós mesmos.

Em 10 de novembro de 2012, compartilhei meus pensamentos com o comitê de administração em um e-mail intitulado "A saída: sistematizar a boa gestão":

> *Agora está clara para mim a principal razão pela qual nosso setor de gestão de investimentos tem grandes chances de continuar a ir bem enquanto o prognóstico para os demais setores não é tão bom (se não mudarmos a forma que operamos). Os processos decisórios para a gestão de investimentos foram tão sistematizados que é difícil para as pessoas estragá-los (elas simplesmente seguem as instruções dos sistemas), enquanto os demais setores da Bridgewater são muito mais dependentes da qualidade das pessoas e de seus processos decisórios.*
>
> *Pense nisso. Imagine como funcionaria nossa tomada de decisões de investimentos se fosse operada da mesma forma que nossa tomada de decisões administrativas (ou seja, dependente das pessoas que contratamos e de como elas coletivamente tomam decisões de maneiras próprias). Seria uma confusão.*

PRINCÍPIOS

O processo decisório de investimentos funciona do seguinte modo: um pequeno grupo de gestores de investimentos vê as conclusões e a lógica dos sistemas que eles mesmos desenvolveram, ao passo que também vão tirando suas próprias conclusões e explorando sua própria lógica... A máquina faz a maior parte do trabalho e interagimos com ela de uma forma qualitativa... [E] não dependemos de muita gente pouco confiável.

Em relação à administração, o cenário é diferente. Embora tenhamos princípios, não temos sistemas de tomada de decisões.

Em outras palavras, acredito que o processo decisório de investimentos é eficaz porque os princípios que os regem foram convertidos em regras, enquanto o processo de tomada de decisões administrativas é menos efetivo porque seus princípios não foram sistematizados.

Não precisa ser assim. Tendo construído os sistemas de investimento (com a ajuda de outros) e dispondo de conhecimento sobre o processo decisório de ambas as áreas, estou confiante de que podem ser sistematizados da mesma forma. As únicas questões são se isso pode acontecer com a rapidez necessária e o que acontecerá nesse meio-tempo.

Estou trabalhando com Greg (e outros) para desenvolver esses sistemas administrativos, da mesma forma que trabalhei com Greg e outros (Bob etc.) nos sistemas de investimento. Vocês estão vendo isso acontecer via desenvolvimento das Estatísticas Pessoais, do Coletor de Pontos, do Botão de Dor, da aplicação dos testes, da especificação de funções etc. Como tenho um tempo limitado para essa tarefa, precisamos agir rápido. Ao mesmo tempo teremos que partir para o front, combatendo homem a homem para eliminar aqueles que são incapazes e promover e contratar aqueles que são excelentes.

Uma das principais características de processos decisórios algorítmicos é que eles focam as pessoas em relações de causa e efeito e, desse modo, ajudam a nutrir uma verdadeira meritocracia de ideias. Quando todos podem ver os critérios que os algoritmos usam e participar de seu desenvolvimento, é possível um consenso de que o sistema é justo, e confiar no computador para examinar as evidências, fazer as avaliações certas sobre pessoas e dar a elas as autoridades corretas. Os algoritmos são, essencialmente, princípios operando continuamente.

Mesmo que o sistema de administração tenha um longo caminho a percorrer antes de ficar tão bem automatizado quanto o de investimento, as ferramentas que possibilitou, sobretudo o Coletor de Pontos (um aplicativo que reúne em tempo real informação sobre pessoas, descrito em detalhes em "Princípios de Trabalho"), já fizeram uma diferença incrível em nosso modo de operar.

Todas essas ferramentas reforçam bons hábitos e pensamentos eficazes. Os bons hábitos vêm de pensar repetidamente de maneira regulada por princípios, como no aprendizado de uma língua. Os pensamentos eficazes vêm de explorar a lógica por trás dos princípios.

O objetivo de tudo isso era ajudar pessoas com quem me preocupava a ter mais sucesso sem mim, algo cada vez mais urgente, uma vez que os acontecimentos marcantes continuavam a me lembrar do estágio em que me encontrava na vida. Por exemplo, tornei-me avô com o nascimento de Christopher Dalio, em 31 de maio de 2013. E, no verão de 2013, tive um susto tremendo em relação à saúde. No fim não era nada grave, mas serviu como um bom lembrete da minha mortalidade. Ao mesmo tempo, eu ainda amava jogar nos mercados, e isso me deixava mais ansioso para acelerar a transição da segunda para a terceira fase da minha vida.

ANTECIPANDO A CRISE DA DÍVIDA EUROPEIA

A partir de 2010, eu e a equipe da Bridgewater começamos a ver o surgimento de uma crise da dívida na Europa. Havíamos observado quanto de dívida tinha que ser vendido e quanto podia ser comprado em vários países e concluímos que muitos países do sul europeu provavelmente não conseguiriam se equilibrar. A crise poderia ser tão ruim quanto, ou pior do que a de 2008-2009.

Da mesma forma que em 1980 e 2008, embora nossos cálculos apontassem com clareza uma crise da dívida à frente, eu sabia que podia estar errado. Como seria uma grande coisa se eu estivesse certo, quis discutir esse possível cenário com autoridades de alto escalão, tanto para alertá-las quanto para que pudessem me corrigir se vissem as coisas de modo diferente. Na Europa encontrei o mesmo tipo de resistência sem boas explicações que havia visto em Washington em 2008. As coisas estavam estáveis na época e, embora eu soubesse que não havia motivos para crer que permaneceriam assim, a maioria das pessoas com quem conversei não estava preparada para ouvir meus argumentos. Lembro-me de uma reunião com o presidente do FMI quando ainda estávamos na calmaria que precede a tempestade. Ele duvidou das minhas conclusões aparentemente malucas e não teve interesse em examinar os números.

Assim como as autoridades dos Estados Unidos antes de 2008, as europeias não tinham medo do que não haviam vivido antes. Como as circunstâncias na época estavam boas e o quadro que eu pintava era mais negro do que qualquer realidade que haviam enfrentado, todas acharam meu discurso implausível. Também pareciam não dispor de uma visão mais detalhada a respeito de tomadores de empréstimo e seus credores, nem de como a dinâmica de crédito e dívida mudaria com as condições voláteis do mercado. A visão que tinham do funcionamento dos mercados e das economias era simplista, como a de acadêmicos. Eles olhavam para os investidores, por exemplo, como uma entidade única que chamavam de "mercado", em vez de compreendê-los como um amálgama de diferentes jogadores que compravam e vendiam por motivos variados. Quando os mercados iam mal, investiam em construir uma imagem de confiança, imaginando que com isso o dinheiro viria e os problemas sumiriam. Não entendiam que, independentemente de quão confiantes se sentissem, compradores específicos não tinham dinheiro nem crédito suficientes para comprar toda a dívida que precisava ser vendida.

Assim como todos os corpos humanos funcionam essencialmente do mesmo modo, isso também acontece com as máquinas econômicas em diferentes países. E, assim como o corpo humano é acometido por doenças independentemente de sua nacionalidade, o mesmo vale para doenças econômicas. Portanto, não obstante as autoridades a princípio estivessem céticas, minha abordagem diante delas fora a de examinar a fisiologia do caso. Eu diagnosticava a doença econômica da qual o país padecia e mostrava a progressão dos sintomas, fazendo referências a casos análogos anteriores. Então explicava as melhores formas de tratamento para cada estágio. O que debatíamos a respeito de conexões e evidências era riquíssimo.

Mesmo quando tinha sucesso nesses diálogos, os sistemas de tomada de decisão políticas dentro dos quais os governos tinham que trabalhar eram disfuncionais. Os dezenove países da União Europeia não apenas tinham que decidir o que fariam individualmente, como também precisavam entrar em consenso como bloco econômico antes de agir — em muitos casos por unanimidade. Quase sempre era muito difícil resolver desacordos, um grande problema, porque o que precisava ser feito (expansão da base monetária) era inaceitável para os membros conservadores alemães. Desse modo, as crises iam se intensificando até o ponto de ruptura, enquanto os líderes da Europa se atracavam em longas reuniões a portas fechadas. Essas disputas de poder colocaram à prova os nervos de todos os envolvidos. É impossível descrever a quantidade de situações difíceis que muitas autoridades tiveram que aguentar em prol dos povos que representavam.

Em janeiro de 2011, algumas semanas após Luis de Guindos ser nomeado ministro da Economia pelo novo primeiro-ministro da Espanha, nos encontramos. De Guindos é um homem a quem aprendi a admirar por sua franqueza, inteligência e heroica disposição em se sacrificar pelo bem-estar do país. As novas autoridades espanholas viram-se imediatamente forçadas a barganhar com representantes do FMI, da União Europeia e do Banco Central Europeu (a "TroiKa", como eram chamados). Os espanhóis trabalharam incansavelmente nesse sentido e, no fim, para obter um apoio financeiro do qual precisavam muito, foram obrigados a assinar um acordo de empréstimo que essencialmente entregava o controle do seu sistema bancário à TroiKa.

Meu encontro com o ministro De Guindos aconteceu na manhã após a primeira e mais difícil dessas negociações. Com os olhos injetados, mas a mente bastante alerta, ele respondeu de maneira paciente e franca a todas as minhas perguntas complicadas e ofereceu suas opiniões a respeito de quais reformas a Espanha precisaria fazer para lidar com seus problemas. Ao longo dos dois anos que se seguiram, apesar das consideráveis resistências que enfrentaram, ele e o governo conseguiram aprovar essas reformas. De Guindos jamais ganhou os elogios que merecia, mas não se incomodou, uma vez que sua satisfação vinha dos resultados produzidos. A meu ver, ele é a verdadeira imagem do herói.

Com o passar do tempo, os países europeus endividados caíram em depressões mais profundas. Em setembro de 2012, isso levou Mario Draghi, presidente do Banco Central Europeu, a tomar a corajosa decisão de comprar títulos de dívida. Essa ação impediu a iminente crise da dívida, salvou o euro e, como se revelaria depois, fez muito dinheiro para o BCE. Por outro lado, falhou em dar estímulo imediato ao crédito e ao crescimento econômico nos países em depressão. A inflação, para a qual o BCE tinha diretrizes de manter em torno de 2%, estava abaixo da meta e caindo. Embora o BCE tivesse oferecido empréstimos com termos atraentes para os bancos em uma tentativa de resolver a questão, as instituições não estavam aceitando a oferta em volume suficiente para fazer a diferença. A meu ver, o cenário continuaria piorando, a menos que o BCE "imprimisse dinheiro" e o injetasse no sistema por meio da compra de mais títulos de dívida. O movimento rumo a um afrouxamento quantitativo, ou *quantitative easing* me parecia óbvio e necessário, então fui visitar Draghi e o conselho executivo do BCE para compartilhar minhas preocupações.

Na reunião, disse a eles por que essa abordagem não seria inflacionária (uma vez que é o volume de gastos, composto por dinheiro mais crédito, e não apenas a quantidade de dinheiro, que direciona tanto os gastos quanto a inflação). Foquei no funcionamento da máquina econômica porque sentia que, se pudéssemos chegar a um consenso a esse respeito — principalmente sobre como a compra de títulos é capaz de mover o dinheiro pelo sistema econômico —, poderíamos concordar a respeito de seus impactos sobre a inflação e o crescimento. Nessa reunião, e em todas desse tipo, compartilhei nossos cálculos e as importantes relações de causa e efeito observadas para que juntos pudéssemos avaliar se as conclusões faziam sentido.

A ausência de um mercado de títulos de dívida único para toda a zona do euro era um grande obstáculo, e, além disso, supõe-se que o BCE, como a maioria dos bancos centrais, não deva favorecer uma região/país em detrimento de outra. Diante de tais condições, apresentei minha teoria sobre como o BCE poderia fazer afrouxamento quantitativo sem quebrar suas regras, realizando compras de títulos proporcionalmente em cada país-membro, embora a Alemanha não precisasse ou quisesse ser alvo de tal medida (a economia alemã estava indo relativamente bem e começavam a aflorar temores de inflação).

Ao longo de dezoito meses participei de vários encontros com autoridades econômicas europeias. Entre os mais relevantes talvez estejam os que tive com o ministro das Finanças alemão, Wolfgang Schäuble, que considerei excepcionalmente atento e desprendido. Também vi como funcionava a política dentro da Alemanha e do restante da Europa.[9] Quando chegasse a hora da verdade, o BCE teria que fazer o que fosse melhor para a Europa: imprimir dinheiro e comprar os títulos da maneira que eu havia sugerido. Essa medida coadunava com a missão do BCE, e, em conjunto, os países endividados do sul da Europa somavam os votos necessários para permiti-la. Desse modo, calculei que a Alemanha perderia o embate, e, nesse caso, sua opção seria sair da zona do euro. Mas era claro que isso estava fora de cogitação, uma vez que os líderes alemães eram extremamente comprometidos em permanecer nela.

Quando Draghi finalmente anunciou a ação em janeiro de 2015, o efeito foi imediato e criou um precedente para novos afrouxamentos quantitativos no futuro, caso fossem necessários. A reação do mercado foi bastante positiva. No dia do anúncio, as ações europeias subiram 1,5%, os rendimentos de títulos públicos caíram nas principais economias europeias e o euro recuou 2% em relação ao dólar (o que ajudou a estimular a economia). Essas ações prosseguiram nos meses seguintes, dando impulso às economias europeias, fortalecendo uma retomada no crescimento e revertendo a queda da inflação.

O BCE optara pelo certo a fazer, por motivos relativamente simples. Mas, vendo quão controversa fora a medida aos olhos do mundo, me ocorreu que era preciso haver uma explicação simplificada do funcionamento da máquina econômica. Se todos entendessem o básico, no futuro as autoridades poderiam tomar decisões acertadas muito mais rápido e com menos ansiedade. Isso me levou a produzir em 2013 um vídeo de meia hora intitulado "Como a máquina econômica funciona". Além de explicar os mecanismos da economia, o vídeo oferece um modelo que ajuda as pessoas a avaliarem suas economias e orienta a respeito do que fazer e o que esperar durante uma crise. O vídeo teve um impacto muito maior do que eu esperava, sendo assistido por mais de cinco milhões de pessoas em oito idiomas. Várias autoridades me disseram em particular que as

---

[9] Na Alemanha, a política é como em todas as outras partes no sentido de que há forças opostas que lutam entre si e as decisões são feitas por meio de um mix de poder e negociação. Isso torna desejável saber quem tem qual poder e sua disposição em negociar o quê. O que torna a Alemanha diferente é a quantidade de atenção que dá a tecnicalidades legais.

lições haviam sido proveitosas para elas, ajudando-as a lidar com os eleitores e a encontrar melhores caminhos. Isso foi muito gratificante.

Esses encontros com líderes de governo me ensinaram muito sobre o verdadeiro funcionamento das relações internacionais, algo bem diferente daquilo que a maioria imagina. Se os países fossem seres humanos, acharíamos que se comportam de modo muito mais egoísta e menos altruísta do que julgamos necessário. Quando países negociam entre si, em geral operam como se fossem adversários em uma partida de xadrez ou mercadores em um bazar cujo único objetivo é maximizar o lucro. Líderes inteligentes conhecem as vulnerabilidades dos próprios países, se aproveitam das vulnerabilidades dos outros e esperam que os líderes das outras nações façam o mesmo.

Em geral, quem não teve contato direto com os líderes políticos de seu próprio país e dos demais forma suas opiniões com base no que vê na mídia e, como resultado, é muito ingênuo e dogmático. Isso acontece porque histórias dramáticas e fofocas conseguem mais audiência do que a objetividade dos fatos. Em alguns casos, os "jornalistas" tentam até passar adiante os próprios posicionamentos ideológicos. Desse modo, a maioria das pessoas que veem o mundo pelas lentes da mídia costuma procurar o mocinho e o bandido, em vez de identificar quais são os interesses e a quantidade de poder em jogo e de que maneira estão agindo. Costuma-se acreditar que seu próprio país seja o único a agir de acordo com a moral e não entender que em quase 100% dos casos todos os países estão apenas tentando maximizar os próprios interesses. Líderes excelentes são capazes de ponderar os benefícios da cooperação e enxergar em longo prazo, compreendendo que benefícios concedidos no presente podem significar benefícios recebidos no futuro.

Esses conflitos de interesses não se desenrolam apenas em âmbito internacional. No cenário político de cada país, é raro que políticos entrem em consenso a respeito de uma forma de agir em prol do interesse de todos, embora quase sempre finjam que é isso que estão fazendo. Geralmente agem em prol dos interesses de seus eleitores. Representantes de um eleitorado de maior poder aquisitivo alegarão que impostos mais altos sufocam o crescimento, enquanto quem representa as camadas mais baixas dirá o oposto. Se já é difícil fazer com que todos ao menos tentem observar o panorama geral com objetividade, que dirá agir de acordo com os interesses do todo.

Ainda assim, passei a respeitar a maioria das autoridades com quem trabalhei e a sentir pena da terrível posição em que estavam. A maior parte é feita de pessoas de princípios elevados e que se vê forçada a operar em ambientes nos quais não há princípios. Na melhor das circunstâncias, o trabalho de formulador de políticas é desafiador; na pior, quase impossível. O mundo da política é horrendo, ainda pior graças a distorções e desinformação propagadas por parte da mídia. Uma série de autoridades com quem me encontrei — incluindo Draghi, De Guindos, Schäuble, Bernanke, Geithner, Summers — era de verdadeiros heróis, no sentido de que colocavam a população e a missão com a qual estavam comprometidos acima dos próprios interesses. Infelizmente, a maioria das autoridades entra na carreira como idealista e sai dela desiludida.

Um desses heróis com quem tive a sorte de aprender e a quem, espero, pude ajudar é Wang Qishan, que por décadas tem sido uma notável força pelo bem da China. Explicar como ele é e a jornada que o levou ao topo da liderança ocuparia mais espaço deste livro do que posso utilizar. Em suma, Wang é historiador, pensador de altíssimo nível e um homem bastante prático. Raras vezes conheci alguém que fosse ao mesmo tempo tão sábio e objetivo. Por décadas Wang tem sido um importante formatador da economia chinesa, além de encarregado de eliminar a corrupção. É reconhecido como um homem pragmático e capaz de fazer acontecer.

Sempre que vou à China, marcamos um encontro de uma hora, uma hora e meia. Conversamos sobre o que está acontecendo no mundo e como isso se relaciona com milhares de anos de história e com a natureza imutável da humanidade. Discutimos também inúmeros outros tópicos, que vão de física a inteligência artificial. Ambos temos profundo interesse pela repetição de eventos e processos no mundo, sobre as forças por trás desses padrões e sobre os princípios que funcionam e não funcionam para lidar com elas.

Wang é um herói clássico, então pensei que um exemplar de *O herói de mil faces*, o grande livro de Joseph Campbell, poderia ser de grande valia. Também o presenteei com *The Lessons of History*, um resumo dos maiores líderes que atuaram ao longo da história, de Will e Ariel Durant, e *O rio que saía do Éden*, do perspicaz Richard Dawkins, que explica como a evolução funciona. Ele me presentou com o clássico *O papel do indivíduo na história*, de Georgi Plekhanov. O que esses livros têm em comum é o retrato de como os processos se repetem ao longo da história.

A maioria das conversas que tenho com Wang tem a ver com princípios; ele absorve o panorama da história, acrescenta detalhes, e conversamos dentro desse contexto. "Metas inalcançáveis são atraentes para os heróis", ele me disse uma vez. "Pessoas capazes são aquelas que se preocupam com o futuro. Os tolos não se preocupam com nada. Se os conflitos fossem resolvidos antes de se agravarem, não haveria nenhum herói." Seus conselhos me ajudaram a planejar o futuro da Bridgewater. Quando perguntei a ele sobre pesos e contrapesos de poder, por exemplo, ele apontou a derrubada de Júlio César do Senado e da República de Roma para ilustrar como é importante assegurar que ninguém seja mais poderoso do que o sistema. Levei esse conselho muito a sério quando me propus a aprimorar o modelo de administração da Bridgewater.

Sempre que falo com Wang, um homem que usa uma perspectiva atemporal para enxergar com mais clareza o presente e o provável futuro, sinto que estou mais perto de decifrar o código unificador que elucida as leis do universo.

É motivo de entusiasmo poder estar perto de pessoas como ele, especialmente quando posso ajudá-las.

DEVOLVENDO A BÊNÇÃO

Fui apresentado a *O herói de mil faces*, de Joseph Campbell (um dos livros com o qual presenteei Wang e vários outros heróis que conheço), por meu filho Paul em 2014. Embora tivesse visto Campbell na televisão quase trinta anos antes e me lembrasse de ter ficado impressionado com ele, nunca lera seu livro. Nele, Campbell examina um grande número de "heróis" de diferentes culturas — reais e míticos — e descreve suas jornadas arquetípicas pela vida. A descrição de Campbell de como esses indivíduos se tornam heróis se alinhava com meu pensamento a respeito dos formatadores. A leitura me deu poderosos insights a respeito dos heróis que conheço e dos padrões da minha vida.

Para Campbell, um "herói" não é uma pessoa perfeita que sempre acerta. Longe disso: é alguém que "encontrou ou conquistou ou [fez] algo além do âmbito normal dos feitos", que "devotou sua vida a algo maior do que si mesmo ou a algo que não fosse si mesmo". Conheci várias pessoas assim ao longo da vida. O mais interessante a respeito da obra de Campbell é a descrição do processo. Heróis não nascem heróis, vão se transformando à medida que os acontecimentos da vida se desenrolam. O diagrama a seguir mostra como se dá essa jornada arquetípica.

Em geral, todo herói começa tendo uma vida comum em um mundo comum e é atraído por um "chamado à aventura". Isso os leva por uma "estrada de adversidades" repleta de batalhas, tentações, sucessos e fracassos. No caminho, esses heróis contam com a ajuda de terceiros, frequentemente pessoas que estão mais à frente na jornada e servem como mentores. Mas mesmo quem está um passo atrás também colabora de diversas formas. Também fazem aliados e inimigos e aprendem a lutar, muitas vezes contra as convenções. Ao longo da trilha, deparam com tentações, entram em conflito e se reconciliam com seus pais e filhos. Por serem altamente determinados, superam o medo de lutar. Vão adquirindo "poderes especiais" (ou aptidões) a cada batalha e a cada encontro em que lhes são passados ensinamentos e conselhos. Com o passar do tempo acumulam sucessos e fracassos, mas, cada vez mais, o êxito supera a derrota e, à medida que se fortalecem, passam a se empenhar por mais. Em pouco tempo estão enfrentando batalhas ainda maiores e mais desafiadoras.

Inevitavelmente todo herói passa por pelo menos um grande fracasso (o qual Campbell chama de "abismo" ou experiência "barriga da baleia"), um evento que testa se eles têm a resiliência para dar a volta por cima e retomar a batalha com mais inteligência e determinação. Em caso afirmativo, o herói passa por uma mudança (uma "metamorfose"), na qual experimenta o medo que o protege, sem perder a agressividade que o impulsiona adiante. Com os triunfos vêm as recompensas. Embora os heróis não percebam quando estão no meio de suas batalhas, a maior recompensa para eles é algo que ganharam ao longo da jornada e que Campbell chama de "bênção": um saber especial sobre como alcançar o sucesso.

À medida que o tempo passa, mais vitórias e recompensas geralmente tornam-se prazeres secundários; os heróis passam a querer transmitir seu conhecimento — "retribuir as bênçãos", na definição de Campbell. Assim

A JORNADA DO HERÓI

AVENTURA

- CHAMADO À AVENTURA
- CRUZANDO O LIMIAR
- A ESTRADA DE ADVERSIDADES
- ABISMO
- METAMORFOSE
- A MAIOR BÊNÇÃO DE TODAS
- RETRIBUINDO AS BÊNÇÃOS

Esquema "A jornada do Herói", de *O herói de mil faces* (New World Library), de Joseph Campbell, copyright © 2008 da Joseph Campbell Foundation (jcf.org), usado com permissão.

que isso acontece, o herói está livre para viver e, então, livre para morrer, ou, a meu ver, para fazer uma transição da segunda fase da vida para a terceira (aquela em que estará livre para saborear a vida até a morte).

Ao ler Campbell, vi que heróis, assim como formatadores, existem em diferentes proporções — alguns maiores, outros menores —, são pessoas comuns, e todos nós conhecemos alguns. Também vi que ser um herói geralmente não é tão bom quanto parece — eles apanham bastante e muitos são atacados, humilhados ou mortos mesmo após triunfarem. Na realidade, é difícil ver a lógica que faria alguém escolher esse papel se isso fosse possível, mas consegui entender por que certo tipo de pessoa vai entrar e se manter nesse caminho.

A despeito de a descrição de Campbell capturar a essência da minha própria jornada e de muitos formatadores, "herói" não é uma palavra que eu usaria para me descrever, e certamente não colocaria meus feitos no nível dos heróis descritos pelo autor.[10] Aprender sobre a jornada do herói, no entanto, me ajudou a cristalizar a compreensão de onde eu estava ao longo do caminho e o que deveria fazer em seguida. O trecho sobre retribuir as bênçãos me tocou em especial, como se Campbell soubesse exatamente com o que eu estava me debatendo. Com as reflexões que a leitura estimulou, pude ver que a minha vida chegaria ao fim em relativamente pouco tempo e que meu legado poderia ser mais importante, durar mais e afetar muito mais pessoas do que apenas o pessoal da Bridgewater e a minha família. Isso ajudou a deixar claro que eu precisava passar adiante tudo que pudesse ajudar os outros — os princípios que deixo neste livro, mas também meu dinheiro.

É aquela velha história: "A gente morre e fica tudo aí". Assim, minha necessidade de começar a pensar em quem deveria ganhar o que não se devia somente à minha idade e ao tempo que precisaria para fazer isso da forma mais adequada. Também era algo instintivo. Ao longo dos anos, o círculo de pessoas e coisas com as quais eu me preocupava se ampliou de mim mesmo para minha família, quando me tornei pai, para a minha comunidade, quando fiquei um pouco mais maduro, e para indivíduos além da minha comunidade e todo o meio ambiente.

---

10 Quero deixar claro que não acredito que "heróis" ou "formatadores" sejam melhores ou estejam em caminhos melhores. É perfeitamente lógico não ter qualquer desejo de entrar em semelhante jornada. Acredito que o mais importante é conhecer a própria natureza e operar de forma consistente com ela.

ENFRENTANDO AS QUESTÕES DA FILANTROPIA

Meu primeiro contato com a filantropia[11] aconteceu no fim dos anos 1990, quando eu chegava aos cinquenta anos. Na época, Matt tinha dezesseis anos, falava mandarim e havia visitado um orfanato chinês, onde ficou sabendo que uma cirurgia de 500 dólares podia salvar ou melhorar radicalmente algumas vidas. Junto com amigos, lhe dei dinheiro para que ajudasse. Meu amigo Paul Tudor Jones ensinou Matt a criar a fundação 501(c)(3),* e Matt, que então estava apenas no segundo ano do ensino médio, criou a China Care Foundation, em 2000. Ele fez com que nossa família visitasse orfanatos. Assim, tivemos contato próximo com crianças com necessidades especiais e nos apaixonamos por elas. Também vimos Matt tendo que lutar para decidir quais crianças viveriam e quais morreriam, porque não havia dinheiro suficiente para salvar todas. Imagine estar diante da escolha entre sair à noite ou salvar a vida de uma criança. Essa, em essência, era a escolha com que constantemente nos defrontávamos. Essa experiência nos levou a um envolvimento maior com a filantropia e, assim, em 2003 criamos nossa fundação para poder ajudar de modo mais sistemático. Queríamos que isso se tornasse uma atividade familiar e a ideia se mostrou fabulosa.

Saber a melhor forma de doar dinheiro é uma empreitada tão complexa quanto saber conquistá-lo. Ainda que hoje em dia saibamos bem mais a respeito, nem sempre nos sentimos capazes de tomar as melhores decisões. Assim, minha família e eu continuamos à procura do melhor caminho. A seguir darei alguns exemplos das questões que enfrentamos e de como nossa posição a respeito delas evoluiu. Vamos começar com a questão de quanto dinheiro deveria ser poupado para a família e quanto deveria ser doado para pessoas e causas mais distantes, mas que precisam dele com mais urgência.

---

11 A palavra "filantropia" não me cai como descrição do que estamos fazendo. O que estamos fazendo é ajudar algo com que nos preocupamos devido à alegria que nos dá — como a alegria que alguém tem ao ajudar um amigo. Aos meus ouvidos, "filantropia" ganhou um significado que soa mais oficial. Por exemplo, algumas pessoas passaram a julgar que algo é filantrópico quando está de acordo com o que a lei determina que seja filantrópico. Ao abordarmos nossa filantropia apenas vemos pessoas e coisas que nos deixam entusiasmados em ajudar.

* Referência à seção do Código dos Estados Unidos que regulamenta isenções fiscais para um tipo de organização sem fins lucrativos. (N. do T.)

Bem antes de ter muito dinheiro eu já havia determinado que meus filhos deveriam ter o suficiente para garantir excelentes cuidados com a saúde, ótima educação e um capital inicial para ajudar no início de suas carreiras. Minha própria jornada entre o não ter nada e o ter muito foi o que balizou esse ponto de vista. O caminho que eu percorrera havia me ensinado a lutar com garra e ser forte, de modo que eu queria o mesmo para as pessoas que amava. Dessa forma, quando consegui ganhar muito dinheiro, senti que tinha bastante para dar a outros.

Em nossas investidas para ajudar nas mais diversas áreas, adquirimos experiência e o seguinte aprendizado: dinheiro vai rápido, e nem de longe tínhamos o suficiente para cuidar de tudo que era importante para nós. Além disso, quando o meu primeiro neto nasceu, comecei a me perguntar para quantas gerações eu deveria guardar dinheiro. Ao conversar com pessoas que ocupam posições semelhantes à minha, descobri que até as mais ricas sentem não ter o suficiente para fazer o que querem. Por isso, estudei como outras famílias abordam a questão da divisão entre o quinhão das heranças e o das doações, bem como seu ritmo. Embora a família Dalio ainda não tenha respostas definitivas para tais questões, sei que eu, pessoalmente, doarei mais da metade do meu dinheiro para terceiros.

Outra grande questão foi definir as causas. A maior paixão de Barbara tem sido ajudar alunos de escolas públicas localizadas nos bairros mais problemáticos de Connecticut, especialmente aqueles considerados "desengajados e desconectados".[12] Um estudo financiado por ela mostrou que 22% dos alunos do ensino médio se enquadram em uma dessas categorias. O dado é ainda mais chocante quando pensamos que a maioria deles provavelmente se transformará em adultos que sofrerão e serão um peso para a sociedade, em vez de para ela contribuírem. Por estar em contato direto com essas crianças e seus professores, Barbara compreende suas necessidades. Quando soube que 10 mil estudantes não tinham casacos para enfrentar o inverno, minha esposa se sentiu impelida a providenciá-los. O que ela mostrou abriu meus olhos. Como aspectos como vestuário e alimentação podem ser tão gravemente deficientes nessa "terra de oportunidades"? Toda a família Dalio

---

12 Um aluno desengajado é aquele que vai à escola, mas não se engaja nas tarefas. Um aluno desconectado é aquele que não vai à escola e o sistema deixou de acompanhá-lo.

acredita que oportunidades iguais — um dos direitos humanos mais fundamentais — exigem oportunidades de ensino iguais, mas a realidade é outra. Os preços a pagar pela falta de investimento são altíssimos, tanto no âmbito econômico (na forma de crime e encarceramento) quanto no social. Embora nos sentíssemos compelidos a ajudar, descobrimos que é bastante difícil produzir um impacto significativo em relação ao tamanho do problema.

Sinto uma profunda conexão com a natureza, especialmente com os oceanos. Eles são o maior bem do planeta que habitamos, cobrindo 71% de sua superfície e compreendendo 99% do seu espaço habitável. Fico entusiasmado em apoiar pesquisadores e veículos que compartilham os incríveis ambientes submersos que visitam. Minha missão filantrópica é deixar claro que a exploração oceânica é ainda mais importante e excitante do que a exploração espacial, a fim de fazer com que os oceanos ganhem mais apoio e sejam administrados de maneira mais responsável. Para melhorar, meu filho Mark é um cineasta especializado em documentar a fauna do planeta e compartilha da minha paixão.

A paixão de Matt, meu outro filho, é promover o acesso a computadores de forma barata e eficiente a cidadãos de países em desenvolvimento, com objetivo de expandir e melhorar a educação e a assistência médica. Paul se engajou com a questão da saúde mental e sua esposa luta pela ecologia em virtude das mudanças climáticas do planeta. Devon, no momento, está mais focado na carreira, mas sua esposa se preocupa profundamente com o bem-estar dos animais. Nossa família continua a apoiar crianças com necessidades especiais na China e temos um instituto que ensina as melhores práticas aos filantropos chineses. Também apoiamos o ensino de meditação a crianças em ambientes problemáticos e veteranos de guerra com transtorno de estresse pós-traumático, pesquisas de ponta no campo da medicina cardiovascular, microempreendedores, empreendimentos sociais e muito mais.

Por enxergarmos nossas doações como investimentos, desejamos obter o maior retorno filantrópico possível com cada uma delas e enfrentamos o desafio de como medir esses retornos. É muito fácil medir a eficiência de um negócio observando quanto as receitas superam os custos, por isso somos particularmente inclinados a empreendimentos sociais sustentáveis. Ainda assim, vi que muitos investimentos filantrópicos podem dar resultados tanto sociais quanto econômicos e fico atormentado pelo fato de nossa sociedade desprezá-los.

Também questionamos o tempo todo quão grande nossa organização deveria ser e qual o nível de controle deveríamos ter para garantir a qualidade do nosso processo decisório. Eu abordava tais decisões da mesma forma exemplificada em "Princípios de Trabalho" — criando princípios e políticas para guiar nossos processos decisórios. Por exemplo, como não temos condições de analisar de maneira inteligente os inúmeros pedidos de doações com os quais somos bombardeados, determinei uma política de não examinar pedidos não solicitados, dando o tempo necessário para que nossa equipe avalie as áreas nas quais queremos focar. Estamos continuamente melhorando todos os nossos princípios e todas as nossas políticas, e sonho montar algoritmos para a tomada de decisões em nossos esforços filantrópicos, ainda que isso esteja longe do meu alcance no momento.

Como se pode imaginar, também pedimos conselhos a pessoas com alto nível de experiência e reconhecimento. Bill Gates e aqueles que conhecemos por meio da nossa participação na Giving Pledge — campanha criada por Bill e Melinda Gate e Warren Buffett — têm sido de enorme valor. Muhammad Yunus, Paul Jones, Jeff Skoll, o pessoal da Omidyar e a equipe do TED também têm sido muito prestativos. O mais importante que aprendemos é que não existe um modo certo de fazer filantropia, conquanto existam muitos errados.

Doar o dinheiro que ganhei durante a vida — e fazer isso bem — tem sido uma alegria, um desafio e o certo a fazer nesse estágio da vida.

A BRIDGEWATER FAZ QUARENTA ANOS

Em junho de 2015, a Bridgewater completou quarenta anos, um marco incrível que celebramos com uma grande festa. Tínhamos muito a comemorar, já que, de acordo com a maioria das avaliações, nenhuma outra empresa do mesmo segmento conseguiu tamanho sucesso.[13] Pessoas que desempenharam um papel-chave desde o início da nossa jornada e ao longo das quatro décadas levantaram-se para falar. Cada uma delas descreveu a evolução da empresa em sua opinião — como alguns aspectos haviam

---

13 Em janeiro daquele ano, lançamos nosso primeiro novo produto em mais de uma década, um fundo que batizamos de "Portfólio Ótimo", que combinava alfas e betas de maneiras singularmente adequadas para um macroambiente global no qual as taxas de juros eram próximas de zero. O lançamento foi um enorme sucesso, o maior na história da indústria de fundos de hedge.

mudado com o passar dos anos e outros permaneciam iguais, mas destacando principalmente nossa cultura de lutar pela excelência no trabalho e nas relações por meio de sinceridade e transparência radicais. Foram vários os relatos frisando nossa maneira única e consistente de tentar novas abordagens, de aprender com os fracassos e tentar mais uma vez em um processo contínuo e evolutivo. Quando foi a minha vez de falar, quis transmitir o que eu sempre havia tentado passar às pessoas na Bridgewater e o que eu queria que tivessem no futuro sem mim:

Uma comunidade na qual estejam sempre assegurados o direito e a obrigação de compreender tudo por si só e a capacidade de superar desacordos, dando forma a uma real e efetiva meritocracia de ideias. Quero que vocês sejam pensadores, e não seguidores — embora reconhecendo que podem estar errados e que têm fraquezas —, e quero ajudá-los a conseguir as melhores respostas possíveis, mesmo que pessoalmente vocês discordem delas. Quero proporcionar a vocês uma abertura de mente radical e uma meritocracia de ideias que os levará de estar encurralado dentro da própria cabeça a ter acesso às mentes mais brilhantes do mundo, ajudando-os a tomar as melhores decisões para si e para a comunidade. Quero ajudar todos vocês a lutar bem e evoluir para tirar o máximo da vida.

Embora ainda houvesse coisas importantes a fazer, na época eu achava que estávamos fechando bem meu processo de transição. Não fazia a menor ideia de como o ano seguinte seria difícil.

CAPÍTULO 7

MEU ÚLTIMO ANO E MEU MAIOR DESAFIO:
2016-2017

Mesmo que antes do quadragésimo aniversário todos concordássemos que a transição não estava sendo tão suave quanto se esperava, nos meses seguintes nossos problemas atingiram um ponto de crise para o qual não estávamos prontos. A área de investimentos da Bridgewater estava melhor do que nunca, mas outros segmentos do negócio, como tecnologia e recrutamento, derrapavam.

Eu não era mais CEO, logo não era minha função administrar a companhia. Como presidente, minha função era supervisionar os CEOs e garantir que estivessem administrando bem. E Greg Jensen e Eileen Murray, os CEOs na época, estavam claramente sobrecarregados. Todos concordávamos que a empresa não estava sendo administrada da melhor maneira, mas tínhamos opiniões diferentes quanto ao que fazer a respeito. Desavenças como essa eram esperadas, já que pregamos que cada um na empresa pense a seu próprio modo e defenda sua ideologia. Por isso desenvolvemos princípios e processos para resolvê-las.

Trocamos opiniões durante várias semanas. Pessoas em posições importantes apresentaram suas perspectivas e recomendações aos membros do conselho de administração e do conselho de partes interessadas (que, essencialmente, é o conselho da Bridgewater), que avaliaram as alternativas e, por fim, votaram. A decisão mais importante que saiu desse processo foi anunciada em março de 2016: Greg deixaria o papel de co-CEO para focar no papel de codiretor de investimentos (o qual desempenhava ao lado de Bob Prince e eu). Enquanto programávamos as mudanças estruturais necessárias para permitir que a Bridgewater funcionasse bem na minha ausência, eu me juntaria temporariamente a Eileen como co-CEO.

Não era esse o desfecho esperado por nós desde que deixei pela primeira vez o cargo de CEO, mas não dá para dizer que fomos pegos de surpresa. Os embates dentro da empresa estavam aparentes havia algum tempo e já tentáramos diferentes abordagens. Sabíamos que transições de liderança nunca são fáceis, e nosso *modus operandi* sempre foi tentar, fracassar, diagnosticar, redesenhar o projeto e tentar novamente. Era o que estávamos fazendo. Era a hora para uma mudança de liderança.

Mesmo assim, esse fracasso em particular foi doloroso, especialmente para Greg e eu, que notei que havia passado a Greg uma carga muito pesada ao esperar que ele arcasse com os papéis de co-CEO e co-CIO. É o erro de administração da Bridgewater pelo qual mais lamento, porque atingiu nós dois e a empresa. Eu não havia sido apenas um mentor de Greg; durante quase vinte anos ele fora como um filho para mim. Ambos queríamos e esperávamos que ele administrasse a empresa. A dor desse fracasso foi agravada, sobretudo para Greg, pelos relatos sensacionalistas e imprecisos da mídia. Várias matérias retrataram a situação como se existisse um embate mortal e cruel entre dois titãs quando, na verdade, éramos apenas pessoas que amavam a Bridgewater superando desavenças de acordo com a meritocracia de ideias. Essa foi a queda no abismo que Greg enfrentou em sua própria jornada de herói — algo encarado de forma semelhante por mim e por uma série de outros líderes da empresa —, e não apenas por ter sido um episódio muito doloroso, mas também por ter levado todos nós a uma metamorfose que nos aprimorou muito.

Greg tem 25 anos a menos do que eu. Frequentemente penso como eu era na idade dele e quanto aprendi desde então. Sei que Greg vai evoluir e alcançar um sucesso notável à sua própria maneira. Fiquei feliz por termos saído disso mais fortes, sobretudo porque nossos sistemas para identificar e solucionar problemas funcionaram muito bem. Esse episódio reafirmou nossa crença de que o processo coletivo de tomada de decisão baseado na meritocracia de ideias produzia melhores resultados do que decisões tomadas em particular. Isso e nossas relações aprofundadas nos mantinham unidos.

Eu não sabia como fazer a transição de saída do papel de líder-fundador e, com isso, percebi mais uma vez que, além do meu conhecimento, havia muito mais coisas que eu não sabia. Fui procurar alguns dos maiores especialistas em busca de conselhos. Talvez o melhor que recebemos tenha sido do especialista em administração Jim Collins: "Para fazer uma boa transição só é preciso escolher CEOs eficientes e ter um sistema de governança muito capaz de substituir os CEOs se eles não forem eficientes". Era exatamente o ponto no qual eu havia falhado, e ali estava diante de mim uma segunda chance. Então, comecei a pensar sobre governança de um modo que nunca havia feito antes.

Colocado de forma simples, governança é o sistema de pesos e contrapesos que assegura que uma organização será mais forte independentemente de quem a esteja liderando. Como eu era o fundador, tinha administrado a Bridgewater por 35 anos sem regras formais de pesos e contrapesos que se aplicassem a mim (embora eu tivesse criado um sistema informal de governança ao estabelecer a necessidade de me reportar ao conselho de administração, uma forma de controlar meu processo decisório).

Ainda que esse sistema informal tenha funcionado para mim, não poderia funcionar bem sem mim. Precisávamos, portanto, construir um novo sistema de governança que permitisse à Bridgewater manter seu padrão e estilo únicos independentemente de quem estivesse no comando — e fazer isso de modo a torná-lo suficientemente resiliente para mudar a administração da empresa, caso fosse necessário. Dei início a essa tarefa com a ajuda da equipe e ainda não terminamos o processo.

Aprendi que é errado presumir que as pessoas serão bem-sucedidas em diferentes funções ou que o modo de agir de um indivíduo funcionará bem para outro. Esse ano difícil também me ensinou muito a respeito das pessoas que me cercam, especialmente David McCormick e Eileen Murray, que mostraram comprometimento com nossa missão compartilhada, assim como inúmeras outras pessoas. Tentativas resultaram em alguns fracassos, é claro, mas aprendemos muito. Graças às modificações, pude terminar meu período temporário como CEO após um ano, em abril de 2017.

No momento em que escrevo estas palavras, em 2017, vejo este ano como o último na transição da segunda para a terceira fase da minha vida, quando terei transmitido o conhecimento que reuni durante a caminhada e, conforme a descrição de Joseph Campbell, estarei livre para viver. Também estarei livre para morrer, é claro, mas no momento esse não é o meu foco — quero descobrir formas de aproveitar minha liberdade e estou muito entusiasmado com isso.

CAPÍTULO 8

OLHANDO PARA TRÁS A PARTIR DE UM PLANO MAIS ELEVADO

A o observar minhas experiências, é interessante refletir sobre como as perspectivas mudaram.
Quando comecei, cada volta e reviravolta, nos mercados ou na minha vida, de modo geral parecia grande e dramática — como experiências únicas de vida ou morte sendo atiradas contra mim com toda força.

Com o tempo e o amadurecimento, passei a ver cada episódio como "mais uma daquelas", situações que eu poderia abordar de maneira mais calma e analítica, da mesma forma como um biólogo trataria de um encontro com uma criatura ameaçadora na floresta: primeiro identificando sua espécie e, tendo recorrido ao seu conhecimento a respeito dos comportamentos esperados, reagindo de modo apropriado. Quando eu me via diante de determinadas situações similares às enfrentadas anteriormente, recorria aos princípios que havia aprendido para lidar com elas. Diante de situações inéditas, no entanto, ser pego de surpresa era muito ruim para mim. Ao estudar todos esses primeiros encontros traumáticos, aprendi que, mesmo sendo inéditos para mim até então, a maioria havia ocorrido com outras pessoas em outras épocas e lugares. Isso me fez criar profunda admiração pelo estudo de história, uma ânsia pela compreensão universal do funcionamento da realidade e o desejo de construir princípios atemporais e universais para lidar com a vida.

Ao observar as mesmas coisas acontecerem repetidamente comecei a enxergar a realidade como uma esplêndida máquina de moto-perpétuo, na qual causas se transformam em efeitos que viram causas de novos efeitos, e assim sucessivamente. Percebi que, apesar de não ser perfeita, a realidade é aquilo com que precisamos lidar, de modo que seria mais produtivo tratar problemas ou frustrações de maneira direta, em vez de ficar reclamando. Passei a compreender que esses encontros eram meios de testar meu caráter e minha criatividade. Com o tempo, comecei a apreciar o fato de ser um elemento pequeno e efêmero dentro desse notável sistema e a entender como é bom para mim e para o sistema que eu saiba interagir bem com ele.

Ao ganhar essa perspectiva, passei a vivenciar os momentos dolorosos de maneira radicalmente diferente. Em vez de me sentir frustrado ou arrasado, eu encarava a dor como um lembrete da natureza de que existe um aprendizado mais importante. Aos poucos isso se tornou uma espécie de jogo para mim. Quanto mais jogava, melhor eu me tornava, menos dolorosas as situações passavam a ser e mais gratificante se tornava o processo de refletir, desenvolver princípios e ser recompensado. Aprendi a amar as batalhas que enfrentava, e suponho que essa seja uma perspectiva bastante saudável, como aprender a amar fazer exercícios físicos (algo que até agora não consegui).

No começo da minha carreira eu admirava pessoas extraordinariamente bem-sucedidas e acreditava que o sucesso delas tinha a ver com o fato de serem extraordinárias. Depois de conhecê-las, percebi que, como eu e todo mundo, elas cometem erros, lutam para vencer suas fraquezas e não sentem que sejam particularmente especiais ou grandes. Elas não são mais felizes e batalham tanto quanto a maioria das pessoas, ou mais. Mesmo depois de atingir seus sonhos mais grandiosos, ainda se deparam com mais batalhas do que momentos de glória. Isso certamente se aplica a mim. Mesmo tendo realizado meus sonhos mais delirantes décadas atrás, continuo lutando. Com o tempo, concluí que a satisfação não está em atingir as metas, mas em lutar bem. Para compreender o que quero dizer, imagine o seu maior objetivo, seja lá qual for — faturar uma tonelada de dinheiro, ganhar um Oscar, administrar uma grande empresa, ser fantástico em um esporte. Agora imagine conseguir isso instantaneamente. Você ficaria feliz em um primeiro momento, mas não por muito tempo. Logo seria necessário algo mais pelo que lutar. Veja o caso de quem concretizou seus sonhos muito cedo — a estrela infantil, o ganhador da loteria, o atleta profissional que atinge o auge cedo. Em geral, não terminam felizes, a menos que se entusiasmem com outra coisa maior e melhor pela qual lutar. Como a vida tem altos e baixos, lutar bem não apenas torna os seus altos melhores, como torna os baixos menos piores. Continuo lutando e vou lutar até morrer, porque, mesmo que tente evitar as lutas, elas virão atrás de mim.

Graças a todo esse aprendizado, fiz tudo o que queria, fui a todos os lugares que queria, conheci quem queria, consegui tudo o que queria, tive uma carreira fascinante e, o mais gratificante, muitas relações maravilhosas. Vivenciei tudo, de não ter nada a ter muito e de não ser ninguém a ser alguém, então sei a diferença. Embora meu processo tenha sido ascendente (o que sempre é preferível e provavelmente influenciou minha perspectiva), acredito que os benefícios de ter muito e de estar no topo nem de longe são tão grandes quanto a maioria das pessoas imagina. Ter o básico — uma boa cama para dormir, boas relações, boa comida e bom sexo — é da maior importância, e essas coisas não ficam muito melhores quando você tem muito dinheiro nem muito piores quando você tem menos. As pessoas que se encontram no topo não são necessariamente mais especiais do que aquelas que estão no fundo ou no meio.

Os benefícios marginais de ter mais diminuem bem rápido. Na verdade, ter muito mais é pior do que ter uma quantidade moderada a mais, porque isso traz fardos pesados. Estar no topo dá uma amplitude maior de opções, mas também exige mais de você. Levando tudo em conta, ser bem conhecido é provavelmente pior do que ser anônimo. E, mesmo sendo grande o potencial de impactar a vida dos outros de maneira positiva, colocando em perspectiva, o benefício ainda é infinitesimalmente pequeno. Assim, não posso dizer que ter uma vida intensa e repleta de conquistas seja melhor do que ter uma vida tranquila repleta de momentos de prazer, embora possa afirmar que ser forte é melhor do que ser fraco e que lutar dá força. Dada a minha natureza, eu trocaria a minha vida por outra, mas não posso dizer o que é melhor para ninguém. Cabe a cada um decidir o que é melhor para si. O que vi é que as pessoas mais felizes descobrem sua própria natureza e adaptam sua vida a ela.

Agora que o meu desejo de ter sucesso deu lugar ao desejo de ajudar os outros a ter sucesso, isso se tornou a minha luta. Está claro para mim que o meu propósito, o seu propósito e o propósito de tudo mais é evoluir e contribuir para a evolução, mesmo que de forma discreta. É claro que no começo eu não sabia de nada disso; só fui atrás das coisas que queria. Mas o tempo me fez evoluir esse raciocínio, e agora estou compartilhando meus princípios para ajudar a todos a evoluir também. Percebi que transmitir conhecimento é como transmitir uma carga genética: o DNA do indivíduo é mais importante do que o indivíduo em si, uma vez que perpassa sua existência e atravessa gerações. Transmitindo tudo que aprendi sobre como lutar bem, este livro é a minha tentativa de ajudar outras pessoas a serem bem-sucedidas ou ao menos de ensiná-las a extrair o máximo de cada gota de esforço empregada.

PRINCÍPIOS

Seguir bons princípios é uma forma eficiente de lidar com a realidade. Precisei ponderar longamente para aprender quais são os meus. Assim, em vez de simplesmente transmiti-los, compartilharei as reflexões por trás deles.

Acredito que tudo se dá em virtude de relações de causa e efeito que se repetem e evoluem ao longo do tempo. No Big Bang, todas as leis e forças do universo foram criadas e impulsionadas adiante, interagindo no decorrer do tempo como uma série complexa de máquinas trabalhando em conjunto: a estrutura das galáxias, a constituição da geografia e dos ecossistemas da Terra, nossas economias e mercados, e cada um de nós. Individualmente, somos máquinas constituídas de diferentes máquinas — os sistemas circulatório, nervoso etc. — que produzem nossos pensamentos, sonhos, emoções e todos os demais aspectos de nossas personalidades singulares. Todas essas máquinas evoluem em conjunto para produzir a realidade.

- **Observe os padrões de tudo que afeta você. Busque compreender as relações de causa e efeito subjacentes se quiser aprender princípios que o ajudarão a lidar com a realidade de maneira mais eficiente.**

Ao fazer isso, você começará a entender como o mecanismo subjacente a qualquer "mais uma daquelas" funciona e desenvolverá um mapa mental para lidar com elas. À medida que for aumentando seu nível de compreensão, os aspectos fundamentais serão destacados em meio à enxurrada de coisas que o atingem. Então você identificará qual "daquelas" tem diante de si e instintivamente aplicará os princípios corretos para superar o momento. A realidade, por sua vez, enviará sinais claros a respeito do funcionamento desses princípios sob a forma de punições ou gratificações, de modo que você aprenderá a ajustá-los conforme o necessário.

Ter bons princípios para lidar com as realidades que encontramos é o fator mais determinante para quão bem reagiremos a elas. Não estou dizendo que todas as pessoas enfrentarão o mesmo tipo de situação. Ainda assim, a maior parte de nossos encontros com a realidade se encaixa em uma ou outra categoria, e o número de categorias existentes não é grande. Se você categorizasse cada um desses acontecimentos (por exemplo, o nascimento de uma criança, a perda de um emprego, uma desavença pessoal) e os compilasse, provavelmente o total estaria resumido a poucas centenas de situações, e somente algumas seriam exclusivas da sua vida. Experimente fazer isso. Você verá como é verdade e também começará a elaborar uma lista daquilo que precisa pensar a respeito e para o qual precisa desenvolver princípios.

Qualquer que seja o sucesso que obtive, ele se deve aos princípios que segui, e não por haver algo de especial em mim. Assim, qualquer pessoa que seguir os mesmos princípios pode esperar produzir resultados semelhantes de modo geral. Tendo dito isso, não quero que você siga os meus princípios cegamente (ou os de qualquer outra pessoa), mas sugiro que os examine com atenção para montar a própria coleção. É a ela que você vai recorrer sempre que a realidade colocar "mais uma daquelas" no seu caminho.

Os "Princípios de Vida" e os "Princípios de Trabalho" estão organizados por pontos em três níveis diferentes, de forma que você pode fazer uma leitura dinâmica ou mergulhar, dependendo do tempo e interesse que tiver.

1 Princípios de nível superior, que também são os títulos dos capítulos, são precedidos por um número.

1.1 Princípios de nível intermediário estão contidos em cada capítulo e são designados por dois números: um indicando o princípio de nível superior que o engloba e o outro mostrando a ordem em que aparece no capítulo.

a. **Subprincípios ficam sob os princípios de nível intermediário e são marcados com letras.**

Os princípios dos três níveis são seguidos por explicações. Para lhe dar uma rápida visão geral, incluí sumários no fim dos "Princípios de Vida" e no início dos "Princípios de Trabalho". Sugiro que você comece com os princípios de nível superior e o texto que os explica, incluindo os cabeçalhos de princípios e subprincípios. Os "Princípios de Vida" foram escritos para serem lidos em sua totalidade, enquanto os "Princípios de Trabalho" funcionam mais como uma obra de referência.

PARTE II

PRINCÍPIOS DE VIDA

1 Aceite a realidade e lide com ela

Não existe nada mais importante do que entender como a realidade funciona e aprender a lidar com ela. Seu estado mental ao longo desse processo faz toda diferença. Vi que era útil pensar na minha vida como se ela fosse um jogo no qual cada problema é um quebra-cabeça que preciso montar. Ao resolvê-lo, obtenho uma pérola na forma de um princípio que me ajuda a evitar o mesmo tipo de problema no futuro. Colecionar essas pérolas aperfeiçoa meu processo decisório, de modo que posso subir para níveis cada vez mais altos, nos quais o jogo vai ficando progressivamente mais difícil e o volume de fichas na mesa, sempre maior.

Todo tipo de emoções vêm a mim durante o jogo, e elas tanto podem ajudar quanto prejudicar. Se consigo conciliar emoções e lógica e agir somente quando estão alinhadas, tomo decisões melhores.

Aprender como a realidade funciona, visualizar as coisas que quero criar e, então, construí-las é incrivelmente empolgante para mim. Partir em busca de grandes objetivos me coloca diante de possíveis fracassos, da necessidade de aprender e de inventar novas formas de continuar. Acho empolgante entrar no ciclo de feedback do aprendizado rápido — do mesmo modo que um surfista adora deslizar sobre as ondas mesmo que as quedas sejam inevitáveis. Não me entenda mal: ainda tenho medo das quedas e as acho dolorosas, mas mantenho essa dor em perspectiva e sei que, ao superar os reveses, a maior parte do meu aprendizado virá da reflexão sobre eles.[14] Assim como um maratonista suporta a dor para experimentar o tal "barato da corrida", em grande parte superei a dor de cometer erros e desfruto o prazer que vem com esse aprendizado. Acredito que, com a prática, seja possível mudar hábitos e experimentar o "barato do erro do aprendiz".

1.1 Seja um hiper-realista.

Compreender, aceitar e lidar com a realidade é ao mesmo tempo prático e lindo. Tornei-me hiper-realista a tal ponto que aprendi a apreciar a beleza de todos os cenários possíveis, mesmo os mais difíceis, e passei a desprezar o idealismo impraticável.

Não me entenda mal: acredito em transformar sonhos em realidade. Correr atrás dos nossos sonhos é o que dá sabor à vida, e não existe nada melhor do que isso. O ponto a que quero chegar é que pessoas que criam coisas grandiosas não são sonhadores ociosos; estão com os dois pés bem plantados na realidade. Ser hiper-realista vai ajudá-lo a escolher seus sonhos com sabedoria e, então, alcançá-los. Descobri que a fórmula seguinte é quase sempre verdadeira:

a. **Sonhos + Realidade + Determinação = Uma vida de sucesso.** Pessoas bem-sucedidas fazem o progresso acontecer ao compreender profundamente as relações de causa e efeito que governam a realidade e se valem de princípios para conquistar seus objetivos. O inverso também é verdade: idealistas que não estão com os pés na realidade criam problemas, não progresso.

Com que se parece uma vida de sucesso? Temos nossas necessidades enraizadas, portanto precisamos decidir por conta própria qual é a nossa definição de sucesso. Não importa se você quer ser o dono do mundo, alguém que só fica no sofá vendo TV ou qualquer outra coisa — de fato não faz diferença. Algumas pessoas desejam mudar o mundo e outras querem estar simplesmente em harmonia com ele e aproveitar a vida. Nenhuma das duas alternativas é melhor que a outra. Cada um de nós precisa deter-

---

14 Tenho certeza que a meditação transcendental, que venho praticando regularmente há quase meio século, me proporcionou a calma de que precisava para abordar meus desafios dessa maneira.

minar aquilo que é mais valioso para si e escolher os caminhos que levarão até isso.

Reflita por um momento: na escala abaixo, que ilustra uma escolha excessivamente simplificada sobre a qual você deveria pensar, em que ponto você se encontra? Onde se colocaria?

⬅————————————➡

SABOREAR **PRODUZIR**
A VIDA **UM IMPACTO**

A questão não é somente sobre quanto de cada uma dessas opções você deve buscar, mas quanto se esforçar para conseguir o máximo possível. Eu desejava quantidades enormes de cada uma, tinha entusiasmo para trabalhar o suficiente para tal e descobri que em grande parte as duas poderiam ser a mesma coisa e ainda se fortalecer mutuamente. Com o tempo, aprendi que extrair mais da vida não era apenas uma questão de trabalhar com mais afinco; é muito mais uma questão de trabalhar de maneira eficiente. Um trabalho eficiente pode multiplicar nossa capacidade por mil. Desse modo, não faz diferença para mim o que você deseja ou quanto está disposto a se esforçar; isso é com você. Estou apenas tentando transmitir o que me ajudou a extrair o máximo de cada hora trabalhada e de cada gota de suor.

Mais importante, aprendi que não dá para fugir do fato de que:

1.2 A verdade — ou, mais precisamente, uma compreensão precisa da realidade — é a base essencial para qualquer bom resultado.

A maioria de nós resiste a enxergar o que é certo quando o que está diante dos olhos não corresponde àquilo que se deseja. Isso não é bom, porque é mais importante entender e lidar com as coisas ruins, já que as boas fluem naturalmente.

Você concorda? Se não concorda, provavelmente não vai aproveitar nada do que vem a seguir. Caso concorde, vamos elaborar mais.

1.3 Seja radicalmente transparente e tenha a mente aberta.

Nenhum de nós nasce sabendo o que é certo; temos que descobrir por conta própria ou acreditar nos outros e seguir suas ideias. A chave é saber qual caminho dará melhores resultados.[15] Acredito que:

a. Abertura de mente e transparência radicais são inestimáveis se você deseja aprender rápido e realizar mudanças. O aprendizado é o produto de um contínuo ciclo de feedback em tempo real — tomamos decisões, vemos as consequências e melhoramos nossa compreensão da realidade. Ser mente aberta aumenta a eficiência desses ciclos de feedback, porque torna a sua realização, bem como o que está por trás dela, tão clara para si e para os demais que não pode haver mal-entendido. Quanto mais mente aberta é o indivíduo, menos chances ele tem de cair no autoengano — e mais chances ele tem de receber um feedback sincero. Se esses retornos vêm de pessoas "críveis" (e é muito importante saber quem é "crível"),[16] aprende-se muito com eles.

É claro que o processo pode ser difícil em certos momentos; a transparência radical em vez da usual cautela expõe a pessoa a críticas. É natural temer isso, mas sem transparência radical não há aprendizado.

---

[15] Você não deve presumir que é sempre a melhor pessoa para tomar decisões para si mesmo, porque frequentemente não é. Embora caiba a nós saber o que queremos, outros podem saber melhor do que nós como conseguir isso, porque têm forças onde temos fraquezas ou conhecimento e experiência mais relevantes. Por exemplo, provavelmente é melhor para você seguir os conselhos do seu médico se estiver com um problema de saúde. Mais adiante no livro, vamos examinar algumas das diferentes formas de funcionamento dos circuitos do cérebro das pessoas e como nossa compreensão dos nossos próprios circuitos deveria influenciar as escolhas que fazemos nós mesmos e quais deveríamos delegar a outros. Saber quando não tomar as próprias decisões é uma das aptidões mais importantes que você pode desenvolver.

[16] Vou explicar o conceito de credibilidade mais detalhadamente em capítulos posteriores, mas para ser rápido: indivíduos "críveis" são aqueles que de maneira repetida e bem-sucedida conseguiram algo — e têm ótimas explicações sobre como conseguiram.

b. Não deixe que o medo do que os outros pensam a seu respeito se interponha no seu caminho. Você precisa estar disposto a fazer as coisas de acordo com o que acha melhor — e em seguida refletir sem mágoas a respeito do feedback que inevitavelmente receberá por agir de tal forma.

Aprender a ser radicalmente transparente é como aprender a falar em público: embora seja desconfortável no começo, à medida que se expuser mais, mais à vontade ficará. Tem sido assim comigo. Por exemplo, por instinto ainda acho desconfortável ser radicalmente transparente como estou sendo neste livro; este é um material pessoal que vai atrair atenção e críticas. Ajo dessa forma, no entanto, porque creio que seja o melhor, e não me sentiria bem comigo mesmo se deixasse meus temores atrapalharem meu caminho. Em outras palavras, tenho experimentado os efeitos positivos da transparência radical há tanto tempo que me sinto desconfortável quando ajo de outra forma.

Além de me dar a liberdade para ser eu mesmo, a transparência radical permitiu que eu entendesse os outros e vice-versa, o que é muito mais eficiente e agradável do que uma comunicação truncada. Imagine quantos mal-entendidos a menos teríamos e como o mundo seria mais eficiente — sem falar quanto todos estaríamos mais próximos de saber o que é certo — se, em vez de esconder o que pensam, as pessoas compartilhassem abertamente suas opiniões. Não estou falando sobre os segredos mais íntimos de cada um, mas sobre as opiniões que as pessoas têm em relação às outras e ao funcionamento do mundo. Como você verá, aprendi em primeira mão o poder que os princípios de sinceridade e transparência radicais têm no aprimoramento do meu processo decisório e das minhas relações. Assim, sempre que estou diante de uma escolha, meu instinto é ser transparente. Pratico isso como disciplina e recomendo que você faça o mesmo.

c. Aceitar esses princípios radicais terá como resultado trabalho e relações mais relevantes. Com base na observação de milhares de pessoas tentando essa abordagem, sei por experiência que, depois de um tempo, a maioria delas acha tão gratificante e agradável agir assim que passa a ter dificuldade de agir de qualquer outra forma.

Isso exige prática e mudança de hábitos, é claro, e, segundo minhas observações, o processo de transição dura, em geral, cerca de um ano e meio.

1.4 Olhe para a natureza para aprender como a realidade funciona.

Todas essas leis da realidade nos foram dadas pela natureza. Elas não são criações do homem, mas, uma vez que as compreendemos, podemos usá-las para estimular nossa própria evolução e atingir nossas metas. Por exemplo, nossa capacidade de voar ou de enviar sinais de telecomunicação em rede por todo o mundo veio da compreensão e da aplicação das regras da realidade, ou seja, de leis ou princípios da física que regem o mundo natural.

Embora eu passe a maior parte do tempo estudando as realidades que me afetam mais diretamente — aquelas que direcionam as economias, os mercados e as pessoas com quem lido —, também fico ao ar livre. Estou sempre refletindo a respeito da natureza a partir das minhas observações e de leituras e conversas com alguns dos maiores especialistas no assunto. Além de interessante, é muito valioso perceber quais leis nós, humanos, temos em comum com o restante da natureza e quais nos diferenciam. Essa reflexão teve grande impacto na minha abordagem da vida.

Antes de tudo, acho incrível que a evolução do cérebro tenha nos dado a capacidade de refletir sobre como a realidade funciona. Nossa qualidade mais distintiva como seres humanos é a capacidade singular de olhar para a realidade de um patamar mais elevado e sintetizar uma compreensão. Enquanto outras espécies agem seguindo seus instintos, somente o homem pode se colocar acima de sua perspectiva e olhar para si inserido nas circunstâncias e no tempo (inclusive antes e depois de sua existência). Só o homem é capaz de refletir sobre o modo como os bilhões de máquinas da natureza — as que nadam, as que voam, as microscópicas, as cósmicas — interagem para constituir um todo funcional que evolui ao longo do tempo. Isso acontece porque a evolução do nosso cérebro permitiu que tivéssemos um córtex melhor e desenvolvido, o que nos concede o poder de pensar abstrata e logicamente.

Embora nossa capacidade de pensamento nos torne únicos entre as espécies, ela também pode nos confundir de maneira única. Outras espécies têm vidas muito mais simples e fáceis, não se debatem em reflexões a respeito do que é bom e ruim. Diferentemente delas, nós, seres humanos, lutamos para conciliar nossas emoções e instintos (que vêm das partes animais do nosso cérebro) com a lógica (fruto da parte mais desenvolvida dele). Esse conflito faz com que muitas vezes as pessoas confundam suas expectativas em relação ao que seria certo com o que realmente é certo. Vamos examinar esse dilema para tentar entender como a realidade funciona.

Ao tentar entender qualquer coisa — economias, mercados, clima, o que for —, uma pessoa pode abordar o tema com duas perspectivas:

1. **De cima para baixo:** Tentando descobrir o código/lei que rege o todo. Por exemplo, no caso dos mercados é possível estudar leis universais, como a da oferta e demanda, que afetam todas as economias e mercados. Ou focar em código genético (DNA), se a ideia é entender o funcionamento das espécies.
2. **De baixo para cima:** Estudando cada caso específico e os códigos/leis que são aplicáveis a eles. Por exemplo, os códigos ou as leis particulares do mercado de trigo ou as sequências de DNA que diferenciam os patos das demais espécies.

A primeira abordagem é a melhor maneira de compreendermos a nós mesmos e as leis da realidade no contexto das leis universais, que a tudo abrangem. Isso não quer dizer que se deva descartar a outra perspectiva, é claro. Na verdade, as duas são necessárias para compreender o mundo com precisão. Ao adotar a segunda, que examina cada caso individualmente, podemos ver como ela se alinha com nossas teorias sobre as leis que acreditamos regê-la. Se estiverem alinhadas, maravilha.

Ao examinar a natureza de cima para baixo, vemos que boa parte do que chamamos de natureza humana se trata realmente da natureza animal. Isso acontece porque o cérebro humano está programado com milhões de anos de aprendizado genético que compartilhamos com outras espécies. Como compartilhamos raízes e leis comuns, nós e outros animais temos atributos e limitações semelhantes. Por exemplo, o processo de reprodução sexual macho/fêmea, o uso de dois olhos para obter a percepção de profundidade e muitas outras ferramentas adaptativas são compartilhadas por várias espécies no reino animal. De maneira similar, nosso cérebro tem algumas partes "animais" que são bem mais velhas em termos evolucionários do que a humanidade. Essas leis que temos em comum são as mais abrangentes, mas não seriam aparentes se apenas olhássemos para nós mesmos.

Se você examinar somente uma espécie — os patos, por exemplo — para tentar entender as leis universais, não vai conseguir. O mesmo acontecerá se olhar apenas para a humanidade. O homem é apenas uma entre dez milhões de espécies e apenas uma entre as bilhões de manifestações das forças do universo que agrupam e dividem átomos ao longo do tempo. No entanto, a maioria das pessoas é como formigas focadas só em si mesmas e em seu formigueiro; acreditam que o universo gira ao redor da própria espécie e não dão atenção às leis universais que valem para todas.

Para tentar compreender as leis universais da realidade e criar princípios para lidar com elas, vi que seria bom tentar enxergar o mundo pela perspectiva da natureza. Apesar de a humanidade ser bastante inteligente em relação a outras espécies, em relação à natureza sabemos tanto quanto sabe um musgo crescendo em uma rocha. Somos incapazes de projetar e construir um mosquito, quanto mais todas as espécies e a maior parte das coisas que existem no mundo. Assim, parto da premissa de que a natureza é mais inteligente do que eu e permito que me ensine como a realidade funciona.

a. Não se aferre às suas visões de como as coisas "deveriam" ser, porque elas farão com que negligencie como elas realmente são. É importante não deixar que nossos pontos de vista atrapalhem a objetividade. Para obter bons resultados, precisamos ser analíticos em vez de emotivos.

Sempre que observo algo na natureza que costumamos pensar ser errado, parto do princípio que *eu* estou errado e tento desvendar qual o sentido daquilo que a natureza está fazendo. Essa dinâmica me ensinou muito e mudou meu modo de pensar sobre: 1) o que é bom e o que é ruim; 2) qual é o meu propósito na vida; e 3) o que devo fazer quando defrontado com as minhas escolhas mais importantes. Segue um exemplo simples.

Alguns anos atrás, quando estive na África, vi uma matilha de hienas matar um jovem gnu. Minha reação foi visceral: senti empatia pelo gnu e julguei aquilo horrível. Mas avaliei dessa forma porque o fato era *realmente* horrível ou porque meus pontos de vista influenciaram esse julgamento? Isso me fez pensar. O mundo seria um lugar melhor ou pior se o que eu acabara de ver não tivesse acontecido? Quando considerei as segundas e terceiras consequências de anular a cena, pude ver que o mundo seria pior. Agora percebo que a natureza aperfeiçoa os acontecimentos em virtude do todo, não da individualidade, e que a maioria das pessoas faz julgamentos com base somente em como o resultado a afetará. O que eu vira era a natureza em funcionamento, algo muito mais eficaz para o aprimoramento do todo do que qualquer outro processo inventado pelo homem.

A maioria das pessoas define que determinada coisa é ruim quando é assim para ela ou para aqueles por quem ela tem empatia, ignorando o bem maior. Essa tendência se estende aos grupos: uma religião vai considerar suas crenças melhores a ponto de assassinar pessoas em nome da convicção de que estão agindo corretamente. Crenças ou interesses conflitantes em geral impossibilitam que se enxergue o mundo pelos olhos dos outros, o que não é bom nem faz sentido.

Embora faça sentido que um indivíduo goste daquilo que o favorece e não goste daquilo que o prejudica, não existe lógica em determinar que algo é totalmente bom ou ruim baseando-se somente em implicações pessoais. Fazer isso é presumir que os desejos do indivíduo sejam mais importantes do que o bem do todo. A natureza, acredito eu, parece definir como bom o que é bom para o todo e atua a fim de aperfeiçoar os processos nessa direção. Desse modo, passei a crer que, como regra geral:

b. Para que algo seja considerado "bom", precisa estar alinhado com as leis da realidade e contribuir para a evolução do todo. Por exemplo, se você cria algo que o mundo valoriza é quase impossível que não seja recompensado. Por outro lado, a realidade tende a punir pessoas, espécies e coisas que não funcionam bem e prejudicam a evolução.[17]

Na busca por aquilo que é certo para o todo, passei a acreditar que:

c. A maior força individual do universo é a evolução, única coisa verdadeiramente permanente e que a tudo rege.[18] Tudo, da menor partícula subatô-

---

17 Existem muitas coisas que as pessoas consideram "boas" no sentido de que são generosas ou altruístas, mas que fracassam em produzir o que é desejado (como o "de cada um de acordo com sua capacidade, para cada um de acordo com sua necessidade" do comunismo). Aparentemente, a natureza as consideraria "ruins", e eu concordaria com a natureza.
18 Tudo o que não é evolução uma hora se desintegra; todos nós somos, e tudo o mais é, veículos para a evolução. Por exemplo, embora nos vejamos como indivíduos, somos em essência recipientes para nossos genes, que já viveram milhões de anos e continuamente usam e descartam corpos como os nossos.

mica à galáxia, está evoluindo. Ainda que aparentemente as coisas morram ou desapareçam com o tempo, na verdade se trata apenas de uma reconfiguração evolutiva. A energia é um exemplo claro de algo que não pode ser destruído, apenas reconfigurado. Desse modo, tudo no mundo está em um processo contínuo de se desmembrar e reagrupar. A força por trás disso é a evolução.

Seguindo essa linha de raciocínio, vejamos que o propósito primário de cada coisa viva é ser como um recipiente para o código genético que possibilitará a perpetuação da vida ao longo do tempo. O DNA existente dentro de cada indivíduo é oriundo de eras passadas e permanecerá muito depois que seus portadores individuais morrerem, em formas cada vez mais evoluídas.[19]

Analisando esses aspectos, concluí que a evolução existe sob outras formas além da vida e é transportada por meio de outros mecanismos além do DNA. Tecnologia, idiomas: tudo evolui. O conhecimento, por exemplo, é como o DNA, no sentido de que é transmitido de geração para geração e evolui, mas seu impacto ao longo de muitas gerações pode ser tão grande — ou maior — quanto o do código genético.

É o processo de adaptação ao longo do tempo que geralmente leva na direção do aperfeiçoamento. Todas as coisas — produtos, organizações, capacidades humanas — se desenvolvem ao longo do tempo de modo similar, adaptando-se para tornarem-se melhores ou simplesmente deixando de existir. Para mim, o processo se parece com o que você vê a seguir:

A evolução consiste em adaptações/invenções que fornecem fluxos de benefícios que declinam em valor. Esse declínio, mesmo doloroso, conduz ou a novas adaptações e novas invenções que levam novos produtos, organizações e capacidades humanas a níveis mais altos de desenvolvimento (como ilustra o primeiro diagrama a seguir); ou a declínio e morte (como ilustra o segundo).

Pense em qualquer produto, organização ou pessoa que você conhece e verá que isso é verdade. O mundo está repleto de coisas que já foram grandiosas, mas se deterioraram e declinaram; em raras exceções, continuaram se reinventando para atingir novos picos de excelência. Em dado momento, toda máquina vai quebrar, desmanchar-se e ter suas partes recicladas para a criação de algo novo. Isso inclui nós mesmos. É claro que

---

19 Recomendo os livros de Richard Dawkins e E. O. Wilson sobre evolução. Se tivesse que escolher apenas um, seria *O rio que saía do Éden*, de Dawkins.

PRINCÍPIOS DE VIDA

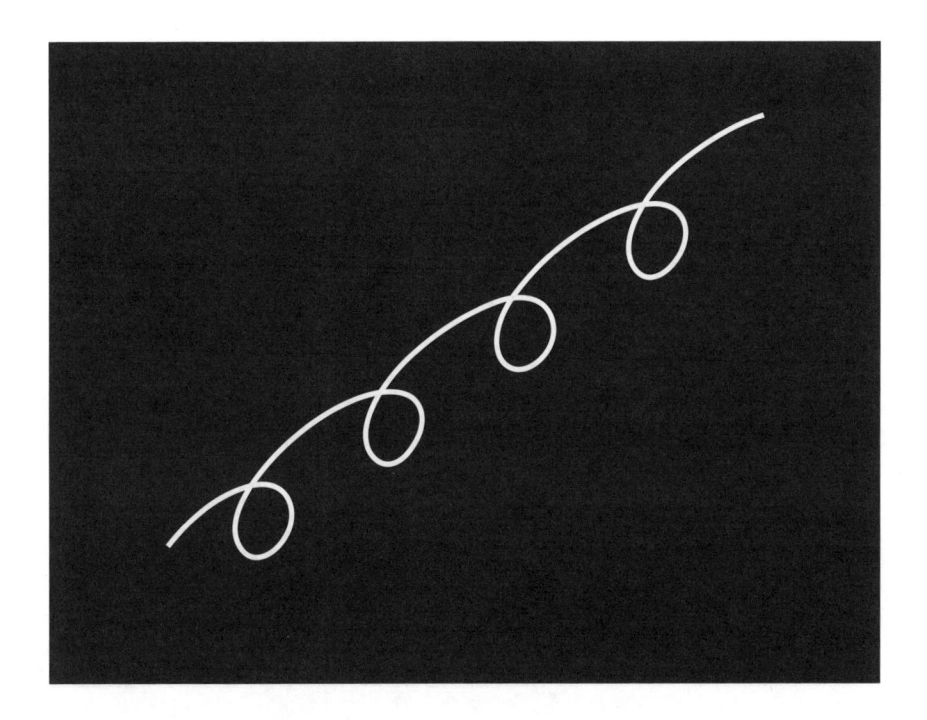

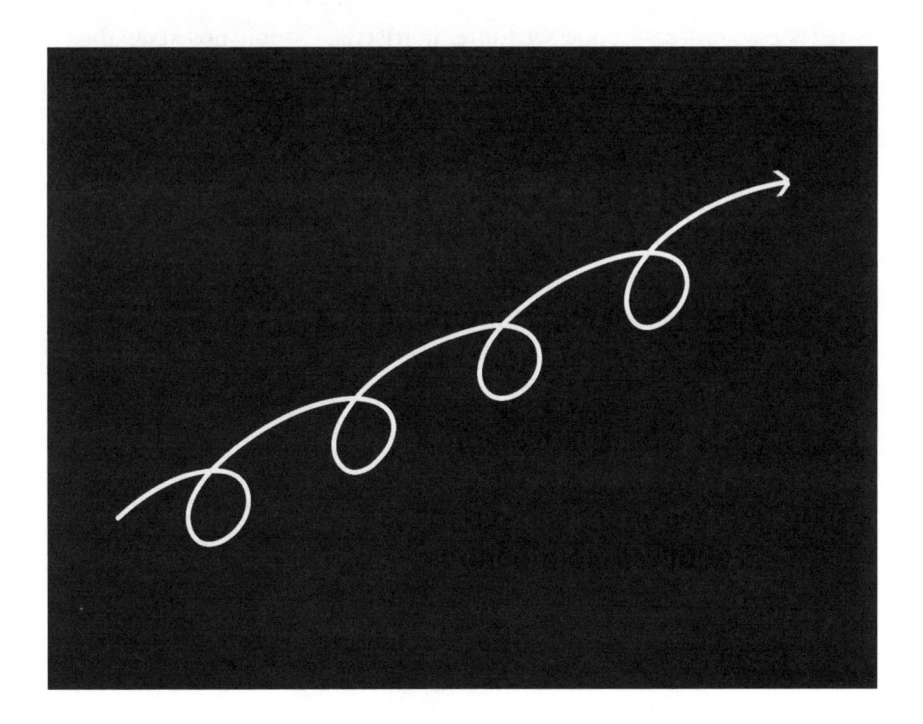

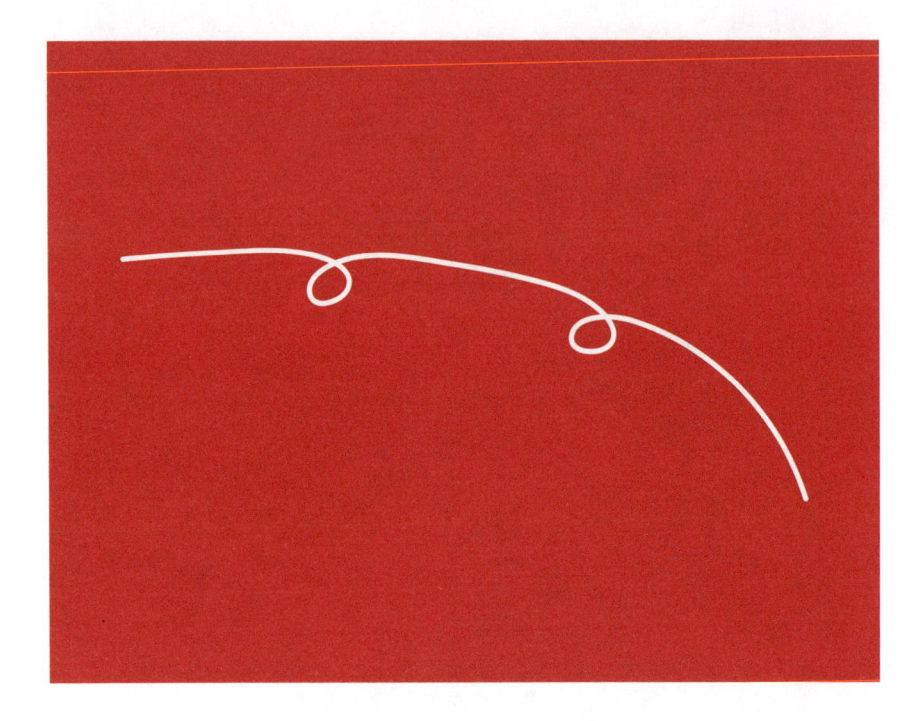

às vezes esse processo pode ser fonte de tristeza — pois nos apegamos a nossas máquinas —, mas, olhando a questão de outra perspectiva, é lindo observar como a máquina da evolução funciona.

A partir desse ponto, é possível ver que a perfeição não existe; ela é uma meta que alimenta um processo de adaptação sem fim. Se a natureza, ou qualquer coisa, já fosse perfeita, não estaria evoluindo. Organismos, organizações e indivíduos são sempre altamente imperfeitos, porém capazes de evoluir. Assim, em vez de ficarmos parados e escondermos nossos erros para fingir que somos perfeitos, faz sentido descobrir nossas imperfeições e lidar com elas. Você aprenderá lições valiosas e seguirá mais bem equipado rumo ao sucesso — ou fracassará.

Como diz o ditado:

d. Evolua ou morra. Não vale só para pessoas, mas também para países, empresas, economias — para tudo. E se trata de um ciclo naturalmente autocorretivo como um todo, embora não necessariamente para as partes. Por exemplo: se existe muita oferta e desperdício em um mercado, preços

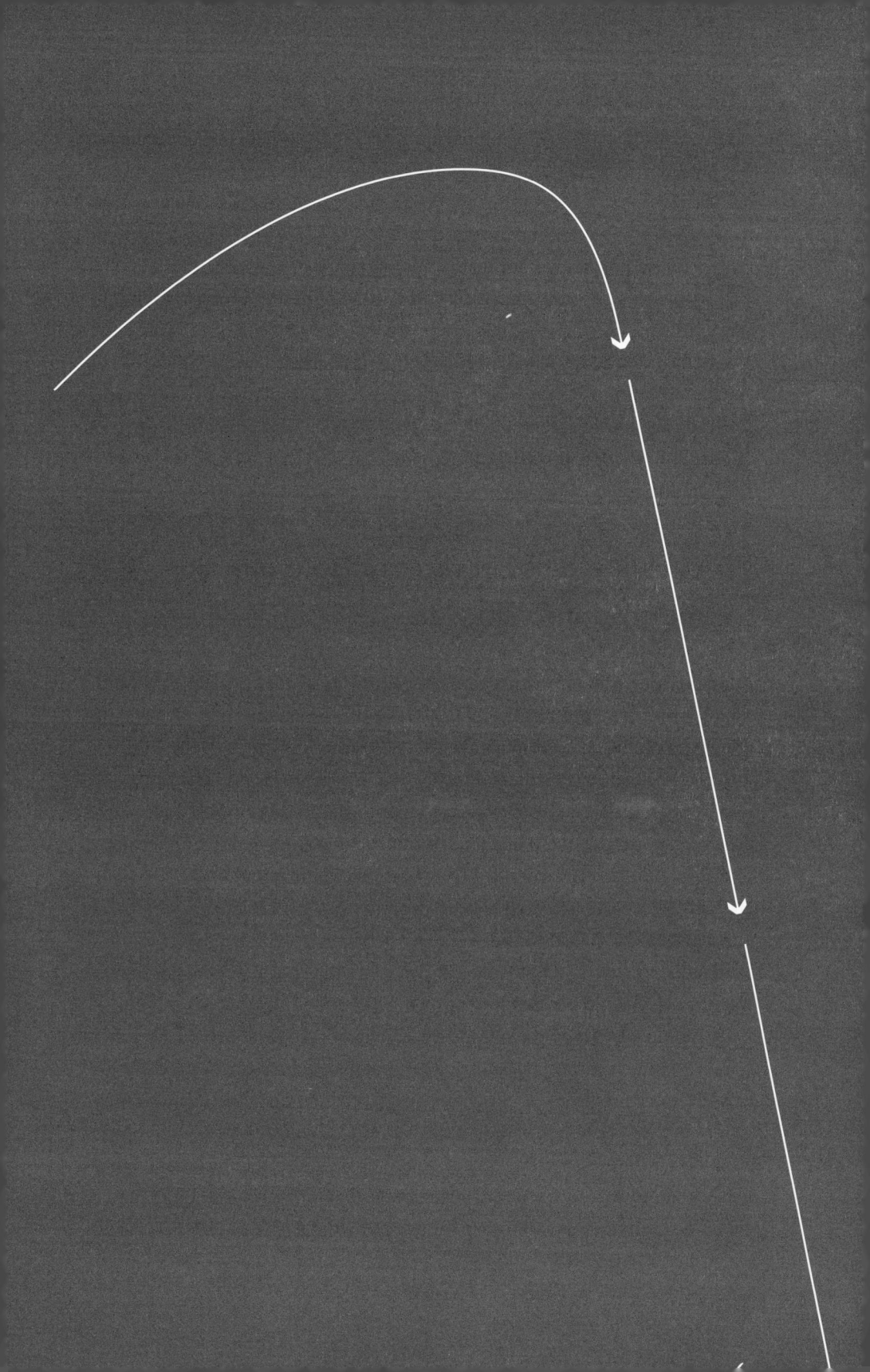

cairão, empresas fecharão e a capacidade será reduzida até que a oferta caia e se alinhe com a demanda, momento em que o ciclo começará a se mover na direção oposta. Do mesmo modo, se uma economia vai muito mal, os responsáveis por sua administração farão as mudanças políticas necessárias — ou não sobreviverão, abrindo espaço para os substitutos.

Esses ciclos são contínuos, desenrolam-se segundo a lógica e tendem a se autofortalecer.

A chave é fracassar, aprender e melhorar o quanto antes. Se você está constantemente aprendendo e melhorando, seu processo evolucionário será o do diagrama ascendente. Caso contrário se parecerá com o que está em declínio — ou com algo ainda pior.

Acredito que:

1.5 Evoluir é a maior realização e a maior recompensa da vida.

Funciona desse jeito, instintivamente, razão pela qual a maioria sente a atração que isso exerce sobre nós — em outras palavras, instintivamente queremos melhorar e evoluir nossas tecnologias. A história mostra que todas as espécies serão extintas ou vão evoluir para novas espécies, algo que é um pouco difícil de notar, porque nosso período de observação é curto. Sabemos, contudo, que o que chamamos de humanidade foi simplesmente o resultado da evolução do DNA há cerca de duzentos mil anos e que ela com certeza vai desaparecer ou evoluir para um estado mais elevado. Eu acredito que há boas chances de nossa espécie evoluir em ritmo mais acelerado com ajuda de tecnologias desenvolvidas por nós mesmos, ferramentas capazes de analisar vastas quantidades de informações e "pensar" mais rápido e melhor do que nosso cérebro é capaz. Gostaria de saber quantos séculos serão necessários para nos tornarmos uma espécie mais elevada, mais próxima da onisciência — isso se não nos destruirmos até lá.

O sistema que habitamos está repleto de organismos individuais atuando em interesse próprio, sem qualquer compreensão ou orientação a respeito do todo, e ainda assim a natureza criou um conjunto que opera e evolui de maneira maravilhosa. Embora eu não seja especialista nessa área, aparentemente isso é possível porque a evolução produziu: a) incentivos e interações que levam os indivíduos a buscar interesses próprios que resultem no avanço do todo; b) o processo de seleção natural; e c) processos rápidos de experimentação e adaptação.

a. As motivações individuais devem estar alinhadas com os objetivos do grupo. Um breve exemplo: observe o sexo e a seleção natural. O prazer associado ao ato sexual é um incentivo e tanto da natureza para que nossa espécie continue desenvolvendo o DNA. Desse modo, individualmente conseguimos o que desejamos e ao mesmo tempo contribuímos para a evolução do todo.

b. A realidade está sendo aperfeiçoada para o todo — não para o indivíduo. Contribua para o todo e provavelmente você será recompensado. A seleção natural leva à manutenção e transmissão das melhores qualidades (por exemplo, genes melhores, capacidades melhores para cuidar dos outros, produtos melhores etc.). O resultado é um constante ciclo de aperfeiçoamento global.

c. Adaptar-se por meio de tentativa e erro é inestimável. Esse processo de seleção natural traz uma espécie de aperfeiçoamento difícil de ser compreendido e conduzido. O mesmo vale para o nosso processo de aprendizado. Há pelo menos três tipos que estimulam a evolução: aprendizado com base na memória (armazenando a informação adquirida conscientemente, de forma que possamos recorrer a ela mais tarde); aprendizado inconsciente (o conhecimento não racional que extraímos dos acontecimentos e que afeta nosso processo decisório); e o "aprendizado" que ocorre sem qualquer influência do pensamento, como as mudanças no DNA de uma espécie.

Eu costumava achar que o primeiro tipo era o mais poderoso, mas com o tempo vi que o progresso nesse caso é mais lento do que por meio de experimentação e adaptação. Para exemplificar como a natureza melhora sem que seja necessário racionalizar, simplesmente observe a luta intelectual que a humanidade vem travando para tentar eliminar diversos tipos de vírus. Embora não possam ser descritos como seres vivos, muito menos raciocinar, os vírus são como mestres do xadrez. Seu rápido processo evolutivo (combinando diferentes materiais genéticos) mantém as mentes mais capazes da comunidade médica global ocupadas pensando em jogadas de contra-ataque. Entender isso é especialmente útil em uma era em que computadores podem processar vastos números de simulações que replicam o processo evolucionário e nos ajudar a ver o que funciona e o que não funciona.

No próximo capítulo, descreverei um processo que me ajudou a evoluir depressa e que pode ser valioso para o leitor. Antes, no entanto, quero enfatizar como é fundamental se valer da própria perspectiva para decidir o que é importante e qual objetivo buscar.

d. Tenha em mente que todo indivíduo é, simultaneamente, tudo e nada — decida por qual dos aspectos você quer se destacar. É um grande paradoxo que individualmente sejamos as duas coisas ao mesmo tempo. Aos nossos olhos somos o centro do universo — quando morremos o mundo inteiro desaparece, certo? Desse modo, para a maioria das pessoas (e demais espécies em geral) morrer é a pior coisa possível, e é de importância suprema que tenhamos a melhor vida possível. Todavia, quando olhamos para nós mesmos pelos olhos da natureza, não temos qualquer relevância: somos um em sete bilhões dentro de nossa espécie, que por sua vez é uma entre dez milhões no planeta. A Terra é apenas um de cem bilhões de planetas em nossa galáxia, que é apenas uma de dois trilhões de galáxias no universo. Nossas vidas se resumem à proporção 1/3.000 na existência da humanidade, que por sua vez é apenas 1/20.000 da existência do planeta. Em outras palavras, temos tamanho e existência inacreditavelmente ínfimos, e, pouco importam nossas conquistas, nosso impacto será insignificante. Ao mesmo tempo, instintivamente queremos ter importância e evoluir, algo que *podemos*, sim, realizar, na forma de pequenos grãos — em conjunto, eles conduzirão à evolução do universo.

A questão é *como* ter importância e evoluir. Somos importantes para outros indivíduos (que também não importam no grande conjunto das coisas) ou em algum sentido maior que jamais atingiremos de verdade? Ou deveríamos esquecer isso e desfrutar nossas vidas enquanto duram?

e. O que você será depende da sua perspectiva. Aonde você chegará na vida depende da sua visão tanto quanto depende daquilo com que você se sente conectado (família, comunidade, país, humanidade, ecossistema, tudo). Você terá que decidir até que ponto colocará os interesses de outros acima dos seus e quem será digno de escolhas como essa, que serão muito frequentes.

Ainda que decisões semelhantes possam parecer acadêmicas demais, você as tomará de forma consciente ou inconsciente, e elas serão muito importantes.

Pessoalmente, acho ótimo encarar a realidade com frieza, ver a mim mesmo pela perspectiva da natureza e me sentir uma parte ínfima do todo. Meu objetivo instintivo e intelectual é contribuir para a evolução de alguma forma minúscula enquanto estou aqui e sou o que sou. Ao mesmo tempo, as coisas que mais amo — meu trabalho e minhas relações — são o que me motivam. Assim, acho linda a forma como a realidade e a natureza trabalham, e, embora seja emocionalmente difícil imaginar perder meus entes queridos, também aprecio a ideia de que iremos nos decompor e nos reconfigurar.

1.6 Compreenda as lições práticas da natureza.

Descobri que compreender o funcionamento e a evolução da natureza é útil por vários motivos. Isso me ajudou a lidar com minhas realidades de modo mais eficiente e a fazer escolhas difíceis. Quando comecei a tentar entender como a realidade de fato funciona em vez de pensar que as coisas deveriam ser diferentes, percebi que a maioria das coisas que de início pareciam "ruins" — dias chuvosos, fraquezas e até a morte — eram encaradas dessa forma porque eu tinha noções preconcebidas do que queria como indivíduo. Com o tempo, aprendi que, para mudar isso, era preciso enxergar que a realidade é construída para otimizar em benefício do todo, não apenas para mim.

a. Maximize sua evolução. Mencionei antes que as faculdades exclusivas do cérebro humano — pensamento lógico, abstrato e por uma perspectiva mais elevada — se desenvolvem em estruturas localizadas no neocórtex. Essas partes do cérebro são mais desenvolvidas nos humanos, permitindo que nossa espécie reflita sobre si e evolua. Como somos capazes de aprendizado consciente, baseado na memória, podemos evoluir mais e mais rápido do que qualquer outra espécie, mudando não somente ao longo de gerações, mas ao longo da vida.

Esse impulso constante rumo ao aprendizado e ao aperfeiçoamento faz com que o processo de evolução seja agradável e o de melhorar de modo rápido, empolgante. Embora a maioria de nós acredite que está lutando para conseguir coisas (brinquedos, casas maiores, dinheiro, status etc.) que nos deixarão felizes, esse tipo de benefício não oferece nem de longe a satisfação de longo prazo que obtemos ao nos aprimorar em alguma coisa.[20] Assim que conseguimos as coisas pelas quais estamos lutando, raramente continuamos satisfeitos com elas. Os objetos de desejo são apenas a isca. Partir em busca deles nos força a evoluir, e é a evolução, não as recompensas, que importa para nós e para aqueles ao nosso redor. Isso significa que, para a maioria das pessoas, ter sucesso é lutar e evoluir da maneira mais eficaz possível — ou seja, aprender depressa sobre si mesmo e sobre seu ambiente e, então, melhorar.

É natural que seja assim devido à lei dos retornos decrescentes.[21] Vejamos o dinheiro. Pense como é difícil consegui-lo. Pessoas que ganham tanto a ponto de extrair pouco ou nenhum ganho médio disso viverão consequências negativas. Dinheiro em excesso é nocivo tanto quanto qualquer outro tipo de excesso, como a gula. Se o indivíduo muito rico tem a cabeça no lugar, logo começará a buscar algo novo ou a se aprofundar em algo velho, fortalecendo-se no processo. Como enfatiza Freud, "o amor e o trabalho são as pedras fundamentais da nossa humanidade".

O trabalho não necessariamente tem que ser um emprego (embora particularmente acredite que seja bom quando esse é o caso); pode ser qualquer tipo de desafio de longo prazo que leve ao aperfeiçoamento pessoal. Como você talvez tenha adivinhado, acredito que a necessidade de realizar um trabalho relevante esteja ligada ao desejo inato do homem de melhorar. E as relações são conexões naturais que nos tornam relevantes para os outros e para a sociedade de modo geral.

b. Lembre-se: "Sem dor, sem valor." Perceber que nosso desejo por evolução é inato — e que o que perseguimos, mesmo que pareça legal, não sustentará nossa felicidade — me ajudou a focar nos meus objetivos e a dar minha ínfima contribuição para a evolução. Tudo o que a natureza fez tem um propósito, e até mesmo a dor existe com alguma finalidade. Você se pergunta: e qual seria? A resposta é: ela funciona como um alerta e ajuda a nos dar direção.

---

20 É claro que frequentemente ficamos satisfeitos com as mesmas coisas — relações, carreiras etc. —, mas nesse caso isso em geral acontece porque estamos conseguindo novos prazeres com as novas dimensões dessas coisas.

21 Os benefícios marginais de ir de uma escassez para uma abundância de qualquer coisa diminuem.

c. Embora doa, é necessário expandirmos nossos limites para nos tornar mais fortes. É uma lei fundamental da natureza. Ainda que nossa tendência seja evitá-la por instinto, como Carl Jung disse: "O homem precisa de dificuldades. Elas são necessárias à saúde." A afirmação é verdadeira tanto em relação ao fortalecimento do corpo (levantamento de peso) quanto ao da mente (frustração, dificuldade de raciocínio, constrangimento, vergonha) — em especial quando as pessoas confrontam a dura realidade das próprias imperfeições.

1.7 Dor + Reflexão = Progresso.

Não há como evitar a dor, sobretudo no caso de quem persegue metas ambiciosas. Acredite ou não, você pode se considerar sortudo por experimentar tal dor se abordá-la da maneira certa — ela é um sinal de que você precisa encontrar soluções para que possa progredir. Ao desenvolvermos uma reflexão em relação à dor psíquica e meditarmos a respeito dela em vez de evitá-la, teremos como resposta rápida uma aprendizagem/evolução.[22] Depois de ver como é mais eficaz enfrentar as realidades dolorosas causadas por problemas, erros e fraquezas, creio que você não vá querer agir de outra maneira. É apenas uma questão de hábito.

A maioria das pessoas tem dificuldade de refletir quando está sentindo dor e desvia a atenção para outras coisas quando a dor passa. O aprendizado intrínseco ao processo se perde. Se for capaz de refletir no momento exato da dor (o que provavelmente é pedir demais), ótimo. Mas, mesmo que só consiga fazê-lo depois, o resultado também será valioso. (Por causa disso criei o aplicativo chamado Botão da Dor, que será descrito no Apêndice.)

Os desafios vão testá-lo e fortalecê-lo. Não fracassar em dado momento significa que você não está forçando seus limites; portanto, não está

---

22 Seu poder único de reflexão — sua capacidade de olhar para si mesmo, para o mundo ao redor e para as relações entre você e o mundo — significa que você pode pensar em profundidade e ponderar coisas sutis a fim de produzir aprendizado e escolhas sábias. Para fortalecer suas reflexões, pedir a outras pessoas críveis que opinem sobre o que julgam ser as raízes da dor que você está passando também costuma ser bastante útil — em especial pessoas que têm opiniões opostas, mas que compartilham seu interesse em determinar o correto, em vez de apenas comprovar que estão certas. Se você pode refletir com profundidade sobre seus problemas, eles quase sempre encolhem ou desaparecem, porque se encará-los diretamente você quase sempre encontrará uma maneira melhor de lidar com eles.

maximizando o seu potencial. É claro que esse processo — que pode produzir benefícios a partir tanto dos fracassos quanto dos sucessos — não é para todos. Se, no entanto, você se enquadrar, verá como pode ser excitante a ponto de tornar-se um vício. A vida inevitavelmente trará momentos assim, e caberá a você decidir se vai querer mais.

Se escolher seguir em frente nesse processo de evolução pessoal quase sempre doloroso, você naturalmente "ascenderá" a níveis cada vez mais altos. Ao ultrapassar o nevoeiro que o cerca, você se dará conta de que, vendo de perto, as nuvens são menores do que aparentam ser e que a maioria das coisas na vida é apenas "mais uma daquelas". Quanto mais alto subir, mais eficiente se tornará em lidar com a realidade para formatar resultados na direção das suas metas. O que antes parecia impossivelmente complexo se torna simples.

a. Não evite a dor; busque-a. Em vez de pegar leve consigo mesmo o tempo todo, busque uma forma de operar confortavelmente sentindo sempre alguma dor — isso acelerará a sua evolução. Pode acreditar.

Toda vez que confronta algo doloroso, você está em um ponto importante da vida — diante da oportunidade de escolher entre a verdade, saudável, porém dolorosa; ou a ilusão, confortável, mas alienante. A ironia é que, ao escolher a rota sadia, em pouco tempo a dor se tornará prazer. A dor é o sinal. Assim como sair do sedentarismo para uma rotina de exercícios, desenvolver o hábito de aceitar a dor e aprender com ela é um processo com o qual você vai "chegar lá".

Com "chegar lá", quero dizer que você ficará viciado em:

- Identificar, aceitar e aprender a lidar com as próprias fraquezas.
- Preferir que as pessoas ao seu redor sejam sinceras em vez de guardarem para si as opiniões negativas a seu respeito.
- Ser você mesmo em vez de ter que ocultar suas fraquezas.

b. Aceite o amor duro. O que desejo oferecer às pessoas, em especial a quem amo, é o poder de lidar com a realidade para que consigam o que querem. Para transmitir força, com frequência negarei o que as pessoas "querem"; com isso, oferecerei a elas a oportunidade de lutar. Lutando, desenvolverão a força para conseguir sozinhas aquilo que desejam. A princípio isso pode ser emocionalmente desgastante, é claro. É preciso entender, no entanto, que as dificuldades são o exercício necessário para o fortalecimento da nossa persistência e que, em último caso, ganhar as coisas de mão beijada fará com que precisem pedir mais ajuda no futuro.[23]

É óbvio que seria ótimo se não tivéssemos fraquezas. A maneira com que fomos criados e nossas experiências no mundo nos condicionaram a ficar constrangidos por causa delas, e que por isso é necessário escondê-las. A questão é que as pessoas são mais felizes quando são elas mesmas. Ser franco em relação a seus pontos fracos o libertará e ajudará a lidar melhor com eles. Recomendo que tente não sentir vergonha dos problemas e reconheça que todo mundo os enfrenta. Trazê-los à tona vai ajudá-lo a romper os maus hábitos e desenvolver os bons, tornando-o mais forte e otimista.

Esse processo evolutivo de adaptação e ascensão — que consiste em buscar metas cada vez mais ambiciosas — não diz respeito somente ao modo de avançar dos indivíduos e da sociedade; é igualmente relevante na hora de lidar com reveses. Em algum momento da vida todo mundo enfrentará um grande desastre: um erro no trabalho ou com a família, a morte de um ente querido, um acidente, uma doença grave ou a descoberta de que a vida que imaginou nunca poderá ser alcançada. A vida pode nos abalar de diversas maneiras. Nessas horas, ao ser consumido pela dor, você pensará que não tem a força necessária para seguir em frente. Mas isso quase sempre é mentira, e o sucesso depende de se dar conta ou não disso em algum momento.

É por isso que muitas pessoas que enfrentaram grandes dificuldades parecem tão felizes hoje (ou até mais) quanto estavam antes da adaptação pós-trauma. A qualidade de vida vai depender das escolhas que você fizer nesses momentos de sofrimento. Quanto mais rápido se readaptar à realidade, melhor.[24] Independentemente do que você desejar, é essa capacidade que determinará

---

23 Para deixar claro, não estou dizendo que as pessoas não devem receber ajuda. Acredito que elas devem ser ajudadas com oportunidades e a orientação de que precisam para se tornarem fortes o suficiente a fim de tirar vantagem de suas oportunidades. Como diz o ditado, "Deus ajuda quem se ajuda". Mas isso não é fácil, sobretudo com gente com quem você se preocupa. Para ser eficaz em ajudar as pessoas a aprenderem com experiências dolorosas, você tem que explicar, de maneira clara e repetida, a lógica e o carinho por trás do que está fazendo. Como você leu em "De onde venho", isso foi uma parte significativa dos motivos que me impeliram a explicar os meus princípios.
24 A capacidade de ver o cenário em mutação e se adaptar é mais uma função da sua percepção e raciocínio do que da sua capacidade de aprender e processar rapidamente.

seu sucesso e sua felicidade. Quando começamos a nos adaptar de maneira mais rápida e eficiente, temos a chance de mudar nossa resposta psicológica aos reveses, e o que antes era doloroso pode se tornar algo até desejado.

1.8 Pondere as consequências de segunda e terceira ordens.

Ao reconhecer as consequências de nível superior na direção das quais a natureza otimiza os processos, passei a ver que as pessoas que dão peso exagerado às consequências de primeira ordem quando tomam decisões, mas ignoram os efeitos em menor escala raramente atingem seus objetivos. Isso acontece porque consequências de primeira ordem não raro têm apelos opostos aos das de segunda ordem, resultando em grandes erros nos processos decisórios. Por exemplo, as consequências imediatas dos exercícios físicos (sentir dor e perder tempo) em geral são consideradas indesejáveis, ao passo que as de segunda ordem (saúde melhor e aparência mais atraente) são desejáveis.

Não raro as consequências imediatas são o preço a pagar pelo que realmente queremos e às vezes são os obstáculos que aparecem no caminho. É quase como se a natureza tivesse um filtro — oferecer consequências dos dois tipos funciona como uma "pegadinha", e será punido aquele que tomar decisões somente com base nas consequências imediatas.

Por outro lado, quem evita as tentações que nos afastam de nossos objetivos e supera as dores no caminho para conquistar aquilo que deseja tem muito mais chances de ser bem-sucedido.

1.9 Seja dono dos seus resultados.

Quase sempre a vida nos faz tomar muitas decisões e nos dá várias oportunidades para corrigir nossos erros; o objetivo é nos proporcionar uma experiência incrível. É claro que às vezes o bem-estar é influenciado por uma série de coisas além do nosso controle — as circunstâncias em que nascemos, acidentes, doenças etc. —, mas, de modo geral, mesmo as piores circunstâncias podem ser melhoradas com a abordagem adequada. Por exemplo, um amigo meu mergulhou em uma piscina, bateu a cabeça e ficou tetraplégico. Sua maneira de lidar com o problema por um viés positivo fez com que levasse uma vida tão feliz quanto a de qualquer um. Existem muitos caminhos para a felicidade.

Meu ponto é: independentemente das circunstâncias, você terá mais chances de ser bem-sucedido e feliz assumindo a responsabilidade de tomar boas decisões, em vez de reclamando daquilo que está fora do seu controle. Psicólogos chamam isso de ter um "*locus* de controle interno", e estudos mostram com consistência que as pessoas que dispõem dessa ferramenta apresentam melhor desempenho.

Então, não se preocupe se você gosta da situação em que se encontra ou não — a vida não está nem aí para do que você gosta. Depende de você conectar seus desejos com as atitudes necessárias para realizá-los, bem como encontrar a coragem necessária para tanto. No próximo capítulo mostrarei o Processo de Cinco Etapas que me ajudou a aprender sobre a realidade e a evoluir.

1.10 Veja a máquina de uma perspectiva mais elevada.

Nossa habilidade singular de observar tudo de um ponto de vista mais elevado não se aplica apenas à compreensão da realidade e das relações de causa e efeito subjacentes; também se aplica à análise de si mesmo e das pessoas ao redor pela mesma óptica. Chamo essa capacidade de se destacar das circunstâncias individuais e das pessoas ao redor para refletir de maneira objetiva de "pensamento de nível superior". É ele que nos oferece a capacidade de analisar e influenciar as relações de causa e efeito em curso em nossa vida, e devemos usá-lo para alcançar resultados.

a. Pense em si mesmo como uma máquina que opera dentro de uma máquina maior e saiba que você tem a capacidade de alterar suas propriedades internas para produzir resultados melhores. Todos temos metas, certo? Nosso modo de operar para alcançar essas metas é o que chamo de máquina. Ela consiste em projeto (as coisas que têm que ser feitas) e pessoas (que vão fazer as coisas que precisam ser feitas). Essas pessoas incluem você e aqueles que o ajudam. Por exemplo, imagine que você é um militar e seu objetivo é conquistar uma montanha ocupada por um inimigo. Sua "máquina" pode incluir dois batedores, dois francoatiradores, quatro soldados de infantaria etc. Embora criar o design correto para a máquina seja essencial, é apenas metade da batalha. É igualmente importante colocar as pessoas certas nessas posições. Elas precisam de qualidades diferentes para fazer seus trabalhos bem — os batedores têm que ser bons corredores, os francoatiradores têm que ter boa mira —, de forma que a máquina possa produzir os resultados esperados.

b. Comparando os resultados com as metas é possível determinar as alterações necessárias a fazer em sua máquina. Esse processo de avaliação e aperfeiçoamento espelha precisamente o processo evolucionário que descrevi antes. Significa procurar formas de melhorar ou mudar o projeto e as pessoas envolvidas para atingir suas metas. Esquematicamente, trata-se de um ciclo de feedback, como mostra o diagrama da página 175.

c. Separe o papel de designer do de operador da máquina. Uma das coisas mais difíceis do mundo é olhar com objetividade para si inserido nas circunstâncias (em sua máquina, no caso), de maneira a poder agir como designer e gerente da máquina. A maioria fica presa à perspectiva de ser um trabalhador dentro da máquina. Se você consegue reconhecer as diferenças entre esses papéis, e que é muito mais importante que você seja um bom designer/gerente da sua vida do que um bom operador dentro dela, estará na trilha certa. Para ter sucesso, sua versão "designer/gerente" tem que ser objetiva em relação ao lado "operador", sem dar mais crédito do que ele merece e sem colocá-lo em funções inadequadas. Em vez de adotar essa perspectiva estratégica, a maioria das pessoas opera de modo emotivo e de acordo com o momento; fazem da própria vida uma sequência de experiências emocionais não direcionadas, indo de uma coisa para a outra. Se um dia você quiser olhar para trás e sentir que conquistou o que queria, não opere dessa maneira.

**d. O maior erro é não olhar para si mesmo e para os outros com objetividade, o que leva a uma sequência de embates com as próprias fra-

OBJETIVOS ⟶ **MÁQUINA** ⟶ RESULTADOS

PROJETO ⟷ **PESSOAS**

quezas e as dos outros. Pessoas que agem dessa forma fracassam porque estão atoladas na própria cabeça. Superando isso, podem finalmente estar à altura de seus potenciais.

O pensamento de nível superior é, portanto, essencial para o sucesso.

e. Pessoas bem-sucedidas são aquelas que podem se olhar de fora a fim de ver as coisas objetivamente e administrá-las para dar forma à mudança. Indivíduos assim são capazes de assumir outras perspectivas e se libertar dos próprios pensamentos e pontos de vista. São capazes de olhar de maneira objetiva para as próprias características — fraquezas e forças — e para as dos outros a fim de colocar as pessoas certas nos papéis certos e assim atingir seus objetivos. Tão logo compreenda esse mecanismo, você verá que não existe quase nada que não possa conseguir. Basta aprender a enfrentar suas realidades e usar todo o espectro de recursos à disposição. Por exemplo, se seu lado designer/gerente descobre que sua versão operador não está capacitada para determinada tarefa, ele precisa demitir o operador e conseguir um bom substituto, obviamente preservando o primeiro posto. Não precisamos ficar chateados ao descobrir que não somos bons em alguma coisa; pelo contrário, ter consciência disso e poder lidar com a questão irá aumentar suas chances de conseguir aquilo que quer.

Se está decepcionado porque talvez não seja a melhor pessoa para fazer tudo sozinho, você está sendo terrivelmente ingênuo. Ninguém consegue fazer bem todas as coisas. Você gostaria de ter Einstein no seu time de basquete? Quando ele não conseguir driblar e arremessar bem, você vai julgá-lo mal? Ele deveria se sentir humilhado? Imagine todas as áreas em que Einstein era incompetente e pense em quanto ele lutou para brilhar mesmo nas áreas em que era o melhor do mundo.

Observar e ser observado ao longo do processo pode produzir todo tipo de emoções guiadas pelo ego, como simpatia, pena, constrangimento, raiva ou atitude defensiva. É preciso superar isso e parar de ver o esforço de lutar como algo negativo. A maioria das grandes oportunidades da vida vem de momentos de luta; cabe a você extrair o máximo desses testes de criatividade e caráter.

Ao descobrir suas fraquezas, existem quatro opções:

1. Negá-las (o que a maioria das pessoas faz).
2. Aceitá-las e trabalhá-las para tentar convertê-las em forças (o que pode ou não funcionar, dependendo da sua capacidade de mudar).
3. Aceitar suas fraquezas e encontrar meios de contorná-las.
4. Mudar aquilo que você está buscando.

A saída escolhida é de importância crucial para o rumo que sua vida tomará. O pior caminho a seguir é o primeiro. A negação só provocará embates constantes com suas próprias fraquezas, causando sofrimento e dor sem que seja possível seguir em frente. O segundo — aceitar as fraquezas ao mesmo tempo que tenta transformá-las em forças — é provavelmente o melhor caminho, mas você jamais será bom em determinadas coisas, e é preciso muito tempo e esforço para mudar. A melhor pista sobre se você deveria ou não seguir essa trilha é saber se o que você está tentando fazer está de acordo com a sua natureza (suas aptidões). O terceiro caminho — aceitar as fraquezas tentando descobrir meios para contorná-las — é a trilha mais fácil e viável, embora seja a menos seguida. O quarto caminho também é uma boa escolha, apesar de exigir flexibilidade para superar ideias preconcebidas e desfrutar algo que se encaixe no lugar.

f. Conversar com pessoas que se destacam nas áreas em que você é fraco é uma excelente aptidão a desenvolver, pois ajudará a estabelecer uma rede de segurança que impedirá que atitudes erradas sejam tomadas. Todas as pessoas bem-sucedidas são boas nisso.

g. Como é difícil ver a si mesmo de maneira objetiva, você precisa confiar no que os outros dizem e no conjunto de evidências. Sei que a minha vida tem sido repleta de erros e de muito feedback excelente. Somente observando esse conjunto de evidências desde um nível superior, pude aprender a lidar com meus erros e ir atrás do que queria. Por mais que eu venha praticando isso, sei que ainda não consigo ver a mim mesmo com a objetividade necessária, razão pela qual continuo a depender tanto do *input* de outros.

h. Com mente aberta e determinação é possível conseguir quase qualquer coisa. Certamente não quero dissuadi-lo de buscar aquilo que deseja, seja lá o que for. Ao mesmo tempo, incentivo-o a refletir se esse desejo é consistente com a sua natureza. Qualquer que seja ela, há muitos caminhos adequados, então não se prenda somente a um. Se determinada trilha se fechar, encontre outra boa e adequada para você. (Você vai aprender bastante sobre como determinar sua própria natureza em "Compreenda que os circuitos das pessoas são bem diferentes".)

À maioria das pessoas, todavia, falta a coragem para enfrentar as próprias fraquezas e fazer as escolhas duras que esse processo exige. No fim, tudo se resume às cinco decisões seguintes:

1. **Não confunda o que você gostaria que fosse certo com o que realmente é certo.**

2. **Não se preocupe em ter uma boa imagem — em vez disso, preocupe-se em conquistar seus objetivos.**

3. **Não dê peso excessivo às consequências imediatas em relação às de segunda e terceira ordens.**

4. **Não deixe a dor ficar no caminho do progresso.**

5. **Não culpe ninguém além de si mesmo pelos maus resultados.**

RUIM
Evitar as "realidades mais difíceis".

BOM
Enfrentar as "realidades mais difíceis".

RUIM
Preocupar-se em ter uma boa imagem.

BOM
Preocupar-se em conquistar o objetivo.

RUIM
Tomar decisões com base nas consequências imediatas.

BOM
Tomar decisões com base nas consequências de primeira, segunda e terceira ordens.

RUIM
Permitir que a dor atrapalhe o progresso.

BOM
Aprender a administrar a dor em virtude do progresso.

RUIM
Não responsabilizar você mesmo e os demais.

BOM
Responsabilizar a todos.

2 Use o Processo de Cinco Etapas para conseguir o que você quer da vida

Tenho a impressão de que o processo evolutivo pessoal — o ciclo repetitivo que descrevi no capítulo anterior — acontece em cinco etapas. Se for capaz de executá-las, provavelmente você será bem-sucedido. Aqui estão, em resumo:

1. **Defina objetivos claros.**

2. **Identifique e não tolere os problemas que ficam no caminho desses objetivos.**

3. **Diagnostique com precisão os problemas para atingir as causas raízes.**

4. **Projete planos para superá-los.**

5. **Faça o que for necessário para que esses projetos alcancem os resultados.**

Juntas, essas cinco etapas formam um ciclo repetitivo, como o que está na página a seguir. Vamos examinar esse processo mais detalhadamente.

Primeiro é preciso escolher aquilo que você quer buscar, ou seja, definir seus **objetivos**, visto que eles determinarão o rumo a seguir. Nesse percurso, você encontrará **problemas**. Alguns deles o colocarão diante de suas fraquezas. Cabe a você decidir a maneira como reagir à dor que eles causam. Se deseja atingir suas metas é preciso que seja calmo e analítico a fim de **diagnosticar** com precisão esses problemas, **projetar** um plano para superá-los e **fazer** o que for necessário para seguir na direção dos resultados. Feito isso, será o momento de examinar os ganhos e repetir o processo. Para evoluir a passos largos é preciso que esse ciclo seja rápido e contínuo, e que objetivos cada vez mais altos sejam estabelecidos.

O sucesso depende da execução correta e sequencial dessas etapas. Ao definir as metas, por exemplo, atenha-se a isso. Não pense no que fará para atingi-las ou se algo dará errado. Quando estiver diagnosticando problemas, atenha-se a isso em vez de ficar pensando em como resolvê-los. Misturar as etapas leva a resultados inferiores porque interfere na descoberta do problema real. O processo é iterativo: realizando cada etapa meticulosamente você vai adquirir as informações necessárias para avançar para o próximo estágio e cumpri-lo bem.

É fundamental que você aborde esse processo de modo racional e coerente, olhando para si de uma perspectiva exterior e sendo absolutamente sincero. Se for tomado por suas emoções, recue e dê um tempo até ser capaz de refletir com clareza. Se necessário, procure orientação de pessoas calmas e atenciosas.

Para se manter centrado e eficiente, faça de conta que sua vida é uma arte marcial ou um jogo no qual é preciso contornar um desafio para conquistar um objetivo. Assim que aceitar as regras, você se acostumará ao desconforto causado pela sensação constante de frustração. É impossível lidar com tudo de maneira perfeita; erros são inevitáveis, e é essencial reconhecer e aceitar isso. A boa notícia é que cada engano que você comete pode ser uma lição, e assim o aprendizado nunca tem fim. Você logo se dará conta de que desculpas como "não é fácil", "não parece justo" ou "não consigo fazer isso" não têm valor nenhum e que vale a pena seguir adiante.

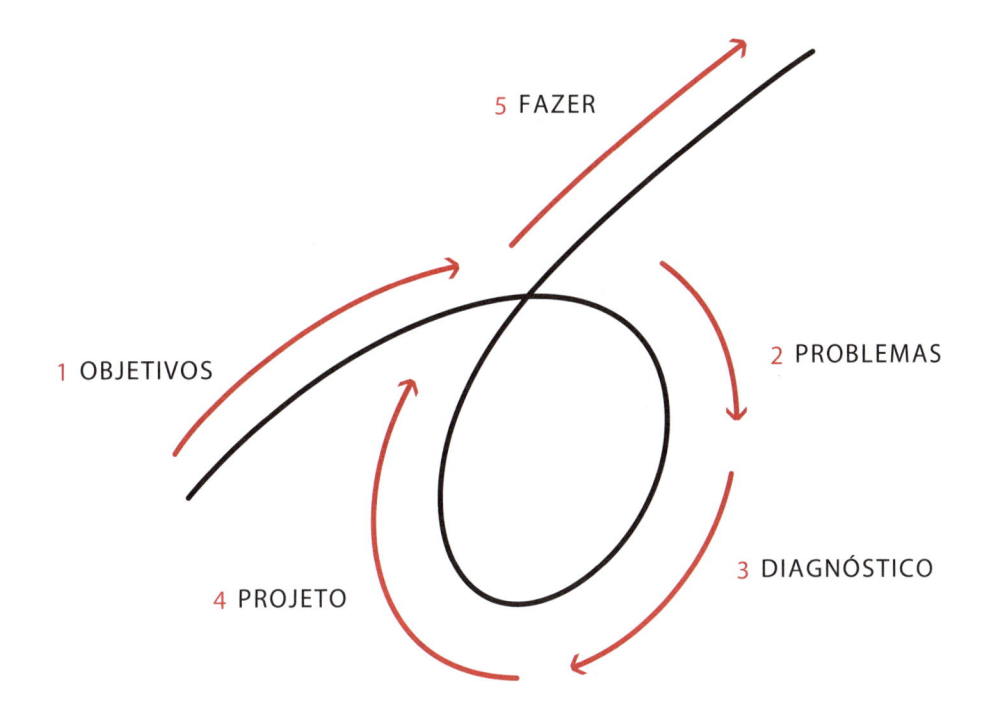

1 OBJETIVOS
2 PROBLEMAS
3 DIAGNÓSTICO
4 PROJETO
5 FAZER

E se você não possuir todas as aptidões necessárias para o sucesso? Não se preocupe, porque isso se aplica a qualquer pessoa. A solução para essa falha é identificar o momento em que essas aptidões serão exigidas e aonde ir para consegui-las. Com a prática, você acabará entrando no jogo com um equilíbrio tranquilo e inabalável diante da adversidade. A capacidade de conseguir o que deseja vai deixá-lo empolgado.

Agora, vejamos como abordar cada uma dessas Cinco Etapas.

2.1 Defina objetivos claros.

a. **Estabeleça prioridades. Embora em tese você possa conquistar qualquer coisa, não dá para ter tudo.** A vida é como um bufê gigante com mais opções deliciosas do que você conseguirá saborear. Definir uma meta significa rejeitar opções em função de algo que deseja ou precisa ainda mais. Algumas pessoas falham nesse ponto antes mesmo de terem começado. Com medo de rejeitar uma alternativa boa em prol de uma melhor, tentam alcançar vários objetivos ao mesmo tempo e acabam conquistando poucos ou nenhum deles. Não se desencoraje e não se permita ficar paralisado diante da variedade de alternativas. É possível ter muito mais do que o necessário para ser feliz. Faça sua escolha e siga adiante com ela.

b. **Não confunda objetivos com desejos.** Um objetivo adequado é algo que você realmente precisa conquistar. No geral, desejos são consequências imediatas, coisas que você ambiciona, mas que podem impedi-lo de atingir suas metas. Por exemplo, seu objetivo é entrar em forma, porém seu desejo é saborear uma comida gostosa mas que não é saudável. Não me entenda mal: se você quiser ficar largado no sofá vendo TV, por mim tudo bem. Você pode ter os objetivos que quiser. Contudo, se você não quer ser a pessoa que come em frente à TV, melhor nem abrir o saco de salgadinhos.

c. **Decida o que você realmente quer da vida conciliando objetivos e desejos.** Vejamos a paixão, por exemplo. Ninguém gostaria de viver na monotonia de uma vida sem paixão, certo? A questão fundamental, portanto, é o que você faz com a sua paixão. Você se deixa consumir e age de modo irracional ou é capaz de controlar esses impulsos, usando-os como motivação para buscar os verdadeiros objetivos? No fim, o que vai preenchê-lo são as coisas que parecem certas nos dois níveis — quando são ao mesmo tempo desejos *e* objetivos.

d. Não confunda as parafernálias do sucesso com o próprio sucesso. Determinação para atingir metas é importante, mas quem fica obcecado com um par de sapatos caríssimo ou com um carro de luxo raramente é feliz. Em geral, essas pessoas não sabem o que de fato querem e, portanto, o que vai deixá-las satisfeitas.

e. Jamais descarte um objetivo por julgá-lo inatingível. Seja audacioso. Sempre existe um caminho que é o melhor possível. Sua tarefa é encontrá-lo e ter a coragem para trilhá-lo. O que você acha alcançável está baseado no conhecimento de que você dispõe naquele momento. Uma vez iniciada a busca, você aprenderá bastante, sobretudo se triangular as informações das quais dispõe com as das outras pessoas. Caminhos inéditos vão emergir. É claro que existem algumas metas altamente improváveis por serem pouco realistas — ser pivô em um time de basquete sendo baixinho ou correr um quilômetro em dois minutos e meio aos setenta anos.

f. Lembre-se de que grandes expectativas criam grandes habilidades. Ao limitar seus objetivos ao que *sabe* que é capaz de atingir, você está nivelando por baixo.

g. Quase nada pode impedir o sucesso se você tem: a) flexibilidade; e b) capacidade de assumir a responsabilidade pelos acontecimentos. Flexibilidade é aquilo que lhe permite aceitar o que a realidade ou pessoas com mais conhecimento ensinam. Capacidade de assumir suas responsabilidades é essencial porque, se você de fato levar os fracassos para o lado pessoal, enxergará o momento como um sinal de que não foi suficientemente criativo, flexível ou determinado para fazer o necessário. Ficará muito mais motivado para encontrar o caminho.

h. Saber como lidar bem com seus reveses é tão importante quanto saber como avançar. Às vezes você sabe que está navegando rumo a uma catarata e que não há jeito de evitá-la. A vida vai lançar desafios como esse em seu caminho e muitos parecerão devastadores no momento. Em tempos difíceis, o seu objetivo pode ser manter o que já conquistou, minimizar as perdas ou lidar com uma perda irreversível. Sua missão é sempre fazer as melhores escolhas possíveis sabendo que será recompensado.

2.2 Identifique e não tolere os problemas.

a. Veja os problemas mais difíceis como oportunidades de aperfeiçoamento clamando por você. Ainda que em um primeiro momento isso não fique claro, todo problema que você encontra é uma oportunidade; é essencial trazê-los para a superfície. A maioria das pessoas não gosta de fazer isso, especialmente se expuser suas fraquezas ou as de alguém com quem se importa. Pessoas bem-sucedidas, no entanto, sabem que isso é necessário.

b. Confronte os problemas mesmo que estejam enraizados em realidades difíceis de encarar. Pensar nos problemas mais difíceis pode deixá-lo ansioso, mas *não* pensar neles (e, portanto, não lidar com eles) só vai piorar essa sensação. Quando a própria falta de talento ou aptidão cria uma situação difícil, a maioria de nós sente vergonha, mas é preciso superar tal sentimento. Eu enfatizaria isto mil vezes se necessário: reconhecer nossas fraquezas não é o mesmo que se render a elas, mas na verdade o primeiro passo para superá-las. Essas "dores do crescimento" testarão seu caráter e irão recompensá-lo à medida que você passar por elas.

c. Seja específico ao identificar seus problemas. Seja preciso: diferentes problemas têm diferentes soluções. Se um problema se deve à falta de uma aptidão, talvez você precise fazer um curso ou treinar; se surge de uma fraqueza inata, busque o auxílio de alguém capacitado ou mude o papel que está desempenhando. Em outras palavras, se você não sabe organizar suas finanças, contrate um contador. Se o problema gira em torno da fraqueza de outra pessoa, substitua essa pessoa por alguém com a aptidão necessária. Parece duro, mas é assim que as coisas funcionam.

d. Não confunda a causa de um problema com o verdadeiro problema. "Tenho dormido pouco" não é o problema, mas a potencial causa (ou talvez o resultado) de um problema. Para ter clareza, primeiro tente identificar o mau resultado — por exemplo, "estou rendendo pouco no trabalho". A falta de sono pode ser a causa.

e. Diferencie os problemas grandes dos pequenos. Sua energia e seu tempo têm limites; assegure-se de investi-los para solucionar problemas que, se resolvidos, trarão mais retorno. Ao mesmo tempo, certifique-se de gastar tempo suficiente com os problemas pequenos para ter certeza de que não sejam sintomas de problemas maiores.

f. Assim que identificar um problema, não o tolere. Tolerar um problema tem as mesmas consequências de ignorá-lo. Se você o tolera por acreditar que não pode ser solucionado, por não se importar o suficiente ou porque não é capaz de reunir as ferramentas para resolvê-lo, se lhe falta a força de vontade para tanto, então não há esperança para a sua situação. Você deve desenvolver uma intolerância feroz a todo tipo de revés, independentemente da gravidade.

2.3 Diagnostique os problemas para atingir as causas raízes.

a. Foque na definição antes de decidir o que fazer a respeito. É um erro comum gastar um nanossegundo para ir da identificação de um problema complicado à proposição de uma solução. O pensamento estratégico exige planejamento, e um bom diagnóstico em geral exige entre quinze minutos e uma hora de reflexão, dependendo de quão bem feito você deseja que ele seja e da complexidade da questão. O processo envolve conversar com as pessoas relevantes e examinar as evidências em conjunto para determinar as causas raízes. Assim como os princípios, as causas raízes se manifestam repetidas vezes em situações aparentemente diferentes. Identificá-las e lidar com elas sempre rende dividendo.

b. Diferencie as causas imediatas das causas raízes. Causas imediatas costumam ser as ações (ou a ausência delas) que originam os problemas; assim, são descritas com verbos (*perdi o trem porque não olhei para o painel de horários*). Causas raízes são muito mais profundas e geralmente são descritas com adjetivos (*não olhei o painel de horários dos trens porque sou esquecido*). Só é possível resolver verdadeiramente os problemas removendo as causas raízes, e para fazer isso é necessário distinguir o que são sintomas e o que é a doença em si.

c. Identificar as características de uma pessoa (incluindo você) é a chave para saber o que esperar dela. É necessário superar essa relutância que temos em avaliar os outros se quisermos nos cercar das pessoas com as aptidões desejadas. Isso vale para você também. As pessoas quase sempre acham difícil identificar e aceitar os próprios erros e as próprias fraquezas. Muitas vezes a culpa disso é uma cegueira em relação a eles, mas com mais frequência tem a ver com ego. Provavelmente, seus colegas também são relutantes em destacar seus erros porque não querem magoá-lo. Todos precisam superar isso. Mais do que qualquer outra coisa, é a disposição de olhar com objetividade para si mesmo e para os demais o que diferencia as pessoas que concretizam seu potencial daquelas que não o fazem.

2.4 Projete um plano.

a. Recue antes de avançar. Repasse a trajetória que o conduziu ao ponto onde se encontra no momento e, então, visualize o que é necessário fazer no futuro para que as metas sejam atingidas.

b. Pense no problema como um conjunto de resultados produzido por uma máquina. Pratique o distanciamento na hora de examinar sua máquina e reflita sobre como ela poderia ser modificada para produzir resultados melhores.

c. Lembre-se de que geralmente há muitos caminhos para atingir seus objetivos. Você apenas precisa descobrir um que funcione.

d. Pense no seu plano como se fosse o roteiro de um filme, visualizando quem vai fazer o que ao longo do tempo. Para começar, faça um esboço do plano (por exemplo, "contratar pessoas excelentes") e aos poucos vá refinando as estratégias. Você deve partir do quadro geral e seguir para tarefas específicas e estimativas de cronograma (por exemplo, "nas próximas duas semanas vou escolher os *headhunters* que encontrarão essas pessoas"). As questões práticas de custos, tempo e pessoal sem dúvida vão aflorar durante o processo e, consequentemente, o projeto passará por mais aperfeiçoamentos até que todas as engrenagens da máquina se encaixem com precisão.

e. Deixe o plano à disposição de toda a equipe. Ele será a medida para avaliar o progresso. Isso inclui todos os pequenos detalhes sobre quem precisa fazer o que e quando. As tarefas, a abordagem e as metas são coisas diferentes, então não as misture. Lembre-se de que as tarefas são o que conectam a abordagem às metas.

f. Reconheça que projetar um bom plano não demanda tanto tempo assim. Um plano pode ser esboçado e refinado em poucas horas ou se alongar por dias e semanas, mas o processo é essencial para determinar um curso de ação eficaz. Muita gente comete o erro de não dedicar tempo algum a essa etapa por estar preocupada com a execução. Lembre-se: o planejamento vem antes da ação.

2.5 Faça o que for necessário para atingir os resultados.

a. Grandes projetistas que não executam seus planos morrem na praia. Avançar com firmeza exige autodisciplina para seguir o roteiro. É importante ter em mente as conexões entre as tarefas e as metas que elas devem atingir. Quando achar que está perdendo isso de vista, pare e se pergunte "Por quê?". Se perder de vista esse questionamento, você perderá também as metas.

b. Bons hábitos de trabalho são imensamente subestimados. Pessoas bem-sucedidas têm listas de coisas a fazer que são priorizadas de forma bastante razoável e se certificam de que cada item seja eliminado na ordem estabelecida.

c. **Estabeleça métricas claras para ter certeza de que o plano está sendo seguido.** Em um cenário ideal, é outra pessoa quem deve medir e relatar seu progresso de forma objetiva. Se você não está atingindo as metas, isso configura outro problema que precisa ser diagnosticado e resolvido. Mesmo algumas das pessoas mais criativas não são boas em executar planos. Elas se tornam bem-sucedidas quando formam relações simbióticas com indivíduos altamente confiáveis para realizar essa tarefa.

Isso é tudo!

Lembre-se de que todas as Cinco Etapas avançam a partir dos seus valores, aquilo que determina o que você quer — ou seja, seus objetivos. Também tenha em mente que elas são iterativas. Ao completar uma, você terá adquirido a informação necessária que provavelmente resultará em ajustes nas etapas seguintes. Ao completar as cinco, você partirá rumo a um novo objetivo. Se o processo estiver funcionando, seus objetivos mudarão mais lentamente do que seus planos, que por sua vez mudarão mais lentamente do que as tarefas.

Um último ponto importante: preocupe-se em sintetizar e formatar da melhor maneira possível. As primeiras três etapas — definir metas, identificar problemas e diagnosticá-los — são o que chamo de sintetizar (saber qual rumo tomar e o que realmente está acontecendo). Planejar soluções e garantir que os planos sejam implementados é o que chamo de formatar.

2.6 Lembre-se de que as fraquezas não importam se você encontra soluções.

É praticamente certo que você não seja capaz de executar bem todas as etapas. Cada uma exige diferentes tipos de raciocínio, o que é impossível para qualquer um. Por exemplo: definir objetivos (como determinar o que você quer da sua vida) exige que você seja bom em distanciamento na hora de refletir, visualizar e priorizar. Identificar e não tolerar que os problemas se perpetuem exige que você seja perceptivo e bom em sintetizar e manter padrões elevados. Diagnosticar exige raciocínio lógico, capacidade de enxergar múltiplas possibilidades e disposição para embates. Planejar exige capacidade de visualização e adoção de medidas práticas. Realizar aquilo que você se determinou a fazer exige autodisciplina, bons hábitos de trabalho e foco em resultados. Quem você conhece que tenha todas essas qualidades? Provavelmente ninguém. Mas, se é necessário se sair bem em todas as Cinco Etapas para ser bem-sucedido, o que fazer? Antes de tudo, *seja humilde para buscar no outro aquilo de que você precisa.*

Todo mundo tem fraquezas, e geralmente elas se revelam na forma de padrões de erros. Saber quais são as suas e encará-las com seriedade é o primeiro passo para o sucesso.

a. Examine os padrões dos seus erros e identifique em qual das Cinco Etapas você geralmente fracassa. Peça a opinião de outras pessoas também, já que ninguém pode ser totalmente objetivo em relação a si mesmo.

b. Todo mundo tem pelo menos uma grande pedra atrapalhando o caminho para o sucesso; identifique a sua e lide com ela. Coloque a questão no papel (identificar problemas, planejar soluções, avançar com firmeza até os resultados etc.) e procure entender por que ela existe (emoções, incapacidade de visualizar alternativas etc.). Embora você e a maioria das pessoas provavelmente tenham mais de um grande obstáculo, se conseguir remover ou contornar aquele que é de fato grande, experimentará uma melhora considerável na qualidade de vida. Se trabalhar nisso, é quase certo de que será capaz de lidar de forma bem-sucedida com o seu maior obstáculo.

Existem dois caminhos certeiros a tomar rumo ao sucesso: 1) ter você mesmo o que precisa ou 2) conseguir isso com outras pessoas. O segundo exige que você tenha humildade, que é uma característica tão ou mais importante do que dispor você mesmo dos pontos fortes necessários. Ter as duas coisas é o melhor. Na página 197, há um modelo que algumas pessoas acham útil.

2.7 Compreenda os mapas mentais e o senso de humildade em você e nos outros.

Pessoas com bons mapas mentais são boas em saber o que fazer por conta própria. Talvez tenham adquirido essa capacidade por meio do aprendizado, ou quem sabe foram abençoadas com uma dose especialmente grande de bom senso. Seja qual for o caso, elas têm mais respostas dentro de si do que as outras. Do mesmo modo, algumas pessoas são mais humildes e têm a mente mais aberta do que outras. Vale observar que a humildade pode ser ainda mais valiosa do que ter bons mapas mentais, caso leve o indivíduo a buscar respostas melhores do que conseguiria sozinho. A combinação mais poderosa, no entanto, é ter mente aberta e bons mapas mentais.

Para compreender esse conceito simples, imagine dar uma nota de um a dez à qualidade do mapa mental de alguém (em outras palavras, ao que a pessoa sabe) no eixo Y e outra nota no eixo X para sua humildade/abertura de mente, como visto no gráfico da próxima página.

Todo mundo começa no canto inferior esquerdo, com mapas mentais fracos e pouca abertura mental. É trágico, mas por arrogância a maioria permanece empacada nessa posição. Você pode melhorar subindo no eixo dos mapas mentais (aprendendo a agir de maneira melhor) ou indo para a direita no eixo da abertura mental. Qualquer uma das alternativas lhe dará mais conhecimento em relação ao que fazer. Se você tem bons mapas mentais e pouca abertura de mente, o cenário é bom, mas não ótimo — você ainda perderá muita coisa de valor. Por outro lado, ter a mente bem aberta mas mapas mentais pobres provavelmente tornará difícil escolher os melhores pontos de vista e pessoas a seguir. Quem tem bons mapas mentais e a mente bem aberta sempre vai sair ganhando.

Agora, separe um tempo para pensar no seu caminho para se tornar mais eficiente. Onde você se colocaria nesse gráfico? Pergunte a outros onde eles o colocariam.

Assim que entender o que está faltando no seu caso e abrir a mente para receber ajuda de terceiros, verá que, em tese, não existe nada que não possa conquistar.

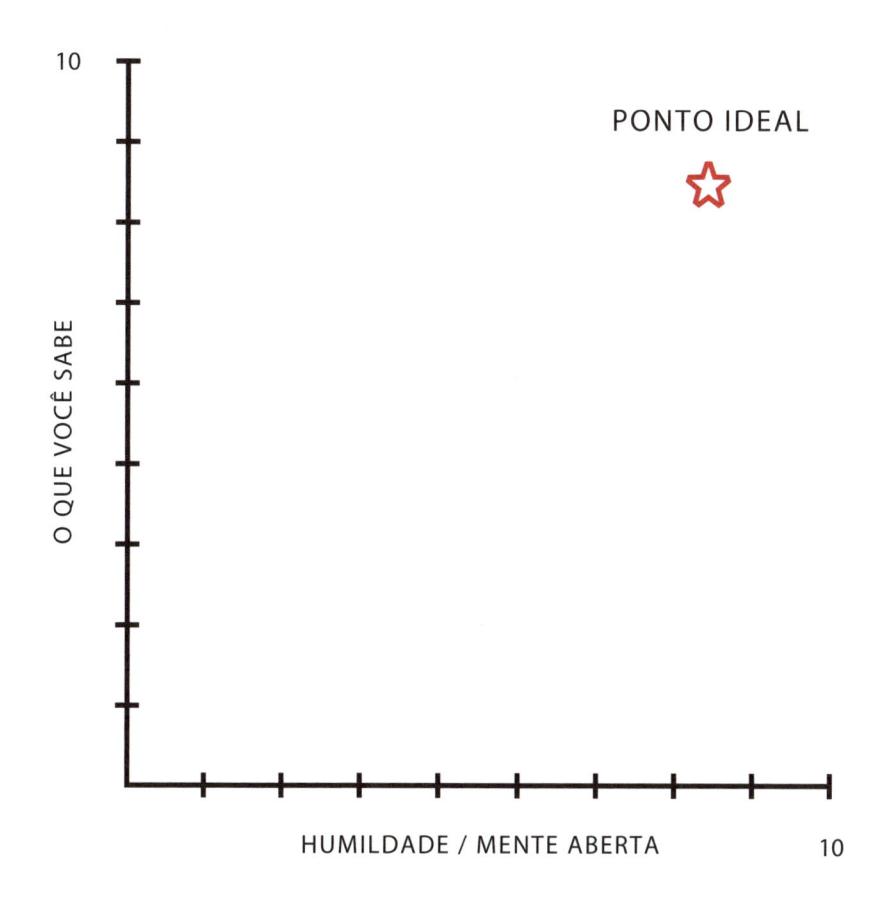

```
10 ┤
   ┤
   ┤                                    PONTO IDEAL
   ┤                                         ☆
   ┤
   ┤
O QUE VOCÊ SABE
   ┤
   ┤
   ┤
   ┤
   ┼─┬──┬──┬──┬──┬──┬──┬──┬──┬──┤
      HUMILDADE / MENTE ABERTA        10
```

Muitas pessoas acham que isso é impossível, mas nos próximos capítulos vou explorar como e por que corrigir esse raciocínio.

3 Tenha a mente radicalmente aberta

Provavelmente este é o capítulo mais importante do livro, pois explica como contornar os dois obstáculos que se posicionam no caminho da maioria das pessoas rumo àquilo que querem da vida. Essas barreiras existem em virtude do funcionamento do nosso cérebro, então praticamente todo mundo depara com elas.

3.1 Reconheça suas duas barreiras.

As duas maiores barreiras que impedem a boa tomada de decisões são o ego e os pontos cegos. Juntos, os dois tornam difícil enxergar com objetividade o que é certo em relação a si mesmo e às circunstâncias e tomar as melhores decisões possíveis extraindo o máximo que os outros possam oferecer. Uma vez compreendendo como funciona a máquina do cérebro humano, é possível compreender também por que essas barreiras existem e como fazer ajustes comportamentais para ser mais feliz, eficiente e melhor na interação com outras pessoas.

a. Compreenda a barreira do ego. Quando me refiro à "barreira do ego", estou aludindo aos mecanismos de defesa subliminares que dificultam a aceitação dos nossos erros e das nossas fraquezas. Nossas necessidades e nossos temores mais enraizados — como a necessidade de ser amado e o medo da solidão, a necessidade de sobreviver e o medo da morte, a necessidade de ser importante e o medo de ser invisível — residem em partes primitivas do cérebro, como a amídala, estruturas no lobo temporal que processam as emoções. Como essas áreas não estão acessíveis à nossa consciência, é quase impossível entender o que elas querem e como nos controlam — o processamento de informações nessas áreas é instintivo e simplificado. Elas anseiam por elogios e reagem às críticas como se fossem um ataque, mesmo quando as partes superiores do cérebro compreendem que críticas construtivas são coisas boas. Essa área de resposta primal nos faz agir na defensiva, sobretudo quando se trata de avaliar se somos capazes.

Ao mesmo tempo, a consciência superior reside no neocórtex, mais especificamente na parte chamada de córtex pré-frontal. Essa é a característica mais humana do seu cérebro; em comparação com o restante do órgão, é maior nos humanos do que na maioria das demais espécies. É onde se encontra a consciência do processo decisório (a chamada "função executiva"), bem como a aplicação de lógica e o raciocínio.

b. Seus dois "eus" lutam para controlá-lo. É como dr. Jekyll e Mr. Hyde, embora seu eu superior não tenha consciência do seu eu inferior. Esse conflito é universal. Se prestarmos bastante atenção, somos capazes de identificar no dia a dia os momentos em que essas diferentes partes do cérebro discutem. Por exemplo, quando alguém fica irritado consigo mesmo, é sinal de que o córtex pré-frontal está lutando com a amídala (ou outras partes inferiores do cérebro em tese).[25] Quando alguém pergunta "Por que eu comi aquele bolo inteiro?", a resposta é "porque o eu inferior derrotou o eu superior e ponderado".

Ao entender como o seu eu lógico/consciente e o emocional/inconsciente lutam entre si, é possível prever o nível de complexidade na inte-

---

25 O cérebro é um órgão altamente interconectado com muitas estruturas diferentes responsáveis por produzir nossos pensamentos, sentimentos e ações. Ao explicar essas coisas, adotei algumas convenções, tais como descrever a amídala como a causa única das reações emocionais de lutar ou fugir, apesar de na verdade a neuroanatomia ser muito mais complexa. Vou me estender mais a respeito no próximo capítulo.

ração entre os eus de cada pessoa em uma relação. É uma bagunça. Esses eus inferiores são como cães de ataque — querem lutar mesmo quando os superiores desejam compreender as coisas. Isso causa muita confusão. De um modo geral, as pessoas nem sabem que essas feras inferiores existem dentro delas, quanto mais que estão tentando dominar sua maneira de agir.

Vamos examinar o que costuma acontecer quando alguém discorda de você e pede uma explicação do seu raciocínio. Como está programado para considerar desafios como agressões, você fica irritado mesmo que pareça mais lógico se interessar pela perspectiva alheia, sobretudo se for mais eloquente. Quando tenta explicar sua lógica, os argumentos soam sem sentido. Isso acontece porque seu eu inferior está tentando falar por meio do eu superior. Quem está no controle são suas motivações profundas, ocultas, e, assim, é impossível para você explicar de forma racional o que está fazendo.

Até as pessoas mais inteligentes muitas vezes se comportam desse modo, o que é péssimo. Para ser eficiente, você não pode deixar que a necessidade de estar certo seja mais importante do que a necessidade de descobrir o que *realmente* é o certo. A prepotência inibe a capacidade de aprendizado, fazendo com que tomemos decisões menos objetivas e fiquemos aquém do nosso potencial.

c. Compreenda a barreira do ponto cego. Além da barreira do ego, você (como todo mundo) também tem pontos cegos — áreas em que seu modo de pensar o impede de ver as coisas de maneira objetiva. A mesma variação de alcance na percepção de sons e cores se dá no âmbito da compreensão — cada um vê as coisas a seu modo. Por exemplo, alguns naturalmente enxergam detalhes e deixam passar o panorama geral; outros pensam de maneira linear e outros, lateralmente, e assim por diante.

Naturalmente, as pessoas não são capazes de apreciar aquilo que não podem ver. Alguém que não consegue identificar padrões nem sintetizar nesse sentido tem um conhecimento semelhante à compreensão que um daltônico tem das cores. Essas diferenças de funcionamento cerebral são muito menos aparentes do que as biológicas. Daltônicos certo momento descobrem que são daltônicos, ao passo que a maioria das pessoas nunca vê ou compreende as maneiras pelas quais seus modos de pensar as deixam cegas. Para dificultar ainda mais, não gostamos de ver que nós mesmos e as pessoas ao nosso redor temos pontos cegos. Quando apontamos uma fraqueza psicológica de alguém, em geral isso é recebido como se o aspecto apontado fosse uma fraqueza física.

Se você é como a maioria, não tem a menor noção de como os outros enxergam o mundo e não é nada bom em tentar compreender o que estão pensando. Em geral, está preocupado demais em expressar o que *você* acha que seja correto. Em outras palavras, é um indivíduo de mente fechada e presume demais. Essas características cobram um preço terrivelmente alto. Fazem com que deixemos passar todo tipo de possibilidades maravilhosas e ameaças perigosas que porventura estejam sendo sinalizadas por outras pessoas e bloqueiam críticas que poderiam ser construtivas e vitais.

O resultado é que indivíduos em desacordo em geral continuam convictos de que estão certos — e quase sempre se irritam uns com os outros. Isso é totalmente irracional e leva a um processo decisório de baixa qualidade. Quando duas pessoas chegam a conclusões opostas, alguém deve estar errado. Então não seria prudente ter certeza de que esse alguém não é você?

A dificuldade em se beneficiar do pensamento alheio não ocorre somente quando surge uma desavença, mas também na hora de solucionar problemas. Diante de uma questão desafiadora, a maioria das pessoas fica girando dentro da própria cabeça em vez de aproveitar a maravilhosa gama de pontos de vista à disposição. Como resultado, elas seguidamente avançam rumo àquilo que são capazes de enxergar e continuam batendo nos pontos cegos até que as constantes colisões forçam uma adaptação. Essa adaptação pode se dar das seguintes formas: a) ensinando seu cérebro a funcionar de um jeito que não é natural (a pessoa criativa aprende a se organizar por meio de disciplina e prática, por exemplo); b) usando mecanismos compensatórios (como lembretes programados); e/ou c) confiando na ajuda de terceiros que sejam fortes nos pontos em que você é fraco.

Em vez de serem pontos de ruptura, diferentes maneiras de pensar podem ser simbióticas e complementares. Por exemplo, o raciocínio lateral comum nas pessoas criativas pode fazer com que sejam pouco confiáveis, ao passo que os pensadores mais lineares frequentemente são mais estáveis; algumas pessoas são mais emocionais, enquanto outras, mais lógicas, e assim por diante. Nenhum projeto complexo será bem-sucedido se não contar com indivíduos cujas forças são complementares.

Aristóteles definia a tragédia como um desfecho terrível que surgia de um defeito fatal do indivíduo — um defeito que, se tivesse sido corrigido, teria levado a um desfecho maravilhoso. A meu ver, essas duas barreiras — ego e pontos cegos — são os defeitos fatais que impedem pessoas inteligentes e que trabalham muito de alcançar todo seu potencial.

Gostaria de aprender a superá-las? Você pode. Todo mundo pode. Veremos como.

3.2 Seja mente aberta ao extremo.

Quando reconhecemos a própria cegueira temos a oportunidade de descobrir um caminho alternativo. Quando permanecemos ignorantes, continuamos colidindo com os problemas. Em outras palavras, se você for capaz de reconhecer seus pontos cegos e, com mente aberta, considerar a possibilidade de que outras pessoas talvez enxerguem determinado aspecto melhor do que você — e que as ameaças e as oportunidades que elas estão apontando realmente existem —, terá mais chances de tomar boas decisões.

Ser mente aberta ao extremo é fruto da preocupação genuína de que talvez você não esteja enxergando todas as alternativas possíveis. A abertura de mente nos dá a capacidade de explorar diferentes pontos de vista e possibilidades sem deixar que o ego ou os pontos cegos nos atrapalhem, mas ela exige a substituição do apego à ideia de estar sempre certo pela alegria de aprender o que realmente é o certo. A abertura de mente radical permite fugir do controle do nosso eu inferior e assegura que o eu superior considere todas as boas opções a fim de tomar as melhores decisões possíveis. Com um pouco de prática, qualquer pessoa é capaz de agir desse modo, tornando-se mais capacitada para lidar com as realidades e melhorar radicalmente a própria vida.

A maioria das pessoas, no entanto, não entende que isso não é a mesma coisa que estar "pronto para aceitar estar errado" e com teimosia se agarra às próprias opiniões. Essas pessoas são incapazes de compreender os argumentos por trás de pontos de vista alternativos. Se você *não* quer ser uma delas, precisa:

a. Acreditar que talvez não conheça o melhor caminho e reconhecer que sua capacidade de lidar bem com o "desconhecido" é mais impor-

tante do que qualquer coisa que você saiba. Quando estamos convictos de algo, não nos permitimos enxergar possíveis alternativas melhores e então tomamos decisões ruins. Aqueles que têm mente aberta sabem que fazer as perguntas certas e pedir a opinião de pessoas inteligentes é tão importante quanto ter todas as respostas. Compreendem que não se pode tomar uma grande decisão sem antes nadar por algum tempo no "desconhecido", uma área que contém informações maiores e mais empolgantes do que aquilo que já sabemos de antemão.

b. Reconheça que a tomada de decisões é um processo de duas etapas: primeiro é necessário recolher todas as informações relevantes para, só então, tomar as decisões. Relutamos em absorver informações que não estejam de acordo com conclusões prévias. Quando pergunto por quê, uma das respostas mais comuns é: "Quero formar a minha própria opinião." Talvez essas pessoas achem que considerar diferentes modos de pensar ameace sua autonomia de escolha. Nada poderia estar mais distante da verdade. Absorver e considerar as perspectivas de terceiros de modo algum reduz nossa liberdade de pensar de maneira independente e tomar as próprias decisões — apenas ajuda a expandir nossa própria perspectiva enquanto decidimos.

c. Não se preocupe com a imagem; preocupe-se em atingir seu objetivo. Muitas vezes tentamos provar que temos determinada resposta mesmo quando isso não é verdade. Mas por que nos comportamos dessa maneira improdutiva? Geralmente por crer na visão comum, mas sem sentido, de que pessoas no topo têm todas as respostas e nenhuma fraqueza. Isso não só contradiz a realidade, como é um obstáculo para o progresso. Pessoas interessadas em tomar as melhores decisões raramente acreditam saber as melhores respostas. Elas reconhecem suas fraquezas e seus pontos cegos e sempre procuram aprender mais, para contornar as dificuldades.

d. Não se pode dar sem receber. É comum estar mais ansioso para dar (transmitir nosso pensamento e ser produtivo) do que para receber (aprender). Mesmo que o objetivo de vida do indivíduo em questão seja transmitir conhecimento, não se pode fazê-lo bem sem compreender que o aprendizado é uma via paralela a ser percorrida.

e. Reconheça que para enxergar pelos olhos de outros é preciso interromper temporariamente os juízos de valor. Somente através da empatia é possível avaliar adequadamente um ponto de vista diferente do nosso. Ter a mente aberta não significa embarcar naquilo que você não acredita; significa considerar o raciocínio dos outros em vez de se agarrar ao próprio ponto de vista de modo irracional. Ter a mente aberta exige que sejamos tão conscientes da possibilidade de estarmos errados que os outros se sintam à vontade para nos dizer isso, se for o caso.

f. Lembre-se de que você está procurando a melhor resposta no panorama geral, e não simplesmente a melhor resposta possível. A resposta não precisa estar na sua cabeça; você pode olhar para fora de si mesmo. Se realmente estiver encarando a realidade de maneira objetiva, reconheça que é pequena a probabilidade de ter sempre a melhor resposta e que, mesmo se a tiver, não se pode estar seguro disso antes de ser testado pelos outros. É inestimável sabermos aquilo que *não* sabemos. Pergunte a si mesmo: estou vendo isso somente com os meus olhos? Se a resposta for sim, saiba que tem uma deficiência terrível a corrigir.

g. Deixe claro se você está discutindo ou apenas tentando entender e pense no que é mais apropriado com base na sua credibilidade e na dos outros. Se as duas partes são iguais, é apropriado argumentar. Mas, se uma pessoa claramente tem mais conhecimento, é preferível abordá-la na posição de aprendiz — ela, por sua vez, deve agir como professor. Isso exige a compreensão do conceito de credibilidade. Pessoas críveis são aquelas que realizaram bem e consistentemente em sua área de conhecimento — com um histórico de pelo menos três sucessos — e têm ótimas explicações para suas abordagens.

Se sua opinião é diferente da de alguém com esse perfil ou que tenha mais credibilidade do que você (se, digamos, você estiver em uma discussão com um médico sobre a sua saúde), deixe claro que o objetivo dos seus questionamentos é compreender a perspectiva dele. Em contrapartida, se for você a pessoa com mais credibilidade, gentilmente deixe isso claro ao interlocutor e sugira que ele lhe faça perguntas.

Todas essas estratégias se reúnem em duas práticas que você precisa dominar se quiser ter a mente aberta.

3.3 Aprecie a arte do desacordo respeitoso.

Quando duas pessoas acreditam em coisas opostas, a probabilidade maior é a de que uma delas esteja errada, por isso é importante desenvolver o que chamo de arte do desacordo respeitoso. Nesse conceito, o objetivo não é convencer a outra parte de que *você* está certo, mas descobrir qual das duas tem o ponto de vista certo e decidir o que fazer a respeito. As duas partes são motivadas pelo medo genuíno de deixar passar perspectivas importantes. Debates nos quais é de fato possível enxergar com os olhos dos outros — quando o "eu superior" em cada um tenta chegar à verdade — são muito úteis e uma fonte enorme de potencial inexplorado.

Para fazer isso bem, a abordagem correta deve transmitir que seu interesse com aquela troca é entender melhor a questão.[26] Faça perguntas em vez de afirmações. Conduza a discussão de maneira calma e desapaixonada e encoraje a outra pessoa a fazer o mesmo. Lembre-se: você não está discutindo; está pesquisando informações para alcançar a verdade. Seja razoável e espere que os outros também sejam. Você se sairá bem melhor se agir com calma, cordialidade e respeito, o que vai ficando mais fácil com a prática.

Vejo os desentendimentos agressivos como perda de tempo por crer que, na maioria das vezes, toda discordância é menos uma ameaça do que uma oportunidade de aprender. As pessoas que aprendem e mudam de opinião são vitoriosas em relação a quem age com teimosia. É claro que isso não significa que você deva aceitar cegamente as conclusões dos outros. Tenha a mente aberta, mas, ao mesmo tempo, seja assertivo. Entenda que é preciso explorar as possibilidades à medida que caminhamos rumo ao que provavelmente é certo com base no aprendizado. Isso é mais fácil para algumas pessoas, de fato. Uma boa maneira de garantir que você esteja fazendo isso bem é repetir a perspectiva do outro ao longo da argumentação. Se ele estiver ciente de que você entendeu o ponto de vista apresentado, então tudo certo. Também recomendo que as duas partes

---

26 Uma maneira de fazer isso é recorrer a perguntas como "Você prefere que eu mostre abertamente minhas opiniões e perguntas ou as guarde para mim mesmo?"; "Nós vamos ficar tentando convencer um ao outro que estamos certos ou vamos ouvir de mente aberta as perspectivas de cada um para tentar descobrir o que é certo e o que fazer a respeito disso?"; ou "Você está discutindo comigo ou procurando entender minha perspectiva?".

respeitem uma "regra dos dois minutos" na qual ninguém é interrompido, dando tempo para que ambos possam expor o raciocínio até o fim.

Reafirmo que essa abordagem não é perda de tempo — superar desavenças é tão dispendioso quanto preciso. Priorize como e com quem você vai gastar o seu tempo, tendo em mente que muitas pessoas não concordarão com você e que seria pouco produtivo considerar a opinião de todos. Sim, estou dizendo que não vale a pena ter mente aberta com todo mundo. Em vez disso, foque em explorar ideias com as pessoas com mais credibilidade que conhecer.

Se estiver em um impasse, entre em acordo com a outra parte a respeito de uma terceira pessoa que ambos respeitem e a convoquem para mediar a discussão. É muito contraproducente ficar repetindo mentalmente o que está se passando, algo que a maioria costuma fazer, e desperdiçar tempo estendendo a discussão além do ponto em que os retornos começam a ser decrescentes. Quando isso acontecer, opte por uma forma mais produtiva de chegar a um entendimento mútuo, o que não é necessariamente a mesma coisa que um acordo. Vocês podem, por exemplo, concordar em discordar.

Por que, porém, desacordos respeitosos como esse acontecem tão pouco? Porque a maioria das pessoas instintivamente reluta em discordar. Por exemplo, se duas pessoas vão a um restaurante e uma diz que gosta da comida, a outra tem mais chances de dizer "também gosto" ou de ficar calada, ainda que não concorde. A relutância em discordar é quando o "eu inferior" se equivoca ao interpretar desacordo como conflito. Por essas e outras, ter a mente aberta ao extremo não é fácil — você precisa ensinar a si mesmo a debater sem despertar esse tipo de reação em si e no outro. Foi o que tive que aprender quando Bob, Giselle e Dan me contaram que eu fazia as pessoas se sentirem menosprezadas.

Uma das maiores tragédias da humanidade é se ater a opiniões erradas e tomar decisões ruins com base nisso em vez de optar por um desacordo respeitoso. Ter a capacidade de discordar respeitosamente levaria a processos decisórios muito melhores em todas as áreas — políticas públicas, política, medicina, ciência, filantropia, relações pessoais e várias outras.

3.4 Triangule sua opinião com pessoas confiáveis que estejam dispostas a discordar.

Ao questionar especialistas e promover encontros entre eles, ocasiões nas quais eu também tenho a oportunidade de fazer perguntas, fico mais culto e ao mesmo tempo aumento minhas chances de estar certo. Isso acontece principalmente quando os especialistas discordam de mim ou entre si. Pessoas inteligentes em desacordos respeitosos são os melhores professores, muito melhores do que aqueles que se postam diante do quadro-negro e proferem uma palestra. O conhecimento adquirido em geral me faz desenvolver princípios que serão refinados e futuramente aplicados em casos similares.

Quando os temas são simplesmente complexos demais para que eu tenha uma conclusão em tempo hábil, passo a tomada de decisões para pessoas mais confiáveis do que eu, sem deixar de ouvi-las em seu desacordo respeitoso. De modo geral, as pessoas agem no sentido oposto — preferem tomar as próprias decisões mesmo quando não estão qualificadas para fazer os juízos de valor necessários. Elas se curvam ao "eu inferior".

A triangulação das opiniões confiáveis pode causar impacto profundo na sua vida. No meu caso, fez uma diferença vital. Em junho de 2013, fui ao hospital da Universidade Johns Hopkins para um exame anual, em que me disseram que eu tinha uma condição pré-cancerosa chamada esôfago de Barrett com displasia de alto grau. Displasia é um estágio inicial do desenvolvimento de um tumor maligno; havia 15% de chances de que eu desenvolvesse um tipo fatal de câncer, o de esôfago. Se eu não começasse o tratamento, as chances eram de que eu desenvolvesse a doença entre três e cinco anos e morresse. O protocolo-padrão para casos como o meu era a remoção do esôfago, mas essa alternativa não se aplicava em virtude de uma particularidade da minha condição. O médico me aconselhou a esperar e ver como as coisas progrediriam.

Nas semanas seguintes, comecei a fazer planos para a minha morte, ao mesmo tempo que lutava para viver. Para mim é necessário:

a. Planejar o pior cenário e torná-lo o melhor possível. Ao saber do prognóstico, me considerei sortudo — tinha tempo suficiente para garantir que meus entes queridos ficassem bem quando eu partisse e para aproveitar a vida ao lado deles nos anos que ainda me restassem. Eu teria tempo para conhecer o meu primeiro neto, que havia acabado de nascer, mas não tempo o suficiente para me acostumar com a ideia de ter um neto.

Em vez de seguir prontamente de acordo com o que alegavam ser o melhor — mesmo que a alegação tenha vindo de um especialista —, optei por triangular as opiniões de pessoas confiáveis. Assim, fiz com que meu médico, dr. Glazer, marcasse encontros com quatro outros especialistas na doença.

A primeira reunião foi com a chefe de cirurgia torácica em um grande hospital oncológico. Ela explicou que minha condição havia avançado rapidamente e que, ao contrário do que o primeiro médico dissera, existia uma cirurgia capaz de me curar. Envolveria a remoção do esôfago e do estômago e a ligação dos intestinos com o pouco do esôfago que restasse. A médica estimou que havia 10% de chances de que eu morresse durante o procedimento e 70% de que eu ficasse com sequelas incapacitantes. Mas a chance de sobreviver era grande, de modo que valia a pena examinar a sério sua recomendação. Obviamente, quis que ela conversasse com o médico do Johns Hopkins que fez o diagnóstico inicial e que recomendou esperar para ver. Na mesma hora, telefonei para ele e apresentei a segunda opinião. O resultado foi revelador. Embora tivessem dito coisas completamente diferentes, ao conversarem, os dois especialistas procuraram minimizar a discordância e enfatizar a boa imagem do outro, priorizando a cortesia profissional em uma conversa sincera para chegar à melhor resposta. Mesmo assim, as diferenças nas opiniões eram claras, e ouvi-las aprofundou minha compreensão.

No dia seguinte, fui a um terceiro médico, um especialista de fama mundial e pesquisador de outro hospital reconhecido. Segundo ele, minha condição basicamente não causaria problema algum desde que eu fizesse uma endoscopia a cada três meses. Explicou que era como um câncer de pele, mas do lado de dentro — se fosse observado e se cada novo crescimento fosse extirpado antes de se espalhar pela corrente sanguínea, eu estaria bem. Segundo ele, os resultados para pacientes monitorados assim não eram diferentes dos daqueles que tiveram o esôfago removido. Em suma: eles não morriam de câncer. A vida seguia normalmente, exceto pelos ocasionais exames e pelos procedimentos.

Recapitulando: em 48 horas eu partira de uma provável sentença de morte para uma provável cura que envolveria a remoção de órgãos e, enfim, para uma saída levemente inconveniente na qual bastava observação periódica. Esse médico estava errado?

Dr. Glazer e eu fomos ver dois outros especialistas de primeira linha e ambos concordaram que realizar o procedimento investigativo não faria mal algum, então decidi ir em frente. A biópsia do esôfago foi para o laboratório e alguns dias depois, exatamente uma semana antes do meu aniversário de 64 anos, chegaram os resultados. Foram chocantes, para dizer o mínimo. Após a análise dos tecidos, viu-se que não havia qualquer displasia de alto grau.

Se até especialistas podem cometer enganos, abra sua mente para triangular com pessoas inteligentes. Se eu não tivesse ido em busca de outras opiniões, minha vida teria tomado um curso muito diferente. Agindo dessa maneira, creio que seja possível aumentar significativamente as chances de tomar as melhores decisões.

3.5 Fique atento aos sinais que indicam pessoas de mente aberta e de mente fechada.

Pessoas de mente aberta e pessoas de mente fechada agem de modo muito diferente, portanto é fácil distingui-las. Eis algumas pistas que revelam uma mente fechada:

1. **Pessoas de mente fechada** não querem que suas ideias sejam contestadas. Geralmente se frustram por não conseguirem fazer os outros concordarem, em vez de ficarem curiosas em saber o motivo pelo qual discordaram. Sentem-se mal em relação à possibilidade de não entender algo e estão mais interessadas em provar que estão certas do que em fazer perguntas e descobrir as perspectivas dos outros.
   Pessoas de mente aberta são mais curiosas sobre o motivo do desacordo. Não se irritam quando alguém discorda.

Compreendem que sempre existe a possibilidade de estarem erradas e que vale a pena gastar um pouco de tempo para considerar outras opiniões, garantindo assim que não estão deixando algo passar ou cometendo um erro.

2. **Pessoas de mente fechada** são propensas a fazer mais afirmações do que perguntas. Embora a credibilidade lhes dê o direito de fazer afirmações em certas circunstâncias, mesmo as mais confiáveis que conheço fazem sempre um monte de perguntas. Pessoas não confiáveis costumam me dizer que suas afirmações na verdade são perguntas implícitas, colocadas como afirmações pouco enfáticas. Por experiência própria, na maioria das vezes isso é mentira.
Pessoas de mente aberta acreditam genuinamente que podem estar enganadas; as perguntas que fazem são autênticas. Elas também avaliam a própria credibilidade para determinar se o seu papel primário deve ser o de aprendiz, o de professor ou de par.

3. **Pessoas de mente fechada** focam muito mais em serem compreendidas do que em compreender. Diante de uma discordância, costumam presumir prontamente que não estão sendo compreendidas em vez de considerar a possibilidade de que talvez elas mesmas não estejam dando ouvidos ao outro.
Pessoas de mente aberta sempre se sentem compelidas a ver as coisas pelos olhos dos outros.

4. **Pessoas de mente fechada** dizem coisas como "posso estar enganado, mas a minha opinião é a seguinte…". Isso é um sinal clássico que ouço o tempo inteiro. Com frequência, não passa de um gesto superficial, um subterfúgio que usam para o convencimento de que têm a mente aberta mesmo mantendo seus pontos de vista intactos. Se a sua declaração começa com "posso estar enganado" ou "não posso afirmar", provavelmente é melhor que se transforme em pergunta, e não em afirmação.
Pessoas de mente aberta sabem quando fazer afirmações e quando perguntar.

5. **Pessoas de mente fechada** impedem as outras de falar. Se parecer que alguém não está deixando espaço para você na conversa, possivelmente é porque ela está bloqueando o diálogo. Para contornar isso, estabeleça a "regra dos dois minutos".
Pessoas de mente aberta estão sempre mais interessadas em ouvir do que em falar; elas encorajam as outras a expor suas opiniões.

6. **Pessoas de mente fechada** têm dificuldade para manter dois pensamentos simultaneamente. A opinião delas ocupa todo o espaço do diálogo e não deixa brecha para a do interlocutor.
Pessoas de mente aberta podem acolher outras opiniões sem perder a capacidade de pensar por conta própria. Ou seja, são capazes de manter dois ou mais conceitos conflitantes dentro de um mesmo raciocínio e transitar entre eles para avaliar seus méritos.

7. **Pessoas de mente fechada** não são humildes. A humildade é algo que geralmente vem de uma experiência de fracasso e faz com que o indivíduo mantenha o foco em saber que pouco sabe.
Pessoas de mente aberta abordam todas as questões com um medo profundo de que possam estar erradas.

Assim que puder distinguir esses dois tipos de pessoa, você observará que é melhor ser do segundo tipo. A mente aberta não somente torna o processo decisório mais eficiente, como também resulta em grande aprendizado. Um grupo reduzido de tomadores de decisão trabalhando em conjunto pode ter um desempenho muito melhor do que um bom tomador de decisão atuando sozinho — e mesmo o melhor deles pode melhorar significativamente o seu processo decisório com a ajuda de outros excelentes.

3.6 Compreenda como é possível ter uma mente radicalmente aberta.

Mesmo que no momento você não se considere uma pessoa de mente aberta, isso é algo que se pode aprender. Para praticar:

a. Use a dor para fazer reflexões mais profundas. Quando uma ideia à qual estamos muito agarrados é desafiada, é natural que sintamos sofrimento. Isso é especialmente verdade quando o que está sendo apontado envolve uma fraqueza sua. Esse tipo de dor intelectual é uma pista de que você está potencialmente enganado e que precisa pensar no assunto de maneira qualitativa. Em primeiro lugar, mantenha a calma. Sei que pode ser difícil e que provavelmente você sentirá um aperto no crânio (é sua amídala esperneando), tensão no corpo ou uma crescente sensação de aborrecimento, fúria ou irritação. Fique atento ao surgimento desses indicadores de mente fechada e use-os como ponto de partida para controlar seu comportamento e buscar uma expansão do seu modo de pensar. Fazer isso com regularidade fortalecerá seu poder de manter o "eu superior" no comando. Quanto mais fizer isso, mais forte você ficará.

b. Faça da abertura de mente um hábito. A vida que levamos é o resultado dos hábitos que desenvolvemos. Se constantemente usamos sentimentos de raiva/frustração como sinais para nos acalmarmos, desacelerarmos e abordarmos o assunto em questão em profundidade, com o tempo teremos bem menos emoções negativas e passaremos diretamente para as práticas para abrir a mente que foram descritas.

É claro que no calor do momento isso pode ser meio difícil — as emoções do "eu inferior" são bastante poderosas. Mas a boa notícia é que esses "sequestros da amídala"[27] não duram muito, de modo que, mesmo que esteja com dificuldade de se controlar no momento, você também pode dar um tempo, abrindo mais espaço para que o "eu superior" reflita. Recorra também à ajuda de outras pessoas que você respeita.

c. Conheça seus pontos cegos. Quando você está com a mente fechada e forma uma opinião em uma área em que tem um ponto cego, isso pode ser fatal. Invista um tempinho para registrar as circunstâncias em que consistentemente tomou más decisões por não conseguir enxergar o que os outros viam. Peça às pessoas — sobretudo aquelas que captaram o que você deixou passar — que o ajudem nisso. Escreva uma lista, prenda-a na

---

27 O psicólogo e jornalista especializado em ciência Daniel Goleman cunhou esse termo em *Inteligência emocional*.

parede e observe. Se algum dia você estiver prestes a tomar uma decisão (especialmente uma importante) em uma dessas áreas sem consultar ninguém, compreenda que está assumindo um risco grande e que seria ilógico esperar pelos resultados que imagina.

d. Se várias pessoas confiáveis apontam um erro seu e você é o único que não acha que errou, presuma que provavelmente seu ponto de vista é tendencioso. Seja objetivo! Embora seja possível você estar certo e os outros errados, que tal trocar uma atitude combativa por uma postura questionadora? Compare sua credibilidade com a dos demais e, se necessário, concorde em trazer alguém neutro para romper o impasse.

e. Medite. Pratico meditação transcendental e creio que isso tenha fortalecido minha abertura mental, minha perspectiva distanciada, meu equilíbrio e minha criatividade. Ela ajuda a desacelerar o ritmo e permite que possamos agir com calma mesmo diante do caos, como um ninja em uma briga de rua. Não estou dizendo que você tem que meditar para desenvolver essa perspectiva, estou apenas relatando que a meditação ajudou a mim e a muitas outras pessoas, portanto recomendo que a opção seja considerada.

f. Baseie suas ações em evidências e encoraje os demais a fazer o mesmo. A maioria das pessoas não reflete a respeito dos fatos nem tira conclusões ponderando as evidências de forma objetiva. Em vez disso, as decisões são tomadas de acordo com os desejos inconscientes e só depois as evidências são filtradas de modo a torná-las consistentes com seus desejos. É possível ficar ciente desse processo inconsciente e flagrar-se ou ser flagrado enquanto percorre essa trilha. Quando estiver prestes a tomar uma decisão, pergunte-se: posso apontar os fatos evidentes (aqueles que pessoas confiáveis não contestariam) que fundamentam essa opinião? Caso não seja possível, é provável que você não esteja operando com base em evidências.

g. Faça tudo o que puder para abrir a mente de outras pessoas. Apresentar sua opinião de maneira calma e razoável ajudará a impedir que os outros deem respostas de luta ou fuga produzidas pela parte instintiva (amídala). Seja razoável e espere que os outros também sejam. Peça que apontem as evidências que sustentam seus pontos de vista. Lembre-se de que não se trata de uma discussão, mas de uma exploração franca em busca do que é certo. Pode ser útil demonstrar que você está absorvendo o que eles estão falando.

h. Use ferramentas decisórias baseadas em evidências. Esses princípios foram delineados para ajudar o leitor a controlar seu eu inferior/animal e a colocar no comando a parte superior do cérebro, mais evoluída, para tomar decisões.

E se fosse possível desligar totalmente essa parte inferior e, em seu lugar, conectar um sistema computadorizado de tomada de decisões que fornecesse instruções lógicas, algo semelhante aos nossos sistemas de investimentos? Suponha que essa máquina decisória tenha um histórico muito melhor do que o seu por ter um processamento de dados mais lógico, robusto e veloz, sendo capaz de tomar decisões sem qualquer sequestro emocional. Você a usaria? Ao enfrentar desafios ao longo da carreira, criei exatamente essas ferramentas e estou convencido de que sem elas eu nem de longe teria o sucesso que tive. Não tenho dúvidas de que nos próximos anos essas ferramentas de processamento tecnológico continuarão a se desenvolver e que as pessoas mais inteligentes aprenderão a integrá-las ao próprio cérebro. Recomendo que leia mais sobre elas e que considere seu uso.

i. Saiba o momento de parar de lutar e tenha fé no seu processo de tomada de decisão. É importante que você pense de maneira independente e lute por aquilo em que acredita, mas chega uma hora em que é mais sábio parar de lutar pela sua opinião e aceitar o que outras pessoas confiáveis acham que seja o melhor, ainda que possa ser extremamente difícil. A questão é que no fim das contas é mais inteligente e vantajoso crer que o consenso das pessoas com credibilidade é melhor do que a sua opinião, seja ela qual for. Se isso soar incompreensível, provavelmente você está cego para modos de pensar diferentes do seu. Se insiste em prosseguir com a sua opinião mesmo quando todas as evidências e todos os argumentos confiáveis estão contra, você está sendo perigosamente arrogante.

A verdade é que, embora a maioria das pessoas possa abrir a mente completamente, algumas não conseguem mesmo tendo sofrido repetidas vezes por apostarem que estavam certas quando não estavam.[28] Pessoas que não aprendem a abrir a mente de maneira radical não experimentam uma metamorfose que permite um melhor desempenho em tudo. Os fracassos, sobretudo o meu grande *crash* de 1982, me forçaram a aprender a ser humilde. Ter a mente aberta, no entanto, não significa perder a assertividade. Na verdade, como ela aumenta as chances de estar certo, supostamente também aumenta a confiança. Isso tem sido verdade para mim desde o *crash* e creio ter sido a razão pela qual alcancei muito sucesso correndo menos risco.

Leva tempo até se abrir a mente de verdade. Como todo aprendizado genuíno, trata-se em grande parte de uma questão de hábito; depois de repeti-lo muitas vezes, torna-se algo quase instintivo, e você achará intolerável agir de qualquer outra forma. Como apontei anteriormente, o processo leva cerca de um ano e meio, o que é nada no curso de uma vida.

VOCÊ ESTÁ PREPARADO PARA O DESAFIO?

Creio que exista apenas uma única grande escolha a ser tomada na vida: você está disposto a lutar para descobrir o que é certo? Acredita profundamente que descobrir isso é essencial para o seu bem-estar? Sente necessidade de descobrir se você e os outros estão fazendo algo de errado que os esteja impedindo de alcançar seus objetivos? Se a resposta para qualquer uma dessas perguntas for não, aceite que você jamais alcançará todo o seu potencial. Se, por outro lado, você estiver preparado para o desafio de ser mente aberta ao extremo, o primeiro passo a dar é olhar para si mesmo de maneira objetiva. No próximo capítulo, "Compreenda que os circuitos das pessoas são bem diferentes", você terá a oportunidade de fazer exatamente isso.

---

28 Parte disso pode ser resultado do que é chamado de efeito Dunning-Kruger, um viés cognitivo no qual indivíduos com baixa capacidade creem que na realidade são superiores.

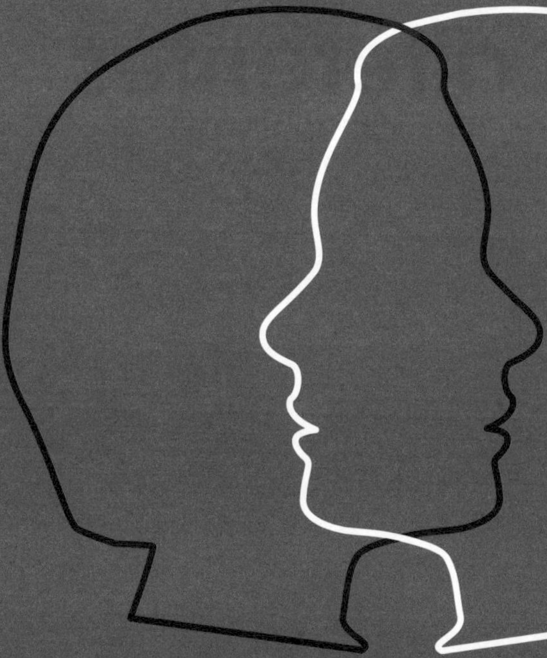

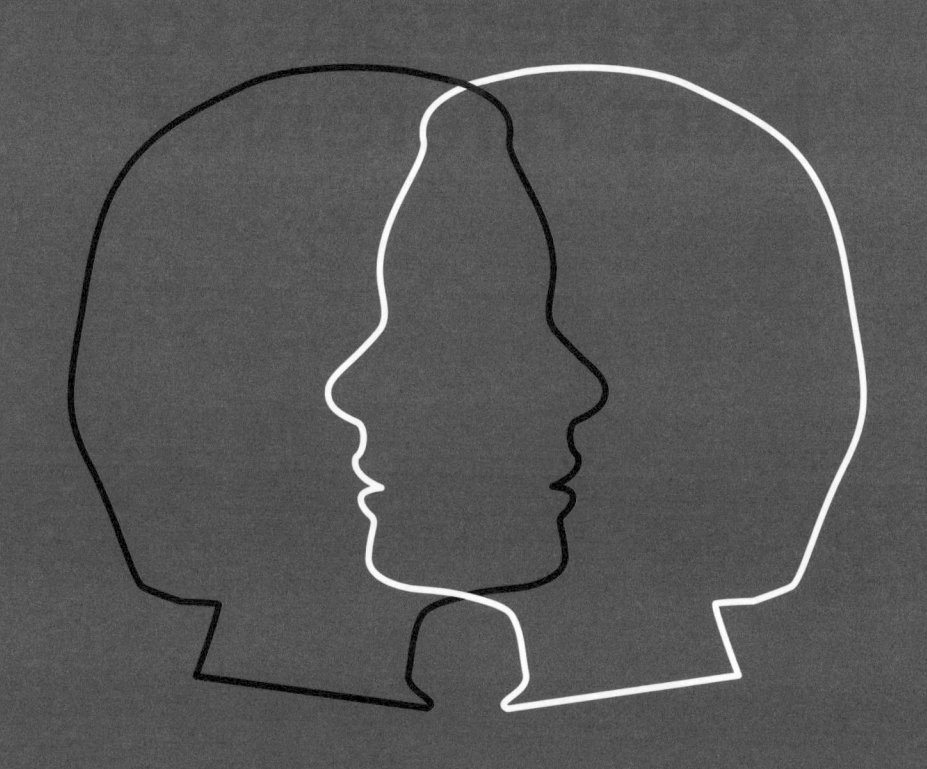

4 Compreenda que os circuitos das pessoas são bem diferentes

Devido às variações de circuitos em nosso cérebro, experimentamos a realidade de maneiras diferentes, e todas são essencialmente distorcidas. Isso é algo que precisamos reconhecer e com o qual saber lidar. Assim, se quiser saber o que é certo e o que fazer a respeito, é necessário que entenda seu próprio cérebro.

Esse insight me levou a conversar com muitos psicólogos, psiquiatras, neurocientistas, pesquisadores que aplicavam testes de personalidade e outras pessoas com credibilidade na área, além de me fazer ler muito a respeito. Descobri que, embora seja óbvio que todos nascemos com forças e fraquezas diferentes em áreas como bom senso, criatividade, memória, síntese, atenção aos detalhes etc., o exame objetivo dessas disparidades deixa desconfortável até mesmo a maioria dos cientistas. Nem por isso a necessidade de um exame objetivo é menor, então avancei com essas explorações por muitas décadas.

Em consequência, aprendi muito e creio que você também pode se beneficiar dessas informações. Na verdade, atribuo meu sucesso ao que aprendi sobre o cérebro tanto quanto sobre economia e investimentos. Neste capítulo, vou compartilhar algumas dessas coisas incríveis.

POR QUE ME INTERESSEI POR NEUROCIÊNCIA

Quando abri a Bridgewater, dois anos após sair da faculdade de administração, tive que gerenciar pessoas pela primeira vez. Inicialmente, achava que a contratação de indivíduos inteligentes — por exemplo, os melhores alunos das melhores faculdades — deveria me render funcionários capazes. No entanto, com muita frequência essas pessoas não se saíam bem. Candidatos com notas altas no histórico não correspondiam ao tipo de inteligência de que eu precisava.

Eu queria trabalhar com pensadores independentes, criativos, conceituais e com muito bom senso, mas era difícil encontrá-los, mesmo quando conseguia, eu ficava chocado com as diferentes maneiras do cérebro de cada um funcionar. Era como se falássemos línguas distintas. Por exemplo, aqueles que eram "conceituais" e imprecisos falavam uma língua, enquanto os literais e precisos falavam outra. Na época, atribuímos isso a "problemas de comunicação", mas as diferenças eram muito mais profundas — e dolorosas para todos, particularmente quando estávamos tentando conquistar grandes objetivos em equipe.

Lembro-me de um projeto de pesquisa desenvolvido há muitos anos, uma tentativa ambiciosa de sistematizar nossa compreensão global dos mercados de títulos de dívida. Bob Prince estava no comando, e, apesar de concordarmos conceitualmente sobre o que estávamos tentando fazer, o projeto não avançava. Tínhamos reuniões com Bob e sua equipe para chegar a um acordo sobre a meta e definir as estratégias de trabalho, mas, quando minha equipe colocava a mão na massa, não se via qualquer progresso. O problema era que as pessoas de raciocínio mais conceitual, que visualizavam de maneira vaga o que deveria ser feito, esperavam que as mais literais descobrissem sozinhas o que fazer. Quando não conseguiam, a turma mais conceitual achava que o pessoal literal não tinha imaginação, e os mais literais diziam que os conceituais viviam com a cabeça nas nuvens. Para piorar, ninguém sabia quem era quem — os mais literais achavam-se tão conceituais quanto os conceituais e vice-versa. Em resumo, ficávamos paralisados e todos achavam que a culpa era de outro — que as pessoas com quem estavam se chocando eram cegas, teimosas ou burras.

As reuniões eram momentos péssimos para todos. Como ninguém deixava claro no que era bom ou ruim, todos davam opiniões sobre tudo e não havia uma forma inteligente de filtrá-las. Passamos então a discutir os motivos pelos quais o grupo estava naufragando, e isso nos levou a ver que os membros da equipe de Bob refletiam suas fraquezas e forças. Embora essa percepção tenha exigido sinceridade e mente aberta e tenha sido um grande passo à frente, não foi convertida de modo sistemático nas modificações adequadas, de forma que as mesmas pessoas continuaram a cometer o mesmo tipo de erros repetidamente.

Não é óbvio que nossos diferentes modos de pensar, reações emocionais e dificuldade para lidar com isso estão nos incapacitando? O que fazer? Continuarmos parados?

Tenho certeza de que você já esteve em desacordos controversos antes — em que as pessoas têm diferentes pontos de vista e não chegam a um consenso sobre o que é certo. Boas pessoas com boas intenções começam a sentir raiva e agir de forma emocionada, o que, além de ser frustrante, frequentemente torna-se um embate de cunho pessoal. A maioria das empresas evita esse tipo de situação reprimindo o debate aberto e simplesmente faz com que as pessoas com maior autoridade tomem as decisões. Eu não queria esse tipo de empresa. Sabia que tínhamos que ir mais fundo no que nos impedia de trabalhar juntos de forma eficiente, trazer isso à tona e explorar essas questões.

Os cerca de 1.500 funcionários da Bridgewater fazem muitas coisas diferentes — alguns se esforçam para compreender os mercados globais; outros desenvolvem tecnologias; há os que atendem clientes, administram os planos de saúde, enquanto outros cuidam dos benefícios para os funcionários; há aqueles que fornecem assessoria jurídica e ainda os que gerenciam TI e instalações etc. Todas essas atividades exigem equipes heterogêneas que, em conjunto, colham as melhores ideias e descartem as piores. Organizar pessoas a fim de complementar suas forças e compensar suas fraquezas é como conduzir uma orquestra. Pode ser magnífico se bem feito e péssimo em caso contrário.

Ainda que "Conhece a ti mesmo" e "Sê fiel a ti mesmo" fossem preceitos fundamentais que eu havia ouvido muito antes de começar a examinar o cérebro, não tinha a menor ideia de como fazer para conseguir esse conhecimento, ou de como agir nesse sentido, até que fizemos essas descobertas sobre as diferentes maneiras de pensar. Quanto mais nos conhecemos, melhor podemos reconhecer o que pode ser mudado e como fazer isso, e também o que *não* pode ser mudado e o que fazer a esse respeito. Assim, independentemente daquilo a que você se propõe — sozinho, como membro de uma organização ou como seu diretor —, é necessário compreender como funcionam os seus circuitos e os das demais pessoas.

4.1 Compreenda o poder que vem de saber como funcionam os seus circuitos e os das demais pessoas.

Como relatei na primeira parte do livro, minha primeira grande descoberta em relação às diferentes formas de pensar se deu quando, ainda jovem, levei meus filhos para serem testados pela dra. Sue Quinlan. Achei os resultados notáveis, porque ela não apenas confirmou minhas próprias observações naquele tempo, como também previu de que modo eles se desenvolveriam. Por exemplo, um dos meus filhos tinha dificuldade com aritmética. Como tiveram bom desempenho no teste de raciocínio matemático, ela disse que se ele fosse capaz de superar o tédio da memorização exigida no ensino fundamental, iria adorar os conceitos mais elaborados que viriam mais à frente. Esses insights abriram meus olhos. Anos mais tarde, quando tentava compreender os diferentes estilos de pensar dos meus funcionários e colegas, busquei a ajuda de Sue e de outros profissionais da área.

Inicialmente, os especialistas deram bons e maus conselhos. Muitos pareciam estar mais interessados em fazer com que as pessoas se sentissem bem (ou não se sentissem mal) do que em chegar à verdade. Ainda mais surpreendente, vi que a maioria dos psicólogos não tinha muito conhecimento sobre neurociência e a maioria dos neurocientistas não tinha muito conhecimento sobre psicologia — e todos relutavam em conectar as diferenças fisiológicas de cada cérebro às diferentes aptidões e comportamentos. Por fim, encontrei o dr. Bob Eichinger, que me introduziu no mundo dos testes psicométricos. Utilizando algumas avaliações, entre elas a Tipologia de Myers-Briggs, desenvolvemos um modo muito mais claro e baseado em dados para compreender as diferentes formas de pensar.

Nossas diferenças não eram fruto de má comunicação, mas o oposto: nossas maneiras diferentes de pensar levavam à má comunicação.

A partir das conversas com especialistas e das minhas próprias observações, aprendi que muitas das nossas diferenças mentais são fisiológicas. Assim como nossos atributos físicos determinam os limites do que somos capazes de fazer — pessoas altas, baixas, musculosas, magras —, os cérebros são naturalmente diferentes, e essas diferenças definem os parâmetros da nossa capacidade mental. Da mesma forma que nossos corpos, algumas partes dos nossos cérebros não podem ser afetadas por experiências externas (o esqueleto não muda muito com exercícios físicos), enquanto outras podem ser fortalecidas (mais adiante no capítulo, vou me estender a respeito da plasticidade do cérebro).

Esse aprendizado veio da luta de três anos do meu filho Paul contra o transtorno bipolar. Compreendi que seu comportamento assustador e frustrante se devia à química do cérebro (especificamente, a secreção inconstante de serotonina e dopamina). Ao acompanhá-lo nessa terrível jornada, passei pela frustração e pela raiva de tentar argumentar com alguém que não raciocinava corretamente. O tempo todo eu precisava lembrar a mim mesmo que minha raiva não tinha propósito porque a lógica distorcida dele tinha origem fisiológica — e pude ver como a abordagem correta de alguns médicos o devolveram ao estado de clareza cristalina. A experiência não apenas me ensinou muito sobre como o cérebro funciona, mas também por que o gênio criativo quase sempre existe na fronteira da insanidade. Muita gente altamente produtiva e criativa sofreu de transtorno bipolar: Ernest Hemingway, Beethoven, Virginia Woolf, Winston Churchill e a psicóloga Kay Redfield Jamison (que escreveu um relato franco da própria experiência com a doença no livro *Uma mente inquieta*). Aprendi que todos somos singulares em virtude das diferentes maneiras com que nossa máquina cerebral funciona — e que praticamente um a cada cinco americanos tem algum tipo de transtorno mental.

Ao compreender que é tudo fisiológico, muitas coisas ficaram mais claras para mim. Antes eu costumava ficar irritado e frustrado com as escolhas das pessoas, mas passei a perceber que elas não estavam sendo contraproducentes de propósito; apenas agiam de acordo com seu modo de raciocinar, com base no funcionamento do próprio cérebro. Também me dei conta de que, por mais erradas que me parecessem, elas pensavam o mesmo de mim. Para entender a realidade de forma objetiva, a única maneira sensata de se comportar é olharmos uns para os outros com sensatez e compreensão mútua. Isso não apenas tornou menos frustrantes os desacordos em nossa equipe, como também permitiu que maximizássemos nossa eficácia.

Todo indivíduo é como um conjunto de atributos feito de pecinhas de Lego, em que cada uma delas reflete os mecanismos de uma parte diferente do cérebro. Todas essas peças se juntam para determinar quem é o indivíduo, e compreender isso com clareza pode nos dar uma boa noção do que esperar do outro.

a. Nascemos com atributos que podem nos ajudar ou atrapalhar, dependendo de sua aplicação. De modo geral, os atributos são como uma faca de dois gumes que traz tanto benefícios quanto danos potenciais. Quanto mais extremo o atributo, maiores as chances de que os resultados bons ou ruins sejam também extremos. Por exemplo, uma pessoa altamente criativa, com foco em objetivos e boa em ter novas ideias, pode subestimar as peculiaridades do cotidiano, que também são importantes; ela pode estar tão focada nos objetivos de longo prazo que talvez sinta desprezo por quem centra a atenção nos detalhes da vida diária. De maneira parecida, uma pessoa que prioriza as tarefas e é ótima com os detalhes pode subestimar a criatividade — e, ainda pior, reprimi-la em nome da eficiência. Essas duas pessoas podem formar uma ótima equipe, mas provavelmente terão dificuldade para tirar vantagem das formas em que são complementares — o funcionamento do cérebro de cada uma dificulta a compreensão do valor do modo de pensar da outra.

Criar expectativas em relação a pessoas (incluindo a si mesmo) sem saber como elas são é garantia de problemas no futuro. Aprendi isso da maneira mais difícil, com anos de conversas frustrantes e a dor de esperar determinados resultados de pessoas que jamais os produziriam. Tenho certeza de que a frustração era recíproca. Com o tempo, percebi que precisava de uma abordagem sistemática para capturar e registrar nossas diferenças, a fim de que fosse possível considerá-las na hora de designar pessoas a diferentes funções na Bridgewater.

Isso me levou a uma das minhas mais valiosas ferramentas de administração: as Cartas de Estatísticas de Desempenho mencionadas na primeira parte do livro. Assim como os jogos infantis reúnem em cada carta os dados relevantes sobre tal item do conjunto, concluí que haveria um benefício similar se cada associado da Bridgewater tivesse a sua.

Ao criar os atributos para nossas cartas, utilizei uma combinação de adjetivos que já usávamos para descrever pessoas, como "conceitual", "confiável", "criativo" e "determinado"; as ações que os indivíduos praticavam ou não, como "cobrar as responsabilidades dos outros" e "avançar com determinação até os resultados"; e também alguns termos extraídos dos testes de personalidade, como "extrovertido" ou "crítico". Após estabelecer o padrão das cartas, criei um processo para que as pessoas avaliassem umas às outras, fazendo com que quem tivesse nota mais alta em um dos aspectos (por exemplo, "criatividade") ganhasse mais peso nas avaliações de outras pessoas nessa dimensão. Indivíduos com históricos comprovados em determinada área ganhariam mais credibilidade, ou peso no processo decisório, dentro dela. Com o registro dessas qualidades, quem nunca tivesse trabalhado com tal pessoa poderia saber o que esperar dela. À medida que houvesse evoluções, as notas dos associados seriam alteradas. Se permanecessem do mesmo modo, nossa certeza do que esperar delas aumentava.

Naturalmente, as pessoas ficaram céticas ou com medo quando introduzi essa ferramenta, por várias razões. Algumas tinham receio de que as cartas fossem imprecisas; outras pensavam que seria desconfortável ter suas fraquezas tão expostas ou que isso levaria a serem compartimentalizadas, inibindo seu crescimento dentro da empresa; outras, ainda, achavam que seria complexo demais para ter efeito prático. Imagine como você se sentiria se fosse obrigado a graduar todos os seus colegas em quesitos como criatividade, determinação ou confiabilidade. A maioria no começo achou a possibilidade assustadora.

Ainda assim, eu sabia que precisávamos ser radicalmente abertos no registro e na consideração das características dos associados, ressaltando que as preocupações deles seriam eliminadas se lidássemos com o processo com sensatez. Hoje, a maioria das pessoas na Bridgewater acha as Cartas de Estatísticas de Desempenho uma ferramenta fundamental. Com elas construímos uma coleção de outras ferramentas, que serão descritas em "Princípios de Trabalho", para apoiar nosso esforço de entender as pessoas e seus níveis de credibilidade em cada aspecto.

Nossa operação singular e a valiosa coleção de dados fizeram com que chamássemos a atenção de alguns pesquisadores e psicólogos do trabalho de renome mundial. Bob Kegan, de Harvard, Adam Grant, da Wharton School, e Ed Hess, da Universidade da Virgínia, escreveram longamente sobre nós e aprendi muito com eles. Essa nunca fora minha intenção, mas o processo de descoberta por tentativa e erro que desenvolvi nos colocou na vanguarda do pensamento acadêmico sobre desenvolvimento pessoal dentro de organizações. Como Kegan escreveu em seu livro, *An Everyone Culture*:

> *[...] da experiência individual de questionar a cada entrevista para acompanhamento das atividades, aos processos integrados tecnologicamente para discutir questões e as Cartas de Estatísticas de Desempenho, às práticas disseminadas em toda a companhia de exames e atualizações diárias, a Bridgewater construiu um ecossistema para apoiar o desenvolvimento pessoal. Ele ajuda todos na empresa a confrontarem a verdade a respeito de cada um.*

Nossa jornada de descoberta coincidiu com uma época incrivelmente fértil na neurociência. Graças aos rápidos avanços nos exames de imagens do cérebro e à capacidade de reunir e processar grandes volumes de dados, nossa compreensão acelerou drasticamente. Como é o caso de todas as ciências às vésperas de grandes avanços, tenho certeza de que muito do que hoje se pensa ser verdade em pouco tempo será radicalmente aperfeiçoado. Mesmo assim, sei que é incrivelmente maravilhoso e útil compreender como funciona a máquina de pensar situada entre nossas orelhas.

Eis aqui parte do que aprendi:

O cérebro é mais complexo do que podemos imaginar. Ele tem cerca de 89 bilhões de microcomputadores (chamados neurônios) conectados entre si por meio de muitos trilhões de "fios" chamados axônios e sinapses químicas. Como David Eagleman descreve em seu fantástico livro *Incógnito — As vidas secretas do cérebro*:

> *Nosso cérebro é construído com células chamadas neurônios e glia — centenas de bilhões delas. Cada uma é complexa como uma cidade... As células [neurônios] estão conectadas em uma rede de complexidade tão impressionante que leva à falência a língua humana e precisa de novas variedades de matemática. Um neurônio típico tem cerca de dez mil conexões com os neurônios vizinhos. Dado que são bilhões de neurônios, isso significa que, em um único centímetro cúbico de tecido cerebral, existem tantas conexões quanto estrelas na Via Láctea.*

Quando nascemos, nossos cérebros estão pré-programados com aprendizado acumulado durante centenas de milhões de anos. Por exemplo, pesquisadores da Universidade da Virgínia mostraram que, embora muita gente tenha medo instintivo de cobras, ninguém tem medo instintivo de flores. Os cérebros com os quais nascemos aprenderam que cobras são perigosas e flores, não. Há um motivo para isso.

Existe um design geral para os cérebros de todos os mamíferos, peixes, pássaros, anfíbios e répteis que foi estabelecido há quase trezentos milhões de anos e que vem evoluindo desde então. Assim como carros evoluíram para diferentes versões — sedãs, SUVs, esportivos etc. —, mas contam com muitas partes iguais por baixo do capô, o cérebro de todos os vertebrados têm partes similares com funções similares, mas que são adaptadas às necessidades de sua espécie particular. Por exemplo, pássaros têm lobos occipitais superiores, porque precisam detectar presas (e predadores) de grandes alturas. Embora pensemos em nós, humanos, como superiores no âmbito geral ao supervalorizarmos a importância das nossas vantagens, outras espécies teriam motivos para fazer o mesmo julgamento — pássaros por voo, visão e navegação magnética instintiva; a maioria dos animais por olfato; e várias por ato sexual que parece particularmente agradável.

Esse "cérebro universal" se desenvolveu de baixo para cima, no sentido de que evolutivamente as partes inferiores são mais velhas do que as superiores. O tronco cerebral controla os processos inconscientes que

ANTERIOR

POSTERIOR

NEOCÓRTEX

- SENSÓRIO
- MOTOR
- NÚCLEOS DA BASE
- LOBO FRONTAL (PLANEJAMENTO)
- ÁREA DORSOLATERAL (EXECUTIVO + LÓGICO)
- CÓRTEX PRÉ-FRONTAL
- ÁREA ORBITOFRONTAL (RESPOSTA SOCIAL/ EMOCIONAL APROPRIADA)
- LOBO PARIETAL (MOVIMENTO)
- LOBO OCCIPITAL (VISÃO)
- CORPO CALOSO
- LOBO TEMPORAL (LINGUAGEM)
- CEREBELO (MOVIMENTO COORDENADO)
- TRONCO CEREBRAL (FUNÇÕES BÁSICAS DO CORPO)

SISTEMA LÍMBICO

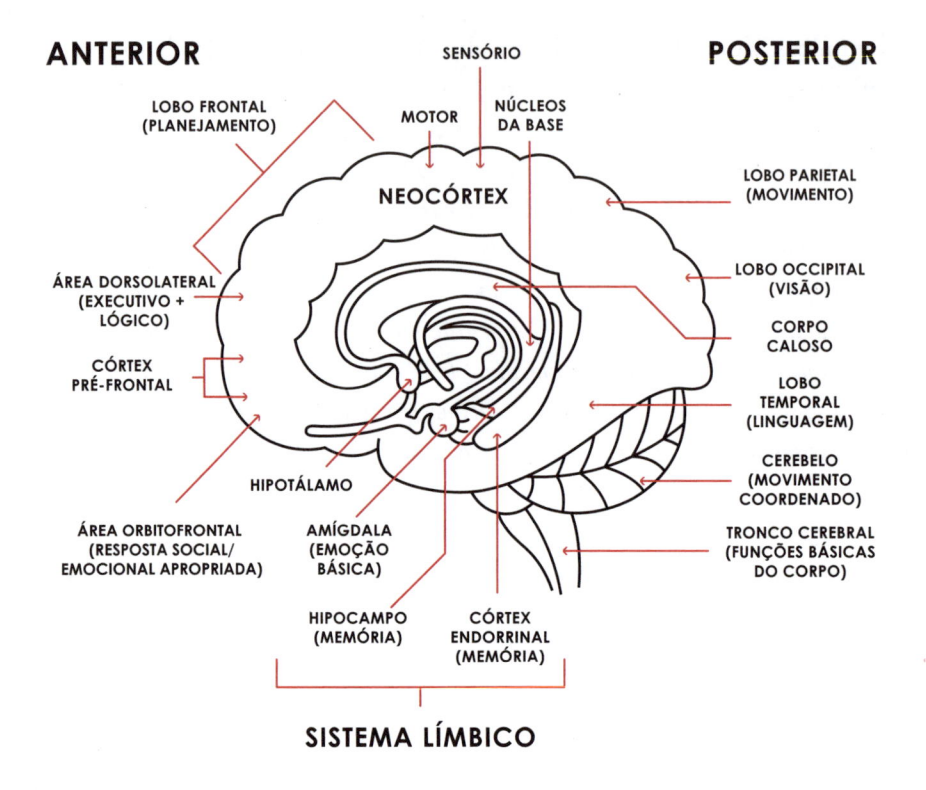

- HIPOTÁLAMO
- AMÍGDALA (EMOÇÃO BÁSICA)
- HIPOCAMPO (MEMÓRIA)
- CÓRTEX ENDORRINAL (MEMÓRIA)

mantêm a nossa e as demais espécies vivas — batimentos do coração, respiração, sistema nervoso e nosso grau de excitação e vigília. A camada logo acima, o cerebelo, nos dá a capacidade de controlar os movimentos dos membros ao coordenar os *inputs* sensoriais com os músculos. Então vem o cérebro, que inclui os núcleos da base (que controlam os hábitos), outras partes do sistema límbico (que controla reações emocionais e alguns movimentos) e o córtex cerebral (que é onde nossas lembranças, pensamentos e consciência residem). A mais recente e avançada parte do córtex, aquela massa enrugada de matéria cinza que parece um pedaço do intestino, é chamada de neocórtex, de onde vêm aprendizado, planejamento, imaginação e outros pensamentos de nível superior. Sua proporção na matéria cinza do cérebro é muito maior do que a encontrada no cérebro de outras espécies.

4.2 Trabalho e relações relevantes não são apenas coisas legais que escolhemos para a nossa vida, mas aspectos geneticamente programados em nós.

Neurocientistas, psicólogos e evolucionistas concordam que o cérebro humano vem pré-programado para sentir necessidade de cooperação social, bem como o prazer resultante dela. Nossos cérebros desejam isso e se desenvolvem melhor quando a temos. As relações relevantes que obtemos de cooperação social nos deixam mais felizes, sadios e produtivos, e é essencial para o trabalho eficiente. É uma das características definidoras de ser humano.[29]

Leonard Mlodinow, em seu excelente livro *Subliminar — Como o inconsciente influencia nossas vidas*, escreve: "Geralmente presumimos que o que nos distingue [de outras espécies] é o QI. Mas nosso QI social é que deveria ser a principal qualidade a nos diferenciar." Ele destaca que os humanos têm uma capacidade única de compreender como outras pessoas são e como provavelmente se comportarão. O cérebro vem programado para desenvolver essa capacidade; aos quatro anos a maioria das crianças é capaz de interpretar os estados mentais das outras. Esse tipo de compreensão e cooperação humanas é o que nos torna tão realizados como espécie. Como Mlodinow explica:

> *Construir um carro, por exemplo, exige a participação de milhares de pessoas com várias aptidões, em vários lugares, executando várias tarefas. Metais como o ferro têm que ser extraídos da terra e processados; vidro, borracha e plástico têm que ser criados e posteriormente moldados a partir de inúmeros precursores químicos; baterias, radiadores e*

---

[29] Inúmeros dados mostram que as relações são a maior recompensa — que são mais importantes para a saúde e a felicidade do que qualquer outra coisa. Por exemplo, como coloca Robert Waldinger, diretor do estudo Grant e Glueck, sobre homens adultos de diversos contextos socioeconômicos, conduzido por Harvard durante 75 anos: "Você pode ter todo o dinheiro que algum dia já quis, uma carreira de sucesso e estar em boa forma física, mas sem relações amorosas não será feliz... A boa vida é constituída com boas relações."

incontáveis outras peças têm que ser produzidos; sistemas eletrônicos e mecânicos têm que ser projetados; e tudo precisa ser reunido em uma fábrica e coordenado a partir de diversos núcleos para que o carro possa ser montado. Hoje, mesmo o café e o pão que você pode consumir de manhã enquanto vai para o trabalho resultam de atividades de pessoas em todo o mundo.

Em seu livro *O sentido da vida humana*, Edward O. Wilson, vencedor do prêmio Pulitzer, conclui que entre um e dois milhões de anos atrás, quando nossos ancestrais estavam em algum ponto entre os chimpanzés e o *Homo sapiens* moderno, o cérebro se desenvolveu de modo a apoiar a cooperação, a fim de que o homem pudesse caçar e fazer outras atividades. Isso fez com que os centros de memória e raciocínio no córtex pré-frontal se desenvolvessem mais do que os de nossos parentes primatas. À medida que os grupos se tornaram mais poderosos que os indivíduos e nossos cérebros se desenvolveram de modo a tornar grupos grandes administráveis, a competição entre grupos se tornou mais importante do que a competição individual. Aqueles com indivíduos mais cooperativos se saíram melhor do que os outros. Essa evolução conduziu ao desenvolvimento do altruísmo, da moralidade, da consciência e da honra. Wilson explica que o homem está perpetuamente suspenso entre as duas forças extremas que nos criaram: "Seleção individual [que] induzia ao pecado e seleção grupal [que] promovia a virtude."

Qual dessas forças (interesse próprio ou coletivo) vence dentro de uma organização é uma decorrência da cultura ali implantada, que por sua vez é uma decorrência das pessoas que a formataram. Está claro, no entanto, que a melhor abordagem é a do interesse coletivo, não apenas para a organização, como também para os indivíduos que a constituem. Como explicarei em "Princípios de Trabalho", as recompensas de trabalhar em equipe para fazer o bolo crescer são maiores do que as recompensas do interesse próprio não somente em termos do tamanho da fatia que será servida para cada um, mas também em relação às recompensas psíquicas que serão impressas em nossos circuitos cerebrais, nos deixando mais felizes e sadios.

Ao saber como o cérebro evoluiu até aqui, podemos extrapolar e imaginar para onde ele vai. Sua evolução claramente foi do ponto sem raciocínio até a capacidade de ser autocentrado, daí para ser mais abstrato e, por fim, ter um foco mais universal. Por exemplo, a evolução cerebral que descrevi nos deu (a alguns mais do que a outros) a capacidade de ver a nós mesmos e nossas circunstâncias a partir de uma perspectiva distanciada e holística, e, em alguns casos, a valorizar o todo do qual fazemos parte mais do que a nós mesmos.

Alguns anos atrás tive uma conversa com o Dalai Lama, na qual expliquei a ele a visão da neurociência contemporânea de que todos os nossos pensamentos e sentimentos se devem à fisiologia (em outras palavras, são os elementos químicos, a corrente elétrica e a biologia dos cérebros funcionando como uma máquina). Isso implicava que a espiritualidade se deve a esses mecanismos fisiológicos, e não a algo superior. Assim, perguntei o que ele achava. Sem hesitar, o Dalai respondeu "Com certeza!", me disse que no dia seguinte iria se encontrar com um professor de neurociência da Universidade de Wisconsin que o ajudara a aprender sobre isso e perguntou se eu não gostaria de ir junto. Infelizmente, eu não podia, mas recomendei-lhe um livro sobre o assunto chamado *O cérebro espiritual: uma explicação neurocientífica para a existência da alma* (que da mesma forma recomendo ao leitor). Em nossa conversa, também discutimos semelhanças e diferenças entre espiritualidade e religião. Sua visão era a de que oração e meditação pareciam ter efeitos similares no cérebro ao produzir uma sensação de espiritualidade (a ascensão acima da consciência que permite uma conexão maior com o todo), mas que cada religião acrescenta diferentes superstições em cima desse sentimento comum de espiritualidade. Em vez de tentar resumir aqui a minha versão do pensamento do Dalai Lama, vou recomendar seu livro *Além de religião — Uma ética por um mundo sem fronteiras*, caso esteja interessado em aprender mais.

Ao imaginar como será o futuro do nosso pensamento, é interessante também considerar como o próprio homem pode alterar o funcionamento do cérebro. Certamente estamos fazendo isso com o uso de medicamentos e tecnologia. Face aos avanços na engenharia genética, é razoável esperar que algum dia engenheiros genéticos possam misturar e combinar características dos cérebros de diferentes espécies com diferentes propósitos — digamos que, se você quiser ter uma visão apurada, talvez seja possível manipular o cérebro humano para que desenvolva lobos ópticos mais parecidos com os dos pássaros. Como essas hipóteses não se realizarão em um futuro próximo, voltemos à questão prática de como tudo isso pode nos ajudar a lidar melhor conosco e com os outros.

4.3 Compreenda as grandes batalhas do cérebro e aprenda a ter controle sobre elas para conseguir o que "você" quer.

As seções a seguir exploram as diferentes maneiras com as quais o seu cérebro luta para controlar "você". Embora eu faça referência a partes específicas do cérebro que os neurofisiologistas acreditam serem responsáveis por determinado tipo de pensamento ou emoção, a verdadeira fisiologia é bem mais complexa e os cientistas estão apenas começando a compreendê-la.

a. Perceba que a mente consciente está em uma batalha com o inconsciente. Já introduzi o conceito dos "dois eus" e expliquei como o seu eu superior pode olhar de uma perspectiva elevada para o eu inferior a fim de garantir que ele não esteja sabotando os planos racionais. Apesar de ver com frequência esses eus em ação dentro de mim e das outras pessoas, só quando aprendi por que eles existem é que realmente os compreendi.

Como no caso dos animais, boa parte dos fatores que conduzem nosso processo decisório fica abaixo da superfície. Um animal não "decide" voar, caçar, dormir ou lutar do mesmo modo como os seres humanos agem em relação às escolhas — os animais simplesmente seguem instruções dadas pelas partes inconscientes do cérebro. Esses mesmos tipos de sinais chegam até nós vindos das mesmas partes do cérebro, às vezes por bons motivos evolucionários e às vezes para nosso próprio prejuízo. Nossos temores e desejos inconscientes guiam nossas motivações e ações por meio de emoções como amor, medo e inspiração. É fisiológico. O amor, por exemplo, é um coquetel de elementos químicos (como a oxitocina) secretados pela glândula pituitária.

Embora sempre tivesse presumido que a conversação lógica fosse a melhor maneira de chegar ao consenso entre humanos, esse novo conhecimento a respeito do cérebro me fez entender que grandes partes dele não agem de acordo com a lógica. Por exemplo, aprendi que quando as pessoas se referem a seus "sentimentos" — como quando dizem "acho que você foi injusto comigo" — em geral estão fazendo menção a mensagens que se originaram nas partes emocionais e inconscientes do cérebro. Também passei a entender que, embora algumas partes inconscientes sejam perigosamente animalescas, outras são mais inteligentes e rápidas do que nossas mentes conscientes. Nossos grandes momentos de inspiração com frequência "brotam" do inconsciente. Temos esses estalos criativos quando estamos relaxados e sem fazer esforço para acessar a parte do cérebro em que eles residem, geralmente o neocórtex. Quando dizemos "acabei de ter uma ideia", é nossa mente percebendo que o inconsciente passou alguma mensagem à consciência. Com treinamento, é possível abrir esse fluxo de comunicação.

Muita gente enxerga apenas a mente consciente e não tem conhecimento dos benefícios de conectá-la ao inconsciente. Acreditam que serão mais realizadas à medida que entulharem mais informações na mente consciente para fazê-la trabalhar mais. A questão é que frequentemente isso é contraproducente. Apesar de parecer contraintuitivo, esvaziar a cabeça pode ser a melhor maneira de avançar.

Agora entendo por que a criatividade vem a mim quando relaxo (durante o banho, por exemplo) e como a meditação ajuda a permitir essa conexão. Por ser um processo fisiológico, posso sentir os pensamentos vindo a mim de outra parte e fluindo para a mente consciente. É um barato compreender como isso funciona.

É preciso, no entanto, fazer uma advertência: quando pensamentos e instruções me vêm do inconsciente, em vez de responder de imediato, adquiri o hábito de examiná-los com a mente consciente. Descobri que, além de me ajudar a entender quais pensamentos são válidos e por que estou reagindo a eles de determinada maneira, fazer isso estabelece maior comunicação entre as duas partes da mente. É útil registrar os resultados desse processo. Na realidade, foi assim que meus *Princípios* surgiram.

Se for extrair apenas uma coisa deste capítulo, a dica é: conecte-se com seu inconsciente. Esteja ciente de como ele pode prejudicá-lo e também ajudá-lo, e de como, talvez contando com a ajuda de outros, você pode ser mais feliz e eficiente, por meio da reflexão racional do que é criado por ele.

b. Saiba que a luta mais constante é entre sentimento e pensamento. Não existem batalhas maiores do que aquelas travadas por nossos sentimentos (controlados principalmente pela amídala, que opera de forma inconsciente) e nosso pensamento racional (controlado principalmente pelo córtex pré-frontal, que opera de forma consciente). Se compreender como essas batalhas ocorrem, você entenderá também por que é tão importante conciliar o que tira do inconsciente com o que tira da mente consciente.

Essa maldita amídala, que é uma pequena estrutura em formato de amêndoa localizada no fundo do cérebro, é uma das partes mais poderosas que o constituem. Ela controla nosso comportamento mesmo que a gente não se dê conta disso. Como assim? Quando algo nos contraria — e esse algo pode ser um som, uma visão ou apenas uma intuição —, a amídala avisa o corpo para dar uma resposta de luta ou fuga — o batimento do coração e a respiração aceleram, a pressão arterial aumenta. Durante uma discussão, você frequentemente nota uma reação física semelhante à reação que temos diante do medo (batimento acelerado e músculos tensos). Tendo noção disso, sua mente consciente (córtex pré-frontal) pode se recusar a obedecer a essas instruções. Em geral, esses sequestros da amídala surgem e desaparecem depressa, exceto em raros casos, como quando alguém desenvolve um transtorno de estresse pós-traumático em decorrência de algum evento particularmente horrível. Ao compreender a dinâmica desses sequestros, você passa a entender que, caso se permita uma resposta espontânea, estará propenso a uma reação desmesurada. Também pode ser um consolo saber que, qualquer que seja a dor psicológica do momento, em pouco tempo ela terá passado.

c. Concilie seus sentimentos e pensamentos. A vida é uma batalha sem fim entre essas duas partes do cérebro. Enquanto as reações da amídala vêm em jorros e diminuem, as do córtex pré-frontal são mais graduais e constantes. A maior diferença entre pessoas que conduzem a própria evolução pessoal e atingem seus objetivos e aquelas que fracassam é que as primeiras refletem sobre os motivos que provocam seus sequestros da amídala.

d. Escolha bem seus hábitos. O hábito é provavelmente o mais poderoso instrumento da caixa de ferramentas do cérebro. Ele é guiado por um conjunto de tecidos do tamanho de uma bola de golfe chamados de núcleos da base. É tão enraizado e instintivo que não temos consciência dele, apesar de controlar nossas ações.

Se você fizer praticamente qualquer coisa com frequência e por tempo suficiente, criará um hábito que o controlará. Bons hábitos são aqueles que obedecem ao seu "eu superior". Os maus, como se pode supor, são controlados pelo "eu inferior" e atrapalham a conquista daquilo que o primeiro eu deseja. Se entender como essa parte do cérebro funciona, você pode criar um melhor conjunto de hábitos. Por exemplo, desenvolver um hábito que o fará "precisar" se exercitar na academia.

Desenvolver essa habilidade exige algum esforço. O primeiro passo é reconhecer como os hábitos são criados. Hábito é essencialmente inércia, uma forte tendência de continuar fazendo o que você vinha fazendo (ou não fazer o que não vinha fazendo). Pesquisas sugerem que, se um comportamento for mantido por cerca de um ano e meio, há uma forte tendência a não o abandonar jamais.

Durante um bom tempo, não gostei da extensão em que os hábitos controlam o comportamento. Via isso na Bridgewater na forma de pessoas que concordavam abstratamente com nossos Princípios de Trabalho, mas que tinham problemas em segui-los; também observava em amigos e parentes que queriam conquistar algo, mas que constantemente se descobriam trabalhando contra os próprios interesses.

Foi quando o best-seller de Charles Duhigg *O poder do hábito* realmente abriu meus olhos. Recomendo a leitura se o seu interesse no assunto for além do material que apresento aqui. A principal ideia de Duhigg é o papel do "ciclo de hábito" de três etapas. A primeira delas é um sinal — algum "gatilho que manda seu cérebro entrar no modo automático e determina qual hábito usar". A segunda é a rotina, "que pode ser física, mental ou emocional". Finalmente, há uma recompensa, que ajuda seu cérebro a determinar se esse ciclo específico "vale ser lembrado no futuro". A repetição reforça esse ciclo até que, com o tempo, se torna automática. Essa dinâmica de expectativa e desejo é a chave do que os adestradores de animais chamam de condicionamento operante, um método de treinamento que emprega o reforço positivo. Por exemplo, para adestrar cães é usado um som (em geral

CÉREBRO ESQUERDO	CÉREBRO DIREITO
LÓGICO	EMOCIONAL
ORIENTAÇÃO PARA MATEMÁTICA E CIÊNCIA	ARTÍSTICO E CRIATIVO
PREDOMÍNIO DO REALISMO	PREDOMÍNIO DA IMAGINAÇÃO
PLANEJADO E SISTEMÁTICO	OCASIONALMENTE DISTRAÍDO
PREFERE NÃO FICÇÃO	PREFERE FICÇÃO
FOCO EM FATOS	APRECIA NARRATIVAS CRIATIVAS

um *clicker*) que estimula determinado comportamento associado a ele a uma recompensa agradável (em geral comida). Em humanos, afirma Duhigg, as recompensas podem ser praticamente qualquer coisa, indo "de comida ou drogas que causam sensações físicas até retornos emocionais, como os sentimentos de orgulho que acompanham elogios ou autocongratulação".

Os hábitos colocam o cérebro no "piloto automático". Em termos neurocientíficos, o comando passa do córtex para os núcleos da base para que você possa executar atividades sem nem pensar nelas.

O livro de Duhigg me ensinou que, se você realmente quer mudar, a melhor coisa a fazer é escolher quais hábitos adquirir e quais descartar e, então, pôr mãos à obra. Recomendo que você liste os seus três piores hábitos neste exato segundo. Feito isso, pegue um desses hábitos e assuma o compromisso de quebrá-lo. Você consegue? Isso causaria um impacto extraordinário. Se quebrar os três, melhorará radicalmente a trajetória da sua vida. Ou pode escolher hábitos que queira adquirir e correr atrás deles.

No meu caso, o hábito mais valioso que adquiri foi aprender a usar a dor como gatilho para refletir profundamente. Se puder trabalhar nesse sentido, você também aprenderá o que lhe causa dor e o que pode fazer a respeito disso, causando enorme impacto na sua eficiência de modo geral.

e. Treine o seu "eu inferior" com bondade e persistência para construir os hábitos certos. Eu costumava pensar que o "eu superior" precisava lutar contra o inferior para assumir o controle, mas com o tempo aprendi que é mais eficaz treinar o eu inconsciente e emocional do mesmo modo como se ensinaria uma criança a se comportar da maneira desejada — com bondade e persistência, para que os hábitos corretos sejam adquiridos.

f. Compreenda as diferenças de pensamento entre os lados do cérebro. Assim como temos a parte consciente superior e a inconsciente inferior, o cérebro também tem duas metades chamadas hemisférios.[30] Você já deve ter ouvido que a predominância de lado varia entre as pessoas. Não se trata apenas de uma forma de dizer — Roger Sperry, professor da Caltech, ganhou o prêmio Nobel de medicina com essa descoberta. Resumidamente:

1. O hemisfério esquerdo pensa de forma sequencial, analisa detalhes e é superior em análise linear. Pensadores "lineares" ou com "cérebro esquerdo" são analiticamente fortes a ponto de serem considerados "brilhantes".
2. O hemisfério direito pensa atravessando categorias, reconhece temas e sintetiza o quadro geral. Pensadores "laterais" ou com "cérebro direito", com um tipo de inteligência mais dinâmico, são com frequência chamados de "inteligentes".

O diagrama anterior resume as qualidades dos tipos de pensamento de "cérebro direito" e "cérebro esquerdo".

A maioria das pessoas costuma receber mais instruções de um lado e tem dificuldade em compreender gente que recebe do outro. Pessoas "cérebro esquerdo" tendem a ver as "cérebro direito" como "aéreas" ou "abstratas", enquanto estas costumam julgar aquelas como "literais" ou "estreitas". Já testemunhei resultados maravilhosos quando as pessoas sabem onde estão as suas

---

[30] Um bom livro sobre isso é *A nova inteligência*, de Daniel H. Pink, e um bom artigo sobre a ciência disso é "*A Wandering Mind Heads Straight Toward Insight*", de Robert Lee Hotz, do *The Wall Street Journal*. Embora muitas partes do cérebro venham em duas metades, somente se comprovou a existência de diferenças funcionais entre os lados direito e esquerdo no mais recentemente desenvolvido córtex, que responde por três quartos do cérebro.

próprias inclinações — e as dos outros —, se dão conta de que os dois modos de pensar são inestimáveis e delegam responsabilidades respeitando isso.

g. Compreenda quanto o cérebro pode ou não mudar. Isso nos leva a uma pergunta importante: podemos de fato mudar?[31] Todos podemos aprender novos fatos e novas habilidades. Mas podemos também aprender a alterar a maneira como estamos inclinados a pensar? A resposta é um sim retumbante.

A plasticidade do cérebro é o que permite que ele reconfigure seu "cabeamento". Durante muito tempo, os cientistas acreditaram que, após um período crítico na infância, a maior parte das conexões neurológicas tornava-se fixa e com poucas chances de mudar. Mas pesquisas recentes sugerem que uma ampla variedade de práticas — de exercícios físicos a estudo e meditação — pode levar a alterações físicas e fisiológicas que afetam a capacidade de pensar e formar memórias. Em um estudo sobre monges budistas, pesquisadores da Universidade de Wisconsin mediram níveis significativamente mais elevados de ondas gama em seus cérebros; essas ondas são associadas à percepção e à resolução de problemas.[32]

Isso não quer dizer que o cérebro seja infinitamente flexível. Se você tem preferência por certo jeito de pensar, pode ser capaz de se treinar para operar de outro modo e, com o tempo, achar mais fácil fazer isso; porém, dificilmente mudará a sua preferência latente. Da mesma forma, é possível treinar para ser mais criativo, mas, se isso não lhe vier de maneira natural, é provável que você tenha limitações nesse sentido. A realidade é assim, de modo que todos faremos melhor se aceitarmos isso e aprendermos a lidar com essa situação. Há técnicas: por exemplo, a pessoa criativa e desorganizada que tende a perder a noção do tempo pode desenvolver o hábito de usar alarmes; alguém que não

---

31 É uma grande pergunta. Especialidades inteiras são dedicadas exclusivamente a essa questão e nenhuma resposta é definitiva, certamente não a minha. Todavia, como saber o que pode mudar é importante para pessoas tentando administrar a si mesmas e aos outros, examinei com profundidade a questão da plasticidade do cérebro. O que aprendi coincidia com minhas próprias experiências, e vou transmitir isso a você.
32 Um estudo de imagens cerebrais no Massachusetts General Hospital, feito por pesquisadores afiliados à Universidade Harvard, detectou mudanças físicas no cérebro após um curso de meditação de oito semanas. Os pesquisadores identificaram atividade maior nas partes do cérebro associadas a aprendizado, memória, autoconsciência, compaixão e introspecção, assim como uma atividade reduzida nas amídalas.

seja bom em algum tipo de pensamento pode treinar para confiar no pensamento de quem é. A melhor maneira de mudar é praticando exercícios mentais que, como os físicos, talvez sejam dolorosos — a não ser que você recorra ao ciclo de hábito descrito antes para vincular as recompensas às ações, "recabeando" os circuitos do seu cérebro para amar o aprendizado e a mudança benéfica.

Lembre-se de que aceitar suas fraquezas vai de encontro aos instintos daquelas partes do cérebro que querem manter a ilusão de que você é perfeito. Criar hábitos que reduzirão o instinto de agir na defensiva exige prática e um ambiente que reforce a abertura de mente.

Em "Princípios de Trabalho", desenvolvi uma série de ferramentas e técnicas que ajudam a superar essa resistência, tanto individualmente quanto no ambiente de uma organização. Em vez de ficar esperando que você ou os outros mudem, vi que com frequência é mais eficaz reconhecer as próprias fraquezas e criar medidas de proteção explícitas contra elas. É um caminho mais rápido e com maiores chances de levar ao sucesso.

4.4 Descubra como você e os outros são.

Devido aos vieses impressos em nossos circuitos, as avaliações que fazemos de nós mesmos (e as que fazemos dos outros) costumam ser altamente imprecisas. Avaliações psicométricas são muito mais confiáveis. São importantes na hora de explorar como as pessoas pensam durante o processo de contratação e ao longo do período de trabalho. Embora não possam substituir por completo a conversa e o exame de seus backgrounds e de seus históricos, essas avaliações são muito mais poderosas do que os métodos tradicionais de entrevista e seleção. Se eu tivesse que escolher entre avaliações e entrevistas de emprego tradicionais para saber como as pessoas são, ficaria com as avaliações. Felizmente, não temos que fazer essa escolha.

As quatro principais avaliações que utilizamos são a Tipologia de Myers-Briggs, o Inventário de Personalidade no Local de Trabalho, o Perfil de Dimensões de Equipe e a Teoria de Sistemas Estratificados.[33] Mas

---

[33] Esse teste é útil para ver como as pessoas transitam por níveis e para quais níveis elas naturalmente se dirigem.

estamos constantemente experimentando (por exemplo, com o Big Five), de forma que nosso mix certamente mudará. Qualquer que seja o mix, todas as avaliações transmitem as preferências das pessoas para pensar e agir. Também nos fornecem novos atributos e terminologias que esclarecem e ampliam aquelas que identificamos por conta própria. Descreverei algumas a seguir, com base em meus aprendizados e experiências, e, por isso, em muitos aspectos diferentes das descrições oficiais usadas pelas empresas de avaliação.[34]

a. Introversão x extroversão. Introvertidos focam no mundo interior e tiram sua energia de ideias, memórias e experiências. Extrovertidos são focados para fora e obtêm sua energia do contato com outras pessoas. Introversão e extroversão também são ligadas a diferenças em estilos de comunicação. Se você tem um amigo que adora "discutir" ideias (e que acha difícil examinar uma questão se não tem alguém para dividir a tarefa), provavelmente ele é um extrovertido. Introvertidos em geral vão achar essas conversas dolorosas, preferindo pensar sozinhos e compartilhar somente depois de terem definido tudo por si. Descobri que é importante ajudar cada um a se comunicar da maneira com que se sente mais confortável. Por exemplo, introvertidos frequentemente preferem comunicação por escrito (e-mail, por exemplo) em vez de falar em grupo e costumam ser menos abertos em relação aos seus pensamentos críticos.

b. Intuição x sensitividade. Algumas pessoas enxergam o quadro geral (florestas) e outras veem os detalhes (árvores). Na estrutura de Myers--Briggs, esses modos de ver são mais bem representados pelo *continuum* que vai da intuição até a sensitividade. É possível ter uma ideia das preferências das pessoas observando no que elas focam. Por exemplo, ao ler, uma pessoa sensitiva que se concentra nos detalhes pode se perturbar com lapsos de digitação como "cessão" usado no lugar de "sessão", enquanto pensadores intuitivos talvez nem percebam o erro. A atenção do pensador intuitivo está focada primeiro no contexto e depois nos detalhes. Natu-

---

[34] Se você quiser testar algumas dessas avaliações e ver seus próprios resultados, acesse, em inglês, assessments.principles.com.

ralmente, você ia preferir ter uma pessoa sensitiva preparando seus documentos jurídicos, em que todo "i" precisa ter um pingo e todo "t" tem que ser adequadamente cruzado.

c. Pensar x sentir. Algumas pessoas tomam decisões com base na análise lógica de fatos objetivos, considerando todos os fatores conhecidos e comprováveis relevantes em dado contexto e fazendo uso da lógica para determinar o melhor curso de ação. Essa abordagem é um indicador de um modo de pensar preferencial e é como você espera que o seu médico pense ao fazer um diagnóstico. Outros — que preferem sentir — focam na harmonia entre as pessoas. São mais adequados para funções que exigem muita empatia, contato interpessoal e construção de relacionamentos, como RH e atendimento ao consumidor. Antes de termos avaliações para identificar essas diferenças, conversas entre P's e S's eram bastante frustrantes. Agora rimos quando entram em choque porque sabemos o que são.

d. Planejar x perceber. Algumas pessoas gostam de viver de um jeito planejado e ordenado, enquanto outras preferem flexibilidade e espontaneidade.[35] Planejadores (ou "Julgadores", nos termos de Myers-Briggs) gostam de focar em um plano e se ater a ele, enquanto percebedores tendem a focar no que está se passando ao redor para então se adaptar. Percebedores trabalham de fora para dentro; eles enxergam as coisas acontecendo e trabalham retroativamente para compreender a causa e como reagir; também têm grande poder de perceber variações de possibilidades, as quais comparam e usam para fazer escolhas — elas costumam ser tantas que eles até se confundem.

Por outro lado, planejadores trabalham de dentro para fora, primeiro determinando o que desejam e, depois, como tudo deveria se desenrolar. É difícil haver empatia entre planejadores e percebedores, grupo que vê coisas novas e muda de direção com frequência. Isso é desconfortável para os planejadores, que dão muito mais importância ao precedente no seu

---

35 Na escala do MBTI, esse *continuum* é descrito como "Julgar" × "Perceber", embora eu prefira usar "Planejar", já que julgar tem outras conotações. Na linguagem do MBTI, julgar não significa ser crítico e perceber não significa ser perceptivo.

processo decisório e assumem que, se algo já havia sido feito de certa maneira antes, deveria ser feito do mesmo jeito de novo. De modo análogo, planejadores podem incomodar percebedores por serem aparentemente rígidos e lentos para se adaptar.

e. Criadores x introdutores x refinadores x executores x flexores. Ao identificar talentos e preferências que fazem as pessoas se sentirem de determinada maneira, você pode colocá-las em trabalhos nos quais provavelmente vão se destacar. Na Bridgewater, usamos um teste chamado "Perfil de dimensões de equipe" (TDP, na sigla em inglês) para conectar as pessoas com suas funções preferidas. Os cinco tipos identificados pelo TDP são: criadores, introdutores, refinadores, executores e flexores.

- **Criadores** geram novas ideias e conceitos originais. Preferem atividades desestruturadas e abstratas e prosperam com inovação e práticas não convencionais.
- **Introdutores** comunicam essas novas ideias e as levam adiante. Eles adoram sentimentos e relações e administram os fatores humanos. São excelentes para gerar entusiasmo pelo trabalho.
- **Refinadores** contestam as ideias. Analisam projetos em busca de falhas e, então, os refinam com um foco na objetividade e na análise. Adoram fatos e teorias e trabalhar com uma abordagem sistemática.
- **Executores** também podem ser descritos como **implementadores**. Asseguram que as atividades importantes sejam realizadas e os objetivos, cumpridos; focam nos detalhes e no resultado final.
- **Flexores** são uma combinação dos quatro tipos. Podem adaptar seu estilo para encaixar certas necessidades e são capazes de olhar para um problema a partir de uma variedade de perspectivas.

A triangulação do que aprendo a cada teste reforça ou desperta questões sobre os retratos mentais que estou formando. Por exemplo, quando os resultados do MBTI de uma pessoa sugerem uma preferência por "S" (foco nos detalhes) e "J" (forte em planejamento) e a avaliação de dimensão de equipe a aponta como executora, são muito grandes as chances de que ela seja mais focada nos detalhes do que imaginativa e "cérebro direito" — o que significa que provavelmente vai se encaixar melhor em funções que tenham menos ambiguidade e mais estrutura e clareza.

f. Foco nas tarefas x foco nos objetivos. Enquanto alguns se concentram nas tarefas diárias, outros focam nos objetivos e em como atingi-los. Descobri que essas diferenças se assemelham às diferenças entre pessoas intuitivas × sensitivas. Quem costuma focar nas metas e "visualiza" melhor pode ver o quadro geral ao longo do tempo e também tem chances maiores de realizar mudanças significativas e antecipar eventos futuros. Essas pessoas orientadas para metas podem se afastar do dia a dia e refletir sobre o que e como estão fazendo as coisas. São as mais adequadas para a criação e para administrar organizações cujo fluxo de mudanças é muito grande. Geralmente se transformam nos líderes mais visionários, devido à capacidade de buscar uma visão ampla e enxergar o quadro completo.

Quem costuma focar nas tarefas diárias é melhor para administrar coisas que não mudam muito ou cuja finalização exige a execução de processos. Pessoas orientadas para as tarefas tendem a fazer mudanças incrementais que se relacionam com o que já existe. Demoram mais para abandonar o *status quo* e têm mais chances de serem pegas de surpresa por eventos súbitos. Por outro lado, em geral são mais confiáveis. Apesar de parecer que seu foco seja mais estreito do que o de pensadores de nível superior, as funções que desempenham não são menos cruciais. Eu jamais teria conseguido publicar este livro ou conquistado qualquer coisa de valor se não tivesse trabalhado com pessoas extremamente capazes de cuidar dos detalhes.

g. Inventário de Personalidade no Local de Trabalho, um teste baseado em dados do Departamento do Trabalho do governo americano. Ele antecipa comportamentos e prevê adequação à função e satisfação, destacando certas características/qualidades-chave, incluindo persistência, independência, tolerância ao estresse e pensamento analítico. Esse teste nos ajuda a compreender o que as pessoas valorizam e como farão concessões entre seus valores. Por exemplo, uma pessoa com baixa "orientação para a realização" e alta "preocupação" com os outros pode não estar muito disposta a pisar nos pés de alguém para atingir as metas. Da mesma forma, quem é ruim em "sujeição às regras" provavelmente tem mais chances de pensar de maneira independente.

Descobrimos que com 25 a cinquenta atributos pode-se descrever muito bem uma pessoa. Cada um tem vários graus de intensidade. Identificando e agrupando corretamente esses atributos é possível obter um retrato bastante completo de alguém. Nosso objetivo é usar testes e outras informações para tentar ter exatamente esse retrato. Preferimos fazer isso em parceria com a pessoa em questão, porque isso nos ajuda a obter resultados mais precisos e ao mesmo tempo é bastante útil para que ela se veja de forma objetiva.

Certos atributos com frequência se combinam para produzir arquétipos reconhecíveis. Se pensar um pouco, você provavelmente pode montar uma lista de pessoas arquetípicas que conheceu na vida: o artista aéreo e irrealista? o perfeccionista arrumadinho? o demolidor que atravessa paredes para que as coisas sejam feitas? o visionário que tira grandes ideias aparentemente do nada? Com o tempo, fiz outra lista incluindo formatador, divertido, adaptador e aprendiz de mente aberta, assim como introdutor, criador, pastor de gatos, fofoqueiro, executor fiel, juiz sábio e outros.

Para deixar claro, os arquétipos são menos úteis do que os retratos mais elaborados criados com as avaliações. Eles são menos precisos e mais como caricaturas simples, mas que podem ser úteis quando se trata de montar equipes. Indivíduos sempre serão mais complexos do que os arquétipos que os descrevem e podem muito bem se encaixar em mais de um. Por exemplo, o artista aéreo pode também ser, ou não, um perfeccionista ou um demolidor. Embora eu não vá examinar todos, vou descrever os formatadores — aqueles que melhor me representam — com alguma profundidade.

h. Formatadores são pessoas que podem ir da visualização à concretização. Escrevi bastante sobre eles na primeira parte deste livro. Uso a palavra para me referir a alguém que cria visões únicas e valiosas e as constrói com perfeição, geralmente superando as dúvidas das outras pessoas.

Formatadores são capazes de enxergar bem tanto o quadro geral quanto os detalhes. A equação é mais ou menos esta: Formatador = visionário + pensador prático + determinado.

Descobri que esse tipo de pessoa tende a apresentar os seguintes atributos: curiosidade intensa, necessidade compulsiva de entender as coisas, pensamento independente que beira a rebeldia, necessidade de sonhar grande e de maneira não convencional, espírito prático, determinação para superar os obstáculos e, por último, noção das próprias fraquezas e forças, e também as dos outros, sendo capaz de orquestrar equipes para atingir as metas. Talvez ainda mais importante, formatadores podem abrigar ao mesmo tempo na cabeça pensamentos conflitantes e examiná-los de diferentes perspectivas.

É raro quem se programa para pensar de mais de uma maneira — os formatadores. Ainda assim, eles jamais chegam ao sucesso sem contar com a colaboração de outros (mais qualificados para a execução de determinadas tarefas). Todos os modos de pensar e agir são válidos em uma equipe.

Saber como são formados os circuitos de cada pessoa é um primeiro passo necessário em qualquer jornada. Você pode fazer o que quiser da vida, desde que seja algo consistente com sua natureza e aspirações. Depois de ter convivido com algumas das pessoas mais ricas, poderosas e admiradas do mundo, bem como com algumas das mais pobres e desfavorecidas nos cantos mais obscuros do planeta, posso garantir que, exceto em um nível fundamental, não existe correlação entre níveis de felicidade e indicadores convencionais de sucesso. Um carpinteiro que extrai a mais profunda satisfação no trabalho com a madeira pode facilmente ter uma vida tão boa ou melhor do que a do presidente dos Estados Unidos. Se você tiver aprendido alguma coisa com este livro, espero que seja que todos têm forças e fraquezas, e que todos possuem um papel importante a desempenhar na vida. A natureza fez tudo e todos com um propósito. A coragem mais necessária não é aquela que o leva a prevalecer acima dos outros, mas aquela que lhe permite ser fiel ao seu eu mais verdadeiro, independentemente do que as outras pessoas queiram que você seja.

4.5 Pôr as pessoas certas nas funções certas em busca do objetivo é a chave para ter sucesso no que você deseja realizar.

Na vida pessoal ou na profissional, uma equipe ótima conta com membros diferentes e complementares, criando assim o melhor mix de atributos para realizar as tarefas.

a. Administre a si mesmo e orquestre a equipe. Seu maior desafio será fazer com que seu eu superior e meditativo controle seu eu inferior e emocional. A melhor maneira de conseguir isso é desenvolver hábitos conscientes que tornem habitual a realização das coisas que são boas para você. Quando se trata de administrar outras pessoas, a analogia que vem à mente é a de uma grande orquestra. A pessoa no comando é o formatador-maestro. Ele não executa a tarefa propriamente (por exemplo, não toca um instrumento, embora tenha um grande conhecimento sobre como funcionam), mas visualiza o resultado e providencia para que cada membro colabore para a sua concretização. O maestro é quem assegura que cada integrante saiba seus pontos fracos e fortes e quais são suas responsabilidades. Cada integrante da orquestra precisa não somente dar seu melhor, mas também trabalhar em equipe para que o todo seja mais do que a soma das partes. Uma das funções mais difíceis e menos reconhecidas é a de descartar pessoas que não tocam bem, tanto individualmente quanto em grupo. Mais importante do que tudo, o maestro garante que a partitura seja executada da forma que ouve em sua cabeça. "A música tem que soar assim", diz ele, e, então, se certifica de que soe como tal. Cada seção da orquestra — metais, cordas etc. — tem os próprios líderes, que também ajudam a dar vida às visões do compositor e do maestro.

    Abordar as coisas dessa maneira me ajudou muito. Por exemplo, com o projeto de sistematização dos títulos de dívida que mencionei antes, essa nova perspectiva permitiu que enxergássemos melhor as lacunas entre o que tínhamos e do que precisávamos. Embora Bob fosse um grande parceiro intelectual no sentido de enxergar o plano geral da situação, era bem menos capaz de visualizar qual processo nos levaria do ponto em que estávamos até a solução. E também não estava se cercando das pessoas certas. Bob em geral procurava ter pessoas parecidas com ele na equipe, de modo que o seu principal assistente no projeto era excelente em mapear grandes ideias em um quadro-negro, mas péssimo em definir quando, quem e o que eram necessários para dar vida às ideias. O resultado do teste desse assistente indicou que se tratava de um "flexor": ótimo para seguir na direção apontada por Bob, mas lhe faltava a visão clara e independente necessária para manter Bob na linha.

Após algumas tentativas fracassadas, usamos nossas novas ferramentas e fizemos com que Bob selecionasse uma nova assistente especialmente capacitada para transitar entre o quadro geral e os projetos mais específicos exigidos para a realização do objetivo mais amplo. Ao compararmos a carta de estatísticas de desempenho da nova assistente com a do antecessor, vimos que ela era superior em pensamento sistemático e independente, algo essencial para determinar com clareza o que fazer com as grandes ideias de Bob. Ela trouxe consigo alguns apoios em áreas diferentes, incluindo um gerente de projeto menos engajado nos conceitos e mais focado nos detalhes de tarefas e prazos específicos. Quando olhamos para as cartas dos novos membros do time, logo notamos que eles iriam acelerar a operação de algumas áreas por serem sólidos, cheios de planos e capazes de finalizar tarefas, áreas em que Bob era fraco. Com essa nova equipe, tudo começou a andar. Somente um exame detalhado de todas as pecinhas de Lego necessárias para atingir nosso objetivo — e, então, sair em busca das peças que faltavam — fez com que tivéssemos sucesso.

A sistematização dos títulos de dívida foi só um dos incontáveis projetos que se beneficiaram da nossa abordagem franca para compreender as pessoas. E, para deixar claro, falei bem superficialmente a respeito dos circuitos mentais.

No próximo capítulo, vou reunir tudo o que você leu até agora e decompor os fundamentos do processo de tomada de decisão. Algumas decisões você deve tomar por conta própria; outras, delegar a alguém com mais credibilidade. A chave para o sucesso é usar o autoconhecimento para saber quais delegar e quais não.

5 Aprenda a tomar decisões de maneira eficiente

Como um tomador de decisões profissional, passei minha vida estudando como fazer isso com eficiência e estive sempre procurando regras e sistemas que melhorassem minhas chances de estar certo e de superar minhas expectativas, fossem elas quais fossem.

Uma das coisas mais importantes que aprendi é que a maior parte dos processos envolvidos na tomada de decisão diária é inconsciente e mais complexa do que se imagina de modo geral. Por exemplo, pense sobre como você decide e mantém uma distância segura do carro à frente quando está dirigindo. Agora, descreva o processo com detalhes suficientes para que alguém que nunca dirigiu possa guiar tão bem quanto você, ou para que possa ser programado no computador que controla um carro autônomo. Aposto que você não consegue.

Agora, pense no desafio de tomar bem todas as suas decisões, de maneira sistemática e repetível, e, então, ser capaz de descrever os processos de modo tão claro e preciso que qualquer um possa tomá-las sob as mesmas circunstâncias. É a isso que aspiro conseguir. Mesmo que seja um resultado altamente imperfeito, seu valor será inestimável.

Embora não exista uma forma melhor de tomar decisões, há algumas regras universais para um bom processo decisório. Elas começam com:

5.1 Reconheça que: 1) a maior ameaça ao bom processo decisório são emoções nocivas; e que 2) a tomada de decisão é um processo de duas etapas (primeiro aprendendo e depois decidindo).

O **aprendizado** deve vir antes da decisão. Como explicado no Capítulo 1, nosso inconsciente armazena diferentes tipos de aprendizado em seu banco de lembranças automáticas e nos hábitos. Mas, independentemente de como esse conhecimento é adquirido ou armazenado, o mais importante é que ele crie um quadro verdadeiro e rico das realidades que afetarão a sua decisão. É por isso que sempre vale a pena ter a mente aberta e procurar pessoas com credibilidade em busca de aprendizado. Às vezes algumas dificuldades emocionais podem bloquear o aprendizado que ajudaria você a tomar decisões melhores, mas lembre-se de que nunca faz mal ao menos ouvir um ponto de vista conflitante.

A **decisão** é o processo de escolher a qual conhecimento recorrer — tanto os fatos da questão específica quanto a compreensão mais ampla do mecanismo de causa e efeito subjacente — e, então, pesá-los para determinar um curso de ação. Isso envolve representar diferentes cenários ao longo do tempo a fim de visualizar a possibilidade de um resultado consistente com aquilo que você deseja. Para fazer isso bem, é necessário ponderar consequências imediatas e de segunda e terceira ordens, baseando suas decisões não apenas em resultados imediatos, mas também em longo prazo.

Ignorar consequências de segunda e terceira ordens é a causa de muitas decisões péssimas e revela-se especialmente fatal quando a consequência imediata confirma suas tendências. Nunca agarre a primeira opção disponível, não importa quão boa pareça, antes de questionar e explorar. Para me impedir de cair nessa armadilha eu costumava fazer a mim mesmo estas perguntas: "Estou aprendendo? Já aprendi o suficiente para que seja hora de decidir?" Depois de um tempo, você terá reunido toda a informação relevante e evitado a primeira cilada do mau processo decisório, que é inconscientemente tomar a decisão primeiro e só depois coletar os dados que a sustentam.

Como, porém, podemos melhorar nossa capacidade de aprendizado?

APRENDENDO BEM

Para mim, obter um retrato preciso da realidade no fim das contas se resume a duas coisas: ser capaz de sintetizar com precisão e saber navegar entre níveis.

Síntese é o processo de converter muitos dados em um quadro preciso. A qualidade da sua síntese determinará a qualidade do seu processo decisório. É por isso que sempre vale a pena triangular suas opiniões com pessoas que você sabe que sintetizam bem. Isso aumenta as chances de obter um resultado melhor, ainda que você ache que conseguiria fazê-lo sozinho. Nenhuma pessoa sensata deveria recusar as opiniões de alguém com credibilidade por ter total confiança em estar certa.

Portanto, para sintetizar bem você deve: 1) sintetizar a situação de momento; 2) sintetizar a situação no longo prazo; e 3) transitar entre os níveis de maneira eficiente.

5.2 Sintetize a situação de momento.

Todos os dias encontramos uma infinidade de coisas no caminho. Vamos chamá-las de "pontos". Para ser eficiente, você precisa ser capaz de dizer quais pontos são importantes e quais não são. Algumas pessoas passam pela vida coletando todo tipo de observações e opiniões e acabam ficando com uma garagem repleta de quinquilharias em vez de manter somente aquilo de que precisam. Elas têm "ansiedade pelo detalhe", preocupando-se com coisas que não têm importância.

Às vezes, coisas pequenas são importantes — por exemplo, um barulhinho no motor do carro pode ser uma peça solta ou um sinal de que a correia dentada está prestes a estourar. A chave é se valer de uma perspectiva de nível superior para julgar rápida e adequadamente quais são os riscos reais sem ficar empacado em detalhes.

Lembre-se:

a. Uma das decisões mais importantes é escolher para quem serão feitas as perguntas. Certifique-se de que as pessoas que você consultar sejam bem-informadas e tenham credibilidade. Descubra quem é o responsável por aquilo que você está buscando compreender e, então, faça suas perguntas. Dar ouvidos a pessoas desinformadas é pior do que ficar sem resposta.

b. Não acredite em tudo o que ouve. Dar opinião não custa nada e praticamente todo mundo vai querer compartilhar uma com você. Muitos darão opiniões como se fossem fatos. Não confunda opinião com fato.

c. Tudo parece maior visto de perto. Em todos os aspectos da vida, o que está acontecendo hoje parece muito maior do que parecerá em retrospecto. É por isso que ajuda dar alguns passos para trás para ganhar perspectiva e, às vezes, adiar uma decisão por um tempo.

d. O novo é supervalorizado em relação ao extraordinário. Por exemplo, na hora de escolher que filme ver ou que livro ler, você é atraído pelos clássicos ou pelo best-seller do momento? Na minha opinião, é mais inteligente escolher o extraordinário em vez da novidade.

e. Não condense demais os pontos. Um ponto é apenas um único dado relativo a um momento específico; tenha isso em mente ao sintetizar. Assim como é necessário separar coisas grandes e pequenas e distinguir dos padrões gerais aquilo que está acontecendo no momento, é preciso distinguir quanto de aprendizado é possível extrair de um ponto sem valorizá-lo demais.

5.3 Sintetize a situação ao longo do tempo.

Para ver como os pontos se ligam no decorrer do tempo é preciso coletar, analisar e ordenar diferentes tipos de informação, o que não é fácil. Por exemplo, vamos imaginar um dia em que haja oito resultados. Alguns são bons; outros, ruins. Vamos ilustrar esse dia como no gráfico a seguir, com cada tipo de evento representado por uma letra e a qualidade do resultado, pela sua altura.

Para ver o dia dessa maneira, categorize os resultados pelo tipo (identificado por letras) e pela qualidade (quanto mais alto no gráfico, melhor), o que exigirá sintetizar uma avaliação geral de cada um. (Para deixar o exemplo mais concreto, imagine que você está administrando uma sorveteria e os Ws representam vendas, os Xs representam notas de satisfação dos consumidores, os Ys representam as críticas da mídia, os Zs representam engajamento dos funcionários etc.) Tenha em mente que o nosso exemplo é relativamente simples: apenas oito ocorrências em um dia.

Pelo gráfico, você pode ver que foi um ótimo dia para vendas (porque os Ws estão no topo) e um mau dia para a satisfação dos consumidores (os Xs). Você pode se perguntar por quê — talvez uma grande clientela tenha impulsionado as vendas, mas gerado filas enormes.

Agora, vamos examinar com o que se parece um mês inteiro.
Confuso, né?

BOM

QUALIDADE
DO RESULTADO

RUIM

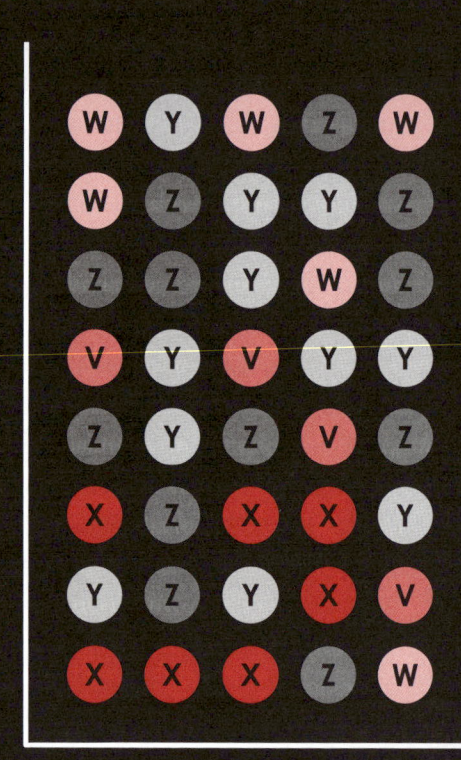

W	Y	W	Z	W
W	Z	Y	Y	Z
Z	Z	Y	W	Z
V	Y	V	Y	Y
Z	Y	Z	V	Z
X	Z	X	X	Y
Y	Z	Y	X	V
X	X	X	Z	W

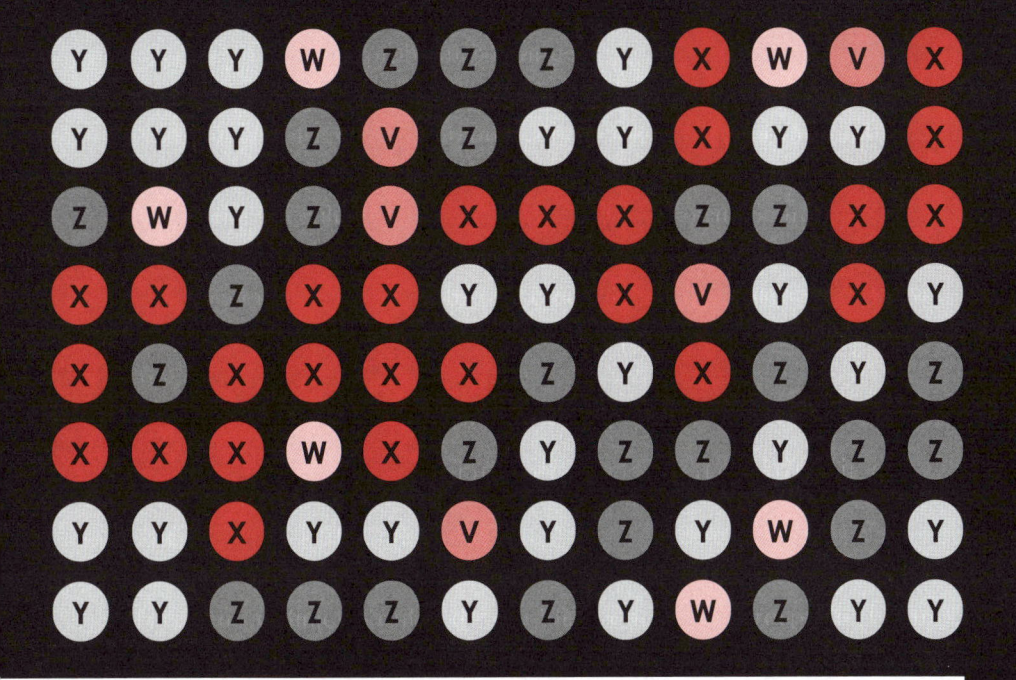

TEMPO

O gráfico abaixo registra somente os pontos do tipo X, que, como você pode ver, estão melhorando.

BOM

QUALIDADE
DO RESULTADO

RUIM

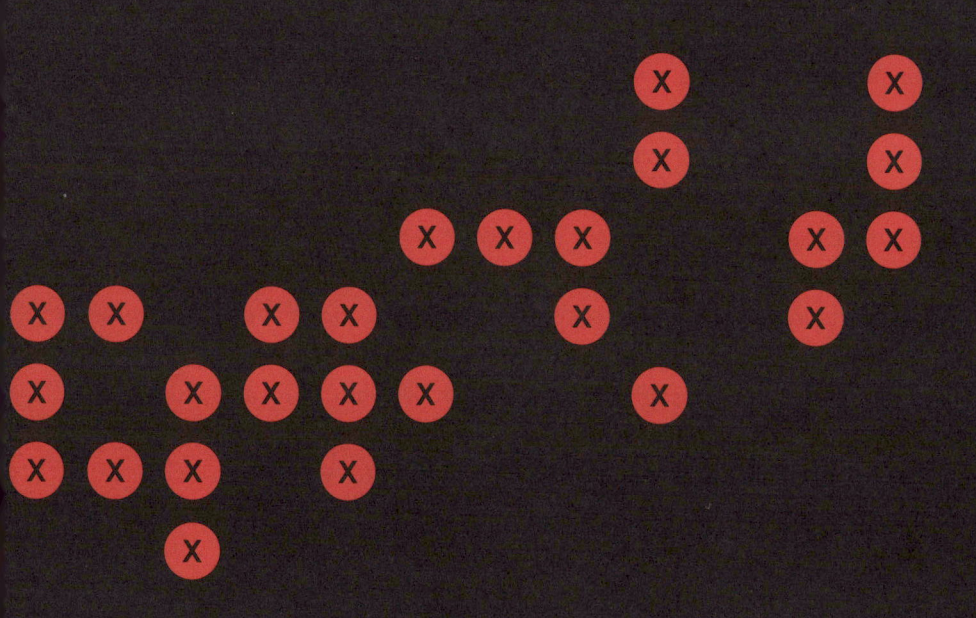

TEMPO

Pessoas boas em identificar tais padrões de eventos são raras e essenciais, mas, como acontece com a maioria das capacidades, a capacidade diacrônica de sintetizar é apenas parcialmente inata; mesmo que não seja bom nisso, você pode melhorar com a prática e aumentará suas chances de sucesso se seguir o próximo princípio.

a. Tenha em mente tanto os índices de mudança quanto os níveis das coisas, bem como as relações entre eles. Ao determinar um índice aceitável de melhora para algo, é a comparação desse índice com o índice de mudança que importa. Frequentemente vejo pessoas perderem isso de vista. Elas dizem "está melhorando", sem notar quão abaixo da linha-padrão está e se o índice de mudança vai superá-la em um período aceitável. Se uma pessoa que vinha tendo notas 30 e 40 nos seus testes elevasse o resultado para 50 em um espaço de poucos meses seria adequado dizer que está melhorando, mas ela ainda continuaria lamentavelmente aquém do esperado. Tudo o que é importante na vida precisa seguir uma trajetória que mire estar acima da linha-padrão e rumando para o excelente em um ritmo apropriado. As linhas no gráfico da próxima página mostram como os pontos se ligam ao longo do tempo. A trajetória A leva você para cima das linhas-padrão em um período apropriado; a B, não. Para tomar boas decisões, você precisa entender a realidade de qual desses dois casos está acontecendo.

b. Seja impreciso. Entenda o conceito de "no geral" e use aproximações. Como o sistema educacional é vinculado à precisão, a arte de ser bom em aproximações não é devidamente valorizada. Isso dificulta o pensamento conceitual. Por exemplo, na hora de multiplicar 38 por 12, a maioria das pessoas faz isso da maneira mais lenta e difícil, em vez de arredondar 38 para 40 e 12 para 10 e determinar que a resposta é aproximadamente 400. Veja o exemplo da sorveteria e imagine como seria bom identificar depressa as relações entre os pontos em vez de perder tempo tentando identificar com precisão todas as extremidades. Embora seja um desperdício, é o que a maioria das pessoas faz. "No geral" é o nível necessário para compreender a maioria das coisas na hora de tomar decisões eficientes. Sempre que uma afirmação "no geral" é feita e alguém responde "nem sempre", minha reação instintiva é a de

LINHA-PADRÃO EXCELENTE

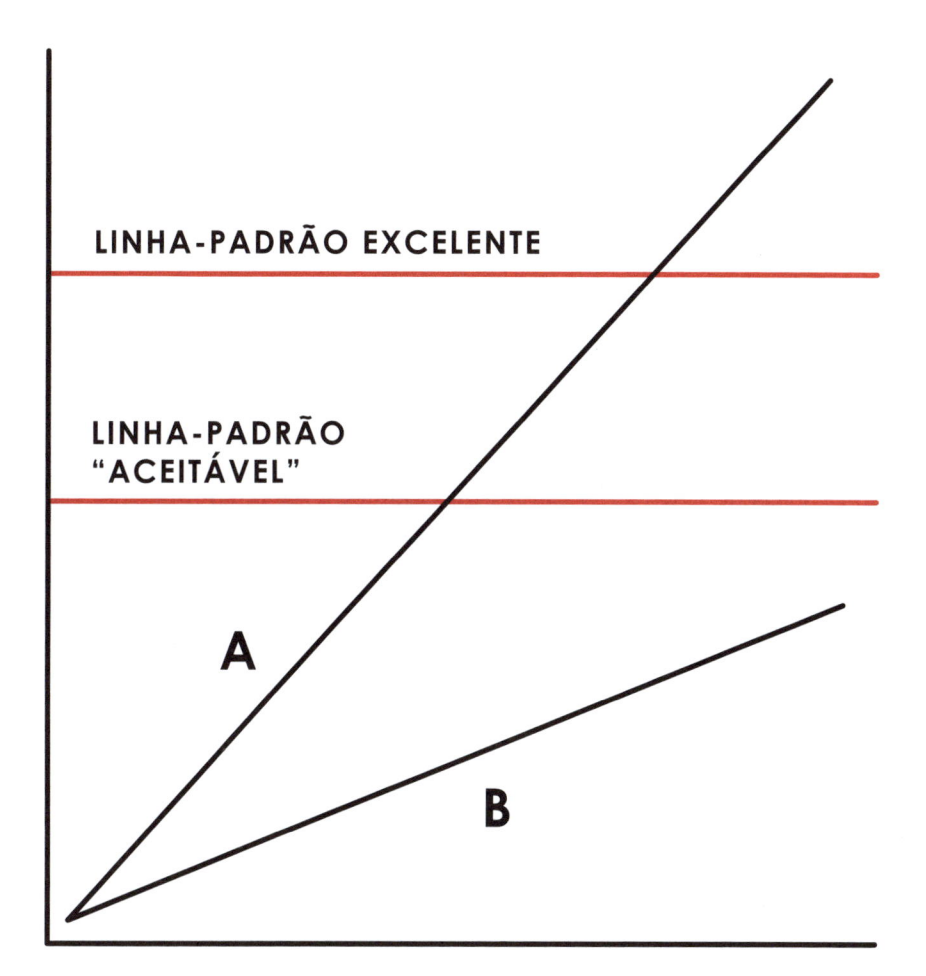

LINHA-PADRÃO "ACEITÁVEL"

A

B

que provavelmente estamos prestes a mergulhar no exame da floresta inteira — em uma discussão das exceções, não da regra, e nesse processo nosso foco deixará de ser a regra. Para ajudar as pessoas na Bridgewater a evitar esse desperdício de tempo, um de nossos colegas recém-saídos da universidade cunhou uma frase que sempre repito: "Quando você pergunta a alguém se algo é verdade e ele responde que não de todo, provavelmente no geral é verdade sim."

c. Lembre-se da Regra 80/20 e saiba quais são os 20% cruciais. A Regra 80/20 afirma que 80% do valor de algo é alcançável a partir de 20% da informação ou do esforço. (Também é verdade que você provavelmente vai gastar 80% do seu esforço para obter os últimos 20% do valor.) Entender isso impede que você fique preso a detalhes desnecessários tão logo tenha conseguido a maior parte do aprendizado necessário para tomar uma boa decisão.

d. Seja um "imperfeccionista". Os perfeccionistas perdem muito tempo com pequenas diferenças à custa de coisas importantes. Geralmente existem apenas de cinco a dez fatores importantes a serem considerados na hora de tomar uma decisão. É importante compreendê-los muito bem, embora sejam limitados os ganhos marginais de se estudar as coisas importantes após certo ponto.

5.4 Transite entre níveis com eficiência.

A realidade existe em níveis diferentes e cada um deles oferece perspectivas distintas, mas valiosas. É importante ter todos em mente enquanto sintetiza e toma decisões, bem como saber navegar entre eles.

Digamos que você esteja olhando sua cidade no Google Maps. Aproxime muito o zoom para ver os prédios e não conseguirá visualizar o bairro nem a cidade, aspectos que podem passar informações importantes. Talvez sua cidade fique do lado de um corpo de água. Com um zoom muito aproximado, você não será capaz de dizer se é um rio, lago ou oceano. Em suma: é preciso identificar o nível apropriado de detalhamento para tomar uma decisão.

Mesmo que não seja um processo consciente, estamos o tempo todo vendo as coisas em diferentes níveis e transitando entre eles, e pouco importa se fazemos isso bem ou não e se nossos objetos são coisas físicas, ideias ou metas. Por exemplo, você pode transitar entre níveis para se mover dos seus valores até o que faz para concretizá-los no dia a dia. Esquematicamente, é assim que funciona:

1 **O quadro geral de nível superior:** Quero um trabalho relevante que seja repleto de aprendizado.

    1.1 **Conceito subordinado:** Quero ser médico.

- **Subponto:** Preciso fazer uma faculdade de medicina.
  - **Subsubponto:** Preciso ter boas notas.
    - **Subsubsubponto:** Preciso ficar mais tempo em casa e estudar.

Para observar sua capacidade de agir de acordo com essa dinâmica, preste atenção nas suas conversas. Costumamos mudar de níveis enquanto falamos.

a. Use os termos "acima da linha" e "abaixo da linha" para estabelecer em que nível está a conversa. Uma conversa acima da linha trata dos pontos principais; abaixo, foca em subpontos. Quando uma linha de raciocínio é desordenada e confusa, o interlocutor se perdeu nos detalhes abaixo da linha e não conseguiu reconectá-los aos pontos principais. Um discurso acima da linha deve avançar até a conclusão de maneira ordenada e precisa, indo para baixo da linha apenas quando for necessário ilustrar algo acerca de um dos pontos principais.

b. Lembre-se de que decisões precisam ser tomadas no nível apropriado, mas devem ser consistentes nos demais níveis. Por exemplo, se você quer ter uma vida saudável, não deveria comer doze salsichas e tomar cerveja no café da manhã. Em outras palavras, você precisa constantemente conectar e conciliar os dados que está reunindo em diferentes níveis para

BOM

A → B → C → D → E → F → G → SÍNTESE

A	B	C	D	E	F	G
1	1	1	1	1	1	1
2	2	2	2	2	2	2
3	3	3	3	3	3	3
4	4	4	4	4	4	4
5	5	5	5	5	5	5

UMA SEQUÊNCIA MAIOR QUE FUNCIONA

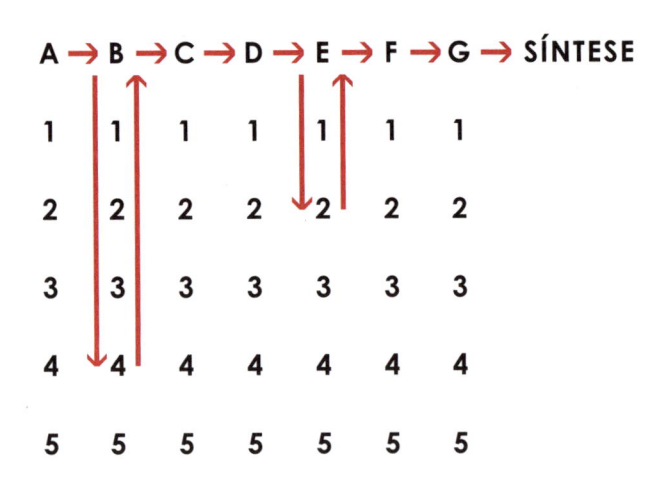

A → B → C → D → E → F → G → SÍNTESE

A	B	C	D	E	F	G
1	1	1	1	1	1	1
2	2	2	2	2	2	2
3	3	3	3	3	3	3
4	4	4	4	4	4	4
5	5	5	5	5	5	5

UMA SEQUÊNCIA LÓGICA QUE EXPLORA
ESPECIFICIDADES E FUNCIONA

RUIM

A→	B	C	D	E	F	G
	↓					
1	1	1	1	1	1	1
	↓					
2	2→	2	2	2	2	2
		↓				
3	3	3→	3→	3	3	3
				↓		
4	4	4	4←	4	4→	4→ **SEM SÍNTESE**
			↓		↑	
5	5	5	5→	5 ╱	5	5

UMA HISTÓRIA ALEATÓRIA QUE SAI DOS TRILHOS

A	B→	C	D	E	F	G
		↓				
1	1	1	1	1	1	1
		↓				
2	2	2	2	2	2	2
		↓				
3	3	3	3	3	3	3
		↓				
4	4	4	4	4	4	4
		↓				
5	5	5	5	5	5	5
		↓				
		SEM SÍNTESE				

UMA HISTÓRIA QUE MERGULHA NO DETALHE

montar um quadro completo da situação. De modo geral, algumas pessoas naturalmente fazem isso melhor do que outras, mas qualquer um pode aprender até determinado ponto. Para isso, é necessário:

1. Lembrar que multiníveis existem para todos os assuntos.
2. Estar consciente do nível em que você está examinando determinado tópico.
3. Conscientemente transitar entre os níveis em vez de ver os assuntos como pilhas de fatos indistintos que podem ser percorridos de forma aleatória.
4. Fazer um diagrama do fluxo dos seus processos de pensamento usando o modelo da página anterior.

Se tiver a mente aberta e seguir esses conselhos, você ficará mais consciente não apenas do que está vendo, mas do que não está vendo e que talvez esteja claro para outras pessoas. É um pouco como uma *jam session* de jazzistas: saber em que nível você está permite a todos seguirem o mesmo tom. Ao identificar seu próprio modo de enxergar e se abrir para os pontos de vista dos outros, é possível criar uma excelente melodia em vez de apenas fazer barulho. Agora, vamos subir um nível e analisar como decidir.

DECISÕES EFICIENTES

O uso de lógica de processo decisório para produzir os melhores resultados de longo prazo se tornou uma ciência que emprega probabilidades e estatísticas, teoria dos jogos e outras ferramentas. Embora muitas sejam úteis, os fundamentos de um processo decisório eficiente são de certa forma simples e atemporais — na verdade, estão geneticamente codificados, em graus variados, em nosso cérebro. Observe os animais na natureza e verá que eles por instinto fazem cálculos aproximados para otimizar a energia que gastam na busca por alimento. Os que fizeram isso bem prosperaram e transmitiram essa capacidade em seus genes por meio do processo de seleção natural; quem se sai mal é extinto. Embora a extinção não se aplique exatamente ao caso dos humanos, os indivíduos incapazes com certeza serão penalizados pelo processo de seleção econômica.

Como já foi explicado, existem duas abordagens básicas para o processo decisório: uma baseada em evidências/lógica (que vem do cérebro superior) e outra baseada no inconsciente/emoção (que vem do cérebro animal, inferior).

5.5 Lógica, razão e bom senso são suas melhores ferramentas para sintetizar a realidade e definir um curso de ação.

Seja cauteloso ao confiar em qualquer outra coisa. Infelizmente, inúmeros testes feitos por psicólogos mostram que a maioria das pessoas costuma seguir a trilha do nível inferior sem nem se darem conta. Como diz Carl Jung, "até tornar o inconsciente consciente, ele irá guiar a sua vida e você chamará isso de destino". Quando se trata de trabalho em equipe, é ainda mais importante que o processo decisório seja lógico e baseado em evidências, caso contrário o processo inevitavelmente será dominado pelos participantes mais poderosos, não pelos mais perspicazes, o que não apenas é injusto como também inferior. Organizações de sucesso têm culturas nas quais o processo decisório baseado em evidências é a norma, não a exceção.

5.6 Tome suas decisões como cálculos de valor esperado.

Pense em toda decisão como uma aposta que pode trazer uma provável recompensa por estar certo e/ou uma provável penalidade por estar errado. Normalmente, uma decisão vencedora é aquela cujo valor esperado é positivo no sentido de que a recompensa vezes sua probabilidade de ocorrer é maior do que a penalidade vezes sua probabilidade de ocorrer, com a melhor decisão sendo aquela com o maior valor esperado.

Digamos que a recompensa por estar certo seja 100 dólares e sua probabilidade seja de 60%, enquanto a penalidade por estar errado também seja de 100 dólares. Se multiplicar a recompensa pela probabilidade de estar certo você tem 60 dólares; se multiplicar a penalidade pela probabilidade de estar errado (40%), tem 40. Se subtrair a penalidade da recompensa, a diferença é o valor esperado, que nesse caso é positivo (20 dólares). Ao entender o valor esperado, você também entende que nem sempre é melhor apostar naquilo que é mais provável. Por exemplo, suponha que algo que tenha somente uma chance em cinco (20%) de dar certo trará um rendimento de dez vezes (1.000 dólares, por exemplo) a quantia que lhe custará se der errado (100 dólares). Seu valor esperado é positivo (120 dólares), então provavelmente é uma decisão inteligente, ainda que as chances estejam contra você, e desde que também possa cobrir a perda. Jogue com essas probabilidades repetidas vezes e elas lhe darão resultados vencedores ao longo do tempo.

Embora a maioria de nós não faça esses cálculos explicitamente, muitas vezes os fazemos de forma intuitiva. Por exemplo, quando você decide sair com um guarda-chuva apesar de haver uma chance de chuva de apenas 40%, ou confere no celular o caminho até determinado local mesmo tendo quase certeza do percurso, está fazendo cálculos de valor esperado.

Às vezes é inteligente correr um risco quando as chances estão esmagadoramente contra você, se o custo de estar errado for desprezível em comparação com a recompensa associada à chance ínfima de estar certo. Como diz o ditado, "perguntar não ofende".

Esse princípio fez uma enorme diferença na minha vida. Anos atrás, quando estava constituindo família, vi uma casa perfeita para nós em todos os sentidos. O problema era que não estava à venda e todos a quem perguntei me disseram que o proprietário não tinha interesse em se desfazer do imóvel. Para piorar as coisas, eu estava certo de que não conseguiria um financiamento imobiliário que desse conta do investimento. Mas pensei que não custaria nada telefonar para o proprietário e verificar se havia algum tipo de arranjo possível. No fim das contas, ele não apenas estava disposto a vender, como também estava disposto a me fazer um empréstimo.

O mesmo princípio se aplica quando o lado negativo é terrível. Por exemplo, ainda que a probabilidade de ter câncer seja pequena, diante de algum sintoma pode valer a pena fazer um exame, só para garantir.

Para fazer bem esse tipo de cálculo, lembre-se:

a. Aumentar a probabilidade de estar certo vale a pena independentemente de qual já seja a sua probabilidade de estar certo. Com frequência, observo pessoas tomando decisões quando as chances de estarem certas são maiores do que 50%. O que elas não percebem é que sua situação seria bem melhor se aumentassem ainda mais essas chances (quase sempre é possível melhorar as chances de estar certo buscando mais informação). O ganho de valor esperado ao elevar a probabilidade de estar certo de 51% para 85% (34% a mais) é dezessete vezes maior do que aumentar as chances de estar certo de 49% (que é provavelmente errado) para 51% (que é apenas um pouco mais provável de estar certo). Pense na probabilidade como uma medida da frequência com que você provavelmente está errado. Aumentar a probabilidade de estar certo em 34% significa que um terço das suas apostas vai mudar de perdas para ganhos. É por isso que vale a pena submeter sua linha de raciocínio a um teste de estresse, mesmo quando você tem bastante certeza de estar certo.

b. Saber quando não apostar é tão importante quanto saber quais apostas provavelmente são boas. Você pode melhorar significativamente seu histórico se só fizer as apostas nas quais tem mais confiança de que darão resultados.

c. As melhores escolhas são aquelas que têm mais pontos a favor do que contra, não aquelas que não têm nenhum ponto contra. Fique atento a pessoas que argumentam contra no exato momento em que descobrem alguma falha, sem pesar adequadamente todos os pontos positivos e negativos. Pessoas assim costumam fazer escolhas ruins.

5.7 Pese o valor da informação extra em relação ao custo de não decidir.

Algumas decisões são tomadas de modo mais eficiente quando reunimos informação extra; outras são melhores se tomadas de imediato. É importante avaliar constantemente o benefício médio de reunir mais informação comparando-o ao custo médio de esperar para decidir. Pessoas que priorizam bem entendem o que se segue:

a. O que "deve ser feito" precisa estar acima do que você "gosta de fazer". Separe os dois conceitos e não coloque sem querer algo que você "gosta de fazer" na lista do que "deve ser feito".

b. É muito mais provável que você não tenha tempo para lidar com coisas sem importância, o que é melhor do que não ter tempo para lidar com as coisas importantes. Com frequência, ouço pessoas dizendo: "Não seria bom fazer isso ou aquilo?" É provável que elas estejam se distraindo de coisas muito mais relevantes que precisam ser bem feitas.

c. Não confunda possibilidades com probabilidades. Tudo é possível. São as probabilidades que importam. Tudo deve ser pesado e priorizado em termos de probabilidade. Pessoas capazes de separar corretamente probabilidades de possibilidades em geral são fortes em "pensamento prático"; elas são o oposto do tipo "filósofo", que tende a se perder em nuvens de possibilidades.

ATALHOS PARA SE TORNAR UM GRANDE TOMADOR DE DECISÕES

Grandes tomadores de decisão não se lembram de todas as etapas automaticamente nem realizam os processos de forma mecânica. Ainda assim, etapas e processos se desenrolam porque tempo e experiência ensinaram a esses indivíduos a fazer a maioria delas por reflexo, da mesma forma que um jogador de beisebol pega uma bola difícil quase sem raciocinar. Se tivessem que buscar cada princípio na memória e submetê-los à lentidão do pensamento consciente, provavelmente não conseguiriam lidar bem com a quantidade de coisas vindas em sua direção. É claro que existem algumas exceções que exigem o uso do raciocínio, e elas podem ser úteis a você também.

5.8 Simplifique!

Livre-se dos detalhes irrelevantes para deixar claros os aspectos essenciais e as relações entre eles. Como diz o ditado, "qualquer tolo pode fazer algo de modo complexo. É preciso um gênio para simplificar". Pense em Picasso, que era capaz de pintar obras belíssimas desde a infância, mas, à medida que sua carreira avançou, aparou e simplificou sua produção continuamente. Nem toda mente funciona assim, mas isso não significa que você não possa fazer algo só porque tal conhecimento não lhe é intrínseco — bastam criatividade e determinação. Se necessário, peça ajuda.

5.9 Use princípios.

Fazer uso de princípios é um modo de simplificar e ao mesmo tempo aprimorar seu processo decisório. Embora a essa altura possa parecer óbvio, vale repetir: perceba que quase todos os "casos à mão" são "mais uma daquelas", identifique o tipo e, então, aplique princípios bem construídos para lidar com ele. Isso reduzirá enormemente o número de decisões a serem tomadas (estimo que por um fator em torno de cem mil) e o levará a tomá-las de modo muito mais eficiente. A chave é:

1. Desacelere o seu pensamento a fim de notar os critérios que está adotando para tomar uma decisão.
2. Escreva esses critérios como um princípio.
3. Retorne a eles quando tiver um resultado para avaliar e refine-os antes que "mais uma daquelas" apareça.

Identificar o tipo de situação é como identificar a espécie de um animal. Fazer isso com cada caso e em seguida combiná-lo ao princípio apropriado é quase como um jogo e aos poucos se tornará algo divertido e útil. É claro que também pode ser um desafio. Muitos "casos à mão", como os chamo, são híbridos. Quando um caso à mão contém mais de uma "mais uma daquelas" é preciso comparar os diferentes princípios usando mapas mentais de como lidar com os diferentes casos encontrados. Para ajudar as pessoas, criei uma ferramenta chamada Treinador, explicada no Apêndice do livro.

Você pode usar os seus princípios ou os de outra pessoa, mas certifique-se de selecionar os melhores que puder. Pensar constantemente desse modo fará de você um excelente pensador com princípios.

5.10 Use credibilidade ponderada no seu processo decisório.

Fazer triangulações com pessoas altamente confiáveis dispostas a ter desacordos respeitosos sempre fortaleceu meu aprendizado e melhorou a qualidade do meu processo decisório. Essa metodologia invariavelmente permite que eu tome decisões melhores do que as que tomaria de outro modo, e o que aprendo com isso é sempre maravilhoso.

Para obter esses benefícios, evite os perigos comuns de: 1) valorizar sua própria credibilidade mais do que parece lógico; e 2) não distinguir entre quem é mais ou menos crível.

Diante de um desacordo, comece vendo se é possível fazer com que as partes concordem quanto aos princípios que deveriam ser usados na tomada de decisão. Isso deve necessariamente explorar os méritos dos raciocínios que baseiam cada um dos possíveis princípios. Se chegarem a um acordo quanto a isso, apliquem-nos ao caso à mão e a conclusão será um consenso. Se discordarem quanto aos princípios, tentem resolver a desavença baseando-se nas respectivas credibilidades. Explicarei isso com mais detalhes em "Princípios de Trabalho".

O processo decisório que se vale de princípios e credibilidade ponderada é fascinante e leva a decisões muito diferentes e melhores. Por exemplo, imagine se usássemos essa abordagem para escolher um presidente. Seria fascinante ver quais princípios criaríamos tanto para determinar um bom presidente quanto para decidir quem é o mais confiável para formulá-los. Seria algo como "uma pessoa, um voto" ou algo bem diferente? E, caso seja diferente, em que nível seria? Certamente levaria a vários resultados distintos. A título de teste, que tal fazer isso em paralelo ao processo eleitoral do seu país?

Embora a ideia de ponderar credibilidades possa soar complicada, fazemos isso o tempo inteiro sem notar, praticamente todas as vezes que nos perguntamos "A quem eu deveria dar ouvidos?". Refletindo mais a respeito desse conceito é possível refiná-lo e aplicá-lo com mais eficiência.

5.11 Converta seus princípios em algoritmos e faça seu computador tomar decisões em paralelo com você.

Se puder fazer isso, o poder do seu processo decisório será levado a um patamar totalmente diferente. Em muitos casos você será capaz de testar como esse princípio teria funcionado em várias situações parecidas do passado, refinando-o e, consequentemente, elevando sua compreensão a um grau que, de outro modo, seria impossível. Também vai eliminar suas emoções da equação. Algoritmos funcionam como palavras ao descrever o que você gostaria que fosse feito, mas são escritos em uma linguagem que o computador entende. Se você não conhece a linguagem dos algoritmos, deve aprender ou buscar ajuda de alguém para ser seu intérprete. Com certeza seus filhos e os colegas deles já estão aprendendo, uma vez que em pouco tempo essa linguagem será tão ou mais importante do que qualquer outra.

Ao desenvolver uma parceria com o eu virtual, em que um ensina ao outro e cada um faz aquilo no qual é melhor, você terá muito mais força do que teria se realizasse sozinho seu processo decisório. O computador também será o seu elo para ótimos processos decisórios coletivos, que são muito mais poderosos do que os individuais e quase certamente responsáveis por levar adiante a evolução da nossa espécie.

PROCESSO DECISÓRIO SISTEMATIZADO E COMPUTADORIZADO

No futuro, a inteligência artificial terá um profundo impacto no processo decisório em todos os aspectos das nossas vidas — em especial quando combinada com a nova era de transparência radical na qual já entramos. Hoje, goste você ou não, é fácil acessar os registros digitais de qualquer pessoa e aprender muito sobre seus hábitos. Esses mesmos dados podem ser inseridos em computadores que farão de tudo — desde prever o que você provavelmente vai comprar até o que valoriza na vida. Embora pareça assustador para muita gente, na Bridgewater estamos há mais de trinta anos combinando transparência radical com processo decisório algorítmico e descobrimos que essa união produz resultados notáveis. De fato, acredito que não levará muito tempo até que esse tipo de processo decisório computadorizado seja tão responsável por nossas escolhas quanto o cérebro.

O conceito de inteligência artificial não é novidade. Nos anos 1970, quando comecei a experimentar o auxílio dos computadores, ele já circulava havia quase vinte anos (o termo "inteligência artificial" foi introduzido em 1956 durante uma conferência no Dartmouth College). Apesar de muita coisa ter mudado desde então, os conceitos básicos permanecem.

Para dar um exemplo extremamente simples de como funciona o processo decisório computadorizado, digamos que você tenha dois princípios para o esquema de aquecimento doméstico: liga o aquecedor quando a temperatura cai abaixo de vinte graus e desliga entre meia-noite e cinco da manhã. Você pode expressar a relação entre esses critérios usando uma fórmula decisória simples: *se* a temperatura estiver menor do que vinte graus *e* a hora não estiver entre cinco da manhã e meia-noite, *então* ligue o aquecedor. Compilando fórmulas semelhantes é possível criar um sistema decisório que absorve dados, aplica e pondera os critérios relevantes e recomenda uma decisão.

Especificar nossos critérios de investimento em forma de algoritmos e processar dados históricos usando essa medida, ou especificar nossos Princípios de Trabalho em algoritmos e usá-los no processo decisório administrativo, são apenas versões mais complexas desse termostato inteligente. Com elas podemos tomar decisões desapaixonadas e circunstanciais de forma muito mais rápida do que conseguiríamos sozinhos.

Com o passar do tempo, acredito que isso fará cada vez mais parte da realidade e que a linguagem algorítmica dos computadores será tão essencial quanto a escrita. Usaremos sistemas operacionais para tomar decisões tanto quanto hoje os usamos para coletar informações. À medida que essa simbiose entre nós e a tecnologia aumentar, as máquinas

PENSAMENTO
↓
PRINCÍPIOS
↓
ALGORITMOS
↓
DECISÕES EXCELENTES

aprenderão como somos — o que valorizamos, quais são nossas forças e fraquezas — e serão programadas para compensar nossos pontos fracos, refinando os conselhos que nos oferecem. Não vai demorar muito para que nossos assistentes virtuais passem a se comunicar com os assistentes de outras pessoas, criando uma rede colaborativa. Esse processo, na verdade, já começou.

Imagine um mundo no qual é possível usar tecnologia para se conectar a um sistema, alimentá-lo com determinada questão e argumentar a respeito das medidas possíveis a tomar, e por que tomá-las, com os mais conceituados pensadores do mundo? Em pouco tempo isso será possível. Acessaremos as melhores ideias relacionadas a praticamente qualquer tipo de questão e seremos orientados por um sistema capaz de ponderar diferentes pontos de vista. Será possível perguntar que tipo de carreira ou estilo de vida escolher baseando-se na personalidade do indivíduo, ou qual seria a melhor forma de interagir com as pessoas de acordo com suas características. Essas inovações ajudarão as pessoas a "pensar fora da caixa" e desbloquearão uma forma incrivelmente poderosa de pensar coletivamente. Estamos fazendo isso agora e vimos que é muito melhor do que o pensamento tradicional.

Ainda que esse tipo de visão com frequência produza temores de que a inteligência artificial vá competir com a inteligência humana, creio serem maiores as chances de vermos inteligência humana e artificial trabalhando juntas porque isso produzirá os melhores resultados. Levaria décadas — ou talvez nunca aconteça — até que o computador possa reproduzir muitas das coisas da qual o cérebro é capaz em termos de imaginação, síntese e criatividade. O cérebro vem geneticamente programado com milhões de anos de capacidades refinadas ao longo da evolução. A "ciência" do processo decisório que baseia a maior parte dos sistemas informatizados continua bem menos valiosa do que a "arte". As pessoas ainda tomam as decisões mais importantes melhor do que os computadores. Para comprovar, basta olhar para pessoas muito bem-sucedidas. Não são necessariamente os matemáticos, desenvolvedores de software e de teoria dos jogos que ficam com todas as recompensas, mas as pessoas com mais bom senso, imaginação e determinação.

Só a inteligência humana é capaz de alimentar modelos virtuais com a informação apropriada. Por exemplo, um computador não pode dizer como determinar o valor do tempo que você gasta com os entes queridos em relação ao tempo gasto no trabalho nem qual é o mix perfeito de horas que lhe proporcionará o melhor aproveitamento médio em cada atividade. Só você sabe o que valoriza mais, com quem quer dividir a vida, em que tipo de ambiente deseja estar e, no fim, como fazer as melhores escolhas para conseguir tais coisas. Além disso, como boa parte do nosso pensamento vem de um inconsciente sobre o qual compreendemos muito pouco, crer que somos capazes de construir um modelo completo dele é tão improvável quanto um animal que nunca teve um pensamento abstrato tentar defini-lo e reproduzi-lo.

Por outro lado, o cérebro humano perde para o computador em muitos aspectos. Os computadores são muito mais "determinados" do que nós e trabalharão 24 horas por dia, 365 dias por ano, se necessário. São capazes de processar um volume maior de informações de maneira muito mais rápida, confiável e objetiva do que qualquer humano. Podem indicar milhões de possibilidades que nosso cérebro jamais cogitaria. Mas, acima de tudo, são imunes a vieses e ao senso comum baseado no consenso, não ligam se aquilo que pensam é impopular e nunca entram em pânico. Durante os dias de horror que se seguiram ao 11 de Setembro, quando o país estava tomado pela emoção, ou nas semanas entre 19 de setembro e 10 de outubro de 2008, quando o índice Dow Jones caiu 3.600 pontos, houve momentos em que tive vontade de abraçar os computadores. Eles mantiveram a frieza em meio ao caos.

Essa combinação de homem e máquina é maravilhosa. A mente humana e a tecnologia trabalhando juntas foi o que nos trouxe de uma economia em que a maioria das pessoas trabalhava com a terra para a Era da Informação. Os melhores tomadores de decisão têm bom senso e imaginação, são determinados, sabem o que desejam e o que devem valorizar e têm a habilidade de associar tudo isso ao uso de computadores, matemática e teoria dos jogos. Na Bridgewater, usamos nossos sistemas do mesmo jeito que um motorista usa o GPS: não como um substituto das nossas capacidades navegacionais, mas como um complemento.

5.12 Para confiar em inteligência artificial é preciso compreendê-la muito bem.

Quando um usuário de inteligência artificial aceita ou, pior ainda, usa as relações de causa e efeito presumidas em algoritmos do aprendizado de máquina sem compreendê-las a fundo, fico muito preocupado com o curso de ação que ele irá tomar.

Antes de explicar por quê, quero esclarecer minha afirmação. "Inteligência artificial" e "aprendizado de máquina" são termos usados casual e frequentemente como sinônimos, apesar de serem bem distintos. Classifico o que está acontecendo no mundo do processo decisório informatizado em três tipos gerais: sistemas especialistas, imitação e mineração de dados (essas categorias são minhas e não as de uso comum no mundo da tecnologia).

Sistemas especialistas são os que usamos na Bridgewater, nos quais projetistas especificam critérios baseados nas compreensões lógicas de um conjunto de relações de causa e efeito e, então, projetam como cenários distintos emergiriam em circunstâncias diferentes.

Computadores, todavia, também podem observar padrões e aplicá-los em seu processo decisório sem qualquer compreensão da lógica por trás deles. Chamo essa abordagem de "imitação", que pode ser eficaz quando as mesmas coisas ocorrem de maneira confiável repetidas vezes e não estão sujeitas a mudanças, como em um jogo com regras definidas e fixas. Como no mundo real as coisas mudam o tempo todo, um sistema pode facilmente perder a sincronia com a realidade.

O principal impulso do aprendizado de máquina nos últimos anos tem sido na direção da mineração de dados, na qual computadores potentes são alimentados com quantidades maciças de dados e procuram padrões. Apesar de ser popular, essa abordagem é arriscada nos casos em que o futuro pode ser diferente do passado. No mundo dos investimentos, sistemas construídos com aprendizado de máquina, mas carentes de um conhecimento profundo da área, são perigosos, porque quando alguma regra de decisão tem ampla aceitação, ela passa a ser amplamente utilizada, o que afeta o preço. Em outras palavras, o valor de um insight amplamente conhecido desaparece com o tempo. Sem conhecimento profundo, você não saberá se o que aconteceu no passado é genuinamente de valor e, mesmo que seja, não será capaz de saber se esse valor desapareceu ou não — ou ainda pior. Não é raro ver algumas regras de decisão tornando-se tão populares e afetando o preço a tal ponto que passa a ser mais inteligente agir na contramão.

Lembre-se: computadores não têm bom senso. Por exemplo, ao analisar que as pessoas acordam e tomam café da manhã, um computador poderia facilmente interpretar que o fato de despertar deixa as pessoas famintas. Prefiro contar com menos alternativas de apostas (o ideal é que elas não sejam correlacionadas), mas nas quais eu confie muito, do que com várias apostas menos confiáveis, e consideraria intolerável não poder discutir a lógica por trás de alguma das minhas decisões. Muita gente deposita uma fé cega no aprendizado de máquina porque isso é bem mais fácil do que buscar uma compreensão aprofundada dos fatos. Entretanto, para mim e para o meu campo de atuação, essa compreensão é indispensável.

Não quero sugerir que os sistemas de imitação ou de mineração de dados sejam inúteis; na verdade, creio que os dois possam ser valiosíssimos na tomada de decisões em que a extensão e a configuração de eventos futuros sejam iguais às passadas. Se a capacidade do sistema for devidamente robusta, todas as variáveis possíveis podem ser levadas em consideração. Por exemplo, ao analisar dados sobre os movimentos que grandes enxadristas fizeram em certas circunstâncias, ou sobre os procedimentos que grandes cirurgiões utilizaram durante certos tipos de cirurgia, é possível criar valiosos programas em ambas as áreas de atuação. Em 1997, o programa de computador Deep Blue derrotou Gary Kasparov, o jogador de xadrez de maior ranking no mundo, usando apenas essa abordagem. Contudo, ela é falha em casos em que o futuro é diferente do passado e o conhecimento das relações de causa e efeito não é suficiente para reconhecer todas elas. Meu conhecimento dessas relações impediu que eu cometesse erros já cometidos por outras pessoas — de maneira mais óbvia, na crise financeira de 2008. Praticamente todo mundo assumiu que o futuro iria repetir o passado. Focar de forma estrita as relações lógicas de causa e efeito foi o que nos permitiu entender o que de fato estava acontecendo.

Em essência, nossos cérebros são como computadores programados de modo a incorporar dados e oferecer instruções. O cérebro humano e o virtual podem ser igualmente programados de acordo com a nossa lógica a fim de trabalharem juntos e até checar um ao outro. Fazer isso é fabuloso.

Suponha que estejamos tentando chegar às leis universais que explicam as mudanças nas espécies ao longo do tempo. Na teoria, com capacidade de processamento e tempo suficientes, isso deveria ser possível. Precisaríamos entender as fórmulas produzidas pelo computador, é claro, para ter certeza de que não se trata de lixo minerado entre os dados — ou seja, ter certeza de que não se baseiem em correlações que não sejam causais. Essa regra então seria simplificada até a menor e melhor leitura.

Naturalmente, dadas a capacidade e a velocidade de processamento limitadas do nosso cérebro, demoraria uma eternidade para chegarmos a uma compreensão rica de todas as variáveis envolvidas na evolução. Mas toda a simplificação e compreensão que empregamos em nossos sistemas especialistas são de fato exigidas? Talvez não. Sem dúvida existe o risco de que possam ocorrer mudanças não presentes nos dados testados. Entretanto, pode-se argumentar que, se as fórmulas baseadas na mineração de dados *parecem* capazes de responder pela evolução de todas as espécies ao longo de todo o tempo, então os riscos de confiar nelas apenas pelos próximos dez, vinte ou cinquenta anos são relativamente baixos se comparados aos benefícios de ter uma fórmula que parece funcionar, mas que não é de todo compreensível (e que, no mínimo, possa se mostrar útil para ajudar cientistas a curar doenças genéticas).

É possível que estejamos presos demais à necessidade de compreensão, porém o pensamento consciente é só parte disso. Para várias pessoas, talvez bastasse que produzíssemos uma fórmula e a utilizássemos para antecipar o que está por vir. Particularmente acho que emoção, baixo risco e alto valor educacional associados a um profundo conhecimento das relações de causa e efeito são muito mais atraentes do que confiar em algoritmos incompreensíveis; por isso, essa é a trilha que sigo. Mas são as minhas preferências e os meus hábitos de nível inferior que estão me levando nessa direção, ou minha lógica e razão? Não tenho certeza. Não vejo a hora de questionar os maiores especialistas no campo da inteligência artificial a esse respeito (e de ser questionado por eles).

Provavelmente, nossa natureza competitiva fará com que usemos essa tecnologia para fazer apostas cada vez maiores e além de nossa compreensão. Algumas delas serão vencedoras, outras não. Em todo caso, suspeito que a inteligência artificial conduzirá a avanços notáveis e rápidos e também temo que ela possa levar à nossa desintegração.

A realidade é que estamos nos dirigindo para um novo mundo empolgante e perigoso. E, como sempre, acredito que nos sairemos muito melhor se nos prepararmos para lidar com ele do que se desejarmos que não seja verdade.

Ter uma excelente qualidade de vida depende de:

1) saber quais são as melhores decisões e

2) ter a coragem de tomá-las.

PRINCÍPIOS DE VIDA: JUNTANDO TUDO

Em "Princípios de Vida", expliquei alguns princípios que me ajudaram a fazer essas duas coisas. Como as situações se repetem várias vezes ao longo do tempo, creio que um conjunto relativamente pequeno de princípios ponderados permita que você lide com praticamente tudo o que a realidade colocar em seu caminho. De onde eles virão importa menos do que usá-los de maneira consistente e que nunca se pare de refiná-los e aprimorá-los.

Para adquirir princípios eficientes é essencial que você **aceite a realidade e lide bem com ela.** Não caia na armadilha comum de desejar que ela funcione de outra forma ou que suas circunstâncias sejam diferentes. Em vez disso, aceite as coisas como são e busque eficiência para lidar com elas; a vida, no fim das contas, nada mais é do que extrair o melhor das circunstâncias em questão. Isso inclui ser transparente com os seus pensamentos e aceitar de mente aberta os feedbacks dos outros, o que aumentará de forma considerável o seu aprendizado.

Ao longo da jornada os fracassos serão inevitáveis, porém é importante estar ciente de que eles podem ser o impulso que alimentará sua evolução pessoal ou sua ruína, dependendo de como você reagir a eles. Acredito que a evolução é a maior força no universo e que todos evoluímos basicamente da mesma forma. Em termos conceituais, trata-se de uma série de ciclos que vão para cima, na direção do aperfeiçoamento constante, ficam no mesmo plano ou espiralam para baixo, em direção à ruína. Você determinará o formato dos seus.

O processo evolutivo, portanto, pode ser descrito como um **Processo de Cinco Etapas para conseguir aquilo que se quer**. São eles: estabelecer objetivos, identificar e não tolerar problemas, diagnosticá-los, criar planos para contorná-los e realizar as tarefas exigidas. O importante é ter em mente que ninguém consegue fazer todas as etapas bem, mas que é possível confiar na ajuda dos outros. Pessoas com habilidades distintas trabalhando bem em equipe criam as máquinas mais aperfeiçoadas para produzir conquistas.

Se estiver disposto a confrontar a realidade, aceitar a dor que vem com isso e seguir o Processo de Cinco Etapas, você estará no caminho do sucesso. A maioria das pessoas não consegue fazer isso por insistir em decisões ruins que poderiam facilmente ser corrigidas com distanciamento, capacidade de analisar a situação de forma objetiva e ponderação de opiniões. Por isso sou um defensor ferrenho da **mente aberta ao extremo**.

As maiores barreiras que nos impedem de fazer isso bem são o ego e os nossos pontos cegos. A barreira do ego é o desejo inato de sermos capazes e de que os demais nos reconheçam como tal; já a dos pontos cegos resulta de vermos as coisas por meio de lentes subjetivas. As duas podem impedir que assimilemos as coisas como de fato são. O mais importante antídoto contra isso é ser uma pessoa de mente aberta, motivada pela preocupação genuína de que talvez não esteja vendo as escolhas da melhor maneira. É ser capaz de explorar diferentes pontos de vista e diferentes possibilidades sem deixar que o ego e os pontos cegos bloqueiem o caminho.

Isso exige a prática do desacordo respeitoso, que é o processo de buscar indivíduos brilhantes que discordem de você e procurar enxergar a situação pelos olhos deles a fim de obter uma compreensão mais profunda. Essa metodologia aumenta as chances de tomar boas decisões e gera um conhecimento valioso. A capacidade de aprendizado também é exponencialmente aumentada quando abrimos a mente e praticamos o desacordo respeitoso.

Ter a mente muito aberta exige que você seja capaz de avaliar com precisão suas forças e fraquezas, bem como as dos outros. Nesse ponto entram o aprendizado sobre o funcionamento do cérebro e as diferentes avaliações psicométricas que podem auxiliar esse estudo. Para extrair os melhores resultados de si e dos outros, **compreenda que os circuitos das pessoas são bem distintos.**

Em suma, aprender a tomar decisões melhores e criar a coragem necessária para tanto vem de a) ir atrás do que você quer b) fracassar e refletir profundamente e c) mudar/evoluir para se tornar mais capaz e audacioso. No capítulo final desta seção, "Aprenda como tomar decisões de forma eficiente", compartilho alguns princípios mais específicos que podem ajudá-lo a seguir os conselhos citados aqui e a ponderar suas opiniões em busca do melhor caminho a seguir.

Obviamente, você pode fazer tudo isso sozinho, porém, se entendeu alguma coisa a respeito de ter a mente aberta, a esta altura já deve estar claro que não irá muito longe sozinho. Todos precisamos da ajuda de outros para triangular opiniões. Além de ajudar a obter melhores resultados, isso melhora nossa capacidade de enxergar as próprias fraquezas com objetividade e compensá-las. Acima de tudo, nossa vida é afetada pelas pessoas ao redor e pela maneira como interagimos com elas.

Sua capacidade de conseguir o que quer trabalhando em uma equipe com objetivos semelhantes é muito maior do que a de obter êxito sozinho. Em "Princípios de Trabalho" falaremos sobre como as equipes devem funcionar a fim de serem mais eficientes.

Os Princípios de Trabalho tratam de indivíduos trabalhando juntos. Como o poder de um grupo é muito maior do que o de um indivíduo, você verá que eles são mais importantes do que os que discutimos até agora. Na cronologia da minha vida eles foram descritos antes dos Princípios de Vida com o intuito de ajudar as pessoas a compreenderem a abordagem que eu estava implicitamente usando na administração da Bridgewater. Desse modo, os Princípios de Trabalho são basicamente os Princípios de Vida que você acabou de ler aplicados a grupos. Princípio por princípio, mostrarei como um sistema de tomada de decisões real, prático e ponderado por credibilidade converte ideias individuais em um processo decisório de grupo eficiente. Penso que um sistema como esse pode tornar qualquer tipo de organização — uma empresa, um governo, uma instituição filantrópica — mais eficiente e fazer com que seus membros sintam-se mais satisfeitos de pertencer a ela.

Espero que esses princípios lhe deem forças para lutar e o ajudem a extrair o melhor da vida.

SUMÁRIO E TABELA DE PRINCÍPIOS DE VIDA

- Pense por você mesmo e decida: 1) o que você quer; 2) o que é certo; e 3) o que fazer para atingir o nº 1 tendo em vista o nº 2 e faça isso com humildade e mente aberta, porque só assim é possível chegar a uma fórmula adequada. — 11

INTRODUÇÃO DOS PRINCÍPIOS DE VIDA
144

- Observe os padrões de tudo que afeta você. Busque compreender as relações de causa e efeito subjacentes se quiser aprender princípios que o ajudarão a lidar com a realidade de maneira mais eficiente. — 145

PARTE II: PRINCÍPIOS DE VIDA
149

1 Aceite a realidade e lide com ela — 150

- **1.1 Seja um hiper-realista.** — 152
  - a. Sonhos + Realidade + Determinação = Uma vida de sucesso. — 152
- **1.2** A verdade — ou, mais precisamente, uma compreensão precisa da realidade — é a base essencial para qualquer bom resultado. — 153
- **1.3 Seja radicalmente transparente e tenha a mente aberta.** — 154
  - a. Abertura de mente e transparência radicais são inestimáveis se você deseja aprender rápido e realizar mudanças. — 154
  - b. Não deixe que o medo do que os outros pensam a seu respeito se interponha no seu caminho. — 155
  - c. Aceitar esses princípios radicais terá como resultado trabalho e relações mais relevantes. — 155
- **1.4 Olhe para a natureza para aprender como a realidade funciona.** — 156
  - a. Não se aferre às suas visões de como as coisas "deveriam" ser, porque elas farão com que negligencie como elas de fato são. — 158
  - b. Para que algo seja considerado "bom", precisa estar alinhado com as leis da realidade e contribuir para a evolução do todo. — 159
  - c. A maior força individual do universo é a evolução, única coisa verdadeiramente permanente e que a tudo rege. — 159
  - d. Evolua ou morra. — 162
- **1.5 Evoluir é a maior realização e a maior recompensa da vida.** — 164
  - a. As motivações individuais devem estar alinhadas com os objetivos do grupo. — 165

	b.	A realidade está sendo aperfeiçoada para o todo — não para o indivíduo.	165
	c	Adaptar-se por meio de tentativa e erro é inestimável.	165
	d.	Tenha em mente que todo indivíduo é, simultaneamente, tudo e nada — decida por qual dos aspectos você quer se destacar.	166
	e.	O que você será depende da sua perspectiva.	166
1.6	**Compreenda as lições práticas da natureza.**		167
	a.	Maximize sua evolução.	167
	b.	Lembre-se: "Sem dor, sem valor."	168
	c.	Embora doa, é necessário expandirmos nossos limites para nos tornarmos mais fortes.	169
1.7	**Dor + Reflexão = Progresso.**		169
	a.	Não evite a dor; busque-a.	170
	b.	Aceite o amor duro.	170
1.8	**Pondere as consequências de segunda e terceira ordens.**		172
1.9	**Seja dono dos seus resultados.**		172
1.10	**Veja a máquina de uma perspectiva mais elevada.**		173
	a.	Pense em si mesmo como uma máquina que opera dentro de uma máquina maior e saiba que você tem a capacidade de alterar suas propriedades internas para produzir resultados melhores.	173
	b.	Comparando os resultados com as metas é possível determinar as alterações necessárias a fazer em sua máquina.	174
	c.	Separe o papel de designer do de operador da máquina.	174
	d.	O maior erro é não olhar para si mesmo e para os outros com objetividade, o que leva a uma sequência de embates com as próprias fraquezas e as dos outros.	174
	e.	Pessoas bem-sucedidas são aquelas que podem se olhar de fora a fim de ver as coisas objetivamente e administrá-las para dar forma à mudança.	176
	f.	Conversar com pessoas que se destacam nas áreas em que você é fraco é uma excelente aptidão a desenvolver, pois ajudará a estabelecer uma rede de segurança que impedirá que atitudes erradas sejam tomadas.	177
	g.	Como é difícil ver a si mesmo de maneira objetiva, você precisa confiar no que os outros dizem e no conjunto de evidências.	177
	h.	Com mente aberta e determinação é possível conseguir quase qualquer coisa.	178

2 Use o Processo de Cinco Etapas para conseguir o que você quer da vida   184

2.1	**Defina objetivos claros.**		188
	a.	Estabeleça prioridades. Embora em tese você possa conquistar qualquer coisa, não dá para ter tudo.	188
	b.	Não confunda objetivos com desejos.	188
	c.	Decida o que você realmente quer da vida conciliando objetivos e desejos.	188

PRINCÍPIOS

d.	Não confunda as parafernálias do sucesso com o próprio sucesso.	189
e.	Jamais descarte um objetivo por julgá-lo inatingível.	189
f.	Lembre-se de que grandes expectativas criam grandes habilidades.	189
g.	Quase nada pode impedir o sucesso se você tem: a) flexibilidade e b) capacidade de assumir a responsabilidade pelos acontecimentos.	189
h.	Saber como lidar bem com seus reveses é tão importante quanto saber como avançar.	189
2.2	**Identifique e não tolere os problemas.**	190
a.	Veja os problemas mais difíceis como oportunidades de aperfeiçoamento clamando por você.	190
b.	Confronte os problemas mesmo que estejam enraizados em realidades difíceis de encarar.	190
c.	Seja específico ao identificar seus problemas.	190
d.	Não confunda a causa de um problema com o verdadeiro problema.	191
e.	Diferencie os problemas grandes dos pequenos.	191
f.	Assim que identificar um problema, não o tolere.	191
2.3	**Diagnostique os problemas para atingir as causas raízes.**	191
a.	Foque na definição antes de decidir o que fazer a respeito.	191
b.	Diferencie as causas imediatas das causas raízes.	192
c.	Identificar as características de uma pessoa (incluindo você) é a chave para saber o que esperar dela.	192
2.4	**Projete um plano.**	192
a.	Recue antes de avançar.	192
b.	Pense no problema como um conjunto de resultados produzido por uma máquina.	192
c.	Lembre-se de que geralmente há muitos caminhos para atingir seus objetivos.	192
d.	Pense no seu plano como se fosse o roteiro de um filme, visualizando quem vai fazer o que ao longo do tempo.	193
e.	Deixe o plano à disposição de toda a equipe. Ele será a medida para avaliar o progresso.	193
f.	Reconheça que projetar um bom plano não demanda tanto tempo assim.	193
2.5	**Faça o que for necessário para atingir os resultados.**	193
a.	Grandes projetistas que não executam seus planos morrem na praia.	193
b.	Bons hábitos de trabalho são imensamente subestimados.	193
c.	Estabeleça métricas claras para ter certeza de que o plano está sendo seguido.	194
2.6	**Lembre-se de que as fraquezas não importam se você encontra soluções.**	194
a.	Examine os padrões dos seus erros e identifique em qual das Cinco Etapas você geralmente fracassa.	195
b.	Todo mundo tem pelo menos uma grande pedra atrapalhando o caminho para o sucesso; identifique a sua e lide com ela.	195

2.7	Compreenda os mapas mentais e o senso de humildade em você e nos outros.	196

3 Tenha a mente radicalmente aberta — 198

- **3.1 Reconheça suas duas barreiras.** — 199
  - a. Compreenda a barreira do ego. — 199
  - b. Seus dois "eus" lutam para controlá-lo. — 200
  - c. Compreenda a barreira do ponto cego. — 201
- **3.2 Seja mente aberta ao extremo.** — 203
  - a. Acreditar que talvez não conheça o melhor caminho e reconhecer que sua capacidade de lidar bem com o "desconhecido" é mais importante do que qualquer coisa que você saiba. — 203
  - b. Reconheça que a tomada de decisões é um processo de duas etapas: primeiro é necessário recolher todas as informações relevantes para, só então, tomar as decisões. — 204
  - c. Não se preocupe com a imagem; preocupe-se em atingir seu objetivo. — 204
  - d. Não se pode dar sem receber. — 204
  - e. Reconheça que para enxergar pelos olhos de outros é preciso interromper temporariamente os juízos de valor. Somente através da empatia é possível avaliar adequadamente um ponto de vista diferente do nosso. — 205
  - f. Lembre-se de que você está procurando a melhor resposta no panorama geral, não simplesmente a melhor resposta possível. — 205
  - g. Deixe claro se você está discutindo ou apenas tentando entender e pense no que é mais apropriado com base na sua credibilidade e na dos outros. — 205
- **3.3 Aprecie a arte do desacordo respeitoso.** — 206
- **3.4 Triangule sua opinião com pessoas confiáveis que estejam dispostas a discordar.** — 208
  - a. Planejar o pior cenário e torná-lo o melhor possível. — 208
- **3.5 Fique atento aos sinais que indicam pessoas de mente aberta e de mente fechada.** — 210
- **3.6 Compreenda como é possível ter uma mente radicalmente aberta.** — 212
  - a. Use a dor para fazer reflexões mais profundas. — 213
  - b. Faça da abertura de mente um hábito. — 213
  - c. Conheça seus pontos cegos. — 213
  - d. Se várias pessoas confiáveis apontam um erro seu e você é o único que não acha que errou, presuma que provavelmente seu ponto de vista é tendencioso. — 214
  - e. Medite. — 214
  - f. Baseie suas ações em evidências e encoraje os demais a fazer o mesmo. — 214
  - g. Faça tudo o que puder para abrir a mente de outras pessoas. — 214
  - h. Use ferramentas decisórias baseadas em evidências. — 215

PRINCÍPIOS

	i. Saiba o momento de parar de lutar e tenha fé no seu processo de tomada de decisão.	215
4	**Compreenda que os circuitos das pessoas são bem diferentes**	**218**
	4.1 Compreenda o poder que vem de saber como funcionam os seus circuitos e os das demais pessoas.	222
	a. Nascemos com atributos que podem nos ajudar ou atrapalhar, dependendo de sua aplicação.	224
	4.2 Trabalho e relações relevantes não são apenas coisas legais que escolhemos para a nossa vida, mas aspectos geneticamente programados em nós.	229
	4.3 Compreenda as grandes batalhas do cérebro e aprenda a ter controle sobre elas para conseguir o que "você" quer.	232
	a. Perceba que a mente consciente está em uma batalha com o inconsciente.	232
	b. Saiba que a luta mais constante é entre sentimento e pensamento.	234
	c. Concilie seus sentimentos e pensamentos.	234
	d. Escolha bem seus hábitos.	234
	e. Treine o seu "eu inferior" com bondade e persistência para construir os hábitos certos.	237
	f. Compreenda as diferenças de pensamento entre os lados do cérebro.	237
	g. Compreenda quanto o cérebro pode ou não mudar. Isso nos leva a uma pergunta importante: podemos de fato mudar?	238
	4.4 Descubra como você e os outros são.	239
	a. Introversão × extroversão.	240
	b. Intuição × sensitividade.	240
	c. Pensar × sentir.	241
	d. Planejar × perceber.	241
	e. Criadores × introdutores × refinadores × executores × flexores.	242
	f. Foco nas tarefas × foco nos objetivos.	243
	g. Inventário de Personalidade no Local de Trabalho.	243
	h. Formatadores são pessoas que podem ir da visualização à concretização.	244
	4.5 Pôr as pessoas certas nas funções certas em busca do objetivo é a chave para ter sucesso no que você deseja realizar.	246
	a. Administre a si mesmo e orquestre a equipe.	246
5	**Aprenda a tomar decisões de maneira eficiente**	**248**
	5.1 Reconheça que 1) a maior ameaça ao bom processo decisório são emoções nocivas; e que 2) a tomada de decisão é um processo de duas etapas (primeiro aprendendo e depois decidindo).	250
	5.2 Sintetize a situação de momento.	251
	a. Uma das decisões mais importantes é escolher para quem serão feitas as perguntas.	252
	b. Não acredite em tudo o que ouve.	252
	c. Tudo parece maior visto de perto.	252

	d.	O novo é supervalorizado em relação ao extraordinário.	252
	e.	Não condense demais os pontos.	252
5.3		**Sintetize a situação ao longo do tempo.**	252
	a.	Tenha em mente tanto os índices de mudança quanto os níveis das coisas, bem como as relações entre eles.	258
	b.	Seja impreciso.	258
	c.	Lembre-se da Regra 80/20 e saiba quais são os 20% cruciais.	260
	d.	Seja um "imperfeccionista".	260
5.4		**Transite entre níveis com eficiência.**	260
	a.	Use os termos "acima da linha" e "abaixo da linha" para estabelecer em que nível está a conversa.	261
	b.	Lembre-se de que decisões precisam ser tomadas no nível apropriado, mas devem ser consistentes nos demais níveis.	261
5.5		**Lógica, razão e bom senso são suas melhores ferramentas para sintetizar a realidade e definir um curso de ação.**	265
5.6		**Tome suas decisões como cálculos de valor esperado.**	265
	a.	Aumentar a probabilidade de estar certo vale a pena independentemente de qual já seja a sua probabilidade de estar certo.	267
	b.	Saber quando não apostar é tão importante quanto saber quais apostas provavelmente são boas.	267
	c.	As melhores escolhas são aquelas que têm mais pontos a favor do que contra, não aquelas que não têm nenhum ponto contra.	267
5.7		**Pese o valor da informação extra em relação ao custo de não decidir.**	267
	a.	O que é "dever feito" precisa estar acima do que você "gosta de fazer".	268
	b.	É muito mais provável que você não tenha tempo para lidar com coisas sem importância; o que é melhor do que não ter tempo para lidar com as coisas importantes.	268
	c.	Não confunda possibilidades com probabilidades.	268
5.8		**Simplifique!**	268
5.9		**Use princípios.**	269
5.10		**Use credibilidade ponderada no seu processo decisório.**	270
5.11		**Converta seus princípios em algoritmos e faça seu computador tomar decisões em paralelo com você.**	271
5.12		**Para confiar em inteligência artificial é preciso compreendê-la muito bem.**	276

PARTE III

PRINCÍPIOS
DE TRABALHO

SUMÁRIO E TABELA DOS PRINCÍPIOS DE TRABALHO

Coloquei o sumário e a tabela de Princípios de Trabalho aqui para que você tenha a opção examiná-los na ordem, descobrindo aqueles que lhe interessam mais, ou pular esta seção e prosseguir com a leitura na página 310.

PARTE III: PRINCÍPIOS DE TRABALHO
293

- **Uma organização é uma máquina composta de duas grandes partes: cultura e pessoas.** — 313
  - a. Uma grande organização tem pessoas e cultura excelentes. — 313
  - b. Pessoas excelentes têm caráter e capacidades excelentes. — 313
  - c. Culturas excelentes trazem à tona problemas e desacordos; além disso, os resolvem de modo eficiente e têm por hábito imaginar e construir coisas grandiosas e inéditas. — 313

- **Amor duro é eficiente para conquistar trabalho e relações excelentes.** — 319
  - a. A excelência exige que não se faça concessões onde elas não são possíveis. — 319

- **Uma meritocracia de ideias ponderadas pela credibilidade é o melhor sistema para tomar decisões eficientes.** — 321

- **Transforme sua paixão e seu trabalho em uma única coisa e faça isso com pessoas que gostaria de ter ao seu lado.** — 331

PARA ACERTAR NA CULTURA...
332

1 Confie na sinceridade e na transparência radicais — 336
  - 1.1 Tenha em mente que você não tem nada a temer por saber a verdade. — 340
  - 1.2 Seja íntegro e cobre o mesmo dos outros. — 341
    - a. Nunca diga sobre alguém algo que você não falaria na cara e não faça juízos de valor sem confrontá-lo. — 341
    - b. Não deixe a lealdade às pessoas atrapalhar a verdade e o bem-estar da organização. — 342
  - 1.3 Crie um ambiente em que todos tenham o direito de entender o que faz sentido e ninguém tenha o direito de manter uma opinião crítica sem se manifestar. — 343
    - a. Fale, assuma ou saia. — 343

	b.	Seja extremamente aberto.	343
	c.	Não seja ingênuo a respeito da desonestidade.	343
1.4	**Seja radicalmente transparente.**		**344**
	a.	Use a transparência para garantir que a justiça seja feita.	346
	b.	Compartilhe o que é mais difícil de compartilhar.	347
	c.	Limite ao máximo as exceções à transparência radical.	347
	d.	Garanta que aqueles que usufruem de uma transparência radical reconheçam a responsabilidade de preservá-la e de ponderar as coisas com inteligência.	348
	e.	Pessoas responsáveis merecem transparência. As irresponsáveis devem ser desligadas da organização.	349
	f.	Não compartilhe informação sensível com os inimigos da organização.	349
1.5	**Relações e trabalho relevantes se reforçam mutuamente, sobretudo quando apoiados por sinceridade e transparência radicais.**		**350**

2 Cultive trabalho e relações relevantes — 352

2.1	**Seja leal à missão comum, não àqueles que não se encaixem nela.**		**356**
2.2	**Seja cristalino sobre qual é o acordo.**		**356**
	a.	Garanta que as pessoas tenham para com os outros mais consideração do que exigem para si mesmas.	357
	b.	Garanta que as pessoas compreendam a diferença entre justiça e generosidade.	358
	c.	Identifique a linha e se mantenha na extremidade do justo.	359
	d.	Pague pelo trabalho.	359
2.3	**Reconheça que o tamanho da organização pode representar uma ameaça a relações relevantes.**		**360**
2.4	**Lembre-se de que a maioria das pessoas vai fingir que age de acordo com os seus interesses, enquanto age segundo os próprios.**		**360**
2.5	**Dê especial valor a pessoas honradas e capazes — elas serão generosas com você mesmo quando não estiver por perto.**		**361**

3 Crie uma cultura na qual seja ok cometer erros e inaceitável não aprender com eles — 362

3.1	**Reconheça que erros são uma parte natural do processo evolutivo.**		**365**
	a.	Fracasse bem.	365
	b.	Não se sinta mal a respeito de seus erros ou os dos outros.	365
3.2	**Não se preocupe com a imagem — preocupe-se em atingir seus objetivos.**		**366**
	a.	Abandone noções de "culpa" e "crédito" e fique com as de "exato" e "inexato".	366

3.3	Observe os padrões dos erros para ver se são gerados por fraquezas.	366
3.4	Lembre-se de refletir nos momentos de dor.	366
	a. Faça uma autoanálise.	367
	b. Saiba que ninguém pode ver a si mesmo com objetividade.	367
	c. Ensine e reforce os méritos do aprendizado baseado em erros.	367
3.5	Saiba quais tipos de erros são aceitáveis e quais são inaceitáveis, e não permita que quem trabalha para você cometa os do segundo tipo.	368
4	**Entre em sincronia e se mantenha assim**	**370**
4.1	Reconheça que conflitos são essenciais para que haja grandes relações porque são o modo como as pessoas determinam se seus princípios estão alinhados e resolvem suas diferenças.	374
	a. Não economize tempo e energia para entrar em sincronia: esse é o melhor investimento possível.	374
4.2	Saiba como entrar em sincronia e como discordar bem.	374
	a. Evidencie as possíveis áreas em que há falta de sincronia.	375
	b. Saiba distinguir as reclamações infundadas das que visam o aprimoramento.	375
	c. Lembre-se de que toda história tem outro lado.	375
4.3	Seja assertivo e tenha a mente aberta.	376
	a. Diferencie pessoas de mente aberta das de mente fechada.	376
	b. Não se relacione com pessoas de mente fechada.	376
	c. Fique atento a quem acha que ignorância é motivo para constrangimento.	377
	d. Garanta que a liderança tenha mente aberta em relação aos comentários e perguntas dos outros.	377
	e. Reconheça que entrar em sincronia é uma responsabilidade de mão dupla.	377
	f. Preocupe-se mais com a essência do que com o estilo.	377
	g. Seja razoável e espere o mesmo dos outros.	377
	h. Fazer sugestões e perguntas não é o mesmo que criticar, então não tome como se fossem críticas.	378
4.4	Se quiser que uma reunião avance, administre a conversa.	378
	a. Deixe claro quem está comandando a reunião e para quem ela está direcionada.	378
	b. Seja preciso no que estiver falando para evitar confusão.	378
	c. Deixe claro o tipo de comunicação que será usado tendo em vista objetivos e prioridades.	379
	d. Conduza a reunião sendo ao mesmo tempo assertivo e de mente aberta.	379
	e. Transite entre os diferentes níveis da conversa.	379
	f. Fique atento a "distanciamento do tópico".	380
	g. Faça valer a lógica das conversas.	380
	h. Tenha cuidado para não perder a responsabilidade pessoal em uma tomada de decisões coletiva.	380

PRINCÍPIOS DE TRABALHO

	i.	Use a "regra dos dois minutos" para evitar interrupções persistentes.	380
	j.	Fique atento a "faladores rápidos" assertivos.	380
	k.	Conclua as conversas.	381
	l.	Alavanque sua comunicação.	381
4.5		**Boas colaborações são como jazz.**	382
	a.	1 + 1 = 3.	382
	b.	De 3 a 5 é mais do que 20.	382
4.6		**Quando houver alinhamento, valorize isso.**	383
4.7		**Ao descobrir que não pode conciliar grandes diferenças — especialmente no que se refere a valores —, considere se vale a pena manter a relação.**	383

5   Pondere seu processo decisório pela credibilidade   384

5.1		**Reconheça que uma meritocracia de ideias efetiva exige compreender os méritos das ideias de cada um.**	388
	a.	Se você mesmo não consegue fazer bem determinada coisa, não acredite que pode dizer aos outros como ela deveria ser feita.	388
	b.	Lembre-se de que todos têm opiniões e elas costumam ser ruins.	389
5.2		**Tente entender o raciocínio das pessoas mais críveis que discordem de você.**	389
	a.	Reflita sobre a credibilidade das pessoas para avaliar a probabilidade de suas opiniões serem boas.	389
	b.	Lembre-se de que provavelmente as opiniões mais críveis vêm de pessoas que: 1) fizeram com sucesso a coisa em questão pelo menos três vezes; e 2) têm ótimas explicações para as relações de causa e efeito que as levaram a ter suas conclusões.	389
	c.	Mesmo que não tenha colocado em prática, se alguém tem uma teoria que parece lógica e que possa ser submetida a um teste de estresse, teste-a o quanto antes.	390
	d.	Preste mais atenção ao raciocínio das pessoas do que à conclusão a que chegaram.	390
	e.	Pessoas inexperientes também podem ter ideias excelentes — e às vezes até melhores do que as das mais experientes.	390
	f.	Todos precisam expressar com sinceridade o quanto confiam nas próprias ideias.	390
5.3		**Reflita se você está no papel de professor, aluno ou colega e se deveria estar ensinando, perguntando ou debatendo.**	390
	a.	É mais importante que o aluno compreenda o professor do que o contrário, embora as duas coisas tenham seu valor.	391
	b.	Reconheça que, embora todos tenham o direito e a responsabilidade de tentar entender as coisas importantes, as pessoas devem fazer isso com humildade e uma abertura de mente radical.	392
5.4		**Entenda como as pessoas chegaram às próprias opiniões.**	392
	a.	Pense bem a quem você deve perguntar.	393
	b.	Estimular questionamentos aleatórios entre todos os membros da equipe é perda de tempo.	393

PRINCÍPIOS

c.	Fique atento a frases que começam com "Eu acho que..."	393
d.	Mantenha um registro sistemático do histórico das pessoas para avaliar sua credibilidade.	393

5.5 Discorde com eficiência. — 394

a.	Saiba quando interromper o debate e passar para um acordo sobre o que deve ser feito.	394
b.	Use a ponderação da credibilidade como uma ferramenta, e não como um substituto da tomada de decisões pelos Indivíduos Responsáveis.	394
c.	Como não dá para examinar rigorosamente o pensamento de cada um, escolha com sabedoria as suas pessoas críveis.	394
d.	Quando você é responsável por uma decisão, compare aquilo em que acredita com a decisão ponderada pela credibilidade tomada pelo grupo.	395

5.6 Reconheça que todos têm o direito e a responsabilidade de tentar entender as questões importantes. — 395

a.	Trocas cujo o objetivo seja conseguir a melhor resposta devem envolver os indivíduos mais relevantes.	396
b.	Trocas cujo objetivo seja ensinar ou aumentar a coesão devem envolver um conjunto mais amplo de participantes.	396
c.	Reconheça que você não precisa fazer juízos de valor em relação a tudo.	396

5.7 Ocupe-se mais em identificar se o sistema de tomada de decisões é justo do que em fazer com que sua opinião prevaleça. — 397

6 Reconheça como superar desacordos — 398

6.1 Lembre-se: princípios não podem ser ignorados só porque um grupo entrou em acordo. — 400

a.	Todos devem seguir o mesmo padrão de comportamento.	400

6.2 Certifique-se de que não confundam reclamações, conselhos e abertura para debater com o direito de tomar decisões. — 401

a.	Ao contestar uma decisão e/ou um tomador de decisões, considere o contexto mais amplo.	401

6.3 Não deixe conflitos importantes sem solução. — 402

a.	Não se deixem dividir por pequenas desavenças e se tornem mais unidos pelas grandes concordâncias.	402
b.	Não fique parado em um desacordo — leve-o a uma instância superior ou abra uma votação!	402

6.4 Assim que uma decisão for tomada, todos devem apoiá-la, mesmo que alguns ainda discordem. — 403

a.	Veja as coisas a partir de um nível superior.	403
b.	Jamais permita que a meritocracia de ideias descambe para a anarquia.	404
c.	Não permita linchamentos e turbas.	404

6.5	Lembre-se de que, se a meritocracia de ideias entrar em conflito com o bem-estar da organização, ela inevitavelmente sofrerá.	405
	a. Declare "lei marcial" somente em circunstâncias raras ou extremas em que os princípios precisem ser suspensos.	405
	b. Tenha cuidado com quem defende a suspensão da meritocracia de ideias pelo "bem da organização".	405
6.6	Se os líderes hierárquicos não agem de acordo com os princípios, todo o modelo fracassará.	406

PARA ACERTAR NAS PESSOAS...
408

7	**QUEM é mais importante do que O QUÊ**	**412**
7.1	A decisão mais importante de todas é a escolha dos Indivíduos Responsáveis.	415
	a. Os Indivíduos Responsáveis mais importantes são os responsáveis pelos objetivos, resultados e máquinas nos níveis mais elevados.	415
7.2	Saiba que o Indivíduo Responsável final será quem arca com as consequências do que é feito.	416
	a. Certifique-se de que todo mundo tenha que se reportar a alguém.	416
7.3	Lembre-se da força por trás da coisa.	417
8	**Contrate bem: Contratações ruins são superprejudiciais**	**418**
8.1	Combine o indivíduo com o projeto.	420
	a. Reflita bem sobre os valores, as capacidades e as habilidades que está procurando (nessa ordem).	421
	b. Torne seu processo de seleção sistemático e científico.	422
	c. Ouça o clique: descubra o encaixe exato entre função e indivíduo.	422
	d. Procure pessoas que tenham brilho, não apenas "mais uma daquelas".	423
	e. Não use sua influência para favorecer alguém.	423
8.2	Lembre-se de que perspectivas e raciocínios variam de pessoa para pessoa, o que torna cada indivíduo adequado para um tipo de trabalho.	423
	a. Entenda como usar e interpretar avaliações de personalidade.	424
	b. As pessoas tendem a selecionar quem é parecido com elas: escolha entrevistadores capazes de identificar o que você está procurando.	424
	c. Procure pessoas dispostas a olhar para si mesmas com objetividade.	424
	d. Lembre-se de que as pessoas não podem mudar tanto assim.	425
8.3	Pense nas suas equipes como os diretores esportivos fazem: ninguém tem tudo o que é necessário para produzir sucesso, porém, todos precisam ser excelentes.	425

PRINCÍPIOS

8.4 Preste atenção no histórico das pessoas. 425
    a. Cheque as referências. 426
    b. Desempenho escolar não é um bom indicador da presença dos valores e capacidades que você procura. 426
    c. Embora seja melhor ter grandes pensadores conceituais, uma experiência robusta e um histórico bom também contam bastante. 426
    d. Cuidado com o idealista utópico. 427
    e. Não presuma que alguém bem-sucedido em outro lugar terá sucesso no emprego que você está oferecendo. 427
    f. Certifique-se de contratar pessoas capazes e de caráter. 427

8.5 Não contrate pessoas apenas para preencher a primeira vaga de que elas derem conta; contrate pessoas com quem quer compartilhar a vida. 428
    a. Procure pessoas que fazem excelentes questionamentos. 428
    b. Mostre seu lado feio aos candidatos. 428
    c. Toque jazz com quem você é compatível, mas que também irá desafiá-lo. 428

8.6 Ao avaliar a remuneração, propicie estabilidade e oportunidade. 429
    a. Pague pelo indivíduo, não pela função. 429
    b. Tenha métricas de desempenho vinculadas, mesmo que frouxamente, à remuneração. 429
    c. Pague acima do justo. 429
    d. Foque mais em fazer o bolo crescer do que em uma divisão de fatias na qual você ou outra pessoa fique com a maior. 429

8.7 Lembre-se de que, em grandes parcerias, consideração e generosidade são mais importantes do que dinheiro. 430
    a. Seja generoso e espere o mesmo em troca. 430

8.8 Ótimos funcionários são difíceis de achar. Tenha sempre em mente que é preciso mantê-los na equipe. 430

9 Treine, teste, avalie e filtre as pessoas constantemente 432

9.1 Entenda que você e as pessoas que gerencia passarão por um processo de evolução pessoal. 435
    a. O processo de evolução pessoal deve ser relativamente rápido e uma consequência natural da descoberta dos pontos fortes e fracos; portanto, planos de carreira não são definidos no início. 435
    b. Entenda que o treinamento guia o processo de evolução pessoal. 436
    c. Ensine seu pessoal a pescar, mesmo que isso signifique permitir alguns erros. 437
    d. Reconheça que a experiência internaliza aprendizados que não podem ser transmitidos pelos livros. 437

9.2 Forneça feedback constante. 437

PRINCÍPIOS DE TRABALHO

9.3	**Precisão é mais importante do que gentileza na hora de avaliar.**	**438**
	a. No fim, precisão e gentileza são a mesma coisa.	438
	b. Coloque seus elogios e críticas em perspectiva.	438
	c. Pense na precisão, não nas implicações.	438
	d. Faça avaliações precisas.	439
	e. Aprenda com o sucesso e com o fracasso.	439
	f. A maioria das pessoas acha que o que fez e o que está fazendo são muito mais importantes do que de fato são.	439
9.4	**Amor duro é o tipo de amor mais difícil e importante (porque raramente é bem-recebido).**	**439**
	a. Reconheça que, embora a maioria prefira elogios, críticas precisas são mais valiosas.	440
9.5	**Não reprima suas observações a respeito das pessoas.**	**440**
	a. Construa a sua síntese a partir das especificidades.	440
	b. Esprema os pontos.	441
	c. Não esprema demais um ponto.	441
	d. Use ferramentas de avaliação, tais como pesquisas de desempenho, métricas e avaliações formais, para documentar todos os aspectos do rendimento de alguém.	441
9.6	**O processo de conhecer um integrante da equipe deve ser aberto, evolutivo e iterativo.**	**442**
	a. Torne suas métricas claras e imparciais.	442
	b. Encoraje as pessoas a refletirem com objetividade sobre os próprios desempenhos.	443
	c. Observe o quadro completo.	443
	d. Ao fazer análises de desempenho, comece por casos específicos, busque padrões e entre em sincronia com o analisado (examinem as evidências juntos).	444
	e. Os dois maiores erros do superior hierárquico são: confiança excessiva na própria capacidade de avaliação e não conseguir entrar em sincronia.	444
	f. Entre em sincronia sobre avaliações de uma maneira não hierárquica.	445
	g. A troca entre você e a equipe a respeito de erros e suas causas raízes deve ser franca e constante.	445
	h. Para garantir que as pessoas estejam fazendo um bom trabalho, não é preciso observar tudo o que todo mundo faz o tempo todo.	445
	i. Reconheça que mudar é difícil.	446
	j. Ajude as pessoas a lidar com o desconforto de descobrir os próprios pontos fracos.	446
9.7	**Saber como as pessoas agem e ser capaz de avaliar se isso trará bons resultados é mais importante do que saber o que fizeram.**	**446**
	a. Se alguém estiver rendendo abaixo do esperado, avalie se é consequência de aprendizado inadequado ou de capacidade inadequada.	447

PRINCÍPIOS

	b. Treinar uma pessoa de baixo rendimento para que adquira as habilidades exigidas e deixar de avaliar suas capacidades é um erro comum.	447
9.8.	**Quando você está em sincronia de verdade com alguém a respeito de suas fraquezas, elas provavelmente são reais.**	448
	a. Ao fazer juízos de valor, lembre-se de que você não precisa chegar ao ponto do "sem sombra de dúvida".	448
	b. Um ano é tempo suficiente para saber como uma pessoa é e se ela se encaixa na função.	450
	c. Avalie as pessoas levando em conta todo o tempo que trabalham para você.	450
	d. Avalie os funcionários com o mesmo rigor com que avalia candidatos.	450
9.9	**Treine, tome medidas de precaução ou dispense as pessoas — reabilitá-las não dá certo.**	450
	a. Não colecione funcionários.	451
	b. Esteja disposto a "fuzilar as pessoas que ama".	451
	c. Quando alguém estiver deslocado em sua área, veja se existe uma área mais adequada para ele ou se é melhor demiti-lo.	452
	d. Cuidado ao permitir que alguém retroceda para outra função após fracassar.	452
9.10	**Lembre-se de que o objetivo de uma transferência é aproveitar todo o potencial de alguém de modo a beneficiar toda a comunidade.**	453
	a. Deixe o funcionário terminar o ciclo antes de mudar para novas funções.	453
9.11	**Não baixe o padrão mínimo.**	454

PARA CONSTRUIR E EVOLUIR SUA MÁQUINA...
456

10	**Opere bem a máquina para atingir seus objetivos**	460
10.1	**Vá para um nível superior e analise sua máquina e você dentro dela.**	462
	a. Compare constantemente os resultados com os objetivos.	462
	b. Todo grande gerente é em essência um engenheiro organizacional.	463
	c. Desenvolva ótimas métricas.	463
	d. Cuidado para não dar atenção demais ao que está vindo em sua direção e atenção de menos à máquina.	464
	e. Não perca o foco com objetos brilhantes.	464
10.2	**Lembre-se de que sua abordagem em relação a qualquer questão deve ter sempre dois propósitos: 1) aproximá-lo da sua meta; e 2) treinar e testar sua máquina (as pessoas e o projeto).**	465
	a. Tudo é estudo de caso.	465
	b. Diante de um problema conduza a discussão em dois níveis: 1) da máquina (por que esse resultado foi produzido); e 2) do caso à mão (o que fazer a respeito).	465

PRINCÍPIOS DE TRABALHO

    c. Ao criar regras, explique os princípios por trás delas. — 465
    d. Suas políticas devem ser extensões naturais dos seus princípios. — 466
    e. Embora bons princípios e políticas quase sempre forneçam boa orientação, lembre-se de que toda regra tem exceções. — 466

10.3 Entenda as diferenças entre gerenciar, microgerenciar e não gerenciar. — 467
    a. Gerentes têm que garantir que as coisas sob sua responsabilidade funcionem bem. — 467
    b. Gerenciar seus subordinados deve ser como esquiar juntos. — 467
    c. Um esquiador excelente provavelmente será um instrutor melhor do que um esquiador novato. — 467
    d. Delegue tarefas menores. — 467

10.4 Entenda bem a equipe e aquilo que a empolga: esse é seu recurso mais importante. — 468
    a. Analise com frequência cada um que é importante para você e para a organização. — 468
    b. Descubra quanta confiança você pode depositar em seu pessoal — não presuma que sabe isso. — 468
    c. Varie o envolvimento com base na sua confiança. — 469

10.5 Atribua responsabilidades de forma clara. — 469
    a. Lembre-se da responsabilidade de cada um. — 469
    b. Fique atento à degeneração de função. — 469

10.6 Investigue a fundo e bem para aprender o que pode esperar da sua máquina. — 470
    a. Tenha o mínimo de conhecimento. — 470
    b. Evite ficar muito distante. — 470
    c. Use as atualizações diárias para se manter informado sobre o que seu pessoal está fazendo e pensando. — 471
    d. Fique atento aos problemas antes mesmo de eles surgirem. — 471
    e. Sonde até o nível abaixo daqueles que se reportam a você. — 471
    f. Faça com que os subordinados dos seus subordinados se sintam à vontade para levar seus problemas a você. — 471
    g. Não presuma que as respostas estão corretas. — 471
    h. Treine o seu ouvido. — 471
    i. Deixe claro que você está sondando. — 472
    j. Aceite bem quando for questionado. — 472
    k. Diferenças no modo de ver e pensar criam problemas de comunicação. — 472
    l. Puxe todos os fios suspeitos. — 472
    m. Reconheça que há muitas formas de agir. — 473

10.7 Pense como dono e espere o mesmo dos outros. — 474
    a. Sair de férias não significa negligenciar suas responsabilidades. — 474
    b. Force a si mesmo e aos demais a fazer coisas difíceis. — 474

PRINCÍPIOS

10.8 Lide com o risco do homem-chave. — 475
10.9 Não trate todo mundo do mesmo jeito. — 475
    a. Não tolere ser pressionado. — 475
    b. Preocupe-se com quem trabalha para você. — 475
10.10 Uma grande liderança não é o que geralmente se pensa ser. — 476
    a. Seja ao mesmo tempo fraco e forte. — 477
    b. Não se preocupe se o seu pessoal gosta ou não de você e não lhes peça conselhos. — 477
    c. Não dê ordens nem tente ser seguido; busque ser compreendido e compreender os outros. — 478
10.11 Cobre responsabilidades de si mesmo e do seu pessoal e valorize a equipe por fazer o mesmo com você. — 480
    a. Se você e outra pessoa concordam que algo tem que acontecer de determinado modo, garanta que assim seja — a menos que entrem em sincronia sobre agir de outro jeito. — 480
    b. Diferencie um fracasso relacionado a rompimento de "contrato" de um fracasso sem qualquer "contrato estabelecido". — 480
    c. Evite ser puxado para baixo. — 480
    d. Preste atenção em quem confunde objetivos e tarefas — essas pessoas não podem assumir responsabilidades. — 481
    e. Cuidado com o "teoricamente deveria": ele não tem foco e é contraproducente. — 481
10.12 Comunique o plano com clareza e tenha métricas claras para ver se você está progredindo conforme o planejado. — 482
    a. Coloque as coisas em perspectiva, retrocedendo antes de avançar. — 482
10.13 Leve suas responsabilidades a uma instância superior quando não for possível lidar com elas e certifique-se de que as pessoas que trabalham para você sejam proativas em relação a fazer o mesmo. — 482

11 Identifique e não tolere problemas — 484

11.1 Se não estiver preocupado, comece a se preocupar — e, se estiver preocupado, fique tranquilo. — 488
11.2 Desenvolva e supervisione uma máquina capaz de perceber se as coisas estão bem ou não, ou, então, faça isso você mesmo. — 488
    a. Designe pessoas cuja tarefa seja identificar problemas e lhes dê tempo para que façam suas pesquisas e independência para que possam evidenciar problemas sem qualquer medo de recriminação. — 488
    b. Fique atento à "Síndrome do Sapo na Água Fervente". — 488
    c. Cuidado com o pensamento coletivo: o fato de ninguém parecer preocupado não significa que esteja tudo certo. — 489
    d. Para identificar problemas, compare como os resultados se alinham aos objetivos. — 489
    e. "Prove a sopa." — 490
    f. Tenha o maior número possível de pessoas procurando por problemas. — 490
    g. "Abra as comportas." — 491

	h.	Tenha em mente que as pessoas mais próximas de determinados trabalhos provavelmente são as que melhor os conhecem.	491
11.3	**Seja bem específico sobre os problemas; não comece com generalizações.**		491
	a.	Evite o uso de "nós" e "eles", pronomes anônimos que mascaram a responsabilidade individual.	491
11.4	**Não tenha medo de solucionar questões difíceis.**		492
	a.	Entenda que problemas com soluções boas e planejadas são mais simples do que problemas ignorados.	492
	b.	Pense nos problemas identificados como problemas na máquina.	492

12 Diagnostique os problemas para chegar às causas raízes — 494

12.1	Para diagnosticar bem, faça as seguintes perguntas: 1. O resultado é bom ou ruim? 2. Quem é responsável pelo resultado? 3. Se o resultado é ruim, o Indivíduo Responsável é incapaz e/ou o projeto é ruim?	497
a.	Pergunte-se: "Quem deveria fazer o quê de maneira diferente?"	500
b.	Identifique em que fase do Processo de Cinco Etapas ocorreu a falha.	500
c.	Identifique quais princípios foram violados.	500
d.	Não seja comentarista de um jogo que já acabou.	501
e.	Não confunda a qualidade das circunstâncias de alguém com a qualidade da abordagem adotada para lidar com elas.	501
f.	Descobrir que alguém não sabe o que fazer não significa que você saiba.	501
g	Lembre-se de que uma causa raiz não é uma ação, mas uma razão.	501
h.	Para diferenciar um problema de função de um problema de capacidade, imagine como a pessoa se sairia nessa função específica se tivesse ampla capacidade.	502
i.	Gerentes em geral falham ou ficam aquém de suas metas por uma (ou mais) de cinco razões.	503
12.2	**Diagnostique continuamente para obter síntese.**	503
12.3	**Tenha em mente que diagnósticos devem produzir resultados.**	503
a.	As mesmas pessoas fazendo as mesmas coisas só podem produzir os mesmos resultados.	503
12.4	**Use a seguinte técnica de "exploração descendente" para obter uma compreensão 80/20 de um departamento ou subdepartamento que esteja com problemas.**	504
12.5	**Tenha em mente que o diagnóstico é fundamental para o progresso e para relações de qualidade.**	507

13 Aperfeiçoe sua máquina para superar problemas — 508

13.1	**Desenvolva a sua máquina.**	511
13.2	**Sistematize os seus princípios e a maneira como serão implementados.**	511
a.	Crie máquinas excelentes para a tomada de decisões pensando a fundo sobre os critérios que usa no momento em que as está tomando.	511

PRINCÍPIOS

13.3 Lembre-se de que um bom plano deve ser parecido com um roteiro de cinema. — 512
  a. Coloque-se por instantes no lugar de quem está enfrentando o problema: isso lhe dará uma compreensão mais rica da situação para a qual você está projetando. — 512
  b. Visualize máquinas alternativas e seus resultados e, então, escolha. — 512
  c. Considere também as consequências de segunda e terceira ordens. — 513
  d. Recorra a reuniões contínuas para ajudar sua organização a funcionar como um relógio suíço. — 513
  e. Lembre-se de que uma boa máquina leva em conta o fato de que o seres humanos são imperfeitos. — 513

13.4 Reconheça que projetar é um processo iterativo. Entre um "agora" ruim e um "depois" bom há um período de "estamos trabalhando nisso". — 513
  a. Entenda o poder da "tempestade que limpa". — 514

13.5 Construa a organização em torno de objetivos, não de tarefas. — 514
  a. Construa sua organização de cima para baixo. — 515
  b. Lembre-se de que todos precisam ser supervisionados por alguém crível e com padrões elevados. — 515
  c. Garanta que os ocupantes do topo de cada pirâmide tenham as habilidades e o foco necessários para gerenciar seus subordinados diretos e um profundo conhecimento de suas funções. — 515
  d. Ao projetar sua organização, lembre-se de que o Processo de Cinco Etapas é o caminho para o sucesso e que pessoas diferentes são boas em etapas diferentes. — 516
  e. Não construa a organização de modo a encaixar as pessoas. — 516
  f. Tenha em mente a escala. — 516
  g. Organize os departamentos e os subdepartamentos em torno dos agrupamentos mais lógicos de acordo com a "força gravitacional". — 517
  h. Dê o máximo de autonomia possível aos departamentos para que tenham controle sobre os recursos necessários para atingir suas metas. — 517
  i. Estabeleça a proporção correta de gerentes seniores para gerentes juniores e de gerentes juniores para seus subordinados a fim de manter uma comunicação de qualidade e o entendimento mútuo. — 517
  j. Avalie a sucessão e o treinamento no seu projeto. — 517
  k. Não se limite apenas ao seu trabalho; preste atenção em como ele será feito depois que você sair. — 518
  l. Recorra à "dupla realização", em vez de à "dupla checagem", para garantir que tarefas críticas para a missão sejam feitas corretamente. — 519

PRINCÍPIOS DE TRABALHO

m.	Recorra a consultorias com sabedoria e fique atento para não se viciar nelas.	519
13.6	**Crie um organograma que se pareça com uma pirâmide, com linhas retas descendentes que não se cruzam.**	520
a.	Ao identificar problemas entre departamentos ou intradepartamentos, envolva a pessoa que está no topo da pirâmide.	520
b.	Não faça trabalhos para integrantes de outro departamento nem use funcionários de outro departamento para fazer algo para você sem antes conversar com o responsável pela supervisão do outro departamento.	522
c.	Fique atento à "degeneração de departamento".	522
13.7	**Crie proteções onde for necessário — e lembre-se de que, o melhor é não ter proteções.**	522
a.	Não espere que as pessoas reconheçam os próprios pontos cegos e façam compensações.	523
b.	Considere o projeto do tipo "trevo".	523
13.8	**Mantenha sua visão estratégica inalterada e faça as mudanças táticas apropriadas à medida que as circunstâncias se alterarem.**	523
a.	Não coloque o que é urgente na frente do que é estratégico.	524
b.	Pense tanto no quadro geral quanto nos detalhes mais específicos, e entenda as conexões entre eles.	524
13.9	**Tenha bons controles, de forma a não ficar exposto à desonestidade dos outros.**	525
a.	Investigue e deixe que as pessoas saibam que vai investigar.	525
b.	Lembre-se de que não faz sentido haver leis sem ter policiais (auditores).	525
c.	Fique alerta contra a aprovação automática.	525
d.	Tenha em mente que pessoas que fazem compras em seu nome provavelmente não gastarão seu dinheiro com sabedoria.	526
e.	Use punições públicas para coibir o mau comportamento.	526
13.10	**As cadeias de comando e a atribuição de responsabilidades devem ser delineadas com a maior clareza possível.**	526
a.	Delegue responsabilidades com base no projeto de fluxo de trabalho e nas capacidades dos indivíduos, não com base em títulos de cargos.	527
b.	Pense constantemente sobre como gerar alavancagem.	527
c.	Tenha em mente que é melhor descobrir poucas pessoas inteligentes e oferecer a elas melhor tecnologia do que ter um número maior de gente comum e menos bem equipada.	528
d.	Utilize alavancadores.	528
13.11	**Lembre-se de que quase tudo vai consumir mais tempo e dinheiro do que o esperado.**	528

PRINCÍPIOS

14 Faça o que você se propôs a fazer — 530

  14.1 Trabalhe por objetivos que empolguem você e a sua organização e pense em como suas tarefas se relacionam com esses objetivos — 532
   a. Seja organizado e consistente ao motivar os outros. — 533
   b. Não aja sem refletir. Tire o tempo que for necessário para montar um plano de jogo. — 533
   c. Procure soluções criativas, que criem atalhos. — 533
  14.2 Reconheça que todos têm muita coisa para fazer. — 534
   a. Não se sinta frustrado. — 534
  14.3 Faça listas. — 535
   a. Não confunda listas de coisas a fazer com responsabilidade pessoal. — 535
  14.4 Reserve tempo para descanso e renovação. — 535
  14.5 Solte rojão. — 535

15 Utilize ferramentas e protocolos para formatar a execução do trabalho — 536

  15.1 Ter princípios sistematizados embutidos em ferramentas é especialmente valioso para uma meritocracia de ideias. — 538
   a. Para de fato produzir mudanças comportamentais, entenda a importância do aprendizado internalizado ou obtido por meio do hábito. — 538
   b. Use ferramentas para coletar dados e transforme-os em conclusões e ações. — 539
   c. Estimule um ambiente de confiança e justiça adotando princípios definidos com clareza e que sejam implementados em ferramentas e protocolos. Desse modo, as conclusões obtidas podem ser avaliadas pela monitoração da lógica e dos dados subjacentes. — 539

16 E, pelo amor de Deus, não negligencie a governança! — 542

  16.1 Para serem bem-sucedidas, todas as organizações precisam ter freios e contrafreios. — 544
   a. Até em uma meritocracia de ideias o mérito não pode ser o único fator determinante para a atribuição de responsabilidade e autoridade. — 545
   b. Certifique-se de que ninguém seja mais poderoso do que o sistema ou tão importante a ponto de se tornar insubstituível. — 545
   c. Cuidado com feudos. — 545
   d. Deixe claro que as regras e a estrutura da organização devem garantir que seu sistema de freios e contrafreios funcione bem. — 547
   e. Certifique-se de que os canais de prestação de contas sejam claros. — 547
   f. Certifique-se de que os direitos de decisão sejam claros. — 547
   g. Certifique-se de que as pessoas que fazem avaliações: — 547

1) disponham do tempo para estar inteiramente informadas sobre o desempenho do funcionário analisado; 2) tenham a capacidade de fazer as avaliações; e 3) não tenham conflitos de interesses que impossibilitem o bom desempenho da supervisão.

    h. Tenha em mente que os tomadores de decisão precisam ter acesso à informação necessária e precisam ser confiáveis o suficiente para lidar com ela de maneira segura. **548**

16.2 Lembre-se de que, em uma meritocracia de ideias, um único CEO não é tão bom quanto um grupo de líderes. **548**

16.3 Nenhum sistema de governança com princípios, regras e freios e contrafreios pode substituir uma parceria excelente. **549**

Para que qualquer grupo ou organização funcione bem, seus Princípios de Trabalho precisam estar alinhados com os Princípios de Vida de seus membros.

Não quero dizer que isso tenha que ocorrer em todos os aspectos, mas é preciso, sim, que estejam alinhados nas questões mais importantes, como a missão em que estão e a forma como lidam uns com os outros.

Se sentirem que há esse alinhamento, as pessoas valorizarão as relações e estarão em harmonia, porque a cultura da organização permeará tudo o que fizerem. Caso contrário, os indivíduos buscarão objetivos diferentes, com frequência conflitantes, e se sentirão confusos quanto à forma de agir com os pares. É importante que todas as organizações — empresas, governos, fundações, escolas, hospitais etc. — definam seus princípios e valores de forma clara e explícita e operar consistentemente de acordo com eles.

Esses princípios e valores não são slogans vagos, como "o cliente tem sempre razão" ou "devemos batalhar para sermos os melhores no ramo", mas um conjunto de diretrizes concretas que todos possam compreender, estar de acordo e cumprir. Ao mudar o foco dos Princípios de Vida para os Princípios de Trabalho, explicarei como isso foi possível na Bridgewater e como afetou nossos resultados. Contudo, antes quero explicar o que penso a respeito de organizações de um modo geral.

OBJETIVOS → MÁQUINA → RESULTADOS

CULTURA ←→ PESSOAS

- **Uma organização é uma máquina composta de duas grandes partes: cultura e pessoas.**

Uma influencia a outra já que as pessoas que compõem a organização determinam o tipo de cultura que ela tem, enquanto a cultura da organização determina o tipo de pessoas que se adequa a ela.

a. Uma grande organização tem pessoas e cultura excelentes. Empresas que progressivamente se tornam melhores com o tempo têm ambas. Nada é mais importante ou mais difícil do que aprimorar os dois aspectos.

b. Pessoas excelentes têm caráter e capacidades excelentes. Por caráter excelente me refiro às que são radicalmente sinceras, radicalmente transparentes e profundamente comprometidas com a missão da organização. Por capacidades excelentes, me refiro às habilidades e aptidões necessárias para que desempenhem suas funções em alto nível. Pessoas que dispõem de apenas uma das características devem ser desligadas da organização. Já as que têm as duas são raras e devem ser valorizadas.

c. Culturas excelentes trazem à tona problemas e desacordos; além disso, os resolvem de modo eficiente e têm por hábito imaginar e construir coisas grandiosas e inéditas. Fazer isso é o que sustenta sua evolução. A Bridgewater faz isso através de uma meritocracia de ideias que se empenha em busca de trabalho e relações relevantes por meio da sinceridade e da transparência radicais. Por trabalho relevante, me refiro ao trabalho que deixa as pessoas empolgadas e, por relações relevantes, quando as pessoas se preocupam de verdade umas com as outras (como se fossem uma extensão da própria família). Vejo que essas coisas se reforçam mutuamente e que uma atitude de sinceridade e transparência radicais em relação aos outros aprimora tanto o trabalho quanto as relações.

Um exame constante das máquinas permite que gerentes comparem os objetivos e os resultados. Se estes não são consistentes com os objetivos, então a máquina está funcionando de maneira eficiente; caso contrário, há algo de errado com o design da máquina em si ou com as pessoas que a constituem — o problema precisa ser diagnosticado para que a máquina possa ser modificada. Como mostrado no Capítulo 2 de "Princípios de Vida", o ideal é que isso ocorra dentro de um Processo de Cinco Etapas, que é a maneira mais rápida e eficiente de aprimorar o funcionamento de uma organização, 1) ter objetivos claros; 2) identificar os problemas que impedem a sua concretização; 3) diagnosticar quais partes da máquina (por exemplo, quais pessoas ou quais projetos) não estão funcionando bem; 4) planejar mudanças; e 5) fazer o necessário para implementá-las.

Chamo de *looping* o processo de converter problemas em progresso, e a maneira como ele se dá ao longo do tempo pode ser visualizada nos diagramas à direita. No primeiro, acontece um problema que tira você do caminho e piora o cenário.

Se você identificar o declínio, diagnosticar os problemas em busca das causas raízes, criar novos planos e concretizá-los, a trajetória dará uma volta sobre si mesma e prosseguirá em ascensão como demonstra o segundo diagrama.

Se você não identificar o problema, planejar uma solução inferior ou não conseguir concretizá-la por completo, o declínio continuará como no terceiro diagrama.

Faz toda a diferença que um gerente seja capaz de reconhecer resultados inconsistentes com os objetivos e, a partir disso, modificar os planos e reunir pessoas para corrigi-los. Quanto maior a frequência e a eficiência com que um gerente faz isso, maior será o ângulo da escalada.

Como expliquei em "Princípios de Vida", acredito que a evolução se dê dessa forma em todos os organismos e organizações. Nosso mundo se transforma muito depressa e de jeitos que não podemos prever; por isso é fundamental que as pessoas e a cultura evoluam desse modo. Sei que você consegue pensar em várias empresas que falharam em identificar e lidar com seus problemas a tempo, caindo em um declínio fatal (a BlackBerry e a Palm, por exemplo), bem como nos raros exemplos das que conseguiram dar voltas de forma consistente. A maioria não consegue. Por exemplo, apenas seis das empresas que compunham o Dow Jones 30 há quarenta anos, mais ou menos quando a Bridgewater começou, ainda estão no índice atualmente. Muitas delas — American Can, American Tobacco, Bethlehem Steel, Ge-

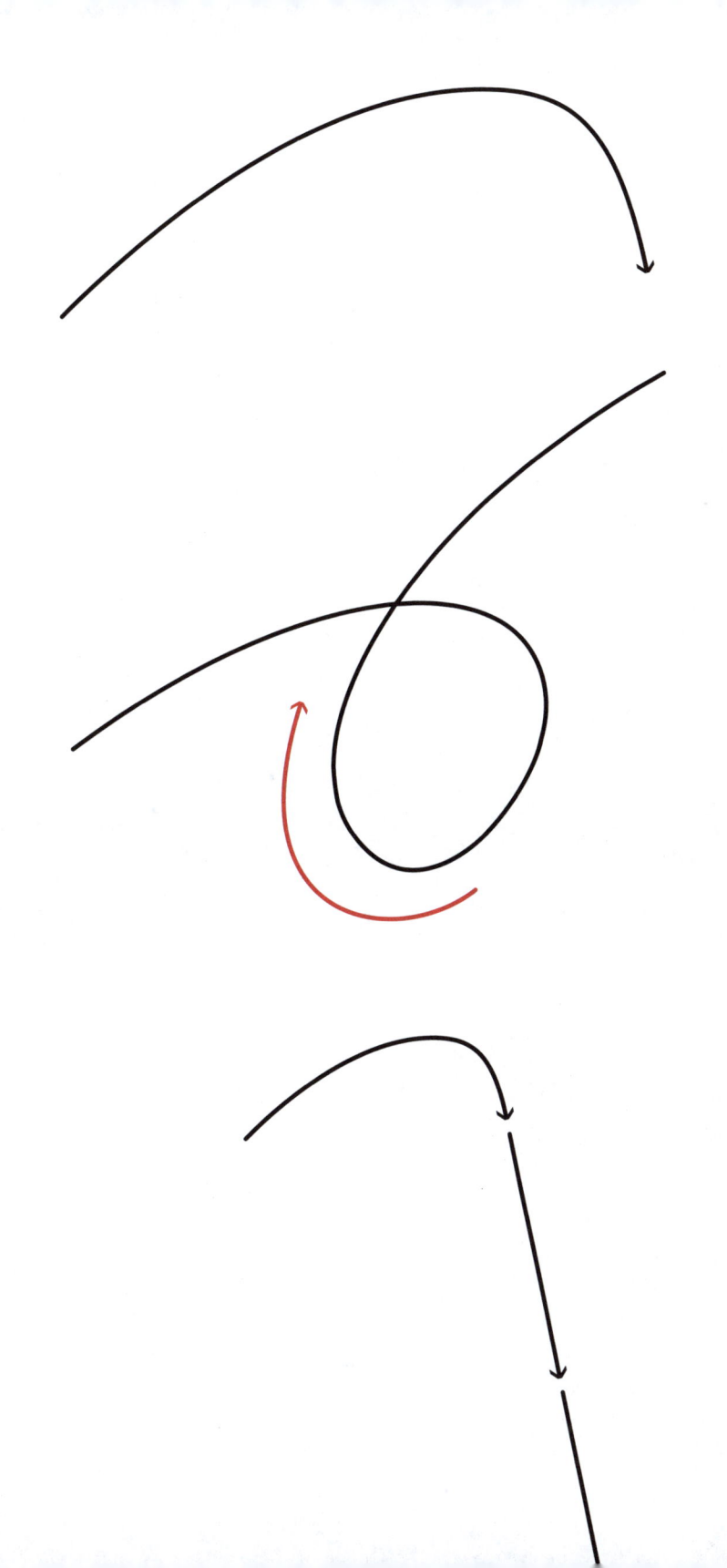

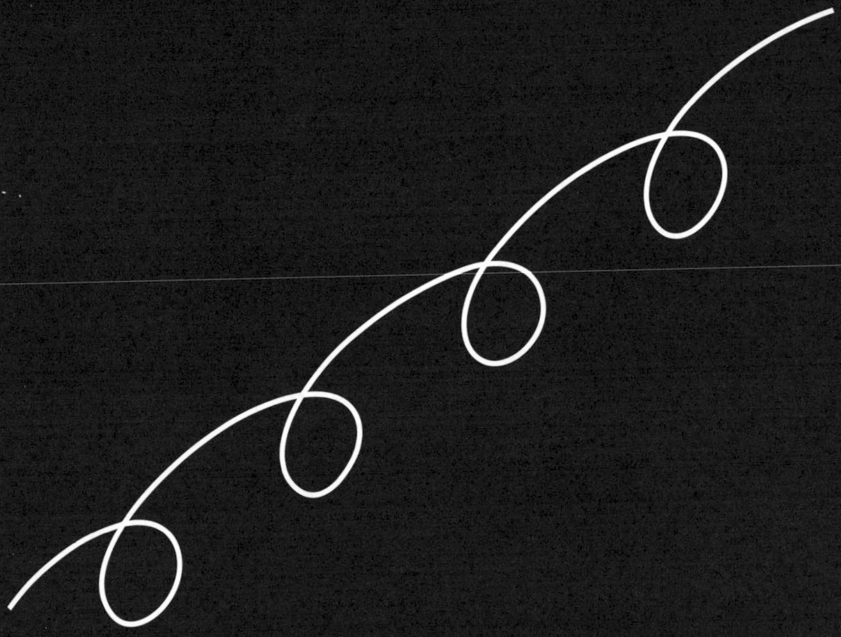

neral Foods, Inco e F. W. Woolworth — nem sequer existem mais; algumas (Sears Roebuck, Johns-Manville e Eastman Kodak) mudaram tanto que são quase irreconhecíveis. E muitas que se destacam na lista de hoje — Apple e Cisco — ainda não tinham sido fundadas.

As poucas que conseguiram evoluir bem ao longo das décadas tiveram sucesso nesse processo de *looping* evolutivo — o mesmo que fez a Bridgewater obter cada vez mais êxito ao longo de quarenta anos. É o que quero transmitir a você.

Como dito antes, nada é mais importante ou mais difícil do que acertar na cultura e nas pessoas. Os êxitos que tivemos na Bridgewater são consequência da aplicação correta dessa abordagem — enquanto os fracassos são o oposto. Pode parecer que, na condição de investidor macroeconômico global, acima de tudo eu tenha precisado me tornar um expert em economia e investimentos. No entanto, a resposta é que só consegui isso quando compreendi primeiro a cultura e as pessoas. E, para me inspirar a fazer o que fiz, eu precisava ter trabalho e relações relevantes.

Como o empreendedor fundador da Bridgewater, naturalmente desenhei a organização para ser consistente com meus valores e princípios. Busquei o que mais queria, da maneira que me pareceu mais natural, com as pessoas com quem escolhi estar, e juntos evoluímos com a Bridgewater.

Se você tivesse me perguntado qual era o meu objetivo quando comecei, eu teria respondido que era me divertir trabalhando ao lado de pessoas de quem gostava. O trabalho era um jogo que eu jogava com paixão, e eu queria me divertir muito fazendo isso ao lado de pessoas de quem gostava e que respeitava. Fundei a Bridgewater no meu apartamento, tendo como parceiros um colega do rúgbi sem qualquer experiência nos mercados e um amigo que contratamos como assistente. Claro que eu não refletia sobre administração na época. O conceito me parecia algo que indivíduos de terno cinza faziam em apresentações de slides. Não comecei com o objetivo de administrar, quanto mais de ter princípios sobre trabalho e administração.

Ao ler "Princípios de Vida", provavelmente você reparou que eu gostava de imaginar e construir conceitos práticos e inéditos. Adorava especialmente quando podia fazer isso ao lado de pessoas que compartilhavam da mesma missão. Sempre valorizei o desacordo respeitoso como uma maneira de aprender e aumentar as chances de tomar boas decisões, e sempre quis que *todos* os associados da Bridgewater fossem meus parceiros em vez de meus "funcionários". Em suma, estava em busca de trabalho e relações relevantes. Logo aprendi que a melhor forma de fazer isso era estabelecendo excelentes parcerias com pessoas excelentes.

Para mim, grandes parcerias vêm do compartilhamento de valores e interesses comuns, das abordagens semelhantes para tentar alcançá-los e de ser razoável e ter consideração uns pelos outros. Ao mesmo tempo, parceiros devem estar dispostos a cobrar altos padrões entre si e serem capazes de resolver desavenças. O principal teste de uma grande parceria não é se os parceiros nunca discordaram — em toda relação saudável, as pessoas discordam —, mas se conseguem trazer à tona suas desavenças e resolverem-nas bem. É essencial nos negócios, no casamento e em todas as demais formas de parceria que haja processos claros para solucionar desacordos com eficiência.

O meu desejo de ter tais coisas atraiu gente que compartilhava o mesmo sentimento, o que foi determinante para a maneira com que juntos delineamos a Bridgewater.[36] Quando éramos apenas cinco, era completamente diferente de quando nos tornamos cinquenta, que era completamente diferente de quando nos tornamos quinhentos, mil e daí por diante. Com o crescimento a maioria das coisas mudou tanto que não poderiam mais ser reconhecidas, exceto nossos valores e princípios fundamentais.

Quando a Bridgewater ainda era uma empresa pequena, os princípios que nos guiavam eram mais implícitos do que explícitos. Entretanto, com a chegada de cada vez mais funcionários, eu não podia mais presumir que todos fossem compreendê-los e preservá-los. Percebi que precisava colocar tudo isso no papel de maneira explícita e demonstrar a lógica por trás das ideias. Lembro-me do exato momento em que essa mudança aconteceu — foi quando o número de integrantes na Bridgewater passou de 67. Até aquele momento eu escolhia pessoalmente o presente de fim de ano

---

[36] Aplicamos essas maneiras de operar aos negócios de investimento e administração. No processo de investir, desenvolvi um entendimento prático do que faz economias e negócios serem bem-sucedidos, já no processo de administração da minha companhia tive que desenvolver um entendimento prático de como administrar bem os negócios. E gostava que minha compreensão dessas matérias pudesse ser medida com objetividade por meio do desempenho dos nossos investimentos, bem como pelo desempenho do nosso negócio.

de cada associado e escrevia um cartão longo e personalizado. Contudo, naquele ano a tarefa se revelou impraticável. Todos os dias o quadro da empresa crescia e era cada vez maior o número de pessoas que não trabalhava diretamente comigo. Eu não podia presumir que elas entenderiam o meu background, muito menos o que eu lutava para criar: uma meritocracia de ideias construída sobre amor duro.

● Amor duro é eficiente para conquistar trabalho e relações excelentes.

Para ter uma noção do que quero dizer com amor duro, pense em Vince Lombardi, que para mim personificava isso. Dos meus dez aos dezoito anos, Lombardi foi o técnico dos Green Bay Packers. Com recursos limitados, conduziu o time a cinco títulos da NFL, a liga nacional de futebol americano. Ele ganhou dois prêmios de técnico do ano e muitos ainda o consideram o melhor técnico de todos os tempos. Lombardi amava os jogadores e os impulsionava a serem ótimos. Eu admirava, e ainda admiro, sua obstinação em não abrir concessões no que se refere aos próprios padrões. Os atletas, os torcedores e ele mesmo se beneficiaram dessa abordagem. Gostaria que Lombardi tivesse colocado seus princípios por escrito.

a. A excelência exige que não se faça concessões onde elas não são possíveis. No entanto, vejo pessoas agindo assim o tempo inteiro, em geral para evitar que outros, ou elas mesmas, se sintam desconfortáveis. O problema é que, além de ser retrógrado, tal comportamento é contraproducente. Colocar o conforto acima do sucesso produz resultados piores para todos. Eu amava as pessoas com quem trabalhava e ao mesmo tempo incentivava suas capacidades para que se tornassem ótimas, sempre esperando que fizessem o mesmo comigo.

Desde o início, sentia que meus parceiros na Bridgewater eram como uma extensão da minha família. Quando eles ou seus parentes ficavam doentes, era o meu próprio médico quem garantia que fossem bem cuidados. Eu convidava todos para passar o fim de semana na minha casa em Vermont e adorava quando aceitavam. Comparecia a casamentos, estava presente no nascimento dos filhos e compartilhava o luto quando perdiam alguém. É claro que nosso ambiente não era 100% paz e amor; também éramos duros uns com os outros porque queríamos ser melhores. Aprendi que, quanto mais carinhosos fôssemos, mais duros poderíamos ser. E, quanto mais duros éramos, melhores eram os nossos desempenhos e maiores, as recompensas a serem divididas. Esse ciclo se retroalimentava. Notei que agindo dessa maneira os pontos baixos eram menos baixos e os altos, mais altos. Em alguns aspectos importantes, isso fez com que tempos difíceis fossem melhores do que os tempos bons.

Pense a respeito de algumas das experiências mais difíceis que já enfrentou. Aposto que para você — assim como ocorreu comigo — o fato de tê-las atravessado ao lado de gente relevante e que trabalhava tão duro quanto você em nome da mesma missão foi incrivelmente recompensador. Por mais difíceis que tenham sido, costumamos olhar para alguns desses períodos desafiadores como nossos melhores momentos. Para a maioria, fazer parte de uma grande comunidade que compartilha da mesma missão é ainda mais gratificante do que dinheiro. Inúmeros estudos mostraram que há pouca ou nenhuma correlação entre felicidade e enriquecimento. Contudo, há uma forte correlação entre felicidade e qualidade das relações.

Explicitei isso em um memorando à Bridgewater de 1996:

A Bridgewater não tem nada a ver com pessoas se arrastando a passos moderados, tem a ver com trabalhar loucamente para atingir um padrão altíssimo e, então, obter a satisfação que acompanha esse tipo de superconquista.

Nosso objetivo prioritário é a excelência, ou, mais precisamente, a melhora constante. Que sejamos uma empresa esplêndida e em constante aperfeiçoamento em todos os aspectos.

Na busca por excelência, conflito é excelente. Não deve haver aqui qualquer hierarquia baseada em idade ou cargo. O poder deve residir no raciocínio, não na posição do indivíduo. As melhores ideias vencem, independentemente de quem as tenha sugerido.

Críticas (a si mesmo ou aos outros) são um ingrediente fundamental no processo de aprimoramento pessoal; todavia, podem ser destrutivas se não forem tratadas de maneira objetiva. Não deve haver nenhuma hierarquia na realização ou recepção de críticas.

Trabalho em equipe e espírito de equipe são essenciais, incluindo a intolerância a desempenho abaixo do padrão. Isso se refere a: 1) o reconhecimento das responsabilidades de ajudar a equipe a atingir seus objetivos comuns; e 2) a disposição de ajudar outras pessoas (trabalhar dentro de um grupo) na direção desses objetivos comuns. Nossos destinos estão entrelaçados. Todos precisam saber que podem contar com a ajuda de todos. Em virtude disso, desempenhos abaixo do padrão não podem ser tolerados em parte alguma, pois prejudicam a todos.

Relações de longo prazo são: a) intrinsicamente gratificantes; e b) eficientes e deveriam ser construídas de forma deliberada. Rotatividade de funcionários exige recapacitação e, portanto, gera reveses.

Dinheiro é um subproduto da excelência, não um objetivo. Nosso objetivo maior é a excelência e o aprimoramento constante. Em outras palavras, não é fazer uma montanha de dinheiro, embora não estejamos pressupondo que você deva ser feliz com pouco. Pelo contrário — espere lucrar bastante. Se operarmos de forma consistente com essa filosofia, tudo indica que seremos produtivos e que estaremos financeiramente bem. Nesse aspecto existe comparativamente pouca hierarquia baseada em idade e cargo.

Cada um na Bridgewater deve agir como proprietário, responsável por agir dessa maneira e por cobrar a responsabilidade dos outros em agir assim.

● Uma meritocracia de ideias ponderadas pela credibilidade é o melhor sistema para tomar decisões eficientes.

Diferentemente de Lombardi, cujo sucesso dependia de fazer com que os jogadores seguissem as suas instruções, eu precisava que meus jogadores fossem pensadores independentes capazes de esgrimir pontos de vista diferentes e obter conclusões melhores do que as que qualquer um de nós conseguiria obter sozinho. Eu precisava criar um ambiente em que todos tivessem o direito e a responsabilidade de compreender as coisas por si mesmos, de lutar abertamente por aquilo que achassem ser o melhor e onde vencesse o melhor pensamento. Eu precisava de uma meritocracia de ideias *real*, não sua versão teórica. Porque uma meritocracia de ideias — um sistema que reúne pensadores brilhantes e independentes e que permite que discordem de forma produtiva para chegar ao melhor pensamento coletivo possível, resolvendo desacordos de uma maneira ponderada pela credibilidade — terá um desempenho melhor do que qualquer outro sistema de tomada de decisões.

Nosso sistema baseado na meritocracia de ideias evoluiu ao longo das décadas. A princípio, nós apenas discutíamos feito loucos a respeito do que seria melhor e, superadas as divergências por meio de uma discussão sincera, chegávamos a caminhos melhores do que os que cada um teria imaginado individualmente. Todavia, com o crescimento da Bridgewater, da multiplicação das discordâncias e da necessidade de resolvê-las, nos tornamos mais explícitos sobre o funcionamento dessa meritocracia de ideias. Precisávamos de um sistema capaz de ponderar com efetividade a credibilidade dos indivíduos e fazer isso de uma forma que fosse tão obviamente justa que deixasse isso claro para todos. Eu sabia que, sem um sistema assim, as melhores ideias e os melhores pensadores seriam perdidos, e eu acabaria cercado por puxa-sacos ou subversivos que guardariam para si desacordos e ressentimentos.

Para que tudo isso funcionasse, eu achava — e ainda acho — que precisávamos ser radicalmente sinceros e transparentes.

SINCERIDADE RADICAL E TRANSPARÊNCIA RADICAL

Por sinceridade radical me refiro a não filtrar pensamentos e questões, sobretudo os críticos. Se não falarmos de forma aberta sobre nossos problemas e não tivermos caminhos para superá-los, não encontraremos parceiros aptos a ser coletivamente donos dos nossos resultados.

Por transparência radical me refiro a dar acesso a quase tudo para quase todos. Dar às pessoas menos do que isso as deixaria vulneráveis às versões de terceiros e as impediria de tirarem as próprias conclusões dos fatos. Transparência radical reduz atitudes prejudiciais no ambiente de trabalho bem como de mau comportamento, as coisas mais fáceis de ocorrer quando tudo na empresa se passa a portas fechadas.

Alguns chamaram esse modo de operar de franqueza radical.

Eu sabia que, se a sinceridade e a transparência radicais não fossem aplicadas de modo amplo, nós desenvolveríamos duas classes de indivíduos na empresa — aqueles com poder e bem-informados e o restante. Para mim, uma disseminada **Meritocracia de ideias = Sinceridade Radical + Transparência Radical + Processo Decisório Ponderado por Credibilidade**.

A partir de um pequeno grupo de pessoas discutindo informalmente sobre o que é certo e o que fazer em relação a isso, desenvolvemos abordagens, tecnologias e ferramentas ao longo dos últimos quarenta anos que nos conduziram a um nível totalmente diferente, que tem sido revelador e valioso (você pode ler a respeito no capítulo sobre ferramentas, no fim deste livro). Nunca cedemos na manutenção desse ambiente e deixamos que quem não se encaixasse se candidatasse a sair da empresa.

Por sermos radicalmente sinceros e transparentes, temos consciência de que todos nós temos perspectivas bem incompletas e/ou distorcidas. Isso não é exclusivo da Bridgewater — você reconheceria essa mesma característica se pudesse dar uma olhada dentro da cabeça de quem está ao seu redor. Como foi explicado em "Compreenda que os circuitos das pessoas são bem diferentes", os indivíduos costumam ver uma mesma situação com variações drásticas dependendo de como os circuitos em seu cérebro funcionam.

Ter isso em mente ajudará na sua evolução. A princípio, a maioria dos indivíduos permanece preso aos próprios pensamentos e, por teimosia, se agarra à ideia de que suas opiniões são as melhores e que algo está errado com quem não enxerga as coisas do mesmo modo. Entretanto, quando repetidamente confrontados com perguntas do tipo "Como você sabe que o errado não é você?" e "Qual processo você utilizaria para abordar essas diferentes perspectivas a fim de tomar as melhores decisões?", eles são forçados a encarar a própria credibilidade e ver as coisas pelos olhos dos outros. Essa mudança de perspectiva é o que produz um excelente processo decisório coletivo. O ideal é que isso ocorra um sistema de "código aberto", no qual as melhores ideias fluem livremente, vivendo, morrendo e produzindo uma rápida evolução baseada em méritos.

MERITOCRACIA DE IDEIAS

=

SINCERIDADE RADICAL

+

TRANSPARÊNCIA RADICAL

+

PROCESSO DECISÓRIO PONDERADO POR CREDIBILIDADE

No início, quase todo mundo acha esse processo muito desconfortável. Embora a maioria consiga apreciar intelectualmente a ideia, na prática ele representa um desafio emocional, exigindo que os participantes deixem de lado a necessidade egoica de estar sempre certo e tentem enxergar justamente suas maiores dificuldades. Uma pequena parcela da minoria capta essa ideia e desde o início se sente confortável, o restante dessa minoria não suporta e pede desligamento da empresa e a maioria adere, melhora com o tempo e, por fim, não quer agir de outra forma.

Apesar de essa abordagem a princípio parecer difícil e ineficiente, no final os resultados se revelam bem positivos. É muito mais difícil e contraproducente trabalhar em uma organização em que a maioria dos integrantes não sabe o que os colegas estão de fato pensando. Além disso, só é possível ser quem se é sendo genuinamente franco. Como costuma dizer Bob Kegan, psicólogo do desenvolvimento de Harvard que estudou a Bridgewater, na maioria das companhias as pessoas têm dois trabalhos — o real e o de administrar as impressões dos outros sobre como elas estão fazendo esse trabalho. Para nós, isso é péssimo. Descobrimos que deixar tudo às claras: 1) acaba com a necessidade de tentar passar uma boa imagem; e 2) elimina o tempo exigido para adivinhar o que as pessoas estão pensando. Com isso, gera-se mais relações e trabalho relevantes.

Eis as forças por trás da espiral evolutiva e retroalimentável da Bridgewater:

1. Partimos de um pensador independente com metas audaciosas para um grupo de pensadores independentes com metas audaciosas.
2. Para capacitar esses indivíduos a ter como grupo um processo decisório eficiente, criamos uma meritocracia de ideias baseada em princípios que asseguravam sinceridade e transparência radicais, que teríamos desacordos respeitosos e meios baseados na meritocracia de ideias a fim de superar divergências e tomar decisões.
3. Registramos esses princípios para a tomada de decisões por escrito e depois os transformamos em algoritmos para informatizar o processo de tomada de decisão.

4. Isso produziu nossos sucessos e fracassos, que produziram mais aprendizado, que também foi transcrito em princípios, que também foram sistematizados e seguidos.
5. Esse ciclo resultou em trabalho e relações excelentes que resultaram em funcionários e clientes satisfeitos e felizes.
6. Isso nos tornou capazes de trazer para a empresa mais pensadores independentes com objetivos ainda mais audaciosos para fortalecer essa espiral evolutiva e retroalimentável.

Esse ciclo, mostrado na próxima página, repetiu-se em moto-contínuo ao longo da trajetória de mais de quatro décadas da Bridgewater.

E posso dizer que *realmente* funciona! Mas, mesmo que você não acredite em mim, há duas maneiras de avaliar se essa abordagem e os princípios são de fato tão poderosos quanto penso que são. Você pode: 1) olhar os resultados que produziram; e 2) olhar em que se baseiam.

Assim como é o caso de Lombardi com os Packers, nosso histórico fala por si. Nós consistentemente melhoramos com o tempo — do meu apartamento de dois cômodos até nos tornarmos a quinta empresa privada mais importante dos Estados Unidos e o maior fundo de hedge do mundo segundo a revista *Fortune*, gerando mais dinheiro para nossos clientes do que qualquer outro fundo de hedge na história. A companhia recebeu mais de cem prêmios da indústria e eu, em particular, ganhei três por conquistas ao longo da vida — sem falar dos notáveis prêmios financeiros e psicológicos e, o mais importante, as relações incríveis que estabelecemos.

No entanto, ainda mais importante do que tais resultados é a lógica de causa e efeito por trás desses princípios, que veio antes dos resultados. Há mais de quarenta anos, esse modo de ser era uma teoria controversa e não testada que, não obstante, me parecia lógica. Isso é algo que explicarei nas próximas páginas e que você poderá avaliar por conta própria.

Não há dúvida de que nossa abordagem é muito diferente. Alguns chegaram a descrever a Bridgewater como uma seita! A verdade é que nosso sucesso se dá por sermos exatamente o oposto disso. A diferença fundamental entre uma cultura de pessoas com valores compartilhados (algo ótimo) e uma seita (algo terrível) é a extensão em que o pensamen-

MAIS PENSADORES
INDEPENDENTES
E OBJETIVOS MAIS
AUDACIOSOS

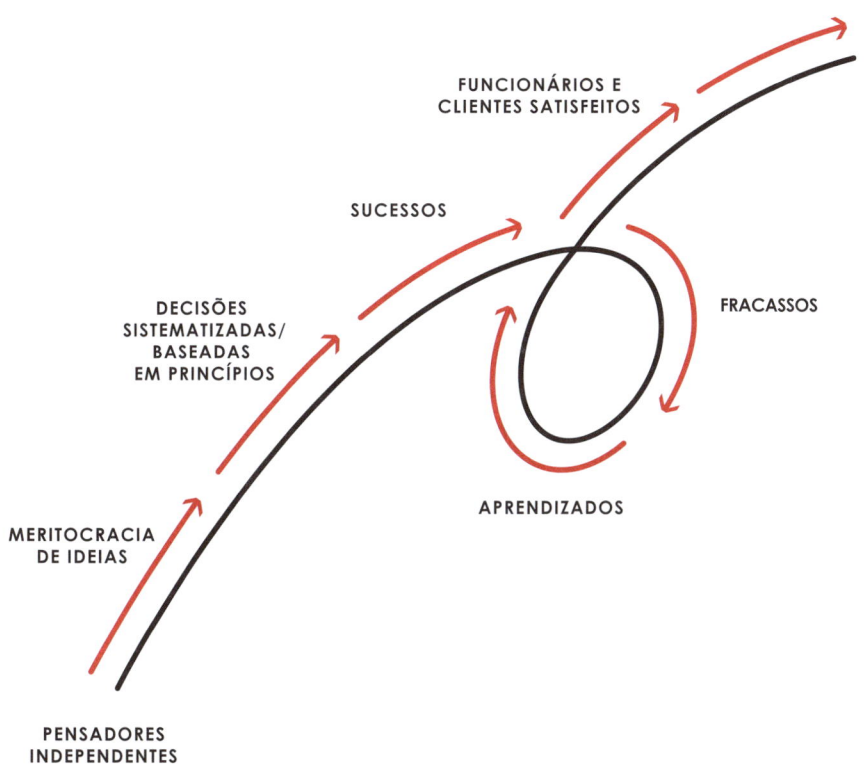

FUNCIONÁRIOS E
CLIENTES SATISFEITOS

SUCESSOS

FRACASSOS

DECISÕES
SISTEMATIZADAS/
BASEADAS
EM PRINCÍPIOS

APRENDIZADOS

MERITOCRACIA
DE IDEIAS

PENSADORES
INDEPENDENTES
COM OBJETIVOS
AUDACIOSOS

to independente ocorre. Seitas exigem obediência cega, já o pensamento autônomo questiona ideias, o que por si só é um comportamento antissectário e essa é a essência do que fazemos na Bridgewater.

QUEM É MALUCO AQUI?

Algumas pessoas dizem que nossa abordagem é absurda, mas pense comigo: qual das abordagens a seguir lhe parece insana e qual lhe parece sensata?

- Uma na qual as pessoas são honestas e transparentes ou uma na qual a maioria mantém para si o que de fato pensa?
- Uma na qual problemas, erros, fraquezas e desacordos são colocados na mesa e discutidos de maneira equilibrada ou uma na qual permanecem ocultos e não solucionados?
- Uma na qual o direito de criticar não segue hierarquias ou uma na qual esse direito venha primariamente de cima para baixo?
- Uma na qual retratos objetivos das pessoas sejam obtidos por meio da análise de dados e triangulações ou uma na qual as avaliações de pessoal são mais arbitrárias?
- Uma na qual a organização busca padrões bem elevados para conquistar trabalho e relações relevantes ou uma na qual a qualidade do trabalho e das relações não é valorizada de maneira igualitária e/ou os padrões não são tão altos?

Que tipo de organização você acha que terá um ambiente mais propício ao desenvolvimento dos indivíduos que ali trabalham, que incentivará relações mais profundas e que produzirá melhores resultados? Que abordagem você preferiria que os líderes e organizações com os quais interage seguissem? Que maneira de ser você preferiria que fosse adotada pelos governantes do seu país?

Aposto que, após ler este livro, você concordará que nossa abordagem é bem mais sensata do que as convencionais. Contudo, lembre-se de que meu princípio mais fundamental é o de que você tenha capacidade de pensar de forma autônoma.

POR QUE ESCREVI ESTE LIVRO E COMO EXTRAIR O MÁXIMO DELE

Se você trabalha na Bridgewater, saiba que estou transmitindo esses princípios com minhas próprias palavras para que você possa ver o sonho e a abordagem do meu ponto de vista. A Bridgewater vai evoluir de acordo com o que você e os demais que fizerem parte da próxima geração de liderança desejarem e com a forma como agirão para chegar lá. O objetivo deste livro é ajudá-lo, e cabe a você escolher como vai usá-lo. Se essa cultura vai persistir ou não depende de vocês. É minha responsabilidade não me apegar ao modelo de Bridgewater que *eu* prefiro. É da maior importância que você e os outros que me sucederem façam as próprias escolhas. Como um pai de filhos adultos, quero que todos tenham a maior autonomia de pensamento e que tenham sucesso na minha ausência. Fiz o meu melhor para trazê-los até aqui; agora é a hora de darem um passo à frente e de eu me afastar.

Se você não trabalha na Bridgewater e está se questionando como esses princípios podem se aplicar à sua organização, a minha intenção com este livro é despertar reflexões, não apresentar uma fórmula exata a seguir. Ninguém precisa adotar todos ou qualquer um desses princípios, embora eu recomende que sejam levados consideração. Muitos administradores de outras áreas adotaram alguns deles, adaptando-os e descartando-os de acordo com as próprias necessidades. Como a estrutura desses princípios é maleável, dá para fazer deles o que quiser — e por mim isso não tem o menor problema. Talvez você corra atrás do mesmo objetivo, talvez não; mas, em qualquer um dos casos, as chances são de que acumule algumas coisas preciosas. Se você, assim como eu, deseja transformar sua organização em uma verdadeira meritocracia de ideias, creio que este livro será inestimável; segundo dizem, nenhuma organização pensou em tantos pormenores nos conceitos necessários para construir esse modelo nem os levou tão adiante como a Bridgewater. Se fazer isso for importante para você e se você se empenhar nessa tarefa com determinação resoluta, encontrará os próprios obstáculos, descobrirá os próprios meios de contorná-los e chegará lá, mesmo que de maneira imperfeita.

Embora esses princípios sejam boas regras gerais, é importante ter em mente que toda regra tem exceções e que nenhum conjunto de regras substitui o bom senso. Pense nesses princípios como uma espécie de GPS: uma ferramenta que ajuda a chegar ao destino, mas que não pode ser levada tão à risca sob o risco de se cair de uma ponte — bem, isso seria culpa sua, não do sistema. E, assim como um GPS com mau direcionamento pode ser consertado com uma atualização do software, é essencial levantar e discutir exceções dos princípios quando estas ocorrem, para que eles possam evoluir ao longo do tempo.

Independentemente dos caminhos escolhidos, a sua organização é uma máquina feita de cultura e pessoas que vão interagir a fim de produzir resultados, e esses resultados vão fornecer feedback acerca de quão bem a máquina está funcionando. O aprendizado originado por esse feedback deve levá-lo a modificar a cultura e as pessoas de forma a melhorar o desempenho.

Essa dinâmica é tão fundamental que organizei "Princípios de Trabalho" em três seções: "Para acertar na cultura", "Para acertar nas pessoas" e "Para construir e evoluir sua máquina". Cada capítulo dessas seções começa com um princípio de nível superior — a leitura lhe dará uma boa noção dos principais conceitos presentes em cada capítulo.

Sob esses princípios superiores há uma série de princípios de apoio, construídos em torno de diferentes tipos de decisões que precisam ser tomadas. Tais princípios têm por objetivo servir como uma referência. Embora você possa preferir fazer uma leitura dinâmica, recomendo que os utilize como uma enciclopédia ou um mecanismo de busca para responder a uma questão específica. Por exemplo, se tiver que demitir (ou transferir) alguém, você deve usar a Tabela de Princípios e ir para a seção dos que tratam do tema. Para facilitar, na Bridgewater criamos uma ferramenta chamada o "Treinador", que permite às pessoas digitar uma questão específica e encontrar os princípios apropriados para ajudá-las.[37] Em breve a disponibilizarei para o público geral, junto com muitas outras ferramentas de administração sobre as quais você lerá na última seção deste livro.

Meu principal objetivo não é convencer você desses princípios, mas compartilhar as lições mais valiosas que aprendi ao longo da minha jorna-

---

[37] Como *Princípios* é um documento em evolução, com novos princípios sendo acrescentados e velhos sendo refinados o tempo inteiro, haverá mudanças. Tais alterações estão disponíveis no aplicativo em inglês, ainda a ser lançado, sobre o qual dá para saber mais em www.principles.com.

da de mais de quarenta anos à frente da empresa. Minha intenção é fazer você refletir sobre as concessões difíceis que terá de fazer. Pensar a respeito das concessões por trás dos princípios tornará você capaz de decidir por si mesmo quais deles são os melhores para o seu caso.

Isso conduz ao meu princípio de trabalho mais fundamental:

● Transforme sua paixão e seu trabalho em uma única coisa e faça isso com pessoas que gostaria de ter ao seu lado.

O trabalho é: 1) um emprego que você tem para ganhar o dinheiro que bancará a vida que quer; ou 2) o que você faz para concretizar sua missão; ou ainda a combinação dessas duas coisas. Incentivo você a fazer o possível para que se encaixe mais na definição 2, sem deixar, é claro, de reconhecer o valor da 1. Garanto que isso melhorará muito as coisas para você.

Os Princípios de Trabalho são escritos para quem encara o trabalho acima de tudo como o jogo no qual se entra para seguir a própria paixão e realizar a própria missão.

PARA ACERTAR NA CULTURA...

É preciso trabalhar em uma cultura que seja adequada a você, pois ela é um aspecto fundamental para que você se sinta feliz e seja eficiente. A cultura em questão deve ser capaz de promover grandes resultados; caso contrário, as recompensas psíquicas e materiais que o mantêm motivado não existirão. Nesta seção sobre cultura, compartilharei meus pensamentos sobre como combiná-la com suas necessidades e explicarei o tipo de cultura que desejei criar para a minha empresa e que funcionou tão bem: a da meritocracia de ideias.

No Capítulo 1, explico com o que uma meritocracia de ideias se parece e exploro por que sinceridade e transparência radicais são essenciais para que ela funcione bem. Ser radicalmente sincero e transparente talvez sejam os princípios mais difíceis de internalizar, já que são muito diferentes daquilo com que a maioria das pessoas está acostumada. Como esse jeito de ser costuma ser mal interpretado, procurei ser ainda mais cristalino na transmissão de por que operamos assim e de como funciona na prática.

No Capítulo 2, entenderemos como e por que construir uma cultura que incentiva relações relevantes. Além de serem gratificantes por si mesmas, elas possibilitam a sinceridade e a transparência radicais que, por sua vez, nos permitem cobrar uns dos outros a responsabilidade pela excelência.

Acredito que culturas e pessoas excelentes reconhecem que erros são parte do aprendizado e que o aprendizado constante é o que permite a uma organização evoluir com sucesso ao longo do tempo. No Capítulo 3, vamos explorar os princípios para que isso seja feito bem.

Como é óbvio, uma meritocracia de ideias se baseia na crença de que reunir os pensamentos das pessoas e submetê-los a testes de estresse gera resultados melhores do que quando tais pensamentos não são externalizados. O Capítulo 4 contém princípios para "entrar em sincronia", tendo em mente que é crucial praticar o diálogo dos desacordos respeitosos.

Meritocracias de ideias ponderam com cuidado os méritos das opiniões dos participantes. Como muitas opiniões são ruins, mas em geral todo mundo considera as próprias boas, é importante aprender a filtrá-las bem. O Capítulo 5 explica nosso sistema para a tomada de decisões ponderadas por credibilidade.

Mesmo após decisões terem sido tomadas, às vezes desacordos persistem. Os princípios para resolvê-los devem ser transmitidos com clareza a fim de que sejam adotados e reconhecidos por todos como justos. Eles serão examinados no Capítulo 6.

ADAPTE A MERITOCRACIA DE IDEIAS ÀS SUAS NECESSIDADES

Embora tudo o que você está lendo aqui possa parecer desafiador e complicado de ser colocado em prática, deixe-me explicar. Se você, assim como eu, passar a acreditar que não existe jeito melhor de tomar decisões do que trazer as diferenças à tona, explorando-as e resolvendo-as — coisas proporcionadas pela abertura de mente —, descobrirá o que é necessário para operar dessa forma. Quando uma meritocracia de ideias não funciona bem, a culpa não está no conceito; provavelmente as pessoas é que não estão lhe dando valor suficiente.

Se não extrair mais nada deste livro, você deve a si mesmo tentar enxergar como é o funcionamento de uma meritocracia de ideias. Se fizer sentido para você, espero que dê esse mergulho. Não levará muito tempo para que compreenda a diferença radical que isso fará no seu trabalho e nas suas relações.

Para ter uma meritocracia de ideias:

1) Externalize seus pensamentos sinceros

2) Tenha desacordos respeitosos

3) Acate as formas estabelecidas por todos para a superação dos desacordos

1 Confie na sinceridade e na transparência radicais

Entender o que é certo é essencial para o sucesso, e ser radicalmente transparente em relação a tudo — incluindo erros e fraquezas — ajuda a criar a compreensão que conduz a aperfeiçoamentos. Não se trata somente de uma teoria; colocamos isso em prática na Bridgewater por mais de quarenta anos, por isso sabemos como funciona. Entretanto, como em várias situações na vida, ser radicalmente sincero e transparente tem prós e contras, que descreverei da maneira mais precisa possível neste capítulo.

Ser radicalmente sincero e transparente com os colegas e esperar que eles tenham a mesma atitude com você garante que questões importantes fiquem aparentes. Também reforça bons comportamentos e pensamentos porque, diante da necessidade de explicar alguma ideia ou processo, todos podem avaliar abertamente os méritos de sua lógica. Se tudo estiver indo bem, a transparência radical deixará isso claro; caso contrário, ela fará o mesmo, ajudando, assim, a manter padrões elevados.

A sinceridade e a transparência radicais são fundamentais em uma verdadeira meritocracia de ideias. Quanto mais as pessoas virem o que está acontecendo — as coisas boas, ruins e feias —, mais eficientes serão as decisões tomadas para lidar com tudo. Tal abordagem também é inestimável como forma de treinamento: o aprendizado cresce e se acelera quando todos têm a oportunidade de ouvir o que os demais estão pensando. Como líder, você receberá um feedback essencial para seu aprendizado e para a constante melhoria dos processos decisórios da organização. Além disso, ver de perto o que está ocorrendo, e o por quê, aumenta a confiança e permite que cada um faça a própria avaliação das evidências exigidas para que uma meritocracia de ideias funcione.

ADAPTANDO-SE À SINCERIDADE E À TRANSPARÊNCIA RADICAIS

É preciso tempo para se acostumar. Praticamente todos que vão para a Bridgewater acreditam intelectualmente que desejam sinceridade e transparência radicais, porque, após cuidadoso exame, foi para isso que se candidataram quando aceitaram o emprego. Contudo, a maioria tem dificuldade para se ajustar, porque luta com os "dois eus", conforme explicado em "Compreenda que os circuitos das pessoas são bem diferentes". Enquanto o "eu superior" entende os benefícios, o "eu inferior" tende a reagir com uma resposta de luta ou fuga. A adaptação costuma levar um ano e meio, apesar de variar de indivíduo para indivíduo, e há quem nunca consiga se ajustar.

Alguns me dizem que operar dessa forma é inconsistente com a natureza humana — que as pessoas precisam ser protegidas das verdades cruas e que um sistema desse tipo jamais funcionaria na prática. Nossa experiência — e nosso sucesso — mostrou que isso é um equívoco. Apesar de ser verdade que nosso jeito de ser não é aquilo com o qual a maioria está acostumada, nem por isso deixa de ser natural — ou é menos natural do que a rotina pesada de exercícios físicos a que atletas e soldados se submetem. É uma lei fundamental da natureza que somente nos tornemos mais fortes ao realizar tarefas difíceis. Embora nossa meritocracia de ideias não seja para todos, para quem se adapta — cerca de dois terços dos que tentam — é tão libertadora e eficiente que fica difícil imaginar outro jeito de ser. O que as pessoas mais gostam é saber que não há ninguém espalhando várias versões dos fatos.

SINCERIDADE E TRANSPARÊNCIA RADICAIS NA PRÁTICA

Para lhe dar uma noção de com que se parecem sinceridade e transparência radicais, vou compartilhar uma situação difícil que enfrentamos alguns anos atrás, quando nosso comitê de administração começou a cogitar uma reorganização do setor administrativo, também conhecido como *backoffice*. É o *backoffice* que presta os serviços necessários para desenvolver nossas operações nos mercados, incluindo confirmações, fechamentos, manutenção de registros e contabilidade. Havíamos construído essa equipe ao longo de muitos anos e ela estava repleta de funcionários diligentes e unidos. Sentíamos, porém, a necessidade de programar novas funções que nos sobrecarregariam além do viável dentro da própria empresa. Isso fez com que nossa diretora de operações, Eileen Murray, desenvolvesse uma estratégia inovadora para separar o *backoffice* do restante da companhia e fazer com que fosse incorporado por um grupo especialmente montado para nós dentro do Bank of New York/Mellon. A princípio, tudo isso não passava de conjecturas e não fazíamos ideia se iria adiante, de que forma isso aconteceria nem o que significaria em último caso para os membros do nosso *backoffice*.

Agora se imagine no lugar do comitê de administração. Em que momento você diria à equipe que estava pensando em separá-la e anexá-la a outra empresa? Esperaria até o quadro ficar claro? Na maioria das organizações, esse tipo de decisão estratégica costuma permanecer em sigilo até tudo estar definido porque, de modo geral, os chefes acham que é ruim criar incerteza entre os funcionários. Nós acreditamos no contrário: a única maneira responsável de operar é com sinceridade e transparência. As pessoas precisam saber o que de fato está acontecendo e, assim, talvez possam ajudar a resolver quaisquer questões que surgirem. Nesse caso, Eileen promoveu imediatamente uma assembleia com o *backoffice*. Como os líderes da Bridgewater costumam fazer, ela explicou que havia muita coisa que não sabia e que não conseguiria responder muitas perguntas. Essa era a dura realidade naquele momento e, apesar de ter gerado incertezas, uma abordagem mais tradicional e menos franca traria os inevitáveis rumores e especulações, o que teria piorado muito as coisas.

Apesar de a equipe no final ter sido desmembrada, nós mantivemos relações maravilhosas com seus integrantes, que não apenas cooperaram integralmente durante a transição, como ainda comparecem às nossas festas de Natal e de 4 de Julho, permanecendo parte da nossa família. Hoje temos um *backoffice* reconhecido e premiado pelas inovações que tal mudança nos permitiu fazer. Mais importante, como estávamos operando de forma aberta mesmo quando ainda não tínhamos nada definido, a equipe do *backoffice* teve mais confiança na nossa honestidade e na consideração que nutríamos por ela e retribuiu da mesma maneira.

Para mim, não contar às pessoas o que de fato está acontecendo na intenção de protegê-las das preocupações é como deixar que os filhos se tornem adultos ainda acreditando em fadas ou no Papai Noel. Embora ocultar a verdade possa deixar as pessoas mais felizes no curto prazo, no longo prazo elas não se tornarão mais inteligentes nem terão mais confiança em você. É uma grande vantagem que as pessoas saibam que podem confiar no que dizemos. Por essa razão, acredito que é quase sempre melhor ser direto, mesmo quando você não tem todas as respostas ou quando as notícias não são boas. Como Winston Churchill declarou, "não existe caminho pior na liderança do que manter falsas esperanças que logo serão varridas". As pessoas precisam enfrentar a realidade dura e incerta para aprender a lidar com ela — e você vai aprender muito sobre as pessoas ao seu redor ao observar a forma com que fazem isso.

1.1 Tenha em mente que você não tem nada a temer por saber a verdade.

Se você é como a maioria, a perspectiva de enfrentar a verdade nua e crua deve deixá-lo ansioso. Para superar isso é necessário compreender intelectualmente por que as não verdades são mais assustadoras do que as verdades e, então, pela prática, se acostumar a viver com elas.

Quando se está doente, é natural ter medo do diagnóstico do médico — e se for câncer ou outra doença fatal? Por mais assustadora que a verdade possa se revelar, no longo prazo será melhor ter ficado sabendo, porque só assim será possível buscar o tratamento mais adequado. O mesmo vale para verdades dolorosas a respeito dos seus pontos fortes e fracos. Conhecer a verdade e agir com base nela é o que chamamos na Bridgewater de "o grande negócio". É importante não ficar preso a todos os "pequenos negócios" dominados pela emoção e pelo ego: eles podem desviar você da missão maior.

1.2 Seja íntegro e cobre o mesmo dos outros.

Integridade vem da palavra latina *integritas*, que significa "um" ou "inteiro". Pessoas que são de um jeito por dentro e de outro por fora não são "inteiras" e, em vez de integridade, têm "dualidade". Embora mascarar uma opinião às vezes pareça mais fácil no calor do momento (talvez para evitar conflito, constrangimento ou obter outro objetivo de curto prazo), a integridade cria consequências significativas de segunda e terceira ordens. Quem é de um jeito por fora e de outro por dentro acaba atormentado e costuma perder a conexão com os próprios valores. Esse indivíduo tem dificuldade para ser feliz e é quase impossível que atinja seu potencial.

Alinhar o que você diz com o que pensa e o que você pensa com o que sente o tornará muito mais feliz e muito mais bem-sucedido. Pensar unicamente no que é exato, em vez de em como é percebido, força você a focar nos aspectos mais importantes. Ajuda você a selecionar pessoas e lugares, uma vez que será atraído a pessoas e lugares abertos e honestos. Também é mais justo com quem está ao seu redor: estabelecer juízos de valor para julgar e sentenciar os indivíduos sem perguntar quais são as perspectivas deles é antiético e improdutivo. Não ter nada a esconder alivia o estresse e constrói confiança.

a. Nunca diga sobre alguém algo que você não falaria na cara e não faça juízos de valor sem confrontá-lo. Críticas são bem-vindas e incentivadas na Bridgewater, porém nunca há uma boa razão para falar mal de alguém pelas costas. Isso é contraproducente, mostra uma falta de integridade grave, não produz qualquer mudança benéfica e desestabiliza tanto quem é denegrido quanto o ambiente como um todo. Junto com a desonestidade, não ser íntegro é a pior coisa que você pode fazer na nossa comunidade.

Gerentes não devem falar de subalternos na ausência deles. Quando alguém não está em uma reunião em que é discutido algo relevante para ele, sempre nos asseguramos de enviar-lhe uma gravação do encontro e outras informações fundamentais.

b. Não deixe a lealdade às pessoas atrapalhar a verdade e o bem-estar da organização. Em algumas empresas, os funcionários escondem os erros dos chefes, e, em contrapartida, os chefes fazem o mesmo pelos funcionários. Isso não é saudável e atrapalha o aperfeiçoamento porque impede que os funcionários revelem seus erros e fraquezas, estimula fraudes e elimina o direito à apelação do subordinado.

O mesmo se aplica à ideia de lealdade pessoal. Com frequência vejo pessoas serem mantidas em trabalhos que não merecem devido à relação pessoal com o chefe, e isso faz com que gerentes inescrupulosos negociem lealdades pessoais para construir feudos. Julgar alguém com um conjunto diferente de regras é uma forma insidiosa de corrupção que enfraquece a meritocracia.

Acredito em uma forma mais saudável de lealdade, baseada na exploração aberta do que é certo. A exposição franca de ideias baseadas em princípios e a transparência radical são os melhores antídotos contra a atuação em interesse próprio. Quando todos estão sujeitos aos mesmos princípios e o processo decisório é feito de modo público, dificilmente as pessoas buscam interesses próprios em detrimento dos interesses da organização. Em um ambiente desse tipo, quem enfrenta seus desafios tem o caráter mais admirável; quando erros e fraquezas são escondidos, é o mau-caratismo que está sendo recompensado.

1.3 Crie um ambiente em que todos tenham o direito de entender o que faz sentido e ninguém tenha o direito de manter uma opinião crítica sem se manifestar.

Ter a independência e o caráter necessários para correr atrás das melhores respostas depende da natureza de cada um, mas você pode encorajar as pessoas criando uma atmosfera em que o primeiro pensamento de todos seja questionar: "Isso é verdade?"

a. Fale, assuma ou saia. Em uma meritocracia de ideias, a franqueza é uma responsabilidade: você não apenas tem o direito de falar e "lutar pelo certo", como também é obrigado a fazê-lo. Isso se estende sobretudo aos princípios. Como todo o resto, princípios precisam ser questionados e debatidos. Portanto, ninguém tem autorização para reclamar e criticar privadamente — tanto com os outros quanto na sua própria cabeça. Se não pode cumprir essa obrigação, você não pode permanecer na empresa.

Obviamente, explorar o que é correto não é o mesmo que insistir com teimosia que só você está certo mesmo depois que a máquina decisória tenha resolvido uma questão e seguido em frente. Inevitavelmente, haverá casos em que você terá que acatar alguma política ou decisão com a qual não concorda.

b. Seja extremamente aberto. Discuta suas questões até estar em sincronia com os demais ou até compreender as posições dos outros para que possam determinar o que deve ser feito. Como explicou certa vez alguém que trabalhou comigo, "é simples — basta não filtrar".

c. Não seja ingênuo a respeito da desonestidade. As pessoas mentem mais do que imaginamos. Aprendi isso ao ocupar a posição de responsável por todo mundo na empresa. Apesar de contarmos com um grupo de pessoas excepcionalmente éticas, em todas as organizações há gente desonesta, com as quais precisamos lidar de maneiras práticas. Por exemplo, na maioria das vezes não acredite quando um desonesto pego no flagra disser que viu a luz e que jamais fará isso de novo. É grande a chance de ele fazer isso mais uma vez. Pessoas desonestas são perigosas e não é sábio mantê-las por perto.

Ao mesmo tempo, é preciso ser prático. Se tentasse limitar minhas relações apenas a pessoas que nunca mentiram, eu não teria com quem trabalhar. Embora eu tenha padrões altíssimos quando se trata de integridade, não encaro a questão no modo oito ou oitenta, que não permite nenhuma falha. Examino a gravidade, as circunstâncias e os padrões para tentar entender se estou lidando com um mentiroso contumaz e que voltará a mentir ou com alguém em essência honesto, porém imperfeito. Considero a relevância do ato de desonestidade em si (a pessoa estava roubando um pedaço de bolo ou cometendo um crime?), bem como a natureza da relação existente (é minha esposa que está mentindo, um conhecido ou um funcionário?). Tratar casos assim com abordagens distintas é apropriado, porque uma lei básica da justiça é a de que a punição seja proporcional ao crime.

1.4 Seja radicalmente transparente.

Se você concorda que a verdadeira meritocracia de ideias é algo importantíssimo, não deveria representar um grande salto perceber que dar às pessoas o direito de enxergar as coisas por si mesmas é melhor do que forçá-las a confiar em informações filtradas por terceiros. A transparência radical obriga os problemas a virem à tona — de forma mais relevante (e desconfortável) aqueles com os quais as pessoas estão lidando e como estão lidando — e permite à organização recorrer aos talentos e insights de todos os seus membros a fim de encontrar as soluções. Por fim, para quem se acostuma, viver em uma cultura de transparência radical é mais confortável do que viver na névoa de ignorar o que está se passando e não saber o que os outros de fato pensam. E é incrivelmente eficaz. Mas que fique claro: como a maior parte das grandes coisas, essa cultura também tem pontos negativos. O principal deles é que no início é muito difícil para a maioria lidar com realidades desconfortáveis. Quando mal administrada, essa estratégia pode levar as pessoas a se envolverem com mais coisas do que deveriam e pode fazer com que gente incapaz de avaliar as informações como um todo tire conclusões erradas.

Por exemplo, colocar todos os problemas de uma organização às claras e considerar todos como intoleráveis pode fazer com que alguns concluam erroneamente que a organização tem mais problemas intoleráveis do que as que mantêm suas questões sob sigilo. Contudo, qual organização tem mais chances de atingir a excelência? Uma que destaca seus problemas e os considera intoleráveis ou uma que os esconde?

Não me entenda mal: transparência radical não é o mesmo que transparência total. Significa apenas muito mais transparência do que é comum. É claro que alguns tópicos dentro da Bridgewater são confidenciais, tais como questões de saúde ou problemas profundamente pessoais, detalhes sensíveis envolvendo propriedade intelectual ou questões de segurança, o momento de uma grande negociação e, pelo menos no curto prazo, assuntos que provavelmente serão distorcidos, tratados com sensacionalismo e compreendidos de uma maneira danosa se vazados para a imprensa. Nos princípios a seguir, você terá uma boa explicação de quando e por que nós achamos útil ser transparentes e quando e por que achamos melhor agir no sentido oposto.

Para ser franco, quando comecei a ser radicalmente transparente, não tinha noção de como seria; só sabia que era muito importante e que precisava a todo custo encontrar meios de colocar isso em prática. Extrapolei os limites e me surpreendi ao ver como funcionava tão bem. Por exemplo, quando passei a gravar todas as reuniões, nossos advogados disseram que éramos doidos porque estávamos gerando provas que poderiam ser usadas contra nós na Justiça ou por órgãos regulatórios. Em resposta, teorizei afirmando que a transparência radical reduziria o risco de fazermos qualquer coisa errada — e de não lidar de forma adequada com os nossos erros — e que, na verdade, as fitas nos protegeriam. Se estivéssemos lidando com as coisas da maneira correta, nossa transparência deixaria isso claro (desde que, é óbvio, todas as partes sejam razoáveis, o que é algo que você não pode presumir sempre), e, se as coisas estivessem indo mal, nossa transparência garantiria que recebêssemos a punição justa, o que, no longo prazo, seria bom para nós.

Na época, eu não tinha certeza, porém nossa experiência provou repetidas vezes a correção dessa teoria. Indo contra o que é habitual na área, a Bridgewater teve poucos confrontos jurídicos ou regulatórios, o que em grande parte se deve à nossa transparência radical. Por meio dela é mais difícil fazer coisas erradas e muito mais fácil descobrir o que é certo e solucionar demandas. Ao longo das últimas décadas não enfrentamos nenhum processo jurídico ou regulatório relevante.

Obviamente o fato de se tornar maior e mais bem-sucedido atrai mais atenção da mídia, e os repórteres sabem que matérias controversas e apimentadas têm mais audiência do que as ponderadas. A Bridgewater é especialmente vulnerável a esse tipo de jornalismo porque nossa cultura franca abre um flanco para vazamentos. Então não seria melhor não ter transparência e evitar tais problemas?

Aprendi que as pessoas cujas opiniões importam mais são as que nos conhecem melhor — nossos clientes e nossos funcionários — e que nossa transparência radical funciona com elas. Tal abordagem não levou apenas a resultados melhores, mas também gerou confiança em nossos funcionários e clientes, fazendo com que as caracterizações equivocadas na imprensa fossem ignoradas por eles. Quando discutimos tais situações, o que ouvimos é que eles ficariam muito mais assustados se não operássemos com transparência.

Contar com esse tipo de compreensão e apoio para fazer as coisas tem sido inestimável. Todavia, não teríamos ficado sabendo dessas grandes recompensas se não tivéssemos forçado com determinação os limites dessa sinceridade e transparência.

a. Use a transparência para garantir que a justiça seja feita. Quando todos podem acompanhar a discussão que leva a uma decisão — pessoalmente, por meio de gravações ou e-mails —, são maiores as chances de a justiça prevalecer. Todos devem ser responsabilizados pelas próprias opiniões e todos podem opinar sobre quem deveria fazer o quê segundo princípios compartilhados. Na ausência de um processo transparente como esse, as decisões são tomadas a portas fechadas por indivíduos com poder para fazer o que quiserem. Quando a transparência prevalece, é dever de todos zelar pela manutenção dos mesmos padrões elevados.

b. Compartilhe o que é mais difícil de compartilhar. Embora pareça tentador limitar a transparência às coisas que não podem causar danos a você, é especialmente importante compartilhar os tópicos mais difíceis de abordar; do contrário, você perderá a confiança e a parceria de quem foi deixado de lado. Quando confrontado com a decisão de compartilhar as questões mais difíceis, não pense "se" deveria fazê-lo, pense apenas em "como". Os princípios a seguir podem ajudar.

c. Limite ao máximo as exceções à transparência radical. Apesar de preferir transparência absolutamente total e desejar que todos saibam lidar de forma responsável com as informações às quais têm acesso, sei que se trata de um ideal no horizonte que nunca será atingido por completo. Como há exceções para todas as regras, em casos muito raros é melhor não ser totalmente transparente. Nesses casos você precisará encontrar uma maneira que preserve a cultura de transparência radical sem expor você e aqueles com os quais se preocupa a riscos desnecessários.

Ao avaliar uma exceção, trate-a como um cálculo de valor esperado, levando em consideração as consequências de segunda e terceira ordens. Questione se os custos de tornar o caso transparente e gerenciar os riscos dessa transparência são maiores do que os benefícios. Na vasta maioria dos casos, não são. Descobri que as situações mais comuns em que se deve limitar a ampla transparência são:

1. Aquelas em que a informação é de natureza privada, pessoal ou confidencial e não tem impacto significativo sobre a comunidade como um todo.
2. Aquelas em que compartilhar e administrar essa informação coloca em risco os interesses de longo prazo da empresa e dos clientes e a capacidade de sustentar nossos princípios (por exemplo, nossa estratégia particular de investimentos ou uma disputa jurídica).

3. Aquelas em que o valor de compartilhar a informação de modo amplo com a comunidade é muito baixo, porém a distração causada é muito alta (remunerações, por exemplo).

O que estou dizendo é que, na minha opinião, os limites da transparência devem ser forçados sem, porém, deixar de ser prudente. Como gravamos praticamente tudo — incluindo nossos erros e fraquezas — e disponibilizamos esse conteúdo para todos da Bridgewater, somos um ótimo alvo para a mídia que explora fofocas sensacionalistas, sempre tentando obter alguma informação vazada. Certa vez tivemos um vazamento de informação para a imprensa — que de propósito distorceu os fatos e prejudicou nossos esforços de contratações — e fomos então obrigados a instituir alguns controles sobre uma informação ultrassensível. Sendo assim, apenas um número restrito de pessoas megaconfiáveis a recebeu em tempo real — após um tempo, todos foram informados. Era o tipo de informação que, em uma empresa típica, seria compartilhada apenas com duas ou três pessoas, mas na Bridgewater ela foi passada a quase cem pessoas de confiança. Em outras palavras, embora nesse caso nossa transparência não tenha sido total, fiz o que pude para que não fosse tão restrita. Isso deu certo, porque aqueles que mais precisavam saber da informação dispuseram dela imediatamente, e a maioria compreendeu que o compromisso em ser transparente permaneceu intacto, mesmo em circunstâncias desafiadoras. As pessoas sabem que a minha intenção sempre será atuar com o máximo de transparência, que as únicas coisas que me impediriam de agir de tal modo são os interesses da própria empresa e que sempre serão informadas se não for possível ser transparente e o por quê.

d. Garanta que aqueles que usufruem de uma transparência radical reconheçam a responsabilidade de preservá-la e de ponderar as coisas com inteligência. As pessoas não podem ganhar o privilégio de receber informações e usá-las para prejudicar a companhia, de modo que regras e procedimentos são necessários para assegurar que isso não aconteça. Por isso todos os associados da Bridgewater trabalham em um ambiente de transparência total com a condição de que não vazem informações; caso contrário serão demitidos por justa causa (por comportamento antiético).

Além disso, as regras sobre nossas abordagens e processos de tomada de decisão devem ser respeitadas, e como pessoas diferentes têm perspectivas diferentes é importante que as diretrizes para resolver as questões sejam seguidas. Por exemplo, algumas pessoas farão muito barulho por nada, criarão as próprias teorias erradas ou terão dificuldade em enxergar a evolução do quadro. Lembre-as dos riscos que a empresa assume ao agir com total transparência e de como todos são responsáveis por lidar com as informações internas com prudência. Percebi que as pessoas apreciam essa transparência e saber que correm o risco de perdê-la faz com que se empenhem para estabelecer bons relacionamentos.

e. Pessoas responsáveis merecem transparência. As irresponsáveis devem ser desligadas da organização. É direito e responsabilidade da gerência, e não direito de todos os funcionários, determinar quando devem ser feitas exceções à transparência radical. A gerência deve restringir a transparência de forma limitada e sábia, porque toda vez que o fizer, enfraquecerá a meritocracia de ideias e a confiança dos indivíduos.

f. Não compartilhe informação sensível com os inimigos da organização. Dentro e fora de qualquer organização há algumas pessoas que irão intencionalmente prejudicá-la. Se elas estão dentro da própria organização, chame-as para tentar resolver esse conflito de acordo com os princípios da cultura — trabalhar com inimigos dentro do que se entende como uma "família por extensão" enfraquecerá você e a todos. Se os inimigos trabalham para um concorrente, nem preciso dizer que você não deve compartilhar nada com eles, certo?

1.5 Relações e trabalho relevantes se reforçam mutuamente, sobretudo quando apoiados por sinceridade e transparência radicais.

As relações mais relevantes são construídas quando é possível um diálogo franco sobre tudo o que é importante, quando todos na equipe aprendem juntos e compreendem a importância de cobrar dos pares a responsabilidade de atuarem com o máximo de excelência possível. Quando o grupo de trabalho tem tais características, seus integrantes incentivam uns aos outros em épocas desafiadoras; ao mesmo tempo, compartilhar trabalho desafiador aproxima os indivíduos e fortalece suas relações. Esse ciclo se retroalimenta e gera o sucesso que permite a busca de objetivos cada vez mais ambiciosos.

RELAÇÕES RELEVANTES

TRABALHO RELEVANTE

**SINCERIDADE &
TRANSPARÊNCIA
RADICAIS**

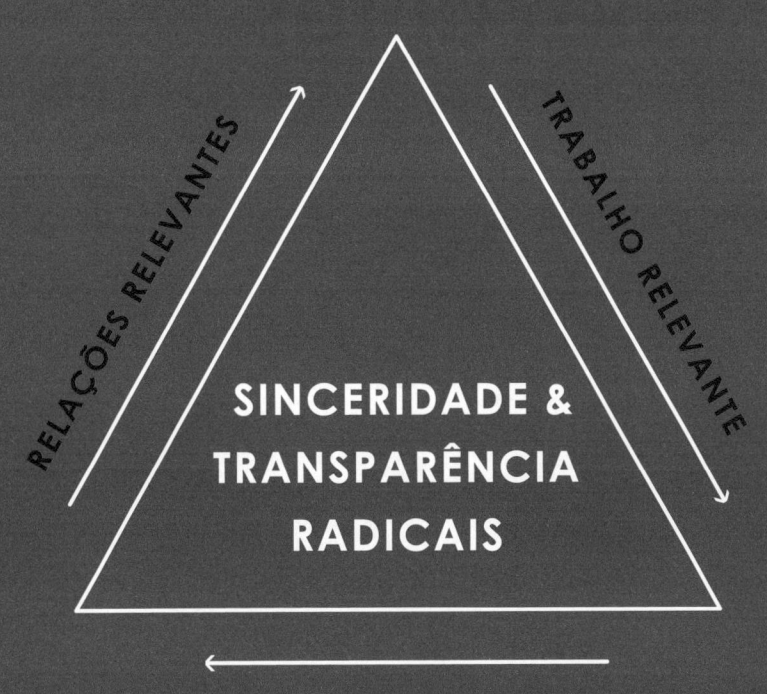

SUCESSO

2 Cultive trabalho e relações relevantes

Relações relevantes são inestimáveis para a construção e a manutenção de uma cultura de excelência. Elas criam a confiança e o apoio necessários para que as pessoas incentivem quem está ao seu redor a fazer grandes realizações. Se a esmagadora maioria der importância à criação de uma comunidade excelente, todos cuidarão dela e isso proporcionará um trabalho melhor e relações melhores. Contudo, as relações não podem ser forçadas; ao mesmo tempo, a cultura da comunidade terá grande influência sobre como os indivíduos valorizam as relações e como interagem entre si. Para mim, uma relação relevante é aquela em que as pessoas se preocupam com as outras a ponto de estarem presentes sempre que alguém precisar de apoio e na qual gostam tanto da companhia uma das outras que podem se divertir juntas no trabalho e fora dele. Eu amo muitas pessoas com quem trabalho e tenho enorme respeito por elas.

Com frequência me perguntam se as relações na Bridgewater são mais parecidas com as de uma família ou com as de uma equipe, deixando implícito que em uma família existe amor incondicional e uma relação permanente, enquanto em uma equipe a ligação é apenas tão forte quanto a contribuição do integrante. Antes de responder a essa questão, quero enfatizar que qualquer uma das duas é boa para mim, porque famílias e equipes fornecem relações relevantes e nenhuma delas se parece com um emprego típico em uma empresa típica, em que as relações são acima de tudo utilitárias. Mas, sendo objetivo, eu queria que a Bridgewater fosse como um negócio de família em que os parentes precisam ter desempenho excelente, caso contrário serão cortados. Se eu tivesse um negócio familiar e um parente não estivesse rendendo bem, eu iria querer dispensá-lo. Mantê-lo no cargo não seria bom nem para ele (insistir em um emprego inadequado atrapalha nossa evolução pessoal) nem para a empresa (pois atrasa a comunidade inteira). Isso é amor duro.

Para dar uma noção de como a cultura da Bridgewater se desenvolveu e de como é diferente do que se encontra na maioria das companhias, vou contar sobre como lidávamos com benefícios no início. Quando a empresa era apenas eu e um pequeno grupo, não pagávamos plano de saúde: eu presumia que os associados cuidariam disso por conta própria. Entretanto, eu queria ajudar as pessoas com quem dividia minha vida em seus momentos de dificuldade. Se um dos associados ficava gravemente doente e não podia arcar com os cuidados adequados, o que eu podia fazer? Ficar olhando e não ajudar? É claro que não. Eu ajudava com dinheiro até onde podia. Desse modo, quando passei a pagar o plano de saúde da equipe, senti que estava fazendo um seguro para o dinheiro que sabia que daria a eles caso sofressem um acidente ou ficassem doentes — e esse seguro era tanto para mim quanto para eles.

Como queria garantir que recebessem os melhores cuidados possíveis, os planos que fornecia permitiam que fossem ao médico que quisessem e gastassem o que fosse necessário. Em contrapartida, eu não cuidava de aspectos secundários, como plano odontológico e seguro de automóvel; para mim, era responsabilidade de cada um cuidar dos próprios dentes e dos próprios bens. O ponto principal é que eu não tratava a questão dos benefícios da maneira impessoal e transacional comum na maioria das empresas, mas como algo que daria à minha família. Eu era mais do que generoso em alguns aspectos e, em troca, esperava que as pessoas assumissem responsabilidade pessoal por outros.

Ao tratar meus funcionários como parte da família, percebi que esse comportamento era replicado por toda a comunidade, o que era bem mais especial do que ter uma relação estritamente profissional. Perdi a conta de quantas pessoas faziam de tudo para ajudar nossa comunidade/empresa e não queriam saber de trabalhar em outro lugar. Isso não tem preço.

Com o crescimento da Bridgewater, minha capacidade de ter contato pessoal de qualidade com toda a equipe diminuiu, mas isso não foi um problema porque a comunidade adotou esse jeito de ser em relação aos demais. Isso não ocorre de uma hora para outra, do nada; fizemos muita coisa para incentivar tal comportamento. Por exemplo, adotamos uma política segundo a qual pagaríamos metade do valor de praticamente quaisquer atividades que as pessoas quisessem fazer juntas até determinado limite (hoje apoiamos mais de cem clubes e grupos atléticos e de interesse comum); pagávamos bebida e comida para quem oferecesse jantares em suas casas nos quais cada convidado levava um prato; e compramos uma casa que os funcionários podem usar para eventos e comemorações. Temos festas de Natal, Halloween, 4 de Julho e outras, que costumam contar com os familiares. Em certo ponto as pessoas passaram a valorizar tanto esse tipo de coisa que assumiram a responsabilidade por elas e o hábito se espalhou até se tornar uma norma cultural, permitindo que eu me afastasse e assistisse a essa maravilha.

E quem não está nem aí para toda essa história de relação relevante, que quer apenas trabalhar, fazer um bom serviço e receber uma compensação justa? Tudo bem? É claro que sim — é o caso de uma parcela significativa dos associados. Nem todo mundo sente o mesmo em relação à comunidade, nem esperamos que sinta. É totalmente compreensível querer ficar de fora. Temos todo tipo de pessoas e respeitamos o que quer que queiram fazer em seu tempo livre, desde que respeitem a lei e tenham consideração. No entanto, essa não é a turma que fornecerá à comunidade a força estrutural de comprometimento essencial para que ela seja extraordinária ao longo do tempo.

Mesmo que tente a todo custo criar uma cultura de relações relevantes, toda organização está destinada a ter alguns integrantes mal intencionados (que são nocivos de propósito). Não é bom para ninguém contar com pessoas assim na equipe, por isso é melhor descobrir quem são e removê-las. Descobrimos que, quanto maior o número de pessoas que se importam de verdade com a organização, menor será a quantidade de gente mal intencionada, porque quem se preocupa de verdade protege a comunidade contra esse tipo de gente. Também descobrimos que nossa transparência radical ajuda a deixar claro quem é quem.

2.1 Seja leal à missão comum, não àqueles que não se encaixem nela.

Lealdade a pessoas que não estão em sintonia com a missão e em como concretizá-la estimulará o surgimento de facções e enfraquecerá o bem-estar da comunidade. É claro que existem as lealdades pessoais, e isso é muito bonito. Mas isso logo pode se tornar algo muito feio se tais lealdades entrarem em conflito com os interesses da organização.

2.2 Seja cristalino sobre qual é o acordo.

Para ter uma boa relação, é preciso que vocês deixem bem claro entre si a natureza do *quid pro quo* — o que é generoso, o que é justo e o que não passa de tirar vantagem — e como agirão uns com os outros.

Uma coisa essencial que costuma dividir as pessoas é a maneira com que enxergam o próprio trabalho. Elas estão trabalhando só por um contracheque ou estão em busca de algo mais? Cada um tem a própria opinião sobre o que é mais importante. Ganhei muito dinheiro com o meu trabalho, porém encaro o meu emprego como algo muito maior do que um jeito de ganhar dinheiro — é a forma como escolhi concretizar meus valores de excelência, trabalho e relações relevantes. Se meus parceiros de trabalho estivessem acima de tudo interessados em ganhar dinheiro, entraríamos em conflito sempre que fosse preciso escolher entre manter nossos valores e faturar um dinheiro fácil. Não me entenda mal: é claro que entendo que as pessoas não trabalham só por satisfação pessoal e que todo emprego tem que ser viável economicamente.

A questão é que todos temos ideias claras sobre o que valorizamos e sobre as relações que desejamos construir; empregadores e empregados têm que estar em sincronia nesses aspectos.

Obviamente, haverá desacordo e negociação, mas não se deve ceder em alguns pontos, e você e seus associados precisam deixar bem claro quais são eles. Isso é especialmente verdade se seu objetivo for criar um ambiente com valores compartilhados, um profundo comprometimento com a missão e altos padrões de comportamento.

Na Bridgewater, esperamos relações duradouras e de alta qualidade — isto é, com um alto grau de consideração mútua pelos interesses dos outros e uma clara compreensão de quem é responsável pelo quê. Isso soa legal e simples, mas o que significa exatamente? É importante ser claro.

Pegue, por exemplo, um caso em que um parente de um funcionário é diagnosticado com uma doença grave ou um funcionário morre tragicamente, deixando a família em uma situação precária. Essas coisas acontecem com uma frequência bem maior do que gostaríamos, e há, é claro, costumes e leis que definem os ajustes e benefícios básicos (tais como dias de férias, seguro por invalidez de curto e longo prazo, seguro de vida etc.) que são exigidos por lei. Mas como se determina que tipos de assistência devem ser fornecidos além disso? Quais são os princípios para decidir como lidar de maneira justa com cada situação — o que nem sempre significa fazer a mesma coisa em todos os casos?

Nada disso é fácil, porém os seguintes princípios oferecem certa orientação.

a. Garanta que as pessoas tenham para com os outros mais consideração do que exigem para si mesmas. Isso é um requisito.

Ter consideração significa permitir aos outros fazer quase tudo que quiserem, desde que seja consistente com nossos princípios e políticas e com a lei. Se os dois lados de uma discussão abordarem suas desavenças dessa forma, teremos muito menos disputas sobre quem está ofendendo quem.

Ainda assim, julgamentos terão que ser feitos e linhas, traçadas e definidas no que diz respeito às políticas.

PRINCÍPIOS

Esta é a recomendação geral: é ainda mais falta de consideração impedir as pessoas de exercerem seus direitos porque você se sente ofendido com isso do que deixar que façam seja lá o que o ofenda. É falta de consideração não pesar o impacto das ações de alguém sobre os demais; sendo assim, esperamos que as pessoas tenham o bom senso de não ter atitudes obviamente ofensivas. Existem alguns comportamentos claramente ofensivos para muita gente, e é apropriado que eles sejam especificados e proibidos em políticas claras. A lista de atitudes específicas e as políticas vinculadas a elas surgem a partir de casos específicos. A aplicação desse princípio é similar à criação de uma jurisprudência.

b. Garanta que as pessoas compreendam a diferença entre justiça e generosidade. Às vezes, as pessoas confundem generosidade com injustiça. Por exemplo, quando a Bridgewater providenciou um ônibus para transportar quem morava em Nova York até nosso escritório em Connecticut, um funcionário pediu: "Acho que seria justo compensar também quem aqui gasta centenas de dólares com gasolina todo mês, sobretudo levando em consideração o ônibus de Nova York." Essa linha de raciocínio confunde um ato de generosidade para alguns com uma prerrogativa para todos.

Justiça e generosidade são coisas distintas. Se você comprasse dois vales-presente para dois dos seus amigos mais íntimos e um valesse mais do que outro, o que diria se o amigo que recebeu o de menor valor o acusasse de ter sido injusto? Provavelmente algo como: "Eu não tinha obrigação de dar vale nenhum para você, então não venha reclamar." Na Bridgewater, somos generosos com as pessoas (eu sou muito generoso), porém não sentimos obrigação de equilibrar esses gestos de generosidade.

A generosidade é algo bom, já a prerrogativa é ruim, mas ambos podem ser facilmente confundidos: seja bem cristalino a esse respeito. As decisões devem se basear no que você acredita que seja justificado em determinada circunstância e no gesto que será mais bem recebido. Se quiser uma comunidade com relações duradouras e de alta qualidade e ao mesmo tempo na qual vigore um elevado senso de responsabilidade pessoal, não permita que se instale um senso de prerrogativa.

c. Identifique a linha e se mantenha na extremidade do justo. A linha é o que é justo, apropriado ou exigido, em contraste com o que é generoso, tendo em vista a relação *quid pro quo* definida entre as partes. Como já mencionado, você deve esperar que as pessoas se comportem de forma adequada a relações duradouras e de alta qualidade — com um elevado nível de consideração mútua pelos interesses dos outros e uma clara compreensão de quem é responsável pelo quê. Todos devem agir na extremidade do justo; com isso, quero dizer ter mais consideração com os outros do que a que você exige para si. Isso é diferente do comportamento comum na maioria das relações comerciais, em que os indivíduos tendem a focar mais nos próprios interesses do que nos dos outros ou nos da comunidade como um todo. Se cada parte disser "você merece mais", "não, você merece mais", em vez de "eu mereço mais", são maiores as chances de haver relações generosas e boas.

d. Pague pelo trabalho. Embora tudo não se resuma ao *quid pro quo* entre a empresa e o funcionário, esse equilíbrio tem que ser economicamente viável para que as relações sejam sustentáveis. Crie políticas que definam com clareza esse *quid pro quo* e seja preciso, porém não excessivamente, quando mudá-lo. Apesar de, no geral, todos deverem se ater ao arranjo, também é necessário reconhecer que existem momentos raros em que os associados vão precisar de uma folguinha ou que a empresa vai exigir cumprimento de horas extras. A companhia deve pagar de alguma forma pelo trabalho acima do normal e os funcionários devem receber menos por trabalho abaixo do normal. Grosso modo, o toma lá dá cá deve se compensar ao longo do tempo. Dentro de limites razoáveis, ninguém deve se preocupar com a exatidão dos altos e baixos. Contudo, se as necessidades de um lado mudarem em uma base contínua, o arranjo financeiro terá que ser reajustado para estabelecer uma relação nova e apropriada.

2.3 Reconheça que o tamanho da organização pode representar uma ameaça a relações relevantes.

Quando havia apenas poucos de nós, tínhamos relações relevantes porque nos conhecíamos e gostávamos uns dos outros. Quando crescemos para uma equipe de cinquenta a cem integrantes, nos tornamos uma comunidade; quando crescemos para além disso, o senso de comunidade começou a se desfazer porque não nos conhecíamos todos da mesma forma. Foi quando percebi que ter grupos (departamentos) de mais ou menos cem membros (com variação de cerca de cinquenta, para mais ou para menos) unidos coletivamente por nossa missão comum era o melhor jeito de mudar a escala da relação relevante. Embora empresas maiores costumem ser mais impessoais, esse é apenas mais um desafio a ser superado.

2.4 Lembre-se de que a maioria das pessoas vai fingir que age de acordo com os seus interesses, enquanto age segundo os próprios.

Por exemplo, a maioria agirá de modo a maximizar a quantidade de dinheiro que receberá e minimizar a quantidade de trabalho necessária para isso.

Para ver isso em ação, simplesmente deixe alguém sem supervisão e permita que cobre de você pelo que tiver feito. Tenha ainda mais cautela em relação a esse conflito de interesses quando lhe derem conselhos sobre questões que afetarão a própria remuneração — o advogado que recebe por hora e gasta um tempão conversando com você ou o vendedor que aconselha sobre o que comprar ao mesmo tempo que recebe comissão sobre quanto você gasta. Você não tem ideia da quantidade de pessoas que conheço que estão ansiosas para "ajudar".

Não seja ingênuo. Empenhe-se para que a maior quantidade possível de associados tenha trabalho e relações relevantes, reconhecendo que sempre haverá uma porcentagem deles que não liga para a comunidade e/ou irá prejudicá-la.

2.5 Dê especial valor a pessoas honradas e capazes — elas serão generosas com você mesmo quando não estiver por perto.

Essas pessoas são raras. Relações assim demoram a se consolidar e só podem ser construídas se você tratá-las bem.

3 Crie uma cultura na qual seja ok cometer erros e inaceitável não aprender com eles

Todo mundo comete erros. A principal diferença é que as pessoas bem-sucedidas aprendem com eles e as malsucedidas, não. Ao criar um ambiente em que seja ok errar de forma segura você logo constatará o progresso e a existência de menos erros significativos. Isso é especialmente verdadeiro em organizações em que criatividade e pensamento independente são fundamentais, já que o sucesso inevitavelmente exigirá a aceitação do fracasso como parte do processo. Como Thomas Edison declarou certa vez: "Eu não fracassei. Apenas descobri dez mil jeitos que não funcionam."

Erros geram sofrimento, mas não tente proteger as pessoas, e a si mesmo, disso. A dor é uma mensagem de que algo está errado, além de uma professora eficiente quando é hora de aprender a não repetir o processo que levou ao fracasso. Para lidar bem com os pontos fracos das pessoas e os seus, reconheça-os abertamente e trabalhe para impedir que prejudiquem você no futuro. É nesse ponto que muita gente diz: "Não, obrigado, isso não é para mim. Prefiro não ter que lidar com esse tipo de coisa." O problema é que essa atitude vai contra os interesses da organização e do próprio indivíduo, impedindo que conquiste seus objetivos. Se você olhar para si mesmo um ano atrás e não ficar chocado com sua estupidez, creio que de lá para cá não tenha aprendido muito. Ainda assim, poucas pessoas se esforçam para aceitar os próprios erros. Mas não precisa ser assim.

Você se lembra da história que contei em "Princípios de vida", quando Ross, nosso então chefe de trading, se esqueceu de fazer uma operação para um cliente? O dinheiro ficou parado e, quando o erro foi descoberto, havia custado ao cliente (na verdade, à Bridgewater, já que tivemos que ressarci-lo) um montante *imenso*. Foi péssimo, e eu poderia facilmente ter demitido Ross para deixar claro que nada menos do que a perfeição seria aceito. No entanto, isso teria sido contraproducente. Eu teria perdido um bom funcionário e isso só teria encorajado os outros a encobrir erros, criando uma cultura não só de desonestidade, como também inepta a aprender e crescer. Se Ross não tivesse passado por aquele momento difícil, ele e a Bridgewater seriam piores.

A mensagem que deixei clara ao não demiti-lo foi muito mais poderosa do que a demissão em si teria sido — eu mostrei a ele e aos demais que era ok cometer erros e inaceitável não aprender com eles. Quando a poeira baixou, Ross e eu trabalhamos para elaborar um registro de erros (agora o chamamos de Registro de Ocorrências), no qual traders marcavam todos os seus equívocos e maus resultados, para que pudéssemos rastreá-los e tratá-los de forma sistemática. Ele se tornou uma das ferramentas mais poderosas que temos na Bridgewater. Em nosso ambiente de trabalho, as pessoas entendem que frases como "você lidou mal com isso" têm a intenção de ajudar, em vez de punir.

É claro que, ao gerenciar funcionários que cometem erros, é importante saber a diferença entre: 1) indivíduos capazes que erram, porém têm a faculdade da autorreflexão e são abertos a aprender com os próprios erros; e 2) indivíduos incapazes ou pessoas capazes que não conseguem reconhecer os próprios erros e aprender com eles. Ao longo do tempo, percebi que contratar gente com a capacidade de autorreflexão, como Ross, é uma das coisas mais importantes que se deve fazer como gestor.

Não é fácil encontrar esse tipo de pessoa. Sempre achei que os pais e a escola dão ênfase excessiva à importância de se ter sempre as respostas certas para tudo. Tenho a impressão de que os melhores alunos na escola costumam ser os piores em aprender com os próprios erros, pois foram condicionados a associá-los a fracasso em vez de uma oportunidade. Pessoas inteligentes e que aceitam os próprios erros e fraquezas quase sempre têm desempenho melhor do que colegas com as mesmas capacidades, mas com barreiras do ego maiores.

3.1 Reconheça que erros são uma parte natural do processo evolutivo.

Se você não liga de estar errado durante o processo que leva a estar certo, vai aprender muito — e aumentar sua eficiência. No entanto, se isso for intolerável, você não apenas impossibilitará o próprio crescimento, como também vai se sentir mal e contaminar as pessoas ao redor. O ambiente de trabalho será marcado por fofocas mesquinhas e farpas venenosas em vez de por uma busca sadia e honesta pela verdade.

    A necessidade de estar certo não pode ser mais importante do que a necessidade de descobrir o que é correto. Jeff Bezos descreveu bem esse conceito ao afirmar: "É preciso ter disposição para fracassar repetidas vezes. Caso contrário, você terá que ser muito cuidadoso para não inventar."

a. Fracasse bem. Porque todo mundo fracassa. Mesmo alguém bem-sucedido tem outros aspectos aos quais não prestamos atenção — garanto que ele também fracassa em muitas outras coisas. Portanto, respeito quem fracassa bem ainda mais do quem têm sucesso. Porque fracassar é uma experiência dolorosa e é preciso muito mais caráter para errar, mudar e chegar ao sucesso do que simplesmente ter sucesso. Quem só está obtendo sucessos não deve estar forçando os próprios limites. É claro que o pior tipo de pessoa é o que fracassa, não reconhece esse fato e não muda.

b. Não se sinta mal a respeito de seus erros ou os dos outros. Seja grato! As pessoas costumam se sentir mal em relação aos erros que cometem por pensarem de uma forma limitada sobre o resultado ruim em vez de prestar atenção ao processo evolutivo do qual os erros são parte essencial. Uma vez tive um instrutor de esqui que também dera aulas para Michael Jordan, o maior jogador de basquete de todos os tempos. Ele me contou que Jordan adorava os próprios erros, encarando cada um deles como uma oportunidade para melhorar. Ele entendia que cada um é como uma pecinha de um quebra-cabeça que, ao final, renderá uma bela imagem. O aprendizado gerado por cada um desses errinhos irá salvá-lo de milhares de erros similares no futuro.

3.2 Não se preocupe com a imagem — preocupe-se em atingir seus objetivos.

Deixe de lado suas inseguranças e prossiga na conquista dos seus objetivos. Reflita e lembre a si mesmo que uma crítica precisa é o feedback mais valioso que se pode receber. Imagine como seria tolo e improdutivo agir com o seu instrutor de esqui como se ele estivesse culpando você quando explicou que caiu por não ter transferido o peso do corpo adequadamente. O mesmo ocorre quando um supervisor evidencia uma falha no seu processo de trabalho. Conserte-a e siga em frente.

a. Abandone noções de "culpa" e "crédito" e fique com as de "exato" e "inexato". Ficar se preocupando com "culpa" e "crédito" ou feedbacks "positivo" e "negativo" impede o processo iterativo essencial para que haja aprendizado. Lembre-se de que o que já aconteceu está no passado e não importa mais, exceto como uma lição para o futuro. É preciso abandonar a necessidade de falsos elogios.

3.3 Observe os padrões dos erros para ver se são gerados por fraquezas.

Todos temos fraquezas e elas em geral se revelam nos padrões dos erros que cometemos. O caminho mais rápido para o sucesso começa com saber quais são as próprias fraquezas e encará-las com frieza. O primeiro passo é anotar os erros e ligar os pontos entre eles. Depois escreva o seu "grande desafio", que é a fraqueza que mais se destaca no caminho para atingir o que se quer. Todo mundo tem pelo menos um. Você, na verdade, pode ter vários, mas não vá além dos "três maiores". A primeira medida para atacar tais barreiras é lançar luz sobre elas.

3.4 Lembre-se de refletir nos momentos de dor.

Lembre-se disso: *a dor está toda na sua cabeça*. Se quiser evoluir é preciso atacá-la diretamente. Fazendo isso você verá com mais clareza os paradoxos e problemas que enfrenta. Refletir sobre eles e, então, resolvê-los, trará sabedoria. Quanto maior a dor e o desafio, melhor.

Como esses momentos de dor são muito importantes, não os interrompa de forma prematura. Permaneça neles e explore-os a fim de construir uma base sólida para o aprimoramento pessoal. Aceitar os fracassos — e confrontar a dor que causam em você e nos outros — é o primeiro passo para a melhora genuína; é por isso que em muitas sociedades a confissão vem antes do perdão. Os psicólogos chamam esse processo de "bater no fundo do poço". Se continuar fazendo isso, você transformará a dor de enfrentar seus erros e fraquezas em prazer e "chegará ao outro lado", como expliquei em "Aceite a realidade e lide com ela".

a. Faça uma autoanálise. Diante da dor, o instinto animal é apresentar uma resposta de luta ou fuga. Em vez disso, acalme-se e reflita. A dor que você está sentindo se deve ao fato de haver coisas em conflito — talvez você tenha se chocado com uma realidade terrível, como a morte de um amigo, e não consegue aceitá-la; talvez tenha sido forçado a reconhecer uma fraqueza que contesta a imagem que tinha de si mesmo. Ao pensar com clareza no que está por trás do sofrimento, você aprenderá mais sobre a realidade e a melhor maneira de lidar com ela. A autoanálise é a qualidade de maior destaque nos indivíduos que evoluem depressa. Lembre-se: Dor + Autoanálise = Progresso.

b. Saiba que ninguém pode ver a si mesmo com objetividade. Embora seja função de todos tentar enxergar a si mesmo de forma objetiva, não se deve esperar que todos sejam capazes de fazer isso bem. Todos nós temos pontos cegos; as pessoas são, por definição, subjetivas. Por isso, é uma responsabilidade coletiva ajudar os demais a aprender o que é verdade a respeito de si dando feedbacks sinceros, cobrando suas responsabilidades e tendo mente aberta para superar desacordos.

c. Ensine e reforce os méritos do aprendizado baseado em erros. Para encorajar os funcionários a revelar seus erros e a analisá-los com objetividade, os gerentes precisam estimular uma cultura que torne isso normal e que penalize a supressão ou o acobertamento de falhas. É por isso que na Bridgewater instituímos como obrigatório o Registro de Ocorrências.

3.5 Saiba quais tipos de erros são aceitáveis e quais são inaceitáveis, e não permita que quem trabalha para você cometa os do segundo tipo.

Ao considerar os tipos de erros que está disposto a aceitar a fim de promover o aprendizado por tentativa e erro, sempre pondere o dano potencial em relação ao benefício do aprendizado. Ao definir o norte que estou inclinado a dar às pessoas, digo "estou disposto a permitir que você arranhe ou amasse a lataria do carro, mas não vou colocá-lo em uma posição em que haja risco significativo de provocar perda total".

DOR

+

REFLEXÃO

=

PROGRESSO

4 Entre em sincronia e se mantenha assim

Lembre-se de que, para uma organização ser eficiente, seus membros devem estar alinhados em muitos níveis — desde a missão compartilhada, passando por como eles se tratam e até um quadro mais prático de quem vai fazer o quê e quando para atingir as metas. Contudo, nunca se pode presumir que esse alinhamento vá acontecer naturalmente, porque os circuitos mentais dos indivíduos são muito diferentes. Todos nós vemos o mundo e nós mesmos de maneiras singulares, por isso é necessário trabalho constante para definir o que é certo e o que fazer a respeito.

O alinhamento é especialmente importante em uma meritocracia de ideias — na Bridgewater tentamos atingi-lo consciente, contínua e sistematicamente. Chamamos esse processo de "entrar em sincronia", e há duas formas primárias de algo dar errado: casos decorrentes de simples mal-entendidos e casos originados por desacordos fundamentais. Entrar em sincronia é o processo de corrigir os dois tipos com assertividade e a mente aberta.

Muita gente erroneamente crê que o jeito mais fácil de fazer as pazes é varrer as diferenças para baixo do tapete, mas não poderiam estar mais enganadas. Ao evitar conflitos, se evita resolver as diferenças. Quem costuma abafar pequenos desentendimentos tende a criar conflitos muito maiores depois, o que pode levar ao rompimento. Em contrapartida, quem encara esses miniconflitos tende a ter as melhores e mais duradouras relações. O desacordo respeitoso é uma ferramenta poderosa, pois ajuda as duas partes a enxergarem aspectos para os quais estavam cegas. Só que isso não é fácil. Embora seja simples estabelecer uma meritocracia em atividades em que há clareza sobre as capacidades relativas (porque os resultados falam por si, por exemplo, nos esportes, em que o corredor mais veloz vence a disputa), é muito mais difícil em um ambiente criativo (em que pontos de vista distintos sobre o que é melhor precisam ser alinhados). Caso eles não sejam alinhados, o processo de enfrentar desacordos e saber quem tem a autoridade para decidir com rapidez se torna caótico. Às vezes, as pessoas ficam irritadas ou empacam; uma conversa pode facilmente descambar para um ponto em que dois ou mais indivíduos ficam girando, incapazes de chegar a um acordo.

Por esses motivos, processos e procedimentos específicos precisam ser seguidos. Cada lado da discussão precisa entender os respectivos direitos e ter em mente os procedimentos que devem ser seguidos para que se avance até a resolução. (Nós também desenvolvemos ferramentas nesse sentido, que podem ser analisadas no fim deste livro.) Todos precisam compreender o princípio mais fundamental para se entrar em sincronia: o de ser ao mesmo tempo assertivo e mente aberta. O desacordo respeitoso não é uma batalha; seu objetivo não é convencer a outra parte de que ela está errada, mas descobrir o que é correto e o que fazer em relação a isso. Também não deve ser hierárquico, pois em uma meritocracia de ideias a comunicação simplesmente não flui de cima para baixo sem ser questionada. As críticas também devem partir de baixo para cima.

Por exemplo, este e-mail foi enviado para mim por um associado após uma reunião com clientes. Todos os ocupantes de cargos mais altos na Bridgewater, incluindo eu, são rotineiramente criticados e avaliados pelos subordinados.

De: Jim H
Para: Ray; Lionel K; Greg J; Randal S; David A
Assunto: Feedback sobre a reunião ABC...

Ray — você merece um D- pelo desempenho de hoje na reunião ABC, e todos que estavam na sala concordam com essa avaliação dura (com uma variação pequena da nota). Isso foi especialmente decepcionante por dois motivos: 1) você se saiu muito bem em reuniões anteriores abordando o mesmo tópico; e 2) tivemos uma reunião específica de planejamento ontem para pedir que você focasse apenas na cultura e na estruturação de portfólio — dispúnhamos apenas de duas horas para que você cobrisse esses dois tópicos, eu cobrisse o processo de investimento, Greg falasse do observatório e Randal, da implementação — mas, em vez disso, você gastou um total de 62 minutos (eu cronometrei); e pior, durante cinquenta você divagou sobre o que me pareceram ser tópicos de estruturação de portfólio e só nos doze últimos minutos focou no que tínhamos combinado. Ficou óbvio para todos nós que você não se preparou para o encontro. De forma alguma você teria sido tão desorganizado caso tivesse se preparado.

Também gostaria de compartilhar outro caso em que um de nossos gerentes seniores observou uma conversa entre Greg Jensen, que era então CEO, e uma funcionária júnior: ele achou que Greg havia falado com a funcionária de um jeito que desencorajava a dissensão e o pensamento independente. Ela levantou essa questão em um feedback que deu a Greg, que por sua vez discordou, alegando que estava simplesmente lembrando a funcionária de princípios relevantes e também de sua responsabilidade em aderir a eles ou questioná-los abertamente. Os dois tentaram entrar em sincronia por meio de uma série de e-mails e, quando isso não funcionou, levaram a desavença ao comitê de administração. Um caso baseado na reunião em questão foi enviado para toda a companhia, para que todos pudessem julgar por conta própria quem estava certo. Foi um bom exercício de aprendizado para Greg e o gerente sênior. Nós o usamos para refletir sobre os princípios desenvolvidos para lidar com situações como essa e as duas partes receberam muitos feedbacks úteis. Se não agíssemos dessa forma singular, os detentores do poder estariam lá, tomando decisões do jeito que bem entendessem em vez fazerem uso de um processo mutuamente acordado.

Os princípios a seguir expandem a forma como fazemos isso. Se forem incorporados pela equipe, você estará bem alinhado com seus integrantes e a meritocracia de ideias funcionará de forma produtiva. Caso contrário, prepare-se para ficar empacado.

4.1 Reconheça que conflitos são essenciais para que haja grandes relações...

...porque são o modo como as pessoas determinam se seus princípios estão alinhados e resolvem suas diferenças. Cada um tem os próprios princípios e valores, de forma que todas as relações envolvem certa quantidade de negociação ou debate sobre como as pessoas deveriam agir em relação às outras. O que uma aprende sobre a outra vai aproximá-las ou distanciá-las. Se os seus princípios estiverem alinhados e vocês puderem resolver as diferenças por meio de um processo de troca, irão se aproximar. Caso contrário, irão se afastar. Discutir abertamente as diferenças garante que não ocorram mal-entendidos. Se isso não ocorrer de maneira contínua, as lacunas na perspectiva irão se ampliar até que inevitavelmente haja um grande confronto.

a. Não economize tempo e energia para entrar em sincronia: esse é o melhor investimento possível. No longo prazo isso poupa tempo já que aumenta a eficiência, porém é fundamental que se faça isso bem. Você terá que priorizar com o que e com quem entrará em sincronia em virtude de restrições de tempo. Sua prioridade devem ser as questões mais importantes relacionadas às partes mais críveis e mais relevantes.

4.2 Saiba como entrar em sincronia e como discordar bem.

É mais difícil administrar uma meritocracia de ideias que encoraja os desacordos do que uma autocracia de cima para baixo na qual eles são abafados. Quando as partes críveis em um desacordo estão dispostas a aprender umas com as outras, sua evolução é mais rápida e seu processo decisório, muito melhor.

A chave está em saber como passar do desacordo para a tomada de decisão. É fundamental que os caminhos para fazer isso estejam claros, de forma que se saiba quem é responsável por fazer o quê. (Por isso criei uma ferramenta chamada Solucionador de Disputas, que define os caminhos e deixa claro para todos se estão se agarrando a um ponto de vista em vez de avançando rumo à solução. Há mais detalhes sobre o tema no apêndice.)

É essencial saber quem detém a última palavra do processo decisório — ou seja, até que ponto o poder da argumentação chegará em relação ao poder da autoridade designada. Enquanto estão discutindo, sobretudo após uma decisão ter sido tomada, todos em uma meritocracia de ideias precisam permanecer calmos e respeitar o processo. É inaceitável que você fique irritado caso a meritocracia de ideias não produza a decisão que você queria.

a. Evidencie as possíveis áreas em que há falta de sincronia. Se você e os demais não destacarem seus pontos de vista, não será possível solucionar as disputas. Você pode enumerar as áreas de desacordo informalmente ou colocá-las em uma lista. Gosto de fazer as duas coisas, apesar de encorajar as pessoas a listar seus desacordos em ordem de prioridade, de forma que eu/nós possa(mos) direcioná-los com mais facilidade para a pessoa certa na hora certa.

As questões essenciais (aquelas sobre as quais há mais discordância) são as mais importantes a se resolver, já que costumam envolver diferenças de valores das pessoas ou de abordagens para a tomada de decisões sérias. É especialmente importante levantar essas questões e examinar suas premissas de modo rigoroso e desapaixonado.

b. Saiba distinguir as reclamações infundadas das que visam o aprimoramento. Muitas reclamações deixam de levar em conta o quadro completo ou refletem um ponto de vista restrito. São o que chamo de "ruído" e em geral o melhor a fazer é ignorá-las. Entretanto, reclamações construtivas podem gerar descobertas importantes.

c. Lembre-se de que toda história tem outro lado. A sabedoria é a capacidade de ver os dois lados e pesá-los de forma apropriada.

4.3 Seja assertivo e tenha a mente aberta.

Ser eficiente em desacordos respeitosos exige abertura de mente (ver as coisas pelos olhos do outro), assertividade (comunicar com clareza como as coisas se parecem aos seus olhos) e processar de maneira flexível essa informação em busca de aprendizado e adaptação.

Descobri que a maioria das pessoas tem dificuldade em ser ao mesmo tempo assertiva e ter a mente aberta. Elas costumam estar mais inclinadas ao primeiro aspecto (é mais fácil transmitir seu modo de ver as coisas do que entender a perspectiva do outro, além do fato de as pessoas estarem presas à necessidade egoica de estarem certas), embora algumas estejam dispostas a aceitar muito facilmente as opiniões de outras em detrimento das próprias. É importante lembrar-lhes que é preciso desenvolver as duas características — e lembrar que a tomada de decisão é um processo de duas etapas, em que é necessário obter informação e só então decidir. É igualmente útil ressaltar que aqueles que mudam de ideia são os maiores vencedores, pois aprenderam algo. Os perdedores são aqueles que, de forma obstinada, se recusam a ver o que é certo. Com prática, treinamento e reforço constante, qualquer um pode se tornar bom nisso.

a. Diferencie pessoas de mente aberta das de mente fechada. Gente de mente aberta procura aprender por meio do questionamento; elas têm consciência de quão pouco sabem em relação a tudo que existe no mundo e reconhecem que podem estar enganadas; ficam empolgadas por estarem rodeadas de gente que sabe mais por verem nisso uma oportunidade de aprender. Indivíduos de mente fechada sempre dizem o que sabem, mesmo quando entendem pouco de determinado assunto. Eles costumam se sentir desconfortáveis perto de quem sabe muito mais.

b. Não se relacione com pessoas de mente fechada. Ter mente aberta é muito mais importante do que ser brilhante ou inteligente. Independentemente de quanto saibam, indivíduos de mente fechada sempre são um desperdício de tempo. Se tiver que lidar com eles, reconheça que não há como ajudá-los enquanto não abrirem suas mentes.

c. **Fique atento a quem acha que ignorância é motivo para constrangimento.** É muito provável que essas pessoas se preocupem bem mais com as aparências do que com atingir os objetivos. Com o tempo, isso pode levar à ruína.

d. **Garanta que a liderança tenha mente aberta em relação aos comentários e às perguntas dos outros.** O responsável por uma decisão tem que ser capaz de explicar com clareza e transparência o raciocínio por trás de suas escolhas, de modo que todos possam entendê-las e avaliá-las. Em caso de desacordo, deve-se apelar ao líder do encarregado da decisão ou a um grupo definido em comum acordo, em geral formado por funcionários com mais conhecimento e em cargos mais altos do que o tomador da decisão.

e. **Reconheça que entrar em sincronia é uma responsabilidade de mão dupla.** Em qualquer conversa, existe a responsabilidade de expressar e a responsabilidade de ouvir. Mal-entendidos e interpretações equivocadas sempre vão acontecer. Com frequência, a dificuldade na comunicação se deve ao fato de as pessoas pensarem de modos diferentes (por exemplo, pensadores de "cérebro esquerdo" falando com pensadores de "cérebro direito"). As partes envolvidas devem sempre considerar a possibilidade de que uma ou mais tenham entendido mal e então repassar os fatos. Truques bem simples — como repetir o que alguém disse a fim de garantir que você esteja realmente entendendo — podem ser valiosos. Em vez de culpar o outro lado, parta do princípio de que você não está se comunicando bem ou não está ouvindo bem. Aprenda com suas falhas de comunicação para que não se repitam.

f. **Preocupe-se mais com a essência do que com o estilo.** Isso não quer dizer que alguns estilos não sejam mais eficazes do que outros dependendo das pessoas e das circunstâncias. Mas com frequência ouço gente reclamar do estilo ou do tom de uma crítica para desviar o foco do conteúdo. Se você acha que o estilo de alguém é um problema, enquadre-o como um problema à parte e lide com ele depois.

g. **Seja razoável e espere o mesmo dos outros.** Ao defender seu ponto de vista, é sua responsabilidade ser razoável e ter consideração. Você jamais deve permitir que seu "eu inferior" assuma o controle, mesmo que seu interlocutor perca a calma. O mau comportamento dos outros não justifica o nosso.

Se uma das partes em uma desavença está emotiva demais para ser lógica, a conversa deve ser adiada. Se a decisão não precisa ser tomada de imediato, postergá-la por algumas horas ou mesmo alguns dias às vezes é a melhor abordagem.

h. Fazer sugestões e perguntas não é o mesmo que criticar, então não tome como se fossem críticas. Quando alguém faz sugestões não quer dizer necessariamente que concluiu que algo vai dar errado — pode estar se assegurando de que o interlocutor tenha levado todos os riscos em consideração. Se certificar de que alguém não tenha negligenciado algo não é o mesmo que dizer que alguém negligenciou algo ("preste atenção no gelo" x "você está sendo descuidado e não está prestando atenção no gelo"). Infelizmente é muito comum as pessoas interpretarem esse tipo de cuidado como uma forma de acusação.

4.4 Se quiser que uma reunião avance, administre a conversa.

Há muitos motivos para uma reunião não ir bem, mas em geral isso ocorre devido à falta de clareza em relação aos tópicos ou ao nível em que as coisas estão sendo discutidas (por exemplo, nível de princípio/máquina, nível de caso à mão ou nível de fato específico).

a. Deixe claro quem está comandando a reunião e para quem ela está direcionada. Toda reunião deveria ter como alvo a realização dos objetivos de alguém; essa pessoa é a responsável pela reunião e é ela quem decide o que o grupo irá tirar do encontro e como fará isso. Reuniões sem um responsável claro contam com um alto risco de não terem direção e serem improdutivas.

b. Seja preciso no que estiver falando para evitar confusão. Com frequência é melhor repetir uma questão para garantir que tanto o emissor quanto o receptor saibam com clareza o que está sendo indagado e respondido.

Em e-mails isso costuma ser tão simples quanto copiar e colar as perguntas no corpo do texto.

c. Deixe claro o tipo de comunicação que será usado tendo em vista objetivos e prioridades. Se o seu objetivo é fazer com que indivíduos com opiniões distintas superem suas diferenças para tentar se aproximar ao máximo do que é certo e do que fazer a respeito (debate de mente aberta), você conduzirá a reunião de uma maneira diferente do que faria se o objetivo fosse educativo. Debater é algo que leva tempo e esse tempo aumenta exponencialmente dependendo do número de participantes da reunião. É preciso, portanto, escolher com cuidado quem e quantos serão os integrantes certos tendo em vista a decisão que precisa ser tomada. Em qualquer discussão, tente limitar a participação àqueles que podem ser mais relevantes na busca dos objetivos em questão. Não faça a seleção com base naqueles cujas opiniões se alinham com as suas. Pensamento coletivo (quando as pessoas não afirmam as próprias opiniões) e pensamento individual (quando as pessoas não são receptivas aos pensamentos de outros) são perigosos.

d. Conduza a reunião sendo ao mesmo tempo assertivo e de mente aberta. Conciliar pontos de vista distintos pode ser difícil e consumir muito tempo. Cabe ao líder da reunião equilibrar perspectivas conflitantes, superar impasses e decidir como gastar o tempo com sabedoria.

Uma pergunta que sempre me fazem é: o que acontece quando pessoas inexperientes emitem sua opinião? Se você estiver no comando da conversa, pondere de antemão o gasto de tempo para explorar essas opiniões em relação ao possível benefício de saber avaliá-las. Explorar as opiniões de indivíduos que ainda estão construindo o próprio histórico pode gerar insights valiosos sobre como eles podem lidar com várias responsabilidades. Se for possível, tente esmiuçar com eles seu raciocínio para que compreendam por que estão errados. Também é sua obrigação considerar de mente aberta caso estejam certas.

e. Transite entre os diferentes níveis da conversa: Toda discussão deve ter dois níveis: o caso à mão e os princípios relevantes que o ajudam a decidir como a máquina deve funcionar. Navegue com clareza entre eles se quiser lidar bem com o caso, testar a eficácia dos seus princípios e aperfeiçoar a máquina. Só assim poderá agir melhor quando ocorrências semelhantes surgirem no futuro.

f. Fique atento a "distanciamento do tópico". Distanciamento do tópico é quando os temas se sucedem aleatoriamente, mas nenhum é concluído. Para evitar isso, registre o caminho da conversa em um quadro-negro para que todos saibam onde estão.

g. Faça valer a lógica das conversas. As emoções tendem a se inflamar quando há desacordos. Mantenha-se calmo e analítico em todos os momentos; é mais difícil encerrar uma conversa lógica do que uma emotiva. Lembre-se também de que as emoções podem nublar a forma com que a realidade é vista. Por exemplo, às vezes as pessoas dizem "sinto que (algo é verdade)" e então passam a agir como se isso fosse um fato concreto. Questionar "Tem certeza de que isso é verdade?" pode ajudá-las a colocar os pés no chão.

h. Tenha cuidado para não perder a responsabilidade pessoal em uma tomada de decisões coletiva. Com frequência, grupos tomarão uma decisão sem designar responsabilidades pessoais, de forma que não ficará claro quem deve fazer o quê. Seja claro na atribuição de responsabilidades pessoais.

i. Use a "regra dos dois minutos" para evitar interrupções persistentes. A regra dos dois minutos, como já expliquei anteriormente, determina que você deve dar dois minutos sem interrupções para que o interlocutor argumente antes que você comece a fazer o mesmo. Isso garante que todos tenham tempo para cristalizar e transmitir seus pensamentos sem se preocupar em serem mal-entendidos ou suprimidos por alguém que fale mais alto.

j. Fique atento a "faladores rápidos" assertivos. Faladores rápidos são pessoas que, articulada e assertivamente, dizem as coisas de um modo mais veloz do que podem ser avaliadas. Com essa estratégica, elas tentam fazer com que sua agenda escape do exame e das objeções dos demais. O recurso de falar depressa pode ser especialmente eficiente quando usado contra quem procura não parecer estúpido. Não seja uma dessas pessoas. Reconheça que é sua responsabilidade compreender as coisas e não deixe que a discussão prossiga sem antes ter feito isso. Se estiver se sentindo pressionado, diga algo como "desculpe se estou sendo meio lerdo, mas preciso que você fale um pouco mais devagar para que eu entenda". E, então, faça suas perguntas. Todas elas.

k. Conclua as conversas. O principal objetivo de uma discussão é chegar a uma conclusão e entrar em sincronia. Conversas inacabadas são perda de tempo. Em uma troca de ideias é importante terminar o encontro deixando claras as conclusões, sejam elas um acordo ou ainda um impasse. Se for acordado que há mais a ser feito, elabore uma lista de tarefas, as atribua a quem for adequado e defina prazos. Escreva as conclusões, as ideias em desenvolvimento e a sua própria lista de tarefas em locais que permitam que sejam utilizadas como base para um avanço contínuo. A fim de garantir isso, designe alguém para fazer anotações e assegurar que os processos sejam acompanhados até a conclusão.

Não há motivo para ficar irritado se ainda assim você discordar. As pessoas podem ter uma relação maravilhosa e discordar sobre alguns pontos; não é preciso que concordem em tudo.

l. Alavanque sua comunicação. Embora uma comunicação clara seja importante, o desafio é fazê-la de maneira eficiente em termos de tempo — não dá para ter conversas individuais com todo mundo. Portanto, use ferramentas de fácil compartilhamento, como postar e-mails em uma seção de Perguntas Frequentes ou distribuir gravações de áudio ou vídeo de reuniões importantes (chamo tais abordagens de "alavancagem"). O desafio aumenta à medida que se sobe na hierarquia, porque o número de indivíduos afetados por suas ações e que também têm opiniões e/ou perguntas cresce muito. Nesses casos, sua alavancagem terá que ser ainda maior e ter mais capacidade de estabelecer prioridades (fazendo com que as perguntas sejam respondidas por alguém capacitado por você ou pedindo às pessoas para que priorizem suas questões por urgência ou importância).

4.5 Boas colaborações são como jazz.

Não há roteiro no jazz: a compreensão vêm à medida que o conjunto avança. Às vezes é preciso ficar no plano de fundo e deixar que outros conduzam a performance; em outras, é você o encarregado pelo show. Para fazer a coisa certa na hora certa é necessário estar bem atento às pessoas com que está tocando.

Toda grande colaboração criativa deveria ser assim. A combinação de habilidades distintas como a harmonia entre instrumentos diferentes, a improvisação criativa e, ao mesmo tempo, a subordinação individual aos objetivos do grupo conduzem à produção de excelente música coletiva. Entretanto, é fundamental ter em mente o número de colaboradores que podem tocar bem juntos: um duo talentoso pode improvisar maravilhosamente, assim como um trio ou um quarteto. Contudo, se você juntar dez músicos, por mais talentosos que sejam, provavelmente haverá um excesso, a menos que sejam orquestrados com muito cuidado.

a. 1 + 1 = 3. Duas pessoas que colaboram bem serão cerca de três vezes mais eficientes do que cada uma delas trabalhando de forma independente, porque uma verá o que a outra deixou passar. Além do mais, as duas podem potencializar mutuamente suas forças, ao mesmo tempo que uma estimula a outra a se pautar por padrões mais elevados.

b. De 3 a 5 é mais do que 20. De três a cinco pessoas inteligentes e conceituais buscando as respostas certas com a mente aberta costumam gerar as melhores respostas. Pode ser tentador reunir um grupo maior, porém fazer isso em geral é contraproducente, mesmo que os integrantes do grupo maior sejam inteligentes e talentosos. As vantagens simbióticas de acrescentar participantes a um grupo crescem de maneira incremental (2 + 1 = 4,25) até certo ponto; a partir daí, o acréscimo na verdade reduz a eficiência. Porque: 1) os benefícios médios diminuem à medida que o grupo cresce (duas ou três pessoas podem ser capazes de cobrir a maioria das perspectivas importantes, de modo que inserir mais gente não acrescenta muito mais); e 2) interações em grupos maiores são menos eficientes. Obviamente, o que é melhor na prática depende da qualidade dos indivíduos, das diferenças nas perspectivas que eles trazem e de quão bem o grupo é administrado.

4.6 Quando houver alinhamento, valorize isso.

Embora não exista ninguém no mundo que compartilhe seu ponto de vista em relação a tudo, há pessoas que compartilharão seus valores mais importantes e o modo como você aplica isso à vida. Certifique-se de tê-las por perto.

4.7 Ao descobrir que não pode conciliar grandes diferenças — especialmente no que se refere a valores —, considere se vale a pena manter a relação.

Existe todo tipo de gente no mundo, muitas das quais valorizam tipos distintos de coisas. Ao descobrir que não consegue entrar em sincronia com alguém a respeito de valores compartilhados, avalie se de fato vale a pena manter essa pessoa na sua vida. A ausência de valores em comum pode causar sofrimento, outras consequências danosas e, no fim, afastamento. Talvez seja melhor prevenir isso tão logo seja constatada a inevitabilidade.

5 Pondere seu processo decisório pela credibilidade

Em uma organização típica, a maioria das decisões é tomada de forma autoritária por um líder que age de cima para baixo, ou democraticamente, com todos compartilhando opiniões para que as de maior apoio sejam implementadas. Os dois sistemas produzem um processo decisório inferior. As melhores decisões costumam ser tomadas em uma meritocracia de ideias cujo processo decisório é ponderado pela credibilidade, na qual indivíduos mais capazes superam discordâncias e trabalham com outros que refletiram de maneira autônoma sobre o que é certo e como proceder.

É muito melhor dar mais peso às opiniões dos tomadores de decisão mais capazes — é isso que queremos dizer com "ponderação pela credibilidade". E como se determina quem é capaz no quê? As opiniões mais críveis são as de pessoas que: 1) realizaram repetidas vezes e com sucesso a coisa em questão; e 2) demonstraram capacidade de explicar de forma lógica as relações de causa e efeito por trás de suas conclusões.

Quando é feita de maneira correta e consistente, a ponderação pela credibilidade é o sistema de tomada de decisões mais justo e efetivo. Ela não apenas produz os melhores resultados, como preserva o alinhamento, já que até quem discorda da decisão terá condições de apoiá-la.

Todavia, para que esse seja o caso, os critérios para estabelecer a credibilidade precisam ser objetivos e ter a confiança de todos. Na Bridgewater, a credibilidade de cada um dos associados é registrada e medida sistematicamente, graças a ferramentas como as Cartas de Estatísticas de Desempenho e o Coletor de Pontos, que contabilizam e ponderam de forma ativa experiências e históricos. Nas reuniões, é comum colocarmos diversas questões em votação com o aplicativo Coletor de Pontos, que exibe tanto a média com peso igual quanto os resultados ponderados pela credibilidade (junto com o voto de cada um).

De modo geral, quando a média com peso igual e os votos ponderados pela credibilidade estão alinhados, consideramos o assunto resolvido e seguimos em frente. Quando os dois tipos de votação não batem, tentamos resolver novamente a questão e, quando não chegamos a um acordo, optamos pelo voto ponderado pela credibilidade. Dependendo do tipo de decisão, em alguns casos um único Indivíduo Responsável (IR) pode anular uma votação como essa; em outros, a votação ponderada pela credibilidade prevalece sobre a decisão do Indivíduo Responsável. No entanto, em todos os casos os votos ponderados são analisados seriamente quando há desacordo. Mesmo nos casos em que o Indivíduo Responsável pode anular o voto, este tem o ônus de tentar resolver a disputa antes de lançar mão desse recurso. Nos meus quarenta anos na Bridgewater, nunca tomei uma decisão contrária à decisão ponderada pela credibilidade porque sentia que seria arrogante e contrário ao espírito da meritocracia de ideias, apesar de argumentar muito por aquilo que considerava ser o melhor.

Para dar um exemplo de como esse processo funciona na prática, durante a primavera de 2012 nossas equipes de pesquisa o usaram para resolver uma disputa sobre qual seria o próximo estágio do agravamento da crise da dívida europeia. Na época, as necessidades de empréstimos e serviço da dívida dos governos de Itália, Irlanda, Grécia, Portugal e, especialmente, Espanha haviam atingido níveis que excediam em muito seu orçamento. Sabíamos que o Banco Central Europeu teria que fazer compras sem precedentes de títulos governamentais ou permitir que a crise da dívida piorasse até o ponto dos calotes e, talvez, do colapso da zona do euro. A Alemanha era fortemente contrária a um resgate. Estava claro que o destino das economias desses países, e da própria zona do euro, dependia da habilidade de Mario Draghi, presidente do Banco Central

Europeu, orquestrar o próximo movimento dessa instituição. Mas o que ele iria fazer?

Como quem analisa um tabuleiro de xadrez para visualizar implicações e inclinações dos diferentes movimentos dos jogadores, cada um de nós analisou a situação de todos os ângulos. Após muita discussão, permanecemos divididos: metade acreditava que o Banco Central Europeu imprimiria mais dinheiro para comprar os títulos de dívida, enquanto a outra metade achava que não, já que um rompimento com os alemães ameaçaria ainda mais a zona do euro. Embora debates abertos e ponderados sejam essenciais, também é crucial haver maneiras acordadas de resolver as divergências; por isso usamos nosso sistema de ponderação pela credibilidade para solucionar o impasse.

Fizemos isso com a ferramenta Coletor de Pontos, que nos ajuda a revelar a fonte das desavenças entre os modos de pensar distintos e a superá-las com base na credibilidade de cada um. Cada indivíduo tem um peso de credibilidade específico para qualidades diferentes, como, por exemplo, um profundo conhecimento em um determinado assunto, criatividade, capacidade de síntese etc. Esses pontos são estabelecidos por uma combinação de notas, dadas tanto por colegas quanto geradas por testes de vários tipos. Ao examinar esses atributos e compreender que qualidades de pensamento são mais essenciais à situação em debate é possível tomar as melhores decisões.

Nesse caso, fizemos uma votação ponderada pela credibilidade, definindo as qualidades primordiais como o profundo conhecimento na questão e a capacidade de síntese. O Coletor de Pontos revelou que aqueles com maior credibilidade acreditavam que Draghi desafiaria a Alemanha e imprimiria mais dinheiro, então foi o que decidimos. Alguns dias depois, quando as autoridades europeias anunciaram um amplo plano para comprar quantidades ilimitadas de títulos de dívida soberana, ficou provado que estávamos certos. Apesar de a resposta ponderada pela credibilidade nem sempre ser a melhor, vimos que ela tem mais chances de estar correta do que a resposta do chefe ou a de um referendo com votos de peso igual.

Independentemente de se usar ou não esse processo, o mais importante é compreender o conceito. Olhe para você e sua equipe quando uma decisão tiver que ser tomada e avalie quem tem mais chances de estar certo. Garanto que você tomará decisões melhores.

5.1 Reconheça que uma meritocracia de ideias efetiva exige compreender os méritos das ideias de cada um.

Uma hierarquia por mérito não apenas é consistente com uma meritocracia de ideias, como também é essencial. É simplesmente impossível que todos debatam tudo o tempo inteiro e ainda consigam trabalhar. Tratar todos de forma igualitária provavelmente irá afastá-lo mais do caminho certo. Ao mesmo tempo, todas as opiniões devem ser consideradas com mente aberta, apesar de colocadas no contexto adequado da experiência e do histórico de quem as expressa.

Imagine a cena: um grupo está tendo uma aula de beisebol com a lenda Babe Ruth e alguém que nunca jogou na vida fica interrompendo-o toda hora para discutir como o taco deve ser segurado. Seria melhor ou pior para o progresso do grupo ignorar seus diferentes históricos e experiências? É claro que seria pior — e tolo — tratar com igualdade todos os pontos de vista já que há diferentes níveis de credibilidade. A abordagem mais produtiva seria permitir que Ruth desse suas instruções sem interrupção e depois reservasse um tempo para responder a perguntas. Mas, como sou bem radical na crença de que é fundamental entender bem os cenários em vez de aceitar doutrinas pelo seu valor aparente, eu encorajaria o jovem rebatedor a não aceitar o que Ruth tem a dizer só porque ele foi o melhor de todos os tempos. No lugar do jovem rebatedor, eu não pararia de questionar até estar confiante e seguro.

a. Se você mesmo não consegue fazer bem determinada coisa, não acredite que pode dizer aos outros como ela deveria ser feita. Já vi pessoas que fracassaram repetidas vezes em algo agarrando-se com unhas e dentes à própria opinião de como deveria ser feito, mesmo batendo de frente com quem repetidamente foi bem-sucedido na questão. Tal atitude é idiota e arrogante. Essas pessoas deveriam fazer perguntas e buscar votos ponderados pela credibilidade para deixarem de ser intransigentes.

b. Lembre-se de que todos têm opiniões e elas costumam ser ruins. Opiniões são algo fácil de se produzir: todo mundo tem um monte e a maioria está ansiosa em oferecê-las e até em lutar por elas. Infelizmente muitas não têm qualquer valor e chegam até a ser nocivas. As suas inclusive.

5.2 Tente entender o raciocínio das pessoas mais críveis que discordem de você.

Ter conversas de mente aberta com esse tipo de gente é o caminho mais rápido para aprender e aumentar suas chances de estar certo.

a. Reflita sobre a credibilidade das pessoas para avaliar a probabilidade de suas opiniões serem boas. Apesar de valer a pena ter mente aberta, também é preciso ter discernimento. Lembre-se de que qualidade de vida depende muitíssimo da qualidade das decisões que tomamos na tentativa de conquistar nossos objetivos. A melhor forma de tomar decisões excelentes é saber como triangular informações com outras pessoas que possuem mais conhecimento. Por isso é importante ter habilidade e discernimento em relação a quem se escolhe para triangular.

O dilema em questão é tentar compreender da forma mais precisa o que é certo para tomar decisões eficientes e filtrar a maioria das opiniões menos valiosas, incluindo as suas. Pense na credibilidade das pessoas, uma característica decorrente das suas capacidades e da disposição em dizer o que pensam. Também tenha em mente o histórico delas.

b. Lembre-se de que provavelmente as opiniões mais críveis vêm de pessoas que: 1) fizeram com sucesso a coisa em questão pelo menos três vezes; e 2) têm ótimas explicações para as relações de causa e efeito que as levaram a ter suas conclusões. Não dê crédito a quem não se enquadra em nenhum dos dois quesitos; classifique como crível quem se enquadra em ao menos um e como mais crível quem cumpre os dois requisitos. Seja especialmente cauteloso em relação aos comentaristas de arquibancada que nunca jogaram o jogo: eles são perigosos para si mesmos e para os demais.

c. Mesmo que não tenha colocado em prática, se alguém tem uma teoria que parece lógica e que possa ser submetida a um teste de estresse, teste-a o quanto antes. Tenha em mente que você está lidando com probabilidades.

d. Preste mais atenção ao raciocínio das pessoas do que à conclusão a que chegaram. É comum que as conversas se resumam a indivíduos compartilhando suas conclusões, em vez de explorando o raciocínio que conduziu a elas. O resultado é uma profusão de opiniões ruins expressadas com confiança.

e. Pessoas inexperientes também podem ter ideias excelentes — e às vezes até melhores do que as das mais experientes. Isso acontece porque pensadores experientes podem ficar presos aos velhos hábitos. Se tiver bom ouvido, você será capaz de identificar quando alguém inexperiente apresentar um bom raciocínio. É tão fácil quanto identificar se alguém canta bem. Às vezes bastam apenas algumas notas para ter certeza — o mesmo vale para raciocínios.

f. Todos precisam expressar com sinceridade quanto confiam nas próprias ideias. Uma sugestão deve ser chamada de sugestão; uma convicção firmemente enraizada idem, sobretudo se vier de alguém com um forte histórico na área em questão.

5.3 Reflita se você está no papel de professor, aluno ou colega...

...e se deveria estar ensinando, perguntando ou debatendo. Com frequência, as pessoas têm dificuldade em solucionar desacordos porque não fazem ideia de como participar do processo com eficiência: elas simplesmente vomitam o que quer que estejam pensando e começam a discutir. Apesar de todos terem o direito e a obrigação de compreender tudo, regras básicas de participação devem ser seguidas. Essas regras e a maneira de segui-las dependem das suas credibilidades relativas. Por exemplo, não seria efetivo para alguém que sabe menos dizer a quem sabe mais como algo deve ser feito. É essencial calibrar bem o equilíbrio entre sua assertividade e sua abertura de mente, tendo por base os seus níveis relativos de compreensão do tópico em questão.

Analise se o interlocutor com quem você está discordando tem mais ou menos credibilidade do que você. Se ele tiver mais, você é mais como um aluno e deveria ter a mente mais aberta, a princípio fazendo perguntas para entender a lógica de quem sabe mais. Se ele possui menos credibilidade, você deveria atuar mais como professor, a princípio transmitindo sua compreensão e respondendo a perguntas. E, se vocês são colegas, deve existir um debate respeitoso entre iguais. Se houver discordância sobre quem tem mais credibilidade, sejam razoáveis. Se não for possível resolver a questão com eficiência, busquem a ajuda de um terceiro escolhido de comum acordo.

Em todo caso, tente ver as coisas pelos olhos da outra pessoa. Todas as partes devem ter em mente que o propósito do debate é chegar ao que é correto, não provar que alguém está certo ou errado. Todas as partes devem estar dispostas a mudar de opinião tendo por base a lógica e as evidências.

a. É mais importante que o aluno compreenda o professor do que o contrário, embora as duas coisas tenham seu valor. Com frequência observo gente menos crível (aluno) insistindo para que alguém mais crível (professor) entenda seu pensamento e tentando provar que o professor está errado antes de ouvir o que este tem a dizer. O que é totalmente equivocado. Embora possa ser útil destrinchar o raciocínio do aluno, em geral isso é difícil, toma tempo e enfatiza aquilo que o aluno enxerga em vez daquilo que o professor deseja transmitir. Por isso, nosso protocolo indica como prioridade que o aluno tenha a mente aberta. Tão logo absorva o que o professor tem a oferecer, ambos estarão mais bem preparados para esmiuçar e explorar a perspectiva do aluno. Essa abordagem também é mais eficiente em termos de tempo, o que nos leva ao próximo princípio.

b. Reconheça que, embora todos tenham o direito e a responsabilidade de tentar entender as questões importantes, as pessoas devem fazer isso com humildade e uma abertura de mente radical. Quando se tem menos credibilidade, o primeiro passo deve ser o de desempenhar o papel do aluno em uma relação de troca com o professor — isso exige humildade e abertura de mente. Embora não necessariamente seja você quem não está entendendo, assuma esse papel até ter visto a questão pelos olhos do interlocutor. Se a questão continuar não fazendo sentido e você achar que o professor simplesmente não a entende, apele para outros indivíduos críveis. Se ainda assim não se chegar a um acordo, assuma que você está errado. Se, em contrapartida, você conseguir convencer algumas pessoas críveis do seu ponto de vista, então se certifique de que o seu pensamento seja escutado e considerado por quem está decidindo, provavelmente com a ajuda de outras partes críveis. Lembre-se de que aqueles que ocupam o posto mais elevado na hierarquia de comando precisam avaliar inúmeras pessoas para chegar ao melhor raciocínio e lidar com muita gente querendo transmitir o que pensa. Esses líderes têm restrições de tempo e precisam jogar com as probabilidades. Se o seu raciocínio passou no teste de estresse de outros indivíduos críveis que lhe apoiam, ele tem uma chance maior de ser ouvido. De maneira recíproca, os líderes precisam se esforçar para entrar em sincronia com quem está abaixo na escala a respeito do que faz sentido. Quanto mais pessoas entrarem em sincronia sobre o que faz sentido, mais capazes e comprometidas elas serão.

5.4 Entenda como as pessoas chegaram às próprias opiniões.

Nosso cérebro funciona como um computador: ele recebe dados e os processa de acordo com seus circuitos e programação. Todas as suas opiniões são constituídas de duas coisas: os dados e o processamento — ou raciocínio. Quando alguém diz "eu acredito em X", pergunte: *Que dados você está analisando? Que raciocínio está usando para chegar a essa conclusão?*

Lidar com opiniões não elaboradas às vezes é confuso; compreender de onde elas vêm pode ajudar a chegar à decisão correta.

a. Pense bem a quem você deve perguntar. Costumo ver muita gente fazendo perguntas a pessoas totalmente desinformadas ou sem credibilidade e obtendo respostas nas quais elas acreditam. Não cometa esse tipo de erro: uma resposta errada é pior do que não ter resposta alguma. Pense bem quem são as pessoas certas e informe-se a respeito da credibilidade delas.

O mesmo vale para você: se alguém lhe perguntar algo, reflita primeiro se você é a pessoa certa para responder. Se não tiver credibilidade, você provavelmente não terá uma opinião válida sobre o que está sendo perguntado e, portanto, não deverá compartilhá-la.

Certifique-se de fazer comentários ou perguntas ao Indivíduo Responsável Crível, ou aos Indivíduos Responsáveis Críveis. Sinta-se à vontade para incluir outras pessoas se achar que têm um *input* relevante, mas esteja ciente de que no fim das contas a decisão ficará a cargo daquele que for o responsável por ela.

b. Estimular questionamentos aleatórios entre todos os membros da equipe é perda de tempo. Pelo amor de Deus, não perca tempo fazendo perguntas a quem não é o responsável ou, pior ainda, não jogue as perguntas no ar, sem endereçá-las a alguém específico.

c. Fique atento a frases que começam com "Eu acho que...". Só porque alguém acha alguma coisa não significa que seja verdade. Seja ainda mais cético em relação a frases que comecem dessa forma; a maioria das pessoas é incapaz de fazer uma autoavaliação correta.

d. Mantenha um registro sistemático do histórico das pessoas para avaliar sua credibilidade. Um novo dia não apaga o passado. Com o tempo, um corpo de evidências é construído, mostrando quem é confiável e quem não é. Os históricos são importantes, e na Bridgewater ferramentas como as Cartas de Estatísticas de Desempenho e o Coletor de Pontos mantêm os históricos à disposição para serem analisados.

5.5 Discorde com eficiência.

Superar desacordos pode consumir muito tempo, então imagine como uma meritocracia de ideias — na qual o desacordo não apenas é tolerado, como também encorajado — se tornaria disfuncional sem um bom gerenciamento. Imagine quão contraproducente seria se um professor desse aula para uma turma grande perguntando a opinião de cada aluno individualmente para depois debater com todos em vez de primeiro transmitir as próprias visões e depois responder às perguntas.

a. Saiba quando interromper o debate e passar para um acordo sobre o que deve ser feito. Tenho visto pessoas que concordam sobre as questões principais desperdiçando horas discutindo detalhes. É mais importante realizar bem as coisas grandes do que fazer as coisas pequenas com perfeição. No entanto, se as pessoas discordam sobre a importância de debater algo, talvez deva haver o debate. Agir de outro modo na prática seria dar a alguém (em geral o chefe) um veto de facto.

b. Use a ponderação da credibilidade como uma ferramenta, e não como um substituto da tomada de decisões pelos Indivíduos Responsáveis. O processo decisório ponderado pela credibilidade é uma maneira de suplementar e contestar as decisões dos Indivíduos Responsáveis, não de anulá-las. Na forma atual do sistema da Bridgewater, todos têm permissão para dar inputs, mas sua credibilidade é ponderada pelas evidências (seus históricos, resultados de testes e outros dados). Os Indivíduos Responsáveis podem anular uma votação ponderada pela credibilidade, mas o fazem assumindo o risco para si. Quando escolhe apostar na própria opinião em detrimento do consenso de outras pessoas críveis, o tomador de decisões está fazendo uma afirmação ousada e que será comprovada ou desmentida pelos resultados.

c. Como não dá para examinar rigorosamente o pensamento de cada um, escolha com sabedoria as suas pessoas críveis. De modo geral, é melhor escolher três pessoas críveis que deem muita importância aos melhores resultados e que estejam dispostas a discordar abertamente entre si e a ter o próprio raciocínio analisado. É claro que o número três não está escrito em pedra; o grupo pode ser maior ou menor. O tamanho ideal depende do tempo disponível, da relevância da decisão, da objetividade com que você pode avaliar as capacidades decisórias suas e dos demais e de quão importante é que o maior número possível de indivíduos compreenda o raciocínio por trás da decisão.

d. Quando você é responsável por uma decisão, compare aquilo em que acredita com a decisão ponderada pela credibilidade tomada pelo grupo. Quando os dois não estiverem em acordo é importante sanar a divergência.

Se estiver prestes a tomar uma decisão considerada errada pelo consenso, pense com cuidado antes de seguir em frente. É provável que você esteja enganado, mas mesmo que esteja certo há uma boa chance de você perder o respeito dos outros por passar por cima do processo. Faça um esforço para manter a sintonia com a equipe e, se ainda assim não conseguir, aponte com precisão os pontos dos quais discorda, tenha em mente os riscos de estar errado e exponha com clareza seus motivos e lógica. Se não for capaz de fazer isso, supere o próprio julgamento e siga o voto ponderado pela credibilidade.

5.6 Reconheça que todos têm o direito e a responsabilidade de tentar entender as questões importantes.

Em toda reflexão detalhada haverá um momento em que você terá duas alternativas: pedir a quem discorda que repasse devagar seu raciocínio até que você o entenda ou seguir em frente mesmo que a coisa toda não faça muito sentido. Recomendo que se adote a primeira opção quando estiverem discordando sobre algo relevante e a segunda quando o tópico tiver menos relevância. Sei que a primeira opção pode ser complicada porque seu interlocutor pode ficar impaciente. Para neutralizar tal perigo, sugiro que simplesmente diga "Vamos combinar que estou bem lerdo, mas ainda preciso entender isso melhor. Você pode repassar o seu raciocínio mais devagar?".

É preciso ter liberdade para fazer perguntas sem se esquecer da obrigação de manter a mente aberta nas discussões que se seguirem. Registre todos os argumentos: se não conseguirem entrar em sincronia ou compreender a questão, repasse os pontos para que outros possam decidir. E, é claro, não se esqueça de que está trabalhando em uma meritocracia de ideias — tenha consciência da própria credibilidade.

a. Trocas cujo objetivo seja conseguir a melhor resposta devem envolver os indivíduos mais relevantes. Como diretriz, os indivíduos mais relevantes são seus gerentes, subordinados diretos e/ou especialistas reconhecidos por consenso. Eles são os que sofrem os maiores impactos e os mais informados sobre as questões em discussão; portanto, são as partes mais importantes a estarem em sincronia. Se um consenso não for possível, transmita o desacordo às pessoas apropriadas.[38]

b. Trocas cujo objetivo seja ensinar ou aumentar a coesão devem envolver um conjunto mais amplo de participantes. A presença de pessoas com menos experiência e credibilidade pode não ser necessária na hora da tomada de uma decisão. Entretanto, no longo prazo, se a questão lhes diz respeito, mas falta sincronia, é bem provável que isso enfraqueça o moral e a eficiência da organização. Isso é especialmente importante em casos em que se conta com pessoas pouco críveis e muito opinativas (a pior combinação). Se estiverem em desacordo, tais opiniões serão empurradas para baixo do tapete. Já se estiver disposto a ser contestado, você criará um ambiente em que todas as críticas serão ventiladas abertamente.

c. Reconheça que você não precisa fazer juízos de valor em relação a tudo. Identifique o responsável pela questão (e sua credibilidade) e leve em

---

38 As pessoas mais apropriadas são aquelas a quem as partes em desacordo se reportam (chamadas de ponta da pirâmide em um gráfico organizacional) ou alguém escolhido de mútuo acordo como um bom árbitro.

consideração quanto você sabe a respeito dela e a sua própria credibilidade. Não opine sobre temas que você desconhece.

5.7 Ocupe-se mais em identificar se o sistema de tomada de decisões é justo do que em fazer com que sua opinião prevaleça.

Uma organização é uma comunidade com um conjunto de valores e objetivos compartilhados. Seu moral e bom funcionamento devem sempre estar acima da necessidade individual de estar certo — e, além do mais, todo mundo pode estar errado. Quando o sistema é bem administrado e baseado em critérios objetivos, a meritocracia de ideias é mais importante do que a felicidade de qualquer um de seus membros — mesmo que esse membro seja você.

6 Reconheça como superar desacordos

São raras as decisões que deixam todos satisfeitos. Imagine que a árvore do vizinho tenha caído no seu quintal. Quem é responsável pela remoção? A quem pertence a lenha? Quem pagará pelos danos? Quando não existe um consenso, a lei oferece procedimentos e normas para determinar o que é correto e o que deve ser feito. E, uma vez que é tomada uma decisão de acordo com a lei, o assunto está encerrado mesmo que um de vocês não tenha conseguido o que queria. A vida é assim.

Na Bridgewater, nossos princípios e políticas funcionam essencialmente do mesmo jeito, fornecemos uma trilha para a resolução de disputas parecida com o que é encontrado nos tribunais (embora seja menos formal). Um sistema desse tipo é fundamental em uma meritocracia de ideias, porque não basta simplesmente encorajar as pessoas a pensar de maneira independente e a lutar pelo que acreditam ser o correto. É preciso oferecer a elas um jeito de superar os desacordos e seguir em frente.

Administrar bem esses aspectos é importantíssimo na Bridgewater uma vez que aqui existem muito mais desacordos respeitosos do que ocorre em outros lugares. Apesar de na maioria dos casos as pessoas em conflito poderem resolver as desavenças sem mediação, algumas vezes o consenso não é possível. Em geral partimos para a votação ponderada pela credibilidade e adotamos o veredicto; ou, nos casos em que o Indivíduo Responsável tem poder para que sua opinião prevaleça em detrimento do voto, acatamos o que ele tem a dizer e seguimos adiante.

Em último caso, todas as pessoas que se juntam à nossa meritocracia de ideias concordam em cumprir nossas políticas e procedimentos e as decisões resultantes, da mesma maneira que respeitariam o veredicto de uma questão tratada juridicamente. Isso exige que abram mão de suas opiniões e evitem ficar irritadas quando a decisão não lhes é favorável. Quem não segue as trilhas estabelecidas não tem o direito de reclamar de quem discorda ou do sistema em si.

Nos raros casos em que nossos princípios, políticas e procedimentos falham em deixar claro qual é a melhor maneira de resolver um desacordo, é responsabilidade de todos chamar a atenção para esse fato, de forma que o processo possa ser esclarecido e aperfeiçoado.

6.1 Lembre-se: princípios não podem ser ignorados só porque um grupo entrou em acordo.

Princípios são como leis: não se pode desrespeitá-los simplesmente porque você e outras pessoas concordaram em não segui-lo. É obrigação de todos falar, assumir ou sair. Se acha que os princípios não propiciam a forma adequada de resolver um problema ou desacordo, lute para expor seus argumentos e mudar os princípios vigentes porque simplesmente fazer o que você quer não será tolerado.

a. Todos devem seguir o mesmo padrão de comportamento. Sempre que há uma disputa, exige-se que as duas partes tenham níveis iguais de integridade, assertividade e mente aberta e que sejam levadas em conta de modo equivalente. Os juízes devem garantir que as partes sigam os mesmos padrões e fornecer feedback consistente. Com frequência, vejo casos de feedback totalmente desequilibrados e as razões para que isso ocorra são várias (cobrar um padrão mais elevado de quem tem melhor desempenho, dividir a culpa etc.). Quem está errado tem que receber a mensagem mais pesada. Agir de modo contrário pode fazer com que quem cometeu o erro ache que o problema não foi causado por ele, ou que foi igualmente causado pelas duas partes. É óbvio que a mensagem deve ser transmitida de maneira desapaixonada e clara a fim de maximizar seu efeito.

6.2 Certifique-se de que não confundam reclamações, conselhos e abertura para debater com o direito de tomar decisões.

Todo mundo não se reporta a todo mundo. Responsabilidades e autoridades são designadas com base nas avaliações das capacidades individuais de lidar com elas. As pessoas recebem a autoridade necessária para obter os resultados esperados e a elas é atribuída a responsabilidade de produzi-los.

Ao mesmo tempo, elas serão submetidas a testes de estresse pelas duas pontas — por aqueles a quem se reportam e por aqueles que se reportam a elas. Os questionamentos e investigações que encorajamos na Bridgewater não têm a intenção de pôr cada decisão em xeque, mas de melhorar a qualidade do trabalho ao longo do tempo. O objetivo final do pensamento independente e do debate aberto é fornecer perspectivas distintas ao tomador de decisões, o que não significa transferir a autoridade do processo decisório para aqueles que questionam.

a. Ao contestar uma decisão e/ou um tomador de decisões, considere o contexto mais amplo. É importante analisar as decisões individuais no contexto mais amplo possível. Por exemplo, se o Indivíduo Responsável tem uma visão geral, porém a decisão questionada envolve apenas um detalhezinho dela a decisão precisa ser avaliada pela visão geral.

6.3 Não deixe conflitos importantes sem solução.

Embora no curto prazo seja mais fácil evitar confrontos, no longo prazo isso pode ter consequências bem desastrosas. É crucial que os conflitos sejam de fato resolvidos — não por meio de concessões superficiais, mas buscando conclusões precisas e relevantes. Na maioria dos casos esse processo deve ser feito com transparência para com as partes (e, às vezes, para com toda a organização), tanto para garantir um processo decisório de qualidade quanto para perpetuar a cultura de superar abertamente as disputas.

a. Não se deixem dividir por pequenas desavenças e se tornem mais unidos pelas grandes concordâncias. Quase todo grupo cujos integrantes concordam em assuntos de maior relevância acaba tendo discussões por besteiras, muitas vezes criando desavenças. Esse fenômeno é chamado de narcisismo das pequenas diferenças. Veja os protestantes e os católicos. Apesar de ambos os grupos serem seguidores de Cristo, alguns de seus membros têm lutado por séculos mesmo com a maioria sendo incapaz de articular as diferenças que os dividem. Quem consegue fazer isso, de um modo geral percebe que as diferenças são insignificantes em relação às questões mais relevantes que deveriam uni-los. Uma vez, durante um jantar de Ação de Graças, vi uma família muito unida se envolver em uma briga irreconciliável para decidir quem deveria cortar o peru. Não dê espaço para esse tipo de narcisismo; entenda que nada nem ninguém é perfeito e que você tem sorte de dispor de relações excelentes. Procure ver as coisas pelo quadro geral.

b. Não fique parado em um desacordo — leve-o a uma instância superior ou abra uma votação! Com assertividade e mente aberta se resolve a maioria dos desacordos. Se a disputa aparentemente insolúvel é entre duas pessoas, levem-na a alguém crível escolhido de comum acordo. Na ausência de outras variantes, o eleito deve ser alguém em posição hierarquicamente elevada, como seu chefe. Quando um grupo não consegue chegar a um acordo, o responsável pela reunião deve fazer uma votação ponderada pela credibilidade.

6.4 Assim que uma decisão for tomada, todos devem apoiá-la, mesmo que alguns ainda discordem.

Se, durante uma tomada de decisão coletiva, participantes insatisfeitos continuarem a argumentar em vez de trabalhar por aquilo que o grupo decidiu, todos estarão fadados ao fracasso. Esse é o tipo de coisa que acontece o tempo inteiro em empresas, organizações e até em sistemas políticos e governos. Não estou dizendo que as pessoas devem fingir que gostam de uma decisão que as desagrada ou que o assunto em questão não possa ser revisto no futuro. O que estou dizendo é que, para serem eficientes, todos os grupos que trabalham juntos precisam agir seguindo protocolos que permitam que haja tempo para explorar melhor os desacordos, mas nos quais as minorias divergentes reconheçam que a coesão do grupo está acima de seus desejos individuais.

O grupo é mais importante do que o indivíduo; não se comporte de modo a enfraquecer o caminho escolhido.

a. Veja as coisas a partir de um nível superior. Espera-se que você adote uma perspectiva distanciada e veja a si mesmo e aos demais como parte de um sistema. Em outras palavras, saia da própria cabeça, considere suas opiniões como apenas uma entre muitas e analise o conjunto completo de pontos de vista para avaliá-los de maneira condizente com a meritocracia de ideias. Ver as coisas de um nível superior não é apenas considerar os pontos de vista dos demais; é também ser capaz de enxergar você e os demais no contexto de qualquer situação como quem olha tudo de fora, como um observador objetivo. Desse modo você verá a situação como "mais uma daquelas" e terá bons mapas mentais ou princípios para decidir como lidar com ela.

No início, quase todo mundo tem dificuldade para deixar de ver as coisas apenas com os próprios olhos, por isso desenvolvi políticas e ferramentas como o Treinador (que conecta situações a princípios) que agregam mais olhares a uma questão. Com a prática, a maioria das pessoas consegue desenvolver essa perspectiva, porém algumas exceções jamais o fazem. Identifique o grupo ao qual você e os demais se encaixam. Saiba separar com clareza os dois tipos de pessoas e, então, dispense quem não for capaz ou desenvolva bons mecanismos para proteger você e a organização.

A propósito, é claro que não tem problema continuar discordando em alguns pontos, desde que você não prolongue sua argumentação por tempo demais porque isso enfraquece a meritocracia de ideias. Quem age assim deve ser convidado a se retirar.

b. Jamais permita que a meritocracia de ideias descambe para a anarquia. Em uma organização que trabalha segundo esse sistema, é normal que o nível de desacordos seja maior do que em uma organização comum. No entanto, quando levadas ao extremo, discussões e picuinhas podem enfraquecer a eficácia da meritocracia de ideias. Na Bridgewater, deparei com algumas pessoas, sobretudo as mais jovens, que erroneamente achavam ter o direito de discutir o que quisessem com quem quisessem. Cheguei a ver gente se mancomunando para ameaçar o sistema, afirmando que o direito de agir assim estava respaldado pelos princípios. Essas pessoas claramente não entenderam os conceitos e os limites dentro da organização. É preciso que todos respeitem as regras do sistema, pois são elas que fornecem as diretrizes para a resolução de desacordos e nada deve ameaçá-las.

c. Não permita linchamentos e turbas. Parte do propósito de ter um sistema de credibilidade ponderada é a retirada da emoção do processo decisório. Grupos muito grandes podem se tornar emotivos e tentar tomar o controle e isso precisa ser reprimido. Embora todos os indivíduos disponham do direito de ter as próprias opiniões, eles não têm o direito de dar veredictos.

6.5 Lembre-se de que, se a meritocracia de ideias entrar em conflito com o bem-estar da organização, ela inevitavelmente sofrerá.

Trata-se apenas de uma questão prática. Como você sabe, acredito que o que é bom precisa funcionar bem e isso vale especialmente para a organização como um todo.

a. Declare "lei marcial" somente em circunstâncias raras ou extremas em que os princípios precisem ser suspensos. Apesar de todos esses princípios existirem para o bem-estar da comunidade, pode haver momentos em que a adesão venha a significar uma ameaça. Por exemplo, certa vez vazaram para a mídia alguns tópicos que tínhamos tornado radicalmente transparentes dentro da Bridgewater. Os associados entenderam que nossa transparência em relação a nossas fraquezas e erros estava sendo usada para pintar retratos distorcidos e negativos da empresa, por isso tivemos que reduzir o nível de transparência até resolvermos o problema. Em vez de simplesmente adotar essa abordagem, expliquei a situação e declarei "lei marcial", no sentido de que se tratava de uma suspensão temporária do grau total de transparência radical. Portanto, todos ficaram cientes de que se tratava de um caso excepcional e que estávamos entrando em um período no qual o modo típico de agir seria suspenso.

b. Tenha cuidado com quem defende a suspensão da meritocracia de ideias pelo "bem da organização". Toda vez que esse tipo de argumento vence, a meritocracia de ideias enfraquece. Quando a comunidade obedece a suas regras, não há conflitos — e afirmo isso com base em décadas de experiência. Entretanto, mesmo quando tudo parece estar indo bem, sempre haverá pessoas tentando colocar suas necessidades acima do sistema, e isso também é uma ameaça. Considere-as inimigas e dispense-as.

6.6 Se os líderes hierárquicos não agem de acordo com os princípios, todo o modelo fracassará.

Em qualquer sistema é o poder quem dá as cartas no fim das contas. Já vimos inúmeros exemplos de sistemas de governo que só funcionam quando quem está no poder valoriza mais os princípios do que seus interesses pessoais. Detentores do poder que desejam atender seus interesses mais do que manter o sistema, desintegram toda a sua estrutura. Por essa razão, o poder deve ser dado apenas a quem dá mais valor ao modo de operar de acordo com princípios. Todos na organização devem ser tratados com razoabilidade e consideração; somente assim a maioria (esmagadora) desejará manter e lutar por esse sistema.

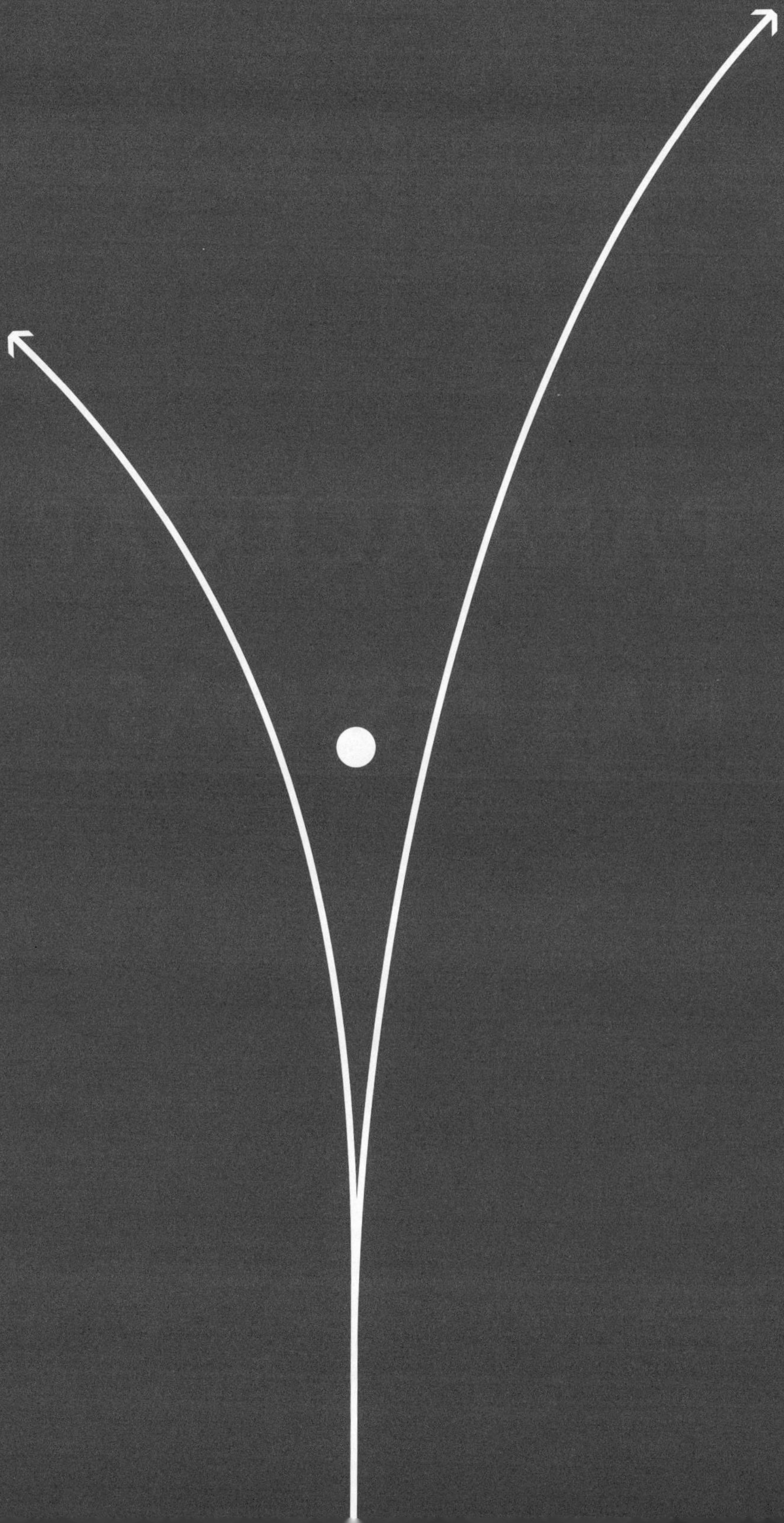

PARA ACERTAR

NAS PESSOAS...

Na seção anterior, falamos da cultura de uma organização, porém as pessoas que lhe dão corpo são ainda mais importantes porque são elas que podem mudar tudo para melhor ou para pior. A relação é simbiótica: a cultura atrai certos tipos de pessoas que, em contrapartida, reforçam ou desenvolvem a cultura tendo por base seus valores e como são. Ao escolher as pessoas certas com os valores certos e se manter em sincronia com elas, o resultado é a harmonia coletiva. Uma composição desafinada leva a cultura e as pessoas pelo ralo.

Steve Jobs, que todo mundo considerava ser a razão do sucesso da Apple, afirmou: "O segredo do meu sucesso é que fizemos de tudo para contratar as melhores pessoas do mundo." Explicarei esse conceito no próximo capítulo, "QUEM é mais importante do que O QUÊ". Qualquer um que administre uma organização bem-sucedida lhe dirá o mesmo.

A questão é que a maioria das organizações peca nas contratações. Tudo começa com entrevistadores selecionando as equipes levando em conta gostos pessoais e semelhanças em vez de focar em como os candidatos de fato são e em como eles se encaixarão nas funções e carreiras. Como está descrito no Capítulo 8, "Contrate bem: Contratações ruins são superprejudiciais", um processo seletivo eficiente precisa ter uma abordagem mais científica, capaz de combinar com precisão os valores, as capacidades e as aptidões de cada indivíduo com a cultura da organização e seus planos de carreira. Você e os candidatos precisam conhecer um ao outro. Estes devem poder entrevistar a organização a que aspiram ingressar e a organização deve transmitir com sinceridade como ela é. As duas partes devem ser cristalinas a respeito do que uma pode esperar da outra.

Quando ambas concordam em trabalhar juntas, ainda assim a organização não saberá ao certo se o encaixe funciona até que convivam por um tempo. O processo de "entrevista" não termina quando o trabalho começa, ele se transforma em um rigoroso processo de treinamento, teste, classificação e, mais importante, sincronização. Tudo isso será descrito no Capítulo 9, "Treine, teste, avalie e filtre as pessoas constantemente".

Acredito que uma boa capacidade de autoavaliação, incluindo a de identificar as próprias fraquezas, é o fator mais determinante para que se tenha sucesso pessoal e que uma organização sadia é aquela na qual seus membros competem não tanto entre si, mas contra os bloqueios criados pelo "eu inferior". O objetivo da liderança deve ser contratar funcionários que compreendam isso, equipá-los com as ferramentas e a informação necessária para que prosperem em suas funções e não microgerenciá-los. Se um integrante da equipe não apresentar bom rendimento após ter tido tempo e treinamento adequados, dispense-o. Se ele tiver sucesso, promova-o.

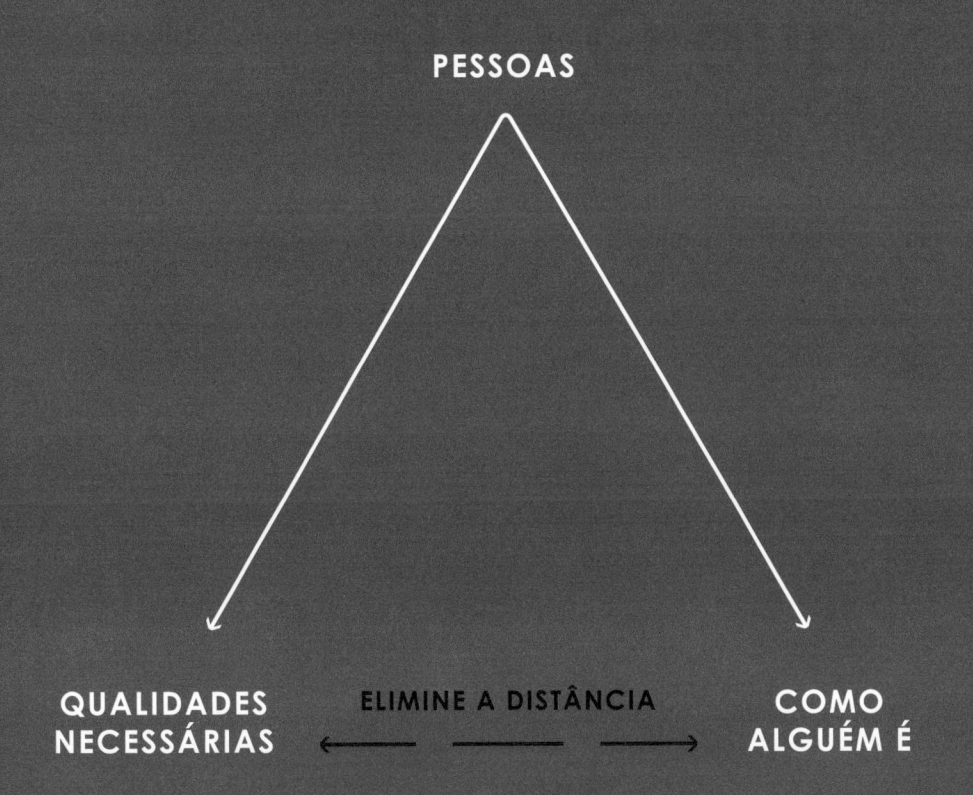

```
                    PESSOAS
                      /\
                     /  \
                    /    \
                   /      \
                  /        \
                 /          \
                /            \
               ↙              ↘
QUALIDADES   ←— ELIMINE A DISTÂNCIA —→   COMO
NECESSÁRIAS                              ALGUÉM É
```

7 QUEM é mais importante do que O QUÊ

É muito comum, e retrógrado, cometer o erro de focar no que deveria ser feito em vez de na designação adequada das tarefas. Quando você sabe as características necessárias para que se execute bem o trabalho e sabe bem como é a pessoa designada para tal, é possível visualizar muito bem como as coisas vão se sair.

Eu me lembro do caso em que um dos nossos executivos mais talentosos e em ascensão estava elaborando um plano de transição para que pudesse passar para outra função. Ele levou para uma reunião com o comitê de administração pastas cheias de fluxos de processos e mapas de responsabilidade, detalhando cada aspecto da área da qual havia sido responsável, e explicou como a havia automatizado e sistematizado ao limite para que nada pudesse dar errado. Foi uma apresentação impressionante, porém logo ficou claro que ele não tinha uma resposta para quem iria ocupar o seu lugar e o que aconteceria se a nova pessoa pensasse de forma diferente e criasse outro plano. Quem supervisionaria a máquina que ele construíra, quem a exploraria em busca de problemas para aperfeiçoá-la ou decidir se livrar dela? Que qualidades essa pessoa precisaria ter para produzir os mesmos resultados excelentes? Ou seja, que qualificações para a função o substituto deveria ter? Onde deveríamos procurá-lo?

Embora esses tipos de questões pareçam óbvios em retrospecto, repetidas vezes vejo gente negligenciando-as. Não saber o que é necessário para fazer bem o trabalho e não saber como são os membros da equipe é como tentar fazer uma máquina funcionar sem conhecer o funcionamento das peças em conjunto.

Quando era mais jovem, eu não entendia por completo a máxima "contrate alguém melhor do que você". Depois de décadas contratando, gerenciando e demitindo funcionários, entendo que para ser de fato bem-sucedido é preciso agir como um maestro de pessoas, muitas das quais (quando não todas) podem tocar os instrumentos melhor do que eu. Aprendi também que, se fosse *realmente* um bom maestro, também seria capaz de encontrar um maestro melhor do que eu e contratá-lo. Meu maior objetivo é criar uma máquina que funcione tão bem que eu simplesmente possa relaxar e apreciar a beleza em ação.

Nem toda ênfase do mundo dá conta de quão importante são os processos de seleção, treinamento, teste, avaliação e filtragem de pessoal.

No fim, o que você precisa fazer é simples:

1. Ter o objetivo em mente.
2. Transmiti-lo a quem de fato pode atingi-lo (melhor alternativa) ou dizer às pessoas o que fazer para tal (microgerenciamento = alternativa não tão boa).
3. Cobrar responsabilidade delas.
4. Dispensar aquelas que não apresentam bom rendimento mesmo depois de um tempo e do treinamento.

7.1 A decisão mais importante de todas é a escolha dos Indivíduos Responsáveis.

Com a designação das metas a Indivíduos Responsáveis capazes de executá-las bem e após deixar bem claro que eles são pessoalmente responsáveis pela sua concretização, você deve obter resultados excelentes.

O mesmo vale para você. Se o seu você designer/gerente não tem um bom motivo para estar confiante de que o seu você funcionário está à altura de determinada tarefa, é loucura permitir que você mesmo a execute sem a supervisão de indivíduos críveis. Tem muita gente incompetente no mundo tentando fazer coisas nas quais não é boa, e são grandes as chances de que você seja uma delas. Trata-se simplesmente de uma realidade, e não deve ser um problema para você aceitá-la e lidar com ela de uma maneira que produza bons resultados.

a. Os Indivíduos Responsáveis mais importantes são os responsáveis pelos objetivos, resultados e máquinas nos níveis mais elevados. Quando a pessoa dá conta de ser responsável por toda uma área — é capaz de planejar, contratar e filtrar — com certeza as coisas irão bem. Essas são as pessoas mais importantes para se escolher e administrar. Gerentes seniores devem ser capazes de ter pensamento de nível superior e de compreender a diferença entre objetivos e tarefas — do contrário, você terá que fazer o trabalho por eles. A capacidade de enxergar e valorizar objetivos é em grande parte inata, apesar de melhorar com a experiência. E também pode ser submetida a testes, embora nenhum teste seja perfeito.

7.2 Saiba que o Indivíduo Responsável final será quem arca com as consequências do que é feito.

Se você é quem arca com as consequências do fracasso, você é o Indivíduo Responsável final. Por exemplo, embora possa delegar a um médico a responsabilidade de decidir como lidar com sua doença, é sua a responsabilidade de escolher o médico certo, já que é você quem arcará com as consequências se ele trabalhar mal. Outro exemplo: se estivesse construindo uma casa, você procuraria um arquiteto e diria "quero ver os tipos de casa que posso construir" ou explicaria a ele em que tipo de casa gostaria de morar? Isso é especialmente verdade quando se trata de dinheiro. Se você delegar a terceiros a responsabilidade de supervisionar as suas finanças, em geral eles não considerarão a si próprios tão responsáveis quanto fariam se o dinheiro fosse deles, ou seja, não vão se demitir caso estejam trabalhando mal. Somente o Indivíduo Responsável final pode fazer isso.

Ao colocar pessoas em posições de responsabilidade, certifique-se de que seus incentivos estejam alinhados com suas responsabilidades e que sofram as consequências dos resultados que produzirem. Estruture as operações de forma que os rendimentos que obtiverem sejam baseados em quão bem ou mal a empresa vai nas áreas pelas quais são responsáveis. Isso é fundamental para a boa administração.

a. Certifique-se de que todo mundo tenha que se reportar a alguém. Até os donos de uma companhia têm chefes — no caso deles, os investidores cujo dinheiro está sendo aplicado. Mas, mesmo que tenham fundos próprios, os donos ainda precisam manter os clientes e funcionários felizes. E não podem fugir da responsabilidade de garantir que os custos sejam justificáveis e que as metas estejam sendo cumpridas. Ainda que a função de alguém seja única, é fundamental que cobrem suas responsabilidades o tempo todo.

7.3 Lembre-se da força por trás da coisa.

A maioria das pessoas vê tudo ao redor sem levar em consideração as forças criadoras. Na maior parte dos casos, essas forças foram indivíduos específicos, com qualidades específicas, que trabalharam de um jeito específico. Mude as pessoas e você muda a forma como as coisas se desenrolam; troque criadores por cartesianos e as inovações acabam.

No geral, tende-se a personificar as organizações ("A Apple é uma empresa criativa") e, simultânea e equivocadamente, se despersonaliza seus resultados e se perde de vista quem fez o que para produzi-los. Mas quem toma as decisões não são as empresas — são as pessoas.

Então na sua organização quem são as pessoas por trás dos resultados e da cultura que fazem dela especial?

8 Contrate bem: Contratações ruins são superprejudiciais

O que estávamos fazendo, em essência, era analisar potenciais funcionários através de perspectivas enviesadas. Aqueles de nós que eram pensadores lineares tendiam a querer contratar pensadores lineares e assim por diante. Todos achávamos que o tipo que escolheríamos apresentaria um bom desempenho em todas as funções e, portanto, não tínhamos como prever com precisão quem prosperaria em nosso ambiente bem incomum. Continuamos a fazer muitas contratações ruins.

Por fim, erros e fracassos nos ensinaram que poderíamos melhorar o processo de contratação de duas maneiras: 1) sendo sempre precisos e claros sobre o tipo exato de pessoa que estávamos procurando; e 2) desenvolvendo nosso vocabulário e nossos meios de avaliar as capacidades dos candidatos em um nível muito mais profundo.

Este capítulo detalha os princípios que aprendemos ao fazer isso. Embora ainda haja contratações inadequadas, esses processos nos ajudaram a reduzir drasticamente o número delas e, portanto, tentamos aprimorá-los constantemente.

Em um nível superior, procuramos por pessoas que pensam de maneira independente, discutem com assertividade e com mente aberta e, acima de tudo, que valorizam a intensa busca pelo certo e pela excelência em prol do aperfeiçoamento delas mesmas e da organização. Como encaramos o trabalho como algo maior do que simplesmente aquilo que fazemos para viver, vemos cada contratação em potencial não apenas como um funcionário, mas como alguém com quem gostaríamos de compartilhar nossa vida. Insistimos que aqueles com quem trabalhamos tenham consideração e um elevado senso de responsabilidade pessoal para fazer as coisas difíceis e corretas. Procuramos pessoas de natureza generosa e com padrões de justiça elevados. Mais importante, elas têm que ser capazes de deixar de lado o próprio ego e de se autoavaliar com honestidade.

Independentemente de optar por procurar essas características, ou outras, o mais importante é entender que contratar é uma aposta de alto risco que exige uma abordagem deliberada. Muito tempo, esforço e recursos são investidos na contratação e no desenvolvimento de novos associados antes que fique claro se eles se encaixam bem ou não. Meses ou até anos e incontáveis dólares podem ser desperdiçados em capacitação e recapacitação. Alguns desses custos são intangíveis, incluindo o abalo no moral e uma gradual redução de padrões à medida que funcionários abaixo do padrão andam em círculos; outros custos, resultantes de maus resultados, podem ser medidos facilmente em cifras. Por isso, sempre que achar que está pronto para oferecer uma vaga a alguém, pense mais uma vez no que pode dar errado e no que mais você pode fazer para avaliar melhor os riscos e aumentar as chances de estar certo.

8.1 Combine o indivíduo com o projeto.

Na construção de uma "máquina", o projeto vem antes dos indivíduos já que o tipo de gente de que você precisará dependerá da estrutura. Crie uma imagem mental bem clara dos atributos exigidos por cada tarefa porque é contraproducente dar responsabilidades a quem não tem as qualidades exigidas — isso frustra, e inevitavelmente irrita, todas as partes, o que é prejudicial ao ambiente.

Para combinar uma pessoa com o projeto, comece criando uma lista de especificações; assim você terá um conjunto consistente de critérios a ser aplicado do recrutamento até as avaliações de desempenho. As listas de especificações da Bridgewater usam o mesmo banco de qualidades das Cartas de Estatísticas de Desempenho.

Não defina funções para que se encaixem às pessoas; ao longo do tempo, tal atitude quase sempre se revela um erro. Isso costuma acontecer quando alguém que você reluta em demitir não está indo bem e há a inclinação de tentar descobrir o que mais essa pessoa pode fazer. É comum que falte aos gerentes objetividade em relação aos próprios pontos fortes e fracos, fazendo com que se coloquem em funções para as quais não são talhados.

a. Reflita bem sobre os valores, as capacidades e as habilidades que está procurando (nessa ordem). Valores são as crenças profundamente enraizadas que motivam comportamentos e determinam as compatibilidades entre as pessoas. Elas lutarão por seus valores e provavelmente enfrentarão quem pensa diferente. Capacidades são maneiras de pensar e se comportar. Algumas pessoas são grandes aprendizes e processadoras ágeis; outras possuem a capacidade de ver as coisas de um nível superior. Algumas focam mais nos detalhes; outras, ainda, pensam de forma criativa, lógica ou com extrema organização. Habilidades são recursos aprendidos, tais como falar uma língua estrangeira ou escrever código de computador. Enquanto os valores e as capacidades provavelmente não mudarão muito, a maioria das habilidades pode ser adquirida em um espaço de tempo limitado (proficiência em software, por exemplo) e costuma mudar em termos de valor (as linguagens de programação com maior demanda hoje possivelmente estarão obsoletas em alguns anos).

É importante saber qual mix de qualidades se adequa a cada função e, de modo mais amplo, que valores e capacidades são exigidos naqueles com quem você pode ter relações bem-sucedidas. Ao escolher pessoas para relações de longo prazo, os valores são mais relevantes, seguidos pelas capacidades e, por último, as habilidades. A maioria comete o erro de priorizar habilidades e capacidades e negligenciar os valores. Damos mais valor a quem tem estas três coisas: caráter, bom senso e criatividade.

Se o seu pessoal é capacitado e está unido por um senso de comunidade e por uma missão, você terá uma organização extraordinária. Como na Bridgewater os valores compartilhados fundamentais são trabalho e relações relevantes, sinceridade e transparência radicais, exploração de duras realidades, incluindo as próprias fraquezas, com mente aberta, senso de propriedade, impulso pela excelência e disposição de fazer as coisas certas, porém difíceis, procuramos pessoas de extrema capacidade que desejem profundamente todas essas coisas.

b. Torne seu processo de seleção sistemático e científico. Além disso, ele deve ser baseado em evidências. Construa uma máquina de contratação com objetivos bem claros para que assim os resultados possam ser comparados a eles e à máquina como um todo (o projeto e as pessoas), a fim de produzir os melhores resultados e estar em constante evolução.

As organizações em geral fazem as contratações por meio da análise de currículos realizada por indivíduos semialeatórios, tendo por base critérios semialeatórios. Os candidatos então formam grupos semialeatórios que responderão a perguntas semialeatórias e, feito isso tudo, serão escolhidos de acordo com os gostos pessoais dos entrevistadores.

O objetivo é garantir que cada uma dessas etapas seja feita da forma mais sistemática possível. Por exemplo, as perguntas que serão feitas devem fornecer respostas distintas que possam diferenciar os candidatos de acordo com um filtro criado pela empresa. É importante guardar todas essas respostas: elas podem ser indicativos de comportamentos e desempenho futuros. Não quero dizer com isso que a dimensão humana, ou a arte do processo de contratação, deva ser eliminada — os valores pessoais e a parte *esprit de corps* de uma relação são importantíssimas e não podem ser de todo medidos por meio de dados. Às vezes, o brilho nos olhos e as expressões faciais são reveladoras. Entretanto, mesmo nas áreas em que as interpretações subjetivas são relevantes, ainda se pode usar dados e uma abordagem científica para ser mais objetivo — por exemplo, dá para registrar os dados a fim de avaliar o histórico de quem faz tais interpretações.

c. Ouça o clique: descubra o encaixe exato entre função e indivíduo. Lembre-se de que o seu objetivo é colocar a pessoa certa no projeto certo. Primeiro, compreenda as responsabilidades da função e as qualidades necessárias para preenchê-la, depois descubra quem as possui. Se o processo estiver funcionando bem, provavelmente você ouvirá um "clique" quando a pessoa à sua frente se encaixar na função.

d. Procure pessoas que tenham brilho, não apenas "mais uma daquelas". Muita gente é contratada simplesmente por ser "mais uma daquelas". Se estiver procurando um encanador, você pode se sentir inclinado a preencher a vaga com o primeiro encanador experiente que entrevistar, sem saber se ele tem as qualidades de um profissional extraordinário. A diferença entre um profissional comum e um extraordinário é imensa. Ao analisar o background de qualquer candidato, identifique se ele demonstrou estar acima da média de alguma forma. A demonstração mais óbvia é o desempenho extraordinário em um grupo de pares extraordinários. Se estiver menos do que entusiasmado em contratar alguém para uma determinada vaga, não contrate. Vocês dois acabarão transformando suas vidas em um tormento.

e. Não use sua influência para favorecer alguém. É inaceitável usar influência pessoal para ajudar alguém a conseguir uma posição na empresa — é mais uma atitude que enfraquece a meritocracia. Não é bom para o candidato, porque transmite a ideia de que sua conquista não se deveu ao mérito; não é bom para o responsável pela contratação, porque enfraquece sua autoridade; e não é bom para o líder, porque demonstra que ele fará concessões no que se refere ao mérito para ajudar amigos. Tal atitude é uma forma de corrupção e não pode ser tolerada. Na Bridgewater, o máximo que se pode fazer é dar uma referência para alguém que você conhece bem o bastante para endossar. Apesar de a Bridgewater ser minha companhia, jamais burlei essa política.

8.2 Lembre-se de que perspectivas e raciocínios variam de pessoa para pessoa, o que torna cada indivíduo adequado para um tipo de trabalho.

Algumas formas de pensar servirão bem para alguns fins e mal para outros. É altamente desejável compreender a própria maneira de pensar e a dos outros, bem como suas melhores aplicações. Determinadas qualidades são mais apropriadas para determinados trabalhos. Talvez não seja ideal contratar alguém muito introvertido como vendedor. Não que alguém assim não possa desempenhar esse trabalho, mas são maiores as chances de que uma pessoa sociável se sinta mais satisfeita e atue melhor na função.

O fato de você não ser naturalmente bom em determinado tipo de pensamento não quer dizer que esteja fadado a ser excluído das alternativas que o exigem. Todavia, isso exige que trabalhe com alguém bom na maneira de pensar necessária (o que é melhor) ou aprenda a pensar diferente (o que é difícil e muitas vezes até impossível).

Vejo especialmente em grupos que essas diferenças não são levadas em conta. É como naquela parábola dos cegos que tocam partes diferentes do elefante e discutem a respeito do que se trata. Simplesmente pense no quanto seria melhor se as pessoas tivessem abertura de mente suficiente para perceber que ninguém dispõe do quadro completo. Tanto as pessoas que expressam as próprias opiniões quanto aquelas que as examinam precisam levar em conta tais diferenças — é tolice fingir que não existem.

a. Entenda como usar e interpretar avaliações de personalidade. Avaliações de personalidade são ferramentas valiosas para obter um retrato rápido de como as pessoas são no que se refere a capacidades, preferências e estilo. Elas costumam ser mais objetivas e confiáveis do que entrevistas.

b. As pessoas tendem a selecionar quem é parecido com elas: escolha entrevistadores capazes de identificar o que você está procurando. Se estiver em busca de um visionário, o entrevistador deve necessariamente ser alguém de visão. Se estiver procurando uma combinação de qualidades, reúna um grupo de entrevistadores que incorporem coletivamente esse mix. Não escolha entrevistadores em cujo julgamento você não confia (em outras palavras, certifique-se de que sejam críveis).

c. Procure pessoas dispostas a olhar para si mesmas com objetividade. Todo mundo tem pontos fortes e fracos. A chave para o sucesso é compreender quais são os fracos e compensá-los satisfatoriamente. Quem não tem essa capacidade fracassa inúmeras vezes.

d. Lembre-se de que as pessoas não podem mudar tanto assim. Isso é especialmente verdade durante curtos períodos, como um ou dois anos. Entretanto, ainda assim a maioria prefere presumir que, quando alguém faz algo errado, vai aprender a lição e mudar. Não seja ingênuo: é melhor presumir que as pessoas permanecerão as mesmas, a menos que haja boas evidências sugerindo o contrário.

É melhor apostar nas mudanças que você viu do que naquelas em que você tem esperança.

8.3 Pense nas suas equipes como os diretores esportivos fazem: ninguém tem tudo o que é necessário para produzir sucesso, porém, todos precisam ser excelentes.

Equipes corporativas deveriam atuar como times esportivos profissionais, em que são exigidas habilidades distintas para posições diferentes. A excelência em cada uma é obrigatória — não dá para comprometer o sucesso da missão e talvez seja necessário cortar quem não estiver à altura. Quando equipes atuam com padrões elevados e valores compartilhados é provável que relações extraordinárias se desenvolvam.

8.4 Preste atenção no histórico das pessoas.

Quando eles chegam até você, a personalidade dos indivíduos já está muito bem definida. Ela vem deixando suas digitais por toda parte desde a infância — se você fizer uma boa análise, conseguirá conhecer razoavelmente bem qualquer um. Descubra seus valores, capacidades e habilidades: esse indivíduo tem um histórico de excelência naquilo que você espera? Foi pelo menos três vezes bem-sucedido no que você deseja? Se as respostas forem não, você está fazendo uma aposta com poucas chances de dar certo e é melhor ter razões muito boas para tanto. Isso não quer dizer que você nunca deva se permitir, ou aos demais, fazer algo novo. Faça, mas aja com o cuidado adequado e redes de segurança. Isto é, coloque alguém com experiência para supervisionar a pessoa inexperiente, incluindo você mesmo (caso se encaixe nessa descrição).

a. Cheque as referências. Não confie exclusivamente no candidato para obter informações sobre seu histórico: fale com gente crível que o conheça, busque provas documentais e peça avaliações de seus antigos chefes, subordinados e pares. Você está atrás do quadro mais claro e objetivo possível do caminho trilhado até ali e de como esse candidato evoluiu ao longo da estrada. Já vi muita gente que afirmara ter se saído muito bem em outros lugares atuar abaixo do esperado na Bridgewater. Um exame mais detalhado quase sempre revelou que ou não tinham tido tanto sucesso assim, ou que estavam tentando ganhar crédito pelos feitos de terceiros.

b. Desempenho escolar não é um bom indicador da presença dos valores e capacidades que você procura. Principalmente por serem as capacidades mais fáceis de mensurar, a memória e a velocidade de raciocínio tendem a ser as que determinam o sucesso na escola, de forma que o desempenho como estudante é um excelente indicador das duas. O desempenho escolar também é um bom medidor da determinação para o sucesso, assim como da disposição e da capacidade de seguir orientações. Contudo, quando se trata de avaliar o bom senso, a visão, a criatividade ou as capacidades decisórias de um candidato, os registros escolares têm valor limitado. Como essas características são as mais importantes, analise os períodos posteriores da vida do candidato.

c. Embora seja melhor ter grandes pensadores conceituais, uma experiência robusta e um histórico bom também contam bastante. Existem todos os tipos de trabalho e eles exigem todos os tipos de gente. Meu viés costuma ser descobrir o tipo empresarial — um lutador inteligente e de mente aberta, que encontrará a melhor solução — e com frequência me decepciono. Em contrapartida, nesse processo eu às vezes descobria um especialista de grande capacidade que devotara décadas ao seu campo de atuação, no qual podia confiar por completo. O que sempre vem à minha mente é a regra de Malcolm Gladwell, segundo a qual são necessárias dez mil horas de prática em algo para se adquirir competência — e como é útil analisar as estatísticas de rebatidas para avaliar quão bem alguém pode acertar a bola. Um jeito de estabelecer como um novato promissor se sairá em relação a uma estrela comprovada é colocar os dois para debater e observar como ambos se saem.

d. Cuidado com o idealista utópico. Ou seja, idealistas com noções moralistas sobre como as pessoas deveriam se comportar, mas que não entendem como elas de fato se comportam. É um tipo que faz mais mal do que bem.

Como macroeconomista global, empresário e filantropo, vi gente assim repetidas vezes em todos esses campos de atuação. Cheguei à conclusão de que, por mais bem-intencionados que sejam, os idealistas utópicos são perigosos e destrutivos, enquanto os idealistas práticos tornam o mundo um lugar melhor. Para ser prático é preciso ser realista — saber onde residem os interesses dos indivíduos e como projetar máquinas que produzam resultados, assim como métricas que meçam esses benefícios em relação aos custos. Sem isso, o desperdício irá limitar ou eliminar os benefícios.

e. Não presuma que alguém bem-sucedido em outro lugar terá sucesso no emprego que você está oferecendo. Não importa quão bom você seja em contratações, algumas delas não vão dar certo. Saiba como as pessoas que você está cogitando trazer para equipe trabalham e visualize como isso produzirá resultados de sucesso. Saber o que fizeram tem valor apenas na medida em que isso ajuda você a descobrir como elas são.

f. Certifique-se de contratar pessoas capazes e de caráter. A pessoa capaz, mas mau caráter costuma ser destrutiva. Sua inteligência voltada para práticas nocivas com certeza vai erodir a cultura. Creio que a maioria das organizações dá valor excessivo ao componente capacidades e subvaloriza o componente caráter, uma miopia que é fruto da obsessão pelo serviço feito. Agindo assim, elas perdem a força das grandes relações que as farão atravessar os bons e os maus momentos.

Não me entenda mal, não estou dizendo que você deve fazer concessões no que se refere a capacidades em prol do caráter. O profissional com bom caráter e capacidades abaixo do esperado também cria problemas. Embora seja agradável, ele não dará conta do serviço e é dolorosamente difícil demiti-lo — é como dar um tiro no cão fiel que não se tem mais condições de sustentar. Você precisa contar com indivíduos de caráter excelente *e* capacidades excelentes, por isso é tão difícil encontrar gente ótima.

8.5 Não contrate pessoas apenas para preencher a primeira vaga de que elas derem conta; contrate pessoas com quem quer compartilhar a vida.

A rotatividade de funcionários é ineficiente por causa do tempo e dinheiro gastos para que as pessoas se conheçam e conheçam a organização. É impossível prever a forma como aqueles com quem você trabalha e a própria companhia vão evoluir; por isso contrate o tipo de pessoa com quem você quer compartilhar uma missão de longo prazo. Mesmo que os objetivos mudem, elas sempre se sairão bem.

a. Procure pessoas que fazem excelentes questionamentos. Gente inteligente faz perguntas ponderadas em vez de acreditar que têm todas as respostas. Questionamentos excelentes são um indicativo muito melhor de um futuro sucesso do que respostas ótimas.

b. Mostre seu lado feio aos candidatos. Deixe claro o quadro real, *especialmente* as coisas ruins. Mostre também os princípios em ação, incluindo os aspectos mais difíceis. Desse modo, você estará submetendo a um teste de estresse a disposição deles de resistir aos desafios reais.

c. Toque jazz com quem você é compatível, mas que também irá desafiá-lo. Você precisa de pessoas que compartilhem seus gostos e estilo, mas também que sejam capazes de incentivar e desafiar umas às outras. As melhores equipes, seja na música, nos esportes ou nos negócios, fazem todas essas coisas ao mesmo tempo.

8.6 Ao avaliar a remuneração, propicie estabilidade e oportunidade.

Pague às pessoas o suficiente para que não passem por dificuldades financeiras, mas não tanto a ponto de ficarem acomodadas. Somente uma equipe motivada trabalha para realizar sonhos. Você não quer que as pessoas aceitem um emprego pela segurança de receber muito dinheiro — você quer que estejam em busca da oportunidade de *fazer por merecê-lo* através de trabalho árduo e criativo.

a. Pague pelo indivíduo, não pela função. Descubra quanto recebem profissionais em funções equivalentes, com experiência e credenciais equivalentes, acrescente um pequeno extra e incorpore bônus ou outros incentivos. Nunca remunere com base apenas no título do cargo.

b. Tenha métricas de desempenho vinculadas, mesmo que frouxamente, à remuneração. Embora seja impossível mensurar por completo todos os aspectos que compõem uma excelente relação de trabalho, você deve poder determinar muitos deles. Vincular métricas de desempenho à remuneração ajuda a cristalizar seu acordo com as pessoas, fornece bom feedback contínuo e influencia o comportamento dos associados em uma base constante.

c. Pague acima do justo. Por ser generoso ou ao menos um pouco acima do justo com nossos associados, fortaleci tanto nosso trabalho quanto nossas relações e a maioria das pessoas reagiu de forma similar. Como resultado, ganhamos algo ainda mais especial do que dinheiro: atenção, respeito e compromisso recíprocos.

d. Foque mais em fazer o bolo crescer do que em uma divisão de fatias na qual você ou outra pessoa fique com a maior. As melhores negociações são aquelas em que digo "Você deveria ficar com mais" e me respondem "Não, você deveria!". As pessoas que agem assim entre si tornam a relação melhor e fazem o bolo crescer mais — e todos se beneficiam no longo prazo.

8.7 Lembre-se de que, em grandes parcerias, consideração e generosidade são mais importantes do que dinheiro.

Quem não tem muito pode ser mais generoso dando um pouquinho do que um rico dando muito. Algumas pessoas reagem à generosidade e outras, ao dinheiro. Você preferirá ter as do primeiro tipo ao seu lado e sempre tratá-las com generosidade.

Quando não tinha nada, eu era o mais generoso possível com quem apreciava mais essa característica do que os altos salários pagos por outras empresas. Por esse motivo essas pessoas permaneciam comigo. Nunca me esqueci disso e fiz questão de deixá-las ricas quando tive a oportunidade. Em retribuição, elas foram generosas comigo à sua própria maneira quando mais precisei. Todos ganhamos dinheiro, mas também algo muito mais valioso do que isso.

Lembre-se de que o único propósito do dinheiro é propiciar-lhe o que você quer; por isso pense bem sobre o que você valoriza e coloque isso acima do dinheiro. Por quanto você venderia uma boa relação? Não deveria existir montante alto o bastante para convencê-lo a se desfazer de uma relação de valor.

a. Seja generoso e espere o mesmo em troca. Se você não for generoso com os demais e eles não forem generosos com você, a relação precisa ser revista.

8.8 Ótimos funcionários são difíceis de achar. Tenha sempre em mente que é preciso mantê-los na equipe.

Certifique-se de estar seguindo as sugestões feitas anteriormente, como construir relações relevantes e sempre buscar estar em sincronia com a equipe. Acima de tudo, encoraje a todos a externar como se sentem. É muito importante garantir que o desenvolvimento pessoal esteja avançando de maneira apropriada. O aconselhamento próximo de um mentor ativo deve durar pelo menos um ano.

Quando conhecemos alguém de verdade, sabemos o que esperar dele.

9 Treine, teste, avalie e filtre as pessoas constantemente

Tanto o seu pessoal quanto o seu projeto devem evoluir para que a máquina seja aprimorada. Quando se acerta na evolução pessoal, o retorno é exponencial. À medida que as pessoas se tornam cada vez melhores, tornam-se mais capazes de pensar de maneira independente, de explorar e de ajudar você a refinar a máquina. Quanto mais rápido elas evoluírem, mais rápido seus resultados melhorarão.

O seu papel na evolução pessoal de um funcionário começa com uma avaliação sincera de suas forças e fraquezas, seguida por um plano para mitigar suas fraquezas por meio de treinamento ou de realocação para outra função que explore suas forças e preferências. Na Bridgewater, funcionários novos costumam ficar surpresos com a maneira franca e direta como essas conversas podem ser, mas não se trata de algo pessoal ou hierárquico — ninguém está isento desse tipo de crítica. Embora, de modo geral, esse processo seja difícil para gerentes e subordinados, no longo prazo ele tornou as pessoas mais felizes e aumentou o sucesso da minha empresa. Tenha em mente que a maioria dos profissionais se sente mais feliz quando está se aperfeiçoando e fazendo as coisas que lhe são mais adequadas e então ajude-os a evoluir. Desse modo, descobrir quais são os pontos fracos do seu pessoal é tão valioso (para eles e para você) quanto saber quais são os fortes.

Mesmo durante esse processo de desenvolvimento pessoal, certifique-se de avaliar constantemente se essas pessoas são capazes de cumprir com as suas obrigações com excelência. Não é fácil fazer isso de forma objetiva, já que com frequência você terá relações relevantes com seus subordinados e poderá relutar em avaliá-los com precisão se o desempenho não se mantiver no nível adequado. Do mesmo modo, talvez se sinta tentado a dar a um funcionário que o irrita uma avaliação pior do que a merecida. A meritocracia de ideias exige objetividade. Muitas das ferramentas gerenciais que desenvolvemos foram elaboradas para fazer exatamente isso, fornecendo um retrato objetivo dos indivíduos e de seu desempenho, independentemente do viés do gerente. Esses dados são essenciais nos casos em que um gerente e um subordinado estão fora de sincronia em uma avaliação e terceiros são convocados para resolver a disputa.

Há alguns anos, um de nossos funcionários estava no período de experiência como chefe de departamento. O chefe anterior deixara a firma e Greg, o então CEO, estava avaliando se esse funcionário, que já havia atuado como substituto imediato, possuía as capacidades certas para assumir a função. O funcionário acreditava que tinha; Greg e mais algumas pessoas achavam que não. Entretanto, nesse caso não se tratava simplesmente de o "CEO bater o martelo". Na Bridgewater queremos que as decisões sejam mais baseadas em evidências. Graças ao constante feedback fornecido pelo sistema Coletor de Pontos, dispúnhamos de centenas de dados sobre os atributos específicos exigidos para a função, que incluíam poder de síntese, estar ciente da própria ignorância e capacidade de gerenciamento no nível apropriado. Colocamos todos esses dados na tela e analisamos com cuidado; em seguida, pedimos ao funcionário para ver o conjunto de evidências e refletir sobre o que faria se estivesse na posição de decidir se contrataria a si mesmo para o cargo. Assim que se distanciou um pouco e examinou as evidências objetivas, ele concordou em superar o assunto e tentar outra função na Bridgewater mais adequada aos seus pontos fortes.

É fácil ajudar os funcionários a adquirir habilidades — em geral é uma questão de fornecer o treinamento adequado. O aperfeiçoamento das capacidades é algo mais difícil, porém essencial para expandir as responsabilidades que alguém pode assumir ao longo do tempo. E nunca se deve contar com a possibilidade de mudar os valores de alguém. Em toda relação chega um momento em que as partes precisam decidir se foram feitas uma para a outra — isso é comum na vida particular e em qualquer organização que mantém padrões elevados. Na Bridgewater, sabemos que não podemos fazer concessões no que se refere aos fundamentos da nossa cultura. Por isso, quando alguém não trabalha no nível esperado em um período de tempo aceitável ele precisa ser desligado.

Todo líder tem que decidir entre: 1) se livrar de gente querida, porém incapaz e assim atingir seus objetivos; e 2) manter a pessoa querida, porém incapaz e não atingir seus objetivos. Conseguir ou não tomar decisões difíceis como essa é o maior fator determinante do próprio sucesso ou fracasso. Em uma cultura como a da Bridgewater, não há alternativa: é preciso optar pela excelência mesmo que isso na hora seja difícil. É o melhor para todos.

9.1 Entenda que você e as pessoas que gerencia passarão por um processo de evolução pessoal.

Ninguém está isento desse processo. Fazer com que ele se desenrole bem dependerá da capacidade de cada um de fazer avaliações sinceras a respeito dos pontos fortes e fracos (especialmente dos fracos). Apesar de em geral ser tão difícil para os gerentes dar esse feedback quanto é para os subordinados ouvi-lo, no longo prazo as pessoas ficarão mais felizes e a organização terá mais sucesso.

a. O processo de evolução pessoal deve ser relativamente rápido e uma consequência natural da descoberta dos pontos fortes e fracos; portanto, planos de carreira não são definidos no início. O processo evolutivo tem a ver tanto com descobrir do que cada um gosta ou não gosta quanto com seus pontos fortes e fracos; ele ocorre quando as pessoas são colocadas em funções em que provavelmente se sairão bem, mas nas quais terão que se aperfeiçoar ainda mais. A carreira de cada um se desenvolverá com base naquilo que todos nós descobrimos sobre como a pessoa é.

As pessoas devem ter liberdade suficiente para aprender e pensar por si mesmas, ao mesmo tempo que devem ser orientadas de modo a não cometer erros inaceitáveis. O feedback deve ajudá-las a refletir sobre seus problemas e a avaliar se estes são do tipo que pode ser resolvido com aprendizado extra ou se têm origem em capacidades inatas que provavelmente não mudarão. Em geral, são necessários de seis meses a um ano para conhecer um novo funcionário de maneira ampla e cerca de um ano e meio para que ele internalize e se adapte à cultura. Nesse período, deve haver miniavaliações periódicas e várias avaliações de porte maior. Depois de cada uma delas, a atribuição de novas tarefas deve ser ajustada ao que o funcionário gosta e não gosta, bem como aos seus pontos fortes e fracos. É um processo iterativo, no qual as experiências acumuladas de treinamento, testes e ajustes direcionam o profissional para funções e responsabilidades cada vez mais adequadas. Na Bridgewater, isso costuma ser ao mesmo tempo desafiador e gratificante, é um processo que beneficia o indivíduo ao fornecer melhor autoconhecimento e maior familiaridade com várias funções. Quando ele gera um desligamento, normalmente isso acontece porque a pessoa descobre que não pode ser excelente e feliz em nenhuma função na firma.

b. Entenda que o treinamento guia o processo de evolução pessoal. Novos funcionários precisam ter mente aberta; o processo exige que deixem de lado o ego enquanto descobrem o que estão fazendo bem e o que estão fazendo mal e decidem que atitude tomar. O supervisor encarregado da adaptação também tem que estar de mente aberta, e é melhor que pelo menos dois supervisores críveis trabalhem com cada novo funcionário a fim de triangularem suas opiniões sobre como ele é. Esse treinamento é uma relação de aprendiz; ocorre enquanto o supervisor e o novo funcionário trocam experiências, de modo bem semelhante a quando um instrutor de esqui desce a montanha ao lado do aluno. O processo promove crescimento, desenvolvimento e transparência sobre a posição das pessoas, sobre por que elas ocupam determinado posto e sobre o que podem fazer para melhorar. Ele acelera não apenas a evolução pessoal, como também a evolução da organização.

c. Ensine seu pessoal a pescar, mesmo que isso signifique permitir alguns erros. Às vezes é preciso se distanciar e deixar que as pessoas cometam erros (desde que não sejam muito graves) para que possam aprender. É um mau sinal ter que dar instruções o tempo todo; em geral, o microgerenciamento reflete a incapacidade do funcionário que é gerenciado. Também não é bom para você como gerente. Troque essa abordagem por treinamento e avaliação. Opine sobre como as pessoas poderiam elaborar as próprias decisões, mas não determine como tomá-las. A coisa mais útil que você pode fazer é entrar em sincronia com elas, explorar como estão fazendo as coisas e por quê.

d. Reconheça que a experiência internaliza aprendizados que não podem ser transmitidos pelos livros. Há uma enorme diferença entre aprendizado teórico baseado na memória e aprendizado prático, internalizado. Um estudante de medicina que aprendeu a fazer uma cirurgia em uma sala de aula não tem o mesmo nível de conhecimento que um médico que já fez várias cirurgias. As pessoas que se destacam no aprendizado teórico tendem a buscar instruções armazenadas na memória. Aquelas que internalizaram o aprendizado usam os pensamentos que fluem do inconsciente como quem simplesmente caminha por uma rua. É essencial entender essa diferença.

9.2 Forneça feedback constante.

A maior parte do treinamento está em realizar e entrar em sincronia em relação ao desempenho. O feedback deve refletir o que está acontecendo e deixando de acontecer em proporção à situação real, em vez de ser uma tentativa de equilibrar elogios e críticas. Lembre-se de que você é responsável por atingir seus objetivos e por fazer com que sua máquina funcione da forma esperada. Portanto, os profissionais supervisionados por você devem atender às expectativas e somente você pode ajudá-los a entender se estão correspondendo. À medida que suas forças e fraquezas se tornarem mais claras, as responsabilidades podem ser ajustadas mais adequadamente, aprimorando a máquina e facilitando a evolução pessoal.

9.3 Precisão é mais importante do que gentileza na hora de avaliar.

Ninguém disse que a sinceridade radical é algo fácil. Às vezes, sobretudo com novos funcionários, uma avaliação franca pode parecer um ataque. Aborde a questão em um nível superior, atenha-se ao panorama maior e aconselhe o avaliado a fazer o mesmo.

a. No fim, precisão e gentileza são a mesma coisa. Gentileza sem precisão é prejudicial tanto para quem recebe o feedback quanto para os demais membros da organização.

b. Coloque seus elogios e críticas em perspectiva. É útil ter bem claro se a fraqueza ou erro em discussão é indicativo da avaliação global do novo funcionário. Uma vez, eu disse a um dos novos pesquisadores que achava que ele estava fazendo um bom trabalho e que sua capacidade de raciocínio era muito boa — uma avaliação inicial bem positiva. Alguns dias depois, peguei-o tagarelando longamente sobre coisas que não tinham nada a ver com o trabalho e o adverti sobre o custo que o desperdício de tempo representaria para o desenvolvimento dele e para o nosso. Tempos depois fiquei sabendo que ele achou que estava prestes a ser demitido. Meu comentário sobre a sua necessidade de foco não tinha relação com a minha avaliação geral. Se eu tivesse me explicado melhor quando conversamos pela segunda vez, ele poderia ter colocado meu comentário em perspectiva.

c. Pense na precisão, não nas implicações. Com frequência as pessoas se preocupam mais com as implicações de um feedback crítico do que em determinar se ele está ou não correto. É claro que essa não é a forma correta de refletir sobre a questão. Como explicarei adiante, misturar o "o que significa" com o "o que fazer a respeito" em geral gera péssimas decisões. A melhor conduta é dar feedbacks deixando claro que você está apenas tentando compreender o que é certo. Descobrir o que fazer a respeito já é outra história.

d. Faça avaliações precisas. As pessoas são o seu recurso mais importante e a verdade é a fundação da excelência. Avalie sua equipe da maneira mais precisa e exata possível, porém saiba que isso exige tempo e muito debate. Sua avaliação de como está o desempenho dos Indivíduos Responsáveis deve ser baseada não em se estão fazendo as coisas ao seu modo, mas se estão fazendo bem. Fale francamente, escute com a mente aberta, considere as opiniões de outras pessoas críveis e sinceras e tente entrar em sincronia em relação ao que está se passando com o funcionário e por que. Lembre-se de não ficar excessivamente confiante nas suas avaliações, já que há a possibilidade de você estar enganado.

e. Aprenda com o sucesso e com o fracasso. A sinceridade radical não exige que você seja negativo o tempo inteiro. Destaque exemplos de trabalhos bem-feitos e os motivos de seu sucesso. Isso reforça as ações que levam aos resultados e cria modelos para quem está aprendendo.

f. A maioria das pessoas acha que o que fez e o que está fazendo são muito mais importantes do que de fato são. Se perguntar a cada integrante de uma organização qual é a porcentagem do sucesso desta pelo qual ele se sente pessoalmente responsável, você terminará a pesquisa com um total de cerca de 300%.[39] A realidade é simplesmente essa, o que mostra por que você deve ser preciso na atribuição de resultados específicos às ações de indivíduos específicas. De outro modo, você jamais saberá quem é responsável pelo quê — e, ainda pior, pode cometer o erro de acreditar em gente que alega estar por trás de grandes feitos sem de fato estar.

9.4 Amor duro é o tipo de amor mais difícil e importante (porque raramente é bem-recebido).

O maior presente que se pode dar a alguém é o poder de ser bem-sucedido. Dar às pessoas a oportunidade de lutar em vez de lhes dar as coisas pelas quais estão lutando as tornará mais fortes.

---

[39] Fizemos isso na Bridgewater e o total foi de 301%.

Elogios são fáceis de distribuir, porém não ajudam ninguém a crescer. Destacar os erros e as fraquezas de alguém (para que saiba com o que tem que lidar) é mais difícil e menos apreciado, porém muito mais valioso no longo prazo. Embora os novos funcionários passem a gostar do que você está fazendo com o passar do tempo, normalmente é difícil para eles compreender no início; para ser eficiente, você precisa explicar de forma clara e repetitiva a lógica e o carinho por trás disso.

a. Reconheça que, embora a maioria prefira elogios, críticas precisas são mais valiosas. Com certeza você já ouviu a expressão "*no pain, no gain*". De acordo com os psicólogos, as transformações pessoais mais poderosas são decorrentes do sofrimento causado por um erro traumático (aquele que ninguém quer repetir) — uma experiência conhecida como "chegar ao fundo do poço". Por isso não hesite em dar às pessoas essas experiências ou em passar por elas você mesmo.

Embora seja importante ser claro com as pessoas sobre o que estão fazendo bem, é ainda mais fundamental destacar suas fraquezas e fazer com que reflitam sobre elas.

Problemas exigem mais tempo do que aquilo que está indo bem. Eles precisam ser identificados, compreendidos e resolvidos, enquanto o que vai bem demanda menos atenção. Em vez de celebrar o quanto somos bons, focamos nos aspectos que precisamos melhorar — é por isso que nos tornamos tão bons.

9.5 Não reprima suas observações a respeito das pessoas.

Explore-as abertamente com o objetivo de descobrir como você e o seu pessoal são e para colocar os indivíduos certos nas funções certas.

a. Construa a sua síntese a partir das especificidades. Por sintetizar, quero dizer converter muitos dados em um quadro preciso. Muita gente faz avaliações de pessoas sem conectá-las a dados específicos. Quando dispuser de dados específicos como os que temos na Bridgewater — os pontos, as gravações das reuniões etc. —, você poderá e deverá partir das especificidades e ir abrindo o espectro, até identificar os padrões. Mesmo sem essas ferramentas, outros dados — tais como métricas, testes e *input* de terceiros — podem ajudá-lo a formar um quadro mais completo de como o profissional é, bem como examinar o que ele fez.

b. Esprema os pontos. Toda observação que uma pessoa faz tem o potencial de dizer a você algo valioso sobre como ela trabalha. Como expliquei antes, chamo essas observações de "pontos". Um ponto é um pedaço de dado somado à sua interpretação — um juízo sobre o que alguém pode ter decidido, falado ou pensado. Estamos o tempo todo fazendo implicitamente essas inferências e tendo juízos e os guardamos para nós mesmos. Creio que, quando coletados de forma sistemática e colocados em perspectiva, eles podem ser valiosíssimos na hora de parar e sintetizar o retrato de alguém.

c. Não esprema demais um ponto. Lembre-se: um ponto é somente um ponto; o que importa é a soma de todos eles. Pense em cada ponto individual como cada momento em um jogo de beisebol em que o rebatedor foi enfrentar o arremessador. Mesmo os grandes rebatedores serão eliminados muitas vezes e seria tolice avaliá-los levando-se em consideração uma única rebatida. É por isso que existem estatísticas no beisebol.

Em outras palavras, todo evento específico pode ter muitas explicações, enquanto um padrão de comportamento pode dizer muito a respeito de causas raízes. O número de observações necessárias para estabelecer um padrão depende em grande parte de quão bem se entra em sincronia após cada observação. Discussões relevantes sobre como e por que tal pessoa se comportou de tal maneira irá ajudá-lo a entender o quadro maior.

d. Use ferramentas de avaliação, tais como pesquisas de desempenho, métricas e avaliações formais, para documentar todos os aspectos do rendimento de alguém. É difícil ter uma conversa objetiva, de mente aberta e desapaixonada sobre desempenho se não existem dados a serem discutidos. Também é difícil monitorar o progresso. Isso é parte do motivo pelo qual criei o Coletor de Pontos. Também recomendo pensar em outras maneiras de colocar em métricas as responsabilidades dos funcionários.

Um exemplo: você pode fazer com que as pessoas anotem em listas se cumpriram ou não determinadas demandas e depois pode usá-las para calcular a porcentagem de tarefas realizadas. As métricas nos dizem se as coisas estão indo de acordo com o planejado — são um meio objetivo de avaliação e melhoram a produtividade dos funcionários.

9.6 O processo de conhecer um integrante da equipe deve ser aberto, evolutivo e iterativo.

Transmita sem rodeios sua avaliação dos valores, capacidades e habilidades de uma pessoa e compartilhe-a; ouça a reação dela e dos demais à sua descrição; estabeleça um plano para treinar e testar o integrante da equipe; e reavalie suas conclusões baseado no desempenho que for observado. Faça isso de forma contínua. Após vários meses de discussões e testes práticos, você deve ter uma boa ideia de como essa pessoa é. Com o tempo, esse exercício deixará bem claro quais são as funções adequadas e o treinamento apropriado ou revelará que já é hora de a pessoa buscar um emprego mais conveniente.

a. Torne suas métricas claras e imparciais. Para ajudar na construção da sua máquina de moto-perpétuo, tenha um conjunto claro de regras e um conjunto claro de métricas para monitorar o desempenho das pessoas, bem como consequências pré-determinadas por fórmulas que têm por base o produto dessas métricas.

Quanto mais bem definidas forem essas regras, haverá menos discussão sobre se alguém fez algo errado. Na Bridgewater, por exemplo, temos regras sobre como os funcionários podem gerir os próprios investimentos de um modo que não entre em conflito com a maneira como gerimos dinheiro para os clientes. Como essas regras são bem definidas, não há espaço para discussão quando ocorre uma violação.

A existência de métricas que permitam a todos ver o histórico dos demais tornará a avaliação mais objetiva e justa. As pessoas farão as coisas que lhes conferirão notas mais altas e discutirão menos sobre os padrões. É claro que, como cada profissional tem uma série de coisas a fazer em níveis diferentes de prioridade, métricas distintas precisam ser usadas e ponderadas. Quanto mais dados você coletar, mais imediato e preciso será o feedback. Essa é uma das razões pelas quais criei o Coletor de Pontos (ele fornece muitos feedbacks imediatos); as pessoas costumam usar o feedback que recebem durante uma reunião para fazer correções em tempo real na própria reunião.

Assim que tiver as métricas, você poderá vinculá-las a um algoritmo que produza consequências. Estas podem ser simples como dizer que, para cada vez que fizer X, você receberá uma quantia Y de dinheiro (ou pontuação de bônus) ou mais complexas (por exemplo, vincular o mix ponderado de métricas a vários algoritmos que geram a remuneração estimada ou pontuação de bônus).

Embora esse processo nunca seja exato, até sua forma mais primária é eficiente e com o tempo evoluirá até se tornar incrível. Mesmo não sendo totalmente ajustado, o resultado produzido através de fórmulas pode ser usado como critério para avaliações e remunerações mais precisas; com o tempo isso se transformará em uma máquina maravilhosa. Ela será responsável por boa parte do seu gerenciamento e fará isso melhor do que você conseguiria fazer sozinho.

b. Encoraje as pessoas a refletirem com objetividade sobre os próprios desempenhos. Ser capaz de se enxergar a partir de um nível superior é essencial para a evolução pessoal e a conquista de objetivos. Você e as pessoas sob a sua supervisão devem analisar em conjunto as evidências de desempenho. Todavia, para que isso ocorra bem é preciso dispor de uma boa quantidade de dados e de um ponto de vista objetivo. Se for necessário, peça ajuda para triangular o quadro apresentado pelas evidências.

c. Observe o quadro completo. Ao analisar alguém, o objetivo é identificar os padrões e compreender o quadro total. Ninguém pode ser bom em tudo (se for extremamente meticulosa, por exemplo, a pessoa pode não dar conta de ser ágil, e vice-versa). As avaliações devem ser concretas; não se trata de como as pessoas *deveriam* ser, mas sim de como elas de fato *são*.

d. Ao fazer análises de desempenho, comece por casos específicos, busque padrões e entre em sincronia com o analisado (examinem as evidências juntos). Enquanto os feedbacks devem ser constantes, as análises normalmente são periódicas; seu propósito é reunir todas as evidências acumuladas a respeito de um indivíduo no que se refere ao seu desempenho na função. Se for bem-feito, o feedback constante será como uma análise contínua, já que os elementos se somarão ao todo. A análise deve conter poucas surpresas uma vez que deve haver um empenho contínuo para saber como o funcionário está se saindo na função. Se achar que o trabalho está sendo malfeito, tente identificar e tratar as causas raízes caso a caso. Como eu já disse antes, para as pessoas é difícil identificar os próprios pontos fracos — elas precisam ser adequadamente questionadas (e não que fiquem implicando com coisinhas pequenas) porque só assim é possível descobrir de verdade como são e como estão se encaixando em suas funções.

Em alguns casos isso não leva muito tempo; já em outros a situação é mais complicada. Com tempo e uma amostra de casos razoável, o histórico (o nível e o ângulo ascendente ou descendente das trajetórias pelas quais é responsável) deve pintar um retrato claro do que se pode esperar dela. Quando há questões relacionadas ao desempenho, elas se devem ou a problemas no projeto (talvez o profissional tenha atribuições demais), ou a problemas de adaptação/capacidades. No segundo caso, isso é fruto ou das fraquezas inatas de quem está exercendo a função (por exemplo, alguém que mede 1,60 metro provavelmente não deveria ser pivô de time de basquete), ou de treinamento inadequado.

Certifique-se de que sua avaliação seja feita em relação ao padrão absoluto e não apenas levando em conta o progresso ao longo do tempo. O mais importante não são os resultados, mas como a pessoa lidou com as responsabilidades.

e. Os dois maiores erros do superior hierárquico são: confiança excessiva na própria capacidade de avaliação e não conseguir entrar em sincronia. Se você acredita ter certeza sobre algo relacionado ao avaliado é responsabilidade sua se certificar de que isso seja mesmo verdade e que o avaliado concorde. Obviamente, em alguns casos pode ser impossível entrar em sincronia (se você acredita que alguém foi desonesto e a pessoa insiste que não, por exemplo), mas em uma cultura de sinceridade e transparência é obrigatório compartilhar sua opinião e deixar que os outros façam o mesmo.

f. Entre em sincronia sobre avaliações de uma maneira não hierárquica. Na maioria das organizações, as avaliações são feitas somente em uma direção, com o gerente avaliando o gerenciado. Este em geral discorda da avaliação, sobretudo quando é pior do que sua autoavaliação (quase todo mundo acredita ser melhor do que de fato é). Na maioria das companhias, os gerenciados também têm opiniões sobre os gerentes que não ousariam externar, por isso que sobram mal-entendidos e ressentimentos. Esse comportamento péssimo enfraquece a eficiência do ambiente e das relações, mas pode ser evitado com uma sincronização de alta qualidade.

Os profissionais sob sua supervisão têm que acreditar que você não é um inimigo — que seu único objetivo é a busca pela verdade, que você está tentando ajudá-los e que não validará o autoengano deles perpetuando mentiras ou os liberando de arcar com as consequências das próprias ações. Isso precisa ser feito com sinceridade e transparência — se alguém achar que está sendo classificado de forma injusta, o processo não vai funcionar. Como parceiros de igual estatura, cabe aos dois chegar à verdade. Quando as partes são equivalentes, não faz sentido se sentir encurralado.

g. A troca entre você e a equipe a respeito de erros e suas causas raízes deve ser franca e constante. Seja claro na transmissão das avaliações aos subordinados e ouça de mente aberta suas respostas para que juntos vocês possam estabelecer treinamentos e planos de carreira. Reconhecer e comunicar as fraquezas das pessoas é uma das coisas mais difíceis que os gerentes precisam fazer. É importante que aquele que recebe o feedback seja simpático àquele que tenta dar o retorno, porque dá-lo não é fácil — é preciso que os dois participantes tenham caráter para que se chegue à verdade.

h. Para garantir que as pessoas estejam fazendo um bom trabalho, não é preciso observar tudo o que todo mundo faz o tempo todo. Você precisa apenas saber como as pessoas de fato são e obter uma amostra. A amostragem regular de um número de casos estatisticamente confiável indica o padrão de cada pessoa e o que se pode esperar dela. Especifique que ações são críticas o bastante para que seja necessário obter aprovação prévia e quais podem ser analisadas mais tarde. Audite todo o processo — as pessoas tendem a relaxar ou trapacear quando percebem que não estão sendo checadas.

i. Reconheça que mudar é difícil. Tudo que requer mudança pode ser difícil. No entanto, para aprender, crescer e progredir é preciso mudar. Quando diante de uma mudança, questione-se: Estou tendo mente aberta? Ou sendo resistente? Encare suas dificuldades, obrigue-se a explorar suas origens e aprenda muito.

j. Ajude as pessoas a lidar com o desconforto de descobrir os próprios pontos fracos. Desacordos costumam deixar os ânimos exaltados, sobretudo quando giram em torno das fraquezas de alguém. Para tornar a situação menos difícil, fale de maneira calma, pausada e analítica. Coloque as coisas em perspectiva lembrando à pessoa que o sofrimento traz aprendizado e evolução pessoal — e que conhecer a verdade irá colocá-la no caminho de se tornar alguém muito melhor. Avalie a possibilidade de pedir ao funcionário que saia, reflita e volte quando estiver mais calmo.

Para colaborar com o sucesso das pessoas é preciso fazer duas coisas: primeiro, deixe-as ver as próprias falhas de forma tão clara que se sintam motivadas a mudá-las; e depois lhes mostre como mudar o que estão fazendo ou como confiar em quem é forte naquilo em que são fracas. Quando a primeira coisa é feita sem a segunda, a situação pode ser desmoralizante para quem está recebendo a ajuda; já quando as duas são feitas é estimulante, ainda mais quando a pessoa começa a ver os benefícios.

9.7 Saber como as pessoas agem e ser capaz de avaliar se isso trará bons resultados é mais importante do que saber o que fizeram.

Saber como as pessoas são é o melhor indicador de como lidarão com suas atribuições no futuro. Na Bridgewater, chamamos isso de "prestar mais atenção no movimento do que na rebatida". Como bons e maus resultados podem ser fruto de circunstâncias alheias à maneira com que o indivíduo lidou com determinada situação, é preferível avaliar as pessoas com base também em seus raciocínios. Foi o que sempre fiz com os associados de forma bem franca, e isso me ensinou muito sobre como avaliar a lógica dos outros e como aprimorar a minha própria lógica. Quando o raciocínio e o resultado são ruins, e isso se repete, sei que é preciso mudar o primeiro se quiser alterar o segundo.

Por exemplo, se você for um jogador de pôquer e apostar muitas vezes, vai vencer algumas mãos e perder outras e, em determinada noite, poderá sair da mesa com menos dinheiro do que um jogador pior que teve sorte. Seria um erro julgar a qualidade de um jogador com base em apenas um resultado. Em vez disso, examine ao longo do tempo a destreza com que um profissional realiza sua tarefa e os resultados que produz.

a. Se alguém estiver rendendo abaixo do esperado, avalie se é consequência de aprendizado inadequado ou de capacidade inadequada. O desempenho das pessoas é composto por dois fatores: aprendizado e capacidade. Uma fraqueza que se deve à falta de experiência ou treinamento pode ser sanada, enquanto uma fraqueza gerada por uma falta de capacidade, não. Não saber distinguir esses dois casos é um erro comum entre gerentes, pois eles costumam relutar em parecer cruéis ou críticos. Além disso, eles sabem que as pessoas avaliadas dessa forma tendem a reagir com agressividade. Essa é mais uma daquelas situações em que é preciso se obrigar a ser prático e realista.

b. Treinar uma pessoa de baixo rendimento para que adquira as habilidades exigidas e deixar de avaliar suas capacidades é um erro comum. Habilidades são prontamente testáveis, de modo que devem ser fáceis de determinar. Já as capacidades, sobretudo as do cérebro direito, são mais difíceis de avaliar. Ao refletir sobre por que alguém não apresenta bom desempenho, considere abertamente se não se trata de um problema de capacidade.

9.8 Quando você está em sincronia de verdade com alguém a respeito de suas fraquezas, elas provavelmente são reais.

Quando vocês entram em acordo é um bom sinal de que chegaram à verdade, razão pela qual atingir esse ponto é uma conquista tão grande. É exatamente por isso que é tão importante que o avaliado tenha o mesmo peso que você no processo. Quando vocês concordarem, registre isso formalmente, pois essa informação será crucial na construção do sucesso.

a. Ao fazer juízos de valor, lembre-se de que você não precisa chegar ao ponto do "sem sombra de dúvida". Não existe compreensão perfeita; tentar atingi-la é um desperdício de tempo e atrapalha o progresso. Em vez disso, busque uma compreensão geral a respeito do analisado, uma que seja obtida de comum acordo e seja baseada em um alto nível de confiança. Quando necessário, invista tempo no enriquecimento dessa compreensão.

OBJETIVOS → **MÁQUINA** → RESULTADOS

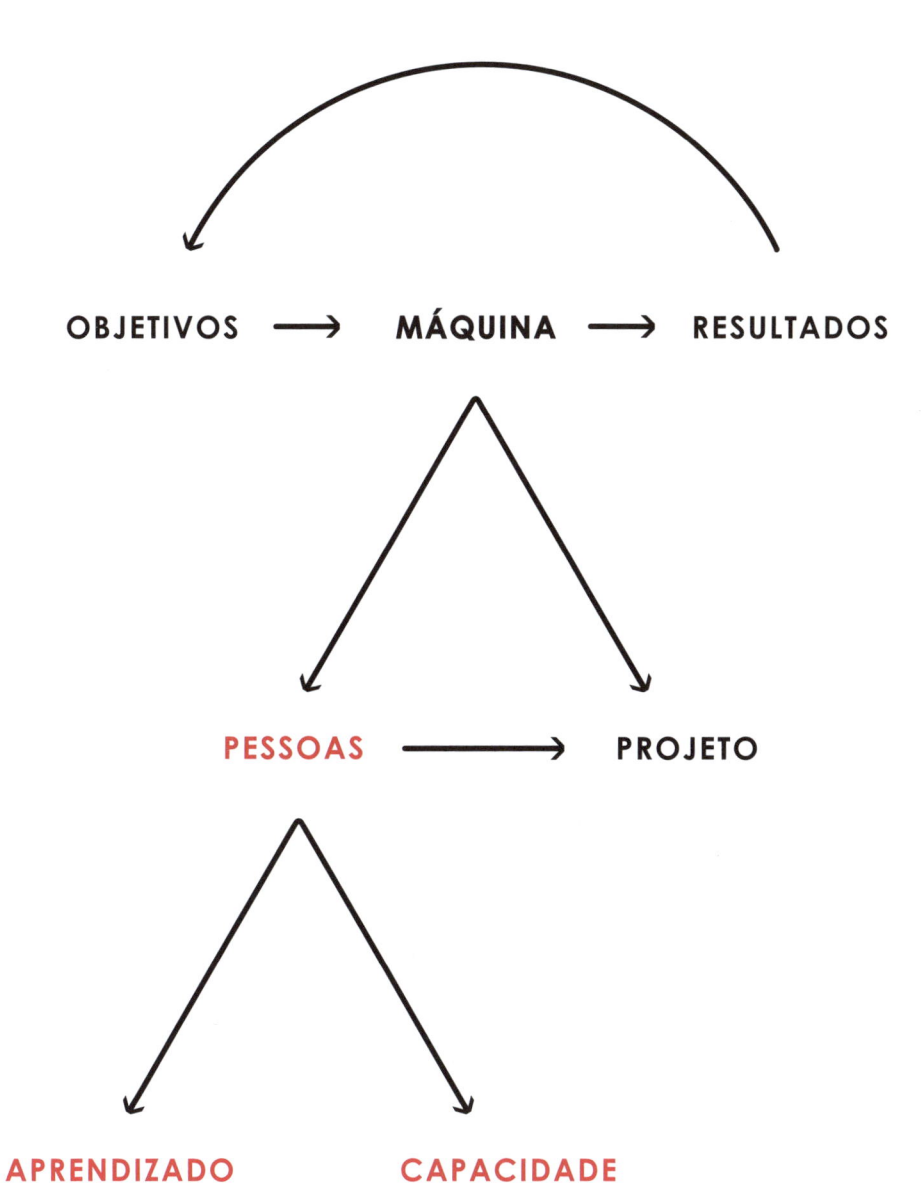

PESSOAS → PROJETO

APRENDIZADO   CAPACIDADE

b. Um ano é tempo suficiente para saber como uma pessoa é e se ela se encaixa na função. Grosso modo, dá para avaliar as capacidades de alguém no período de seis meses a um ano através de contato próximo, inúmeros testes e sincronia. Uma avaliação mais confiável costuma demandar um ano e meio. Obviamente esses prazos dependem do trabalho, do profissional, do grau de contato com ele e de quão bem sincronizados vocês estão.

c. Avalie as pessoas levando em conta todo o tempo que trabalham para você. À medida que conhecer o seu pessoal melhor, você estará mais apto a treiná-lo e gerenciá-lo. Mais importante, terá condições de avaliar com mais precisão seus valores fundamentais e capacidades, garantindo que estas complementem as suas. No entanto, não se contente com a avaliação inicial; sempre se questione se você teria contratado determinado funcionário sabendo o que sabe agora. Se a resposta for não, dispense-o.

d. Avalie os funcionários com o mesmo rigor com que avalia candidatos. Acho incrível que os entrevistadores consigam criticar os candidatos abertamente e com muita segurança apesar de não conhecê-los bem, mas não sejam capazes de fazer o mesmo com funcionários com fraquezas semelhantes embora disponham de mais evidências. A razão disso é o fato de eles tenderem a ver as críticas como algo nocivo e se sentirem mais protetores em relação aos colegas de trabalho. Se você crê que a verdade é melhor para todos provavelmente entende por que fazer isso é errado e por que avaliações contínuas e francas são tão importantes.

9.9 Treine, tome medidas de precaução ou dispense as pessoas — reabilitá-las não dá certo.

O treinamento é parte de um plano para desenvolver as habilidades das pessoas e ajudá-las a evoluir. Já reabilitação é uma tentativa de gerar mudanças significativas nos valores e/ou capacidades das pessoas. Como valores e capacidades são algo difícil de ser mudado, a reabilitação costuma ser impraticável. Profissionais com valores inapropriados e capacidades inadequadas geram um impacto devastador na organização e devem, portanto, ser demitidos.

Se você espera que as pessoas sejam muito melhores no futuro próximo do que foram no passado, provavelmente está cometendo um erro grave. Quem age repetidas vezes de determinada maneira provavelmente continuará agindo assim porque tal comportamento reflete sua natureza. Como as transformações de comportamento costumam ser lentas, espere (no máximo) uma leve melhora. Minha sugestão é que você altere as pessoas ou o projeto. Como alterar o projeto para acomodar as fraquezas das pessoas de modo geral é uma má ideia, é melhor filtrá-las. Às vezes, bons profissionais perdem suas áreas (são demitidos de suas funções) por não conseguirem evoluir para o posto de Indivíduos Responsáveis na velocidade necessária. Alguns podem ser bons em outras posições — nesse caso, devem ser realocados dentro da empresa; os demais devem ser demitidos.

a. Não colecione funcionários. É bem pior manter alguém em uma função inadequada do que demiti-lo ou realocá-lo. Considere os custos de não demitir um profissional inadequado para determinado trabalho: os prejuízos causados por mau desempenho e o tempo e o esforço desperdiçados tentando treiná-lo — fora a tristeza de demitir alguém que já está na empresa há um bom tempo (digamos, cinco anos ou mais) comparada à de mandar um funcionário embora depois de apenas um ano. Manter funcionários que não se encaixam no cargo é péssimo para eles porque, além de criar uma falsa realidade, atrasa o desenvolvimento pessoal. Também é péssimo para a comunidade, pois compromete a meritocracia e todos pagam o preço. Não se permita virar refém de ninguém; sempre existe outra pessoa disponível. Nunca comprometa seus padrões ou se sinta pressionado.

b. Esteja disposto a "fuzilar as pessoas que ama". É muito difícil demitir gente com quem você se preocupa. Demitir alguém com quem se tem uma relação relevante, mas que não atende ao padrão de excelência é duro — como é terminar qualquer relação boa —, porém fundamental para a excelência de longo prazo da companhia. Talvez o cargo em questão seja estratégico e você ache complicado fazer a alteração, mas profissionais abaixo da média vão contaminar o ambiente e deixar você na mão quando mais precisar.

A melhor maneira de fazer isso é "amar as pessoas que você fuzila" — com consideração e de um jeito que as ajude.

c. Quando alguém estiver deslocado em sua área, veja se existe uma mais adequada para ele ou se é melhor demiti-lo. Quando um funcionário fracassa em determinado trabalho, isso se deve a algumas de suas características. Você precisa descobrir quais são e garantir que esse profissional não se candidate a qualquer nova função que as requeira. Além disso, se ficar sabendo que ele não tem potencial para crescer, não permita que ocupe a vaga de alguém que tem.

Lembre-se de que você está tentando selecionar gente com quem gostaria de compartilhar a vida. Todo mundo evolui com o tempo. Por desenvolverem uma noção melhor das forças e fraquezas do novo contratado e de como ele se encaixa na cultura, os gerentes têm boas condições de pensar na possibilidade de uma nova ocupação para o funcionário caso não dê certo na posição original.

Sempre que alguém não se encaixa em uma função é vital compreender o motivo dessa incompatibilidade e questionar se os mesmos erros poderão ser repetidos em um novo posto.

d. Cuidado ao permitir que alguém retroceda para outra função após fracassar. Observe que eu disse apenas "cuidado". Não disse "nunca permita" porque isso depende das circunstâncias. Por um lado, você quer que as pessoas cresçam e experimentem novas funções — é besteira se livrar de um ótimo funcionário só porque ele tentou algo novo e não deu certo. E, por outro lado, se olhar bem para a maioria das pessoas nessa situação você vai lamentar ter permitido que elas retrocedessem em sua evolução.

Há três razões para isso: 1) você está tirando a vaga de alguém que poderia ter a capacidade de avançar (o tipo de profissional que quer na empresa); 2) o funcionário que está retrocedendo talvez continue desejando fazer aquilo no qual se provou incapaz, de modo que existe o risco real de haver perda de qualidade na função na qual não se encaixa; 3) a pessoa pode se sentir estagnada e ressentida por estar de volta a uma função a partir da qual provavelmente não poderá crescer. Manter esse profissional na equipe é percebido como a decisão de curto prazo preferível, mas no longo prazo provavelmente é a atitude errada a ser adotada. É uma decisão difícil e você precisa entender a fundo como é a pessoa nessa situação para ponderar bem antes de agir.

9.10 Lembre-se de que o objetivo de uma transferência é aproveitar todo o potencial de alguém de modo a beneficiar toda a comunidade.

Os dois gerentes envolvidos na transferência devem concordar que a pessoa se encaixa na nova função ou então levar o caso aos superiores para se chegar a um veredicto. O gerente de olho no profissional é responsável por evitar transtornos. Não há problema algum em uma conversa informal para ver se a pessoa está interessada, mas fazer o recrutamento antes da sincronização com o atual gerente é errado. O cronograma da mudança deve ser definido pelo atual gerente em consultas com as partes relevantes.

a. Deixe o funcionário terminar o ciclo antes de mudar para novas funções. Deve sempre haver continuidade, e não ruptura, a menos que exista uma razão urgente (quando, digamos, alguém seria um ótimo encaixe em outra função que precisa ser preenchida de imediato). Em uma companhia em que as coisas estejam evoluindo depressa e espera-se que seus integrantes falem sobre tudo com sinceridade, é natural que exista um fluxo contínuo de oportunidades para que os associados mudem de cargo. Entretanto, se muita gente pular de uma função para outra sem concluir suas responsabilidades, a descontinuidade, a desordem e a instabilidade serão uma realidade incômoda para os gerentes, para a cultura e para os próprios funcionários que estão mudando, uma vez que não serão adequadamente testados no que se refere à capacidade de fazer as coisas até o fim. Como diretriz, basta que se tenha passado um ano em determinada função para começar a conversar sobre uma nova atividade, embora isso não seja um dado estanque — o tempo pode facilmente mudar dependendo das circunstâncias.

9.11 Não baixe o padrão mínimo.

Em todas as relações, chega um ponto em que as pessoas precisam decidir se foram feitas uma para a outra — isso é comum na vida pessoal e em qualquer organização que mantém padrões bem elevados. Na Bridgewater, sabemos que não podemos comprometer os fundamentos da nossa cultura; se, após um espaço de tempo aceitável, o profissional não conseguir trabalhar dentro das nossas exigências de excelência por meio de sinceridade e transparência radicais, ele terá que sair da firma.

O amor duro é o mais difícil e o mais importante tipo de amor para se dar.

PARA

CONSTRUIR E

EVOLUIR SUA

MÁQUINA...

A maioria das pessoas acaba sendo atingida por uma tempestade de coisas caindo em sua cabeça. Já os indivíduos de sucesso ficam acima das nuvens, de onde podem observar as causas e efeitos em ação. Essa perspectiva de nível superior permite que vejam elas mesmas e os demais com objetividade, compreendendo quem pode e quem não pode fazer bem determinada tarefa e como todos podem se encaixar a fim de produzir os melhores resultados.

Agora que você já aprendeu as melhores formas de lidar com os dois componentes essenciais da sua máquina — a cultura e as pessoas —, gostaria de passar para os princípios que tratam de sua administração e aperfeiçoamento.

No próximo capítulo, analisarei os princípios de nível superior a serem aplicados para que sua organização aja como uma máquina. Isso não é apenas um experimento imaginário; pensar de maneira industrial tem importantes implicações práticas no modo de gerenciar a equipe e de planejar papéis, atribuições e fluxos de trabalho.

No Capitulo 10, "Opere bem a máquina para atingir seus objetivos", aplico essa abordagem ao planejamento organizacional em seu nível mais elevado.

Tendo compreendido como construir e operar a máquina, seu próximo objetivo será descobrir como aprimorá-la. Isso será feito por meio do

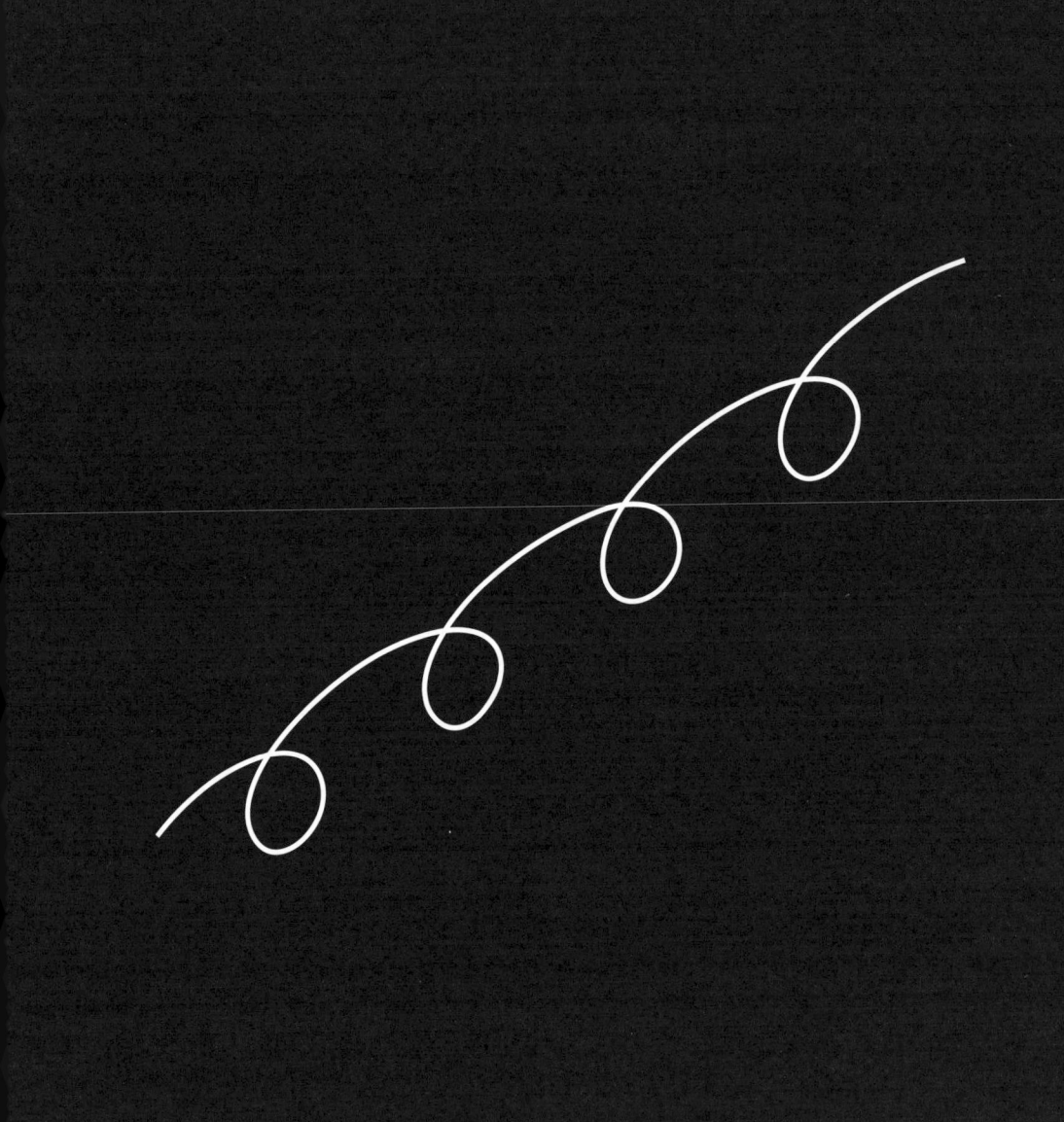

Processo de Cinco Etapas, que descrevi como: 1) defina objetivos claros; 2) identifique e não tolere os problemas que atrapalham a concretização desses objetivos; 3) diagnostique com precisão os problemas para sanar as causas raízes; 4) desenvolva planos para superá-los; e 5) faça o que for necessário para que esses projetos gerem os resultados.

Se pensar nas organizações que conhece, você verá que todas elas passam por esse processo evolutivo com graus variados de sucesso. O mundo está repleto de empresas que já foram grandes, mas se deterioraram ao fim das ondas iniciais de busca por excelência — um sinal de que a liderança falhou em se adaptar mudando pessoas e projetos. Também existem algumas poucas organizações que não param de se reinventar para atingir novos picos de grandiosidade.

Os próximos capítulos desta seção explicam como o Processo de Cinco Etapas funciona dentro de uma empresa e como extrair o máximo dele. Para garantir eficiência, analise suas máquinas da mesma maneira que um engenheiro organizacional faria, comparando os resultados com os objetivos e modificando constantemente as pessoas e os projetos a fim de melhorar os resultados. Mais importante: orquestre sua equipe, pois é isso que determinará o seu sucesso.

Por fim, você lerá dois capítulos sobre como assegurar que a meritocracia de ideias funcione bem tanto no dia a dia quanto no nível estratégico. O Capítulo 15, "Utilize ferramentas e protocolos para formatar a execução do trabalho", descreve a importância da sistematização e de ferramentas para garantir que a meritocracia de ideias funcione como esperado. E no Capítulo 16, "E, pelo amor de Deus, não negligencie a governança!", explico que, embora a princípio eu tenha subestimado a relevância da governança na garantia de que uma organização trabalhe com eficiência no longo prazo, meu processo de transição para deixar a administração direta da Bridgewater me ensinou vários princípios importantes sobre como deve ser a governança em uma meritocracia de ideias.

10 Opere bem a máquina para atingir seus objetivos

Não importa o trabalho que você faça: em um nível elevado você está simplesmente definindo objetivos e construindo máquinas que o ajudarão a atingi-los. Eu desenvolvi a máquina da Bridgewater comparando seus resultados concretos com o meu mapa mental dos resultados que *deveria* estar produzindo, em uma busca constante por maneiras de aperfeiçoá-la.

Não vou dizer nada específico sobre como você deve definir os objetivos da sua organização, mas afirmo que os princípios de nível superior para estabelecer objetivos que destaquei em Princípios de Vida se aplicam tanto a indivíduos quanto a organizações. Destaco também que, ao administrar uma organização, você e aqueles com quem trabalha precisam ser claros a respeito de como os objetivos de nível inferior — sejam eles a produção a um custo viável, a alta satisfação dos consumidores, a ajuda a um determinado número de pessoas passando por necessidade ou o que quer que seja — crescem a partir dos objetivos de nível superior e dos valores.

Independentemente de quão bom projetista você seja, sua máquina terá problemas. É preciso identificá-los e examinar com cuidado as peças para diagnosticar as causas. Você, ou quem estiver encarregado do diagnóstico, precisa conhecer bem os componentes da máquina — os projetos e as pessoas — e saber como funcionam em conjunto a fim de produzir os resultados. As pessoas são a parte mais importante já que praticamente tudo, incluindo os próprios projetos, é criado por elas. A menos que tenha total entendimento da máquina a partir de um nível superior — e que possa visualizar todas as peças e como elas trabalham juntas —, você inevitavelmente falhará ao fazer o diagnóstico e não atingirá todo o seu potencial.

Na Bridgewater, o objetivo de nível superior de todas as máquinas é gerar resultados excelentes para os clientes — nos retornos de seus investimentos, é claro, mas também na qualidade da nossa relação e da nossa parceria intelectual para entender economias e mercados globais de modo mais amplo. Na Bridgewater, esse compromisso com a excelência estava acima de tudo. A manutenção desses padrões elevadíssimos sempre foi um desafio, sobretudo à medida que nosso ritmo de crescimento aumentou e ocorreram mais mudanças Nos vários capítulos seguintes, vou conduzi-lo por um caso em que os resultados dos clientes começaram a decair e lhe mostrar como usamos o Processo de Cinco Etapas para aprimorar a máquina.

Mas antes quero compartilhar alguns princípios de nível superior para construir e desenvolver a máquina que qualquer organização é.

10.1 Vá para um nível superior e analise sua máquina e você dentro dela.

Pensamento de nível superior não é algo feito por seres de nível superior. Trata-se simplesmente de ver as coisas com distanciamento, de cima para baixo. Pense nesse conceito como o ato de olhar para uma foto sua e do mundo ao redor tirada do espaço. Através dessa perspectiva é possível enxergar as relações entre os continentes, países e oceanos. Então você pode partir para os detalhes, dando um zoom para uma visão mais próxima do seu país, cidade, bairro e, finalmente, o ambiente à sua volta. Essa perspectiva macro oferece um insight muito maior do que simplesmente olhar para o que está dentro de casa.

a. Compare constantemente os resultados com os objetivos. É essencial estar o tempo todo atrás do objetivo e avaliando a máquina, já que todos os resultados são reflexos de como ela está funcionando. Sempre que identificar um problema, diagnostique se ele é consequência de uma falha no projeto ou na forma como as pessoas estão lidando com suas atribuições.

O tamanho da amostra é importante. Todo problema pode ser uma imperfeição singular ou um sintoma de causas mais profundas que se repetirá. Se você analisar uma quantidade suficiente de problemas, será fácil discernir em que categoria cada um se encaixa.

b. Todo grande gerente é em essência um engenheiro organizacional. Grandes gerentes não são filósofos, *entertainers*, executores ou artistas: são engenheiros capazes de enxergar a empresa como uma máquina e que trabalham para mantê-la e aperfeiçoá-la. Eles elaboram diagramas com fluxos de processos, criam métricas para ilustrar o funcionamento das partes (sobretudo as pessoas) e da máquina como um todo. Alteram constantemente os projetos e as pessoas a fim de melhorá-los.

Essas alterações não são aleatórias, são parte de uma metodologia sistemática que exige que se tenha as relações de causa e efeito sempre em mente. E, apesar de se preocuparem muitíssimo com os indivíduos envolvidos, os gerentes não podem permitir que seus sentimentos por eles ou seu desejo de poupá-los sejam um obstáculo ao constante aperfeiçoamento. Fazer o contrário é extremamente prejudicial tanto para o indivíduo na equipe quanto para a equipe a qual ele pertence.

Obviamente, quanto mais alta for a posição do gerente em uma organização, mais importante se tornam sua visão e criatividade, porém ainda é preciso ter as habilidades exigidas para administrar/orquestrar bem. Alguns jovens empresários começam com a visão e a criatividade e só depois desenvolvem habilidades gerenciais, à medida que a escala da empresa aumenta. Outros começam com habilidades gerenciais e desenvolvem a visão enquanto sobem na hierarquia. Entretanto, da mesma forma que ocorre com os grandes músicos, todo grande administrador tem criatividade e habilidades técnicas. E nenhum administrador em nenhum nível pode esperar ter sucesso sem dispor do conjunto de habilidades de um engenheiro organizacional.

c. Desenvolva ótimas métricas. As métricas, ao fornecer números e disparar luzes de alerta em um painel, mostram como a máquina está funcionando. Elas são um meio de avaliação bem objetivo e tendem a produzir um impacto favorável na produtividade. Se as suas métricas forem boas o suficiente, você terá uma visão tão completa e precisa do que o seu pessoal está fazendo e de como fazem que quase daria para administrar se baseando apenas nisso.

Ao elaborar as métricas, imagine as perguntas mais relevantes para as quais precisa de respostas para descobrir como as coisas estão e imagine que números darão as respostas. Não pegue os números que tem à mão e tente adaptá-los aos seus propósitos; em vez disso, comece com as perguntas mais relevantes e imagine as métricas que as responderão.

Lembre-se de que qualquer métrica sozinha pode ser enganosa; é necessário ter um número suficiente de evidências para estabelecer padrões. E é claro que a informação que será colocada nas métricas precisa ter sua exatidão avaliada. É possível detectar a relutância em ser crítico analisando a nota média que cada avaliador dá — aqueles que dão médias mais altas podem ser avaliadores muito lenientes, e vice-versa. Igualmente úteis são os "rankings forçados", nos quais as pessoas têm que classificar o desempenho dos colegas em uma escala que vai do melhor ao pior. Essa ferramenta é em essência a mesma coisa que forçar as notas a seguirem uma distribuição normal. As métricas que permitem uma classificação independente através departamentos e grupos são especialmente valiosas.

d. Cuidado para não dar atenção demais ao que está vindo em sua direção e atenção de menos à máquina. Se mantiver o foco em cada tarefa individual, você inevitavelmente ficará sobrecarregado. Ao optar por prestar atenção na construção e na administração das suas máquinas, as recompensas serão inúmeras.

e. Não perca o foco com objetos brilhantes. Por mais completo que seja um projeto ou plano, sempre haverá coisas surgindo do nada que parecem ser mais importantes, urgentes ou atraentes. Tais objetos brilhantes podem ser armadilhas que distrairão você de pensar na máquina, então fique alerta para isso e não se deixe seduzir.

10.2 Lembre-se de que sua abordagem em relação a qualquer questão deve ter sempre dois propósitos...

... 1) aproximá-lo da sua meta; e 2) treinar e testar sua máquina (as pessoas e o projeto). O segundo propósito é mais importante do que o primeiro já que é o meio de se construir uma organização sólida que funciona bem em todos os casos. A maioria foca mais no primeiro propósito, o que é um grande erro.

a. Tudo é estudo de caso. Identifique de que tipo é cada caso e quais princípios se aplicam a ele. Ao fazer isso e ajudar outras pessoas a fazer, o processo se tornará mais fácil, pois as situações se repetem incessantemente.

b. Diante de um problema conduza a discussão em dois níveis: 1) da máquina (por que esse resultado foi produzido); e 2) do caso à mão (o que fazer a respeito). Não cometa o erro de discutir apenas o que fazer — assim você estará microgerenciando, ou seja, pensando pelo profissional sob sua supervisão, que terá a noção equivocada de que não tem problema fazer isso. Quando estiver tendo a discussão no nível de máquina, pense claramente sobre como as coisas deveriam ter transcorrido e explore os motivos para não terem ocorrido desse jeito. Se estiver com pressa em determinar o curso de ação e precisa dizer ao seu subordinado o que fazer, certifique-se de explicar o que está fazendo e por quê.

c. Ao criar regras, explique os princípios por trás delas. Você não vai querer que as pessoas simplesmente finjam respeitar as regras da comunidade; elas devem ter um elevado senso de ética que as faça querer respeitá-las e cobrar o mesmo dos demais ao mesmo tempo que trabalham para aperfeiçoá-las. A maneira de conseguir isso é com princípios que sejam sólidos e que tenham sido testados por meio de discussão aberta.

d. Suas políticas devem ser extensões naturais dos seus princípios. Princípios são hierárquicos — alguns são abrangentes e outros, menos importantes —, porém todos devem caracterizar as políticas que guiam suas decisões individuais. Vale a pena pensar bem nessas políticas para garantir que sejam consistentes entre si e com os princípios dos quais derivam.

Diante de um caso em que não haja uma política clara a ser seguida (por exemplo, o que fazer com um funcionário cujo trabalho é viajar, mas que enfrenta potenciais riscos à saúde por causa dos deslocamentos?), não se pode produzir uma resposta do nada sem levar em conta os princípios de nível superior. Quem cria as políticas da empresa precisa agir de modo análogo ao sistema jurídico na criação de jurisprudência — de modo iterativo e incremental, lidando com casos específicos e interpretando a lei conforme ela se aplica a eles.

Foi o que tentei fazer. Quando um caso surge, apresento os princípios que estou usando para lidar com ele e entro em sincronia com os demais para ver se concordamos em relação a eles ou se precisam ser aprimorados. De modo geral, foi assim que todos os princípios e políticas da Bridgewater foram desenvolvidos.

e. Embora bons princípios e políticas quase sempre forneçam boa orientação, lembre-se de que toda regra tem exceções. Apesar de todo mundo ter o direito de compreender as coisas — e de, na verdade, ser obrigado a contestar princípios e políticas que entram em conflito com suas convicções —, isso não equivale a ter o direito de mudá-las. As alterações em políticas devem ser aprovadas por quem as criou (ou por quem recebeu a responsabilidade de promover sua evolução).

Quando alguém deseja abrir uma exceção para uma política importante da Bridgewater, ele é obrigado a escrever uma proposta de política alternativa e submetê-la ao comitê de administração.

Tais exceções precisam ser raras, já que políticas com muitas delas são ineficientes. O comitê de administração então avalia formalmente o pedido de alteração na política e decide se irá aceitá-lo, rejeitá-lo ou fazer modificações nele.

10.3 Entenda as diferenças entre gerenciar, microgerenciar e não gerenciar.

Grandes gerentes orquestram. Como um maestro, eles não tocam um instrumento, mas guiam seus subordinados para que toquem maravilhosamente juntos. Em contrapartida, microgerenciar é dizer às pessoas exatamente que tarefas realizar ou realizá-las por elas. Não gerenciar é permitir que trabalhem sem supervisão e envolvimento. Para ser bem-sucedido, é necessário compreender essas diferenças e gerenciar no nível correto.

a. Gerentes têm que garantir que as coisas sob sua responsabilidade funcionem bem. É possível fazer isso: 1) gerenciando os outros bem; 2) cumprir as tarefas pelas quais não são responsáveis porque outros não conseguem desempenhar bem suas funções; ou 3) levando para degraus acima na hierarquia o que não conseguem gerenciar bem. A primeira alternativa é a melhor; já a segunda indica que é necessário fazer mudanças nas pessoas e no projeto; a terceira é ainda mais dura, porém obrigatória.

b. Gerenciar seus subordinados deve ser como esquiar juntos. Como um instrutor de esqui, você precisa ter contato próximo com o seu pessoal montanha abaixo, pois só assim poderá avaliar suas forças e fraquezas na prática. Deve haver uma boa troca de opiniões durante esse processo de tentativa e erro. Com o tempo, você descobrirá do que eles podem e não podem cuidar sozinhos.

c. Um esquiador excelente provavelmente será um instrutor melhor do que um esquiador novato. A credibilidade também se aplica ao gerenciamento: quanto melhor for o seu histórico, mais valor você terá como instrutor.

d. Delegue tarefas menores. Se você constantemente fica sobrecarregado com detalhes, há um problema de gestão ou de treinamento, ou então o trabalho está sendo feito pelas pessoas erradas. O verdadeiro sinal de um gerente virtuoso é o fato de ele praticamente não ter que fazer nada. Portanto, a necessidade de se envolver nos detalhes deve ser encarada como um mau sinal.

Ao mesmo tempo, há o perigo de você achar que está delegando detalhes quando na realidade está se distanciando demais do que é fundamental e basicamente não está gerenciando. Grandes gerentes sabem a diferença; eles se empenham para contratar, treinar e supervisionar de modo que os subordinados saibam lidar sozinhos com o máximo possível de tarefas com excelência.

10.4 Entenda bem a equipe e aquilo que a empolga: esse é seu recurso mais importante.

Desenvolva um perfil completo dos valores, capacidades e habilidades de cada funcionário. Essas características são os verdadeiros determinadores de comportamento; por isso de um modo geral conhecê-las detalhadamente lhe dirá quais funções um profissional pode ou não desempenhar bem, quais ele deve evitar e como ele deve ser treinado. Esses perfis devem ser alterados à medida que as pessoas mudarem.

Se não conhece bem o seu pessoal, você não sabe o que pode esperar dele. Você está voando às cegas e, quando os resultados esperados não vierem, não poderá culpar ninguém além de si mesmo.

a. Analise com frequência cada um que é importante para você e para a organização. Sonde as pessoas mais importantes para você e as incentive a discutir qualquer coisa que possa estar incomodando-as. Podem ser coisas que você desconhece ou talvez aspectos mal compreendidos pela pessoa. Qualquer que seja o caso é essencial que coisas como essas sejam externadas.

b. Descubra quanta confiança você pode depositar em seu pessoal — não presuma que sabe isso. Nenhum gerente deve delegar responsabilidades a alguém que não conhece bem. Leva tempo para descobrir como as pessoas são e quanto de confiança se pode depositar nelas. Novos funcionários costumam se ofender quando o gerente não confia em como estão cumprindo suas atribuições; eles acham que se trata de uma crítica às suas capacidades. Na verdade, o gerente está apenas sendo realista em relação ao fato de que não teve tempo ou experiência direta suficiente com o profissional para formar um ponto de vista.

c. Varie o envolvimento com base na sua confiança. O gerenciamento consiste em grande parte em escanear e analisar tudo o que está sob sua responsabilidade à procura de sinais suspeitos. Tendo por base o que está observando, você deve variar o grau de aprofundamento, investindo mais tempo nas pessoas e áreas que parecem mais suspeitas e menos onde o que se vê inspira confiança. Na Bridgewater, uma série de ferramentas (Registro de Ocorrências, métricas, atualizações diárias, listas de checagem) produzem dados objetivos sobre desempenho. Os gerentes devem examiná-los com regularidade.

10.5 Atribua responsabilidades de forma clara.

Elimine qualquer mal entendido quanto às expectativas e garanta que as pessoas encarem tarefas incompletas e metas não alcançadas como fracassos pessoais. O integrante mais importante em um time é o que recebe a responsabilidade geral pelo cumprimento da missão. Ele deve ter visão para enxergar o que precisa ser feito e disciplina para garantir que seja feito.

a. Lembre-se da responsabilidade de cada um. Embora possa soar óbvio, as pessoas costumam deixar de cumprir as próprias atribuições. Até quem está no alto escalão às vezes age como novato, correndo atrás da bola na tentativa de ajudar o time, mas esquecendo-se da posição que ocupa. Isso enfraquece o desempenho, portanto certifique-se de que todos estejam jogando bem na própria posição.

b. Fique atento à degeneração de função. Quando uma função muda sem que isso tenha sido explicitamente ponderado e acordado, ocorre uma degeneração de função. Em geral isso está associado às circunstâncias mutantes ou a uma necessidade temporária e costuma resultar em pessoas erradas lidando com responsabilidades erradas e confusão sobre quem deve fazer o quê.

10.6 Investigue a fundo e bem para aprender o que pode esperar da sua máquina.

Sonde constantemente aqueles que se reportam a você ao mesmo tempo deixando claro que é bom para eles e todos os demais que exponham seus problemas e erros. Para garantir que os resultados esperados serão obtidos, é necessário agir assim até com quem está desempenhando bem a função (embora quem está nessa categoria possa receber um pouco mais de liberdade).

Essa sondagem não deve ser feita somente de cima para baixo. As pessoas devem constantemente contestar você a fim de que se torne tão bom quanto o possível. Ao agir assim, elas compreendem que são tão responsáveis quanto você pela descoberta de soluções. É muito mais fácil ficar na arquibancada do que entrar em campo: forçar as pessoas a participar fortalece o time como um todo.

a. Tenha o mínimo de conhecimento. Ao gerenciar uma área, você precisa ter um conhecimento suficientemente rico do seu pessoal, dos processos e dos problemas específicos a fim de tomar decisões bem-informadas. Sem isso, você acreditará nas histórias e desculpas que lhe contarem.

b. Evite ficar muito distante. Você precisa conhecer o seu pessoal muito bem, dar e receber feedbacks regulares e ter discussões de qualidade. E, embora não vá se distrair com fofocas, precisa ser capaz de obter um rápido *download* de indivíduos apropriados. Seu escopo de trabalho precisa incorporar o tempo para fazer tais coisas, caso contrário você não estará administrando. As ferramentas que desenvolvi me proporcionam abertura para ver o que as pessoas estão fazendo e como elas são, e a partir disso faço um acompanhamento dos problemas.

c. Use as atualizações diárias para se manter informado sobre o que seu pessoal está fazendo e pensando. Peço a cada um que presta contas a mim que invista de dez a quinze minutos para escrever uma breve descrição do que fez no dia, das questões que lhe dizem respeito e das suas reflexões. Ao ler e triangular esses relatórios consigo avaliar como todos estão trabalhando juntos, como está o seu ânimo e em quais fios eu deveria mexer.

d. Fique atento aos problemas antes mesmo de eles surgirem. Se os problemas pegam você de surpresa, provavelmente é porque está muito distante da equipe e dos processos ou porque não visualizou de forma adequada os possíveis resultados. Quando uma crise está fermentando, o contato deve ser próximo o suficiente para que não haja surpresas.

e. Sonde até o nível abaixo daqueles que se reportam a você. Não dá para saber como a pessoa que presta contas a você gerencia outras sem conhecer seus subordinados diretos e sem observar como se comportam.

f. Faça com que os subordinados dos seus subordinados se sintam à vontade para levar seus problemas a você. Essa é uma forma ótima e útil de prestação de contas ascendente.

g. Não presuma que as respostas estão corretas. As respostas de alguém podem ser teorias errôneas ou versões; ocasionalmente é preciso checá-las, sobretudo quando soam questionáveis. Alguns gerentes relutam em fazer isso por acharem que equivale a dizer que não confiam na equipe — eles precisam entender que esse processo define como a confiança é conquistada ou perdida. Seu pessoal será bem mais preciso nas respostas se compreender isso — e você descobrirá em quem pode confiar.

h. Treine o seu ouvido. Com o tempo, você identificará os sinais que indicam que alguém está seguindo uma linha de raciocínio equivocada ou deixando de aplicar corretamente os princípios. Por exemplo, preste atenção ao uso do anônimo "nós" — ele é uma pista de que alguém provavelmente está despersonalizando um erro.

i. Deixe claro que você está sondando. Isso ajuda a garantir a qualidade da investigação (porque outros podem fazer as próprias avaliações) e irá reforçar a cultura de sinceridade e transparência.

j. Aceite bem quando for questionado. É importante não levar a mal quando os outros questionarem você, uma vez que ninguém pode se ver com objetividade. Ao ser analisado, é essencial manter a calma. O seu "eu inferior" é emotivo e provavelmente vai reagir ao questionamento com algo como "você é um idiota porque está contra mim e fazendo com que me sinta mal", enquanto o seu "eu superior", ponderado, deve pensar "é maravilhoso que possamos ser francos e ter uma discussão tão respeitosa para ajudar a garantir que eu esteja fazendo as coisas bem". Dê ouvidos ao seu "eu superior" e tenha em mente como a situação pode ser difícil para quem questiona. Além de ajudar a organização e a sua relação com quem está analisando você, superar isso vai fortalecer o seu caráter e a sua equanimidade.

k. Diferenças no modo de ver e pensar criam problemas de comunicação. Imagine que você tivesse que descrever o perfume de uma rosa para alguém sem olfato. Por mais precisa que seja, a sua descrição sempre ficará aquém da experiência real. O mesmo vale para as diferenças nas formas de pensar. Elas são como pontos cegos e, tendo em mente que todos temos os nossos, é um desafio em comum enxergar o que se passa na mente do outro. Superar tais diferenças exige muita paciência, mente aberta e triangulação.

l. Puxe todos os fios suspeitos. Fazer isso vale a pena por que: 1) pequenos contratempos podem ser sintomas de problemas graves subjacentes; 2) resolver pequenas diferenças de percepção pode prevenir divergências mais sérias; e 3) ao tentar criar uma cultura que valoriza a excelência, é essencial reforçar constantemente a necessidade de apontar e examinar problemas — por menores que sejam (de outro modo, se corre o risco de estabelecer um exemplo de tolerância à mediocridade).

A priorização pode ser uma armadilha se fizer você ignorar os problemas ao redor. Permitir que problemas pequenos passem despercebidos cria a noção de que é aceitável tolerar coisas assim. Imagine que todos os probleminhas são pequenos lixos nos quais você pisa ao atravessar a sala. Sim, o que está no outro lado da sala pode ser muito importante, mas não tem mal algum em recolher esse lixo no caminho; além disso, por reforçar a cultura de excelência, isso terá consequências positivas de segunda e terceira ordens que repercutirão em toda a organização. Embora não seja necessário fazer isso o tempo todo, nunca perca de vista o fato de que está andando sobre uma sujeira que você poderia muito bem recolher ao passar.

m. Reconheça que há muitas formas de agir. Sua avaliação de como os Indivíduos Responsáveis estão trabalhando não deve se basear em se estão fazendo as coisas do seu jeito, mas, sim, se estão fazendo da maneira mais eficiente. Querer que alguém bem-sucedido mude seus processos pode ser arriscado — isso seria o mesmo que pedir a Babe Ruth que melhorasse a sua rebatida.

10.7 Pense como dono e espere o mesmo dos outros.

Se não sofrer as consequências das próprias ações, você assumirá menos responsabilidade por elas — isso é um fato. Se você é funcionário e ganha um contracheque por comparecer e agradar ao chefe, sua mentalidade inevitavelmente será treinada para essa relação de causa e efeito. Se você é gerente, certifique-se de estruturar incentivos e penalidades que encorajem as pessoas a assumir total autoria pelo que fazem em vez de apenas flanar. Isso inclui coisas simples como gastar o dinheiro da empresa como se fossem os donos e fazer com que não negligenciem suas responsabilidades quando estiverem fora do escritório. Quando os indivíduos reconhecem que o próprio bem-estar está diretamente vinculado ao da comunidade, a relação de propriedade se torna recíproca.

a. Sair de férias não significa negligenciar suas responsabilidades. Pensar como dono significa ser responsável o tempo inteiro pelas coisas que estão sob sua alçada. Mesmo de férias, é sua responsabilidade garantir que não ocorra nenhum deslize. Isso é possível combinando bom planejamento e coordenação antes de se afastar, além de se manter bem informado enquanto estiver fora. Tal cuidado não precisa tomar muito tempo — apenas uma hora fazendo uma boa checagem à distância já funciona e não precisa ser todo dia, basta um alô quando for conveniente.

b. Force a si mesmo e aos demais a fazer coisas difíceis. É uma lei básica da natureza: é preciso exceder os limites para se fortalecer. Você e sua equipe precisam agir uns com os outros como instrutores em uma academia, só assim todos entrarão em forma.

10.8 Lide com o risco do homem-chave.

Cada pessoa-chave deveria ter pelo menos uma pessoa que possa substituí-la; por isso é importante designar aprendizes que acompanhem todos os processos. É melhor ter esses prováveis sucessores sempre de prontidão.

10.9 Não trate todo mundo do mesmo jeito.

Com frequência dizem que não é justo ou apropriado tratar as pessoas de maneira diferenciada, mas isso é *totalmente* necessário se o objetivo for tratá-las de modo apropriado. As pessoas e suas circunstâncias são diferentes. Se fosse alfaiate, você não faria roupas do mesmo tamanho para todos os clientes.

Todavia, é fundamental tratar as pessoas segundo o mesmo conjunto de regras e foi por isso que tentei elaborar os princípios da Bridgewater com profundidade suficiente para dar conta das diferenças. Por exemplo, o fato de ter trabalhado na Bridgewater por vários anos conta na forma como alguém é tratado. Da mesma forma, apesar de considerar toda desonestidade intolerável, não trato todos os atos de desonestidade e todas as pessoas desonestas da mesma maneira.

a. Não tolere ser pressionado. Ao longo dos anos, muita gente me ameaçou dizendo que iria se demitir, entrar com um processo, me constranger na imprensa — tudo o que você puder imaginar. Apesar de algumas pessoas terem me aconselhado de que seria mais fácil dar logo um jeito na situação, percebi que essa atitude é quase sempre míope. Ceder não apenas compromete os seus valores, como passa a mensagem de que as regras do jogo mudaram, abrindo brechas para mais do mesmo. Lutar pelo que é certo pode ser árduo no curto prazo, mas estou disposto a levar esse golpe. Minha preocupação é fazer a coisa certa e não o que os outros pensam de mim.

b. Preocupe-se com quem trabalha para você. Se não estiver trabalhando com gente com quem você se preocupa e a quem respeita, provavelmente o seu trabalho não é o ideal. Eu estou disponível para quem realmente precisar de mim; quando toda uma comunidade age assim é algo bem poderoso e gratificante. Relações estreitas e de qualidade são essenciais em tempos de dificuldades pessoais.

10.10 Uma grande liderança não é o que geralmente se pensa ser.

Não uso a palavra "liderança" para descrever o que faço ou o que acredito ser bom porque não considero eficiente o que a maioria chama de "boa liderança". A maioria das pessoas pensa que um bom líder é alguém forte, que inspira confiança e motiva a equipe a segui-lo, com ênfase em "seguir". O líder estereotípico costuma encarar o questionamento e o desacordo como ameaças e prefere que os subordinados cumpram o que lhes é determinado. Como extensão desse paradigma, o líder arca com o fardo principal do processo decisório. Entretanto, como esses líderes nunca são tão sábios quanto tentam parecer, há a tendência para o surgimento de desencanto e até mesmo raiva. É por isso que com frequência gente que antes amava o líder carismático depois quer se livrar dele.

Essa relação tradicional entre "líderes" e "seguidores" é o oposto do que acredito ser o necessário para aumentar a eficiência — o maior objetivo de um "líder". É mais prático ser sincero acerca das próprias incertezas, erros e fraquezas do que fingir que elas não existem. Também é mais importante ter bons contestadores do que bons seguidores. Discussão e desacordo respeitosos são práticos porque submetem os líderes a testes de estresse e chamam sua atenção para o que estão deixando passar.

Os líderes não devem ser manipuladores. Às vezes, eles exploram emoções para motivar os subordinados a realizar coisas que não fariam se refletissem com cuidado. Ao lidar com indivíduos inteligentes em uma meritocracia de ideias, é essencial apelar sempre para a razão.

Os líderes mais eficazes trabalham com a mente aberta para: 1) buscar as melhores respostas; e 2) envolver as pessoas nesse processo de descoberta. É assim que aprendizado e sincronização ocorrem. Um líder verdadeiramente bom não tem certezas, mas é bem-equipado para lidar com o desconhecido ao questionar a tudo com a mente aberta. Todas as demais variantes sendo iguais, acredito que o tipo de líder que se parece e age como o ninja habilidoso sempre derrotará o tipo de líder que se parece e age como o super-herói musculoso.

a. Seja ao mesmo tempo fraco e forte. Às vezes, fazer perguntas para ganhar perspectiva pode equivocadamente passar a ideia de que a pessoa é fraca e indecisa, mas é claro que não se trata disso. Sabedoria é algo que apenas se adquire através do questionamento, um pré-requisito para ser forte e decisivo.

Aconselhe-se com os sábios e deixe que quem é melhor do que você o oriente. Lembre-se de que seu objetivo é compreender melhor as coisas e assim tomar as melhores decisões de liderança possíveis. Seja assertivo e mantenha a sincronia forte com quem trabalha com você, reconhecendo que às vezes nem todos, ou nem mesmo a maioria, concordarão com os seus pontos de vista.

b. Não se preocupe se o seu pessoal gosta ou não de você e não lhes peça conselhos. Apenas se preocupe em tomar as melhores decisões possíveis, reconhecendo que, não importa o que faça, a maioria achará que você está fazendo algo — ou muitas coisas — errado. É da natureza humana que as pessoas queiram que você acredite nas opiniões delas e que se irritem caso contrário, mesmo quando não têm motivos para crer que suas opiniões sejam boas. Por isso, se estiver liderando bem, você não deve ficar surpreso com discordâncias. O importante é ser lógico e objetivo na avaliação das suas probabilidades de estar certo.

Não é despropositado ou arrogante crer que a sua opinião é melhor do que a do indivíduo médio, desde que você tenha a mente aberta. Na realidade, não faz sentido crer que aquilo que o indivíduo médio pensa é melhor do que aquilo que você e a maioria das pessoas perspicazes ao redor pensam — você e seus pares não chegaram por acaso à posição hierarquicamente mais alta que ocupam e são mais bem informados do que o indivíduo médio. Se o contrário fosse verdade, você seria par do indivíduo médio. Em outras palavras, se não tivesse insights melhores do que os dele, você não deveria ser um líder — e, se você tem insights melhores, não se preocupe se estiver fazendo coisas impopulares.

Então, qual é a melhor forma de lidar com subordinados? Suas alternativas são ignorá-los (o que gera ressentimento e lhe torna ignorante a respeito do que eles estão pensando), fazer cegamente o que querem (o que não é uma boa ideia) ou encorajá-los a expor seus desacordos e superá-los de maneira tão aberta e razoável que todos reconheçam os méritos do seu modo de pensar. Discordem abertamente e sinta-se feliz tanto ao ganhar quanto ao perder uma argumentação, contanto que as melhores ideias vençam. Acredito que uma meritocracia de ideias não só produz melhores resultados do que outros sistemas, como assegura maior alinhamento a decisões apropriadas, porém impopulares.

c. Não dê ordens nem tente ser seguido; busque ser compreendido e compreender os outros. Se quiser ser seguido, por motivos egoístas ou porque acredita ser mais conveniente trabalhar assim, você vai acabar pagando um preço alto. Se você é a única fonte de raciocínio, os resultados sofrerão.

Gerentes autoritários não desenvolvem seus subordinados, o que significa que eles permanecerão dependentes. Quando se dá muitas ordens, as pessoas tendem a ficar ressentidas e desafiá-lo pelas suas costas. A maior influência que você pode ter sobre indivíduos inteligentes — e a maior influência que eles terão sobre você — vem de um consenso constante a respeito do que é certo e do que é melhor, de forma que todos queiram as mesmas coisas.

```
                          RESPOSTA
                          SINTETIZADA
                        ↗           │
                  BOM               │
                                    │
QUESTÃO <                           │
                                    │
                  RUIM              │
                        ↘           ↓
                          O QUE FIZEMOS

                          1) ..............
                          2) ..............
                          3) ..............
```

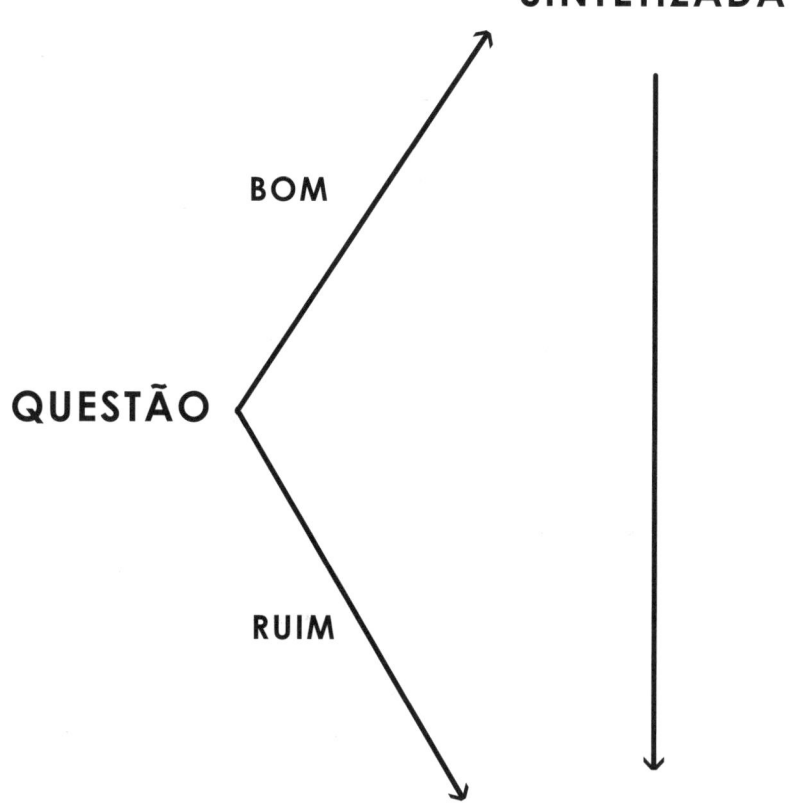

10.11 Cobre responsabilidades de si mesmo e do seu pessoal e valorize a equipe por fazer o mesmo com você.

Cobrar responsabilidade das pessoas significa compreender bem o suficiente como elas são e as circunstâncias nas quais estão inseridas a ponto de poder avaliar se podem, e devem, fazer algumas coisas de maneira diferente. Busque entrar em sincronia com elas a respeito disso e, se não puderem fazer adequadamente o que é exigido, remova-as de suas funções. Isso não é microgerenciá-las nem esperar que sejam perfeitas (cobrar de funcionários particularmente sobrecarregados que façam tudo com excelência costuma ser irreal, para não dizer injusto).

Mas as pessoas podem ficar ressentidas por serem cobradas e você não quer ficar o tempo inteiro dizendo a elas o que fazer. Argumente em defesa do valor da sua atitude, mas nunca permita que não tenham que arcar com as responsabilidades de suas ações.

a. Se você e outra pessoa concordaram que algo tem que acontecer de determinado modo, garanta que assim seja — a menos que entrem em sincronia sobre agir de outro jeito. Inconscientemente as pessoas gravitam para as atividades de que gostam e deixam de lado o que é necessário. Se elas perderem as prioridades de vista, redirecione-as. Esse é um dos motivos pelos quais é fundamental receber atualizações frequentes sobre os progressos de cada um.

b. Diferencie um fracasso relacionado a rompimento de "contrato" de um fracasso sem qualquer "contrato estabelecido". Se não deixou clara uma expectativa, você não pode fazer cobranças se ela não se concretizar. Nunca presuma que algo tenha ficado implícito: o bom senso não é tão comum assim, portanto *seja explícito*. Se as responsabilidades constantemente não são cumpridas, avalie modificar o projeto da sua máquina.

c. Evite ser puxado para baixo. Esse fenômeno — quando um gerente é levado a cumprir tarefas do subordinado — guarda certa semelhança com a degeneração de função. Contudo, embora possa fazer sentido por um tempo determinado se houver uma meta urgente a ser cumprida, esta em geral também é um sinal de que uma parte da máquina está danificada. Ser arrastado para baixo é o que acontece quando um gerente deixa de reprojetar uma área de responsabilidade para evitar assumir um trabalho que outros deveriam ser capazes de realizar. Dá para dizer que esse problema ocorre quando o gerente foca mais na realização das tarefas do que na operação da máquina.

d. Preste atenção em quem confunde objetivos e tarefas — essas pessoas não podem assumir responsabilidades. Normalmente, quem consegue enxergar metas também é capaz de sintetizar. Uma maneira de testar isso: se você fizer uma pergunta de nível superior do tipo "Como está indo a meta XYZ?", uma boa resposta será uma síntese franca de como XYZ está indo de modo geral, que, se necessário, será embasada com a explicação das tarefas que foram realizadas para concretizá-la. Gente que só enxerga as tarefas foca apenas em sua descrição.

e. Cuidado com o "teoricamente deveria": ele não tem foco e é contraproducente. Um "teoricamente deveria" acontece quando as pessoas assumem que outras, ou elas mesmas, deveriam ser capazes de fazer algo quando na verdade não sabem se são (como em "Sally deveria ser capaz de fazer X, Y, Z"). Lembre-se de que para de fato realizar as coisas você precisa contar com Indivíduos Responsáveis com um histórico de sucesso na área relevante.

Um problema parecido ocorre quando as pessoas, ao discutir como resolver um problema, dizem algo vago e despersonalizado como "Nós deveríamos fazer X, Y, Z". É importante identificar nominalmente quem são essas pessoas — em vez de usar um termo vago como "nós" — e deixar claro que é responsabilidade delas determinar o que deveria ser feito.

É especialmente inútil quando subordinados ficam o tempo todo dizendo coisas como "Nós deveríamos..." entre si. O ideal é que conversem com o Indivíduo Responsável sobre o que deveria ser feito.

10.12 Comunique o plano com clareza e tenha métricas claras para ver se você está progredindo conforme o planejado.

Todos devem conhecer os planos e projetos dentro de seus departamentos. Se optar por um desvio da diretriz combinada, certifique-se de comunicar suas opiniões às partes relevantes e escutar o que pensam a respeito — não pode restar dúvidas quanto ao novo rumo. As pessoas poderão aderir ou expressar suas inseguranças, sugerindo alterações. Isso também deixa claro quais são as metas e quem está cumprindo suas responsabilidades. Metas, tarefas e responsabilidades devem ser revisadas em reuniões de departamento pelo menos uma vez por trimestre, talvez até mensalmente.

a. Coloque as coisas em perspectiva, retrocedendo antes de avançar. Antes de seguir adiante com um novo plano, pare para refletir sobre como a máquina vinha trabalhando até então.

Às vezes, as pessoas têm dificuldade em colocar as circunstâncias em perspectiva ou em fazer uma projeção para o futuro. Às vezes, se esquecem de quem ou o quê fez com que as coisas fossem bem ou mal. Quando você pede para reportarem a trajetória até o ponto onde estão, ou quando você mesmo faz isso, aspectos que foram bem ou mal trabalhados ficam claros, o quadro maior e os objetivos abrangentes se destacam, os responsáveis por determinadas metas e tarefas são especificados e é mais provável que haja consenso. Ter a capacidade de conectar todos esses itens em níveis múltiplos é essencial para que as pessoas compreendam o plano, deem feedback e, por fim, acreditem nele.

10.13 Leve suas responsabilidades a uma instância superior quando não for possível lidar com elas...

... e certifique-se de que as pessoas que trabalham para você sejam proativas em relação a fazer o mesmo. Recorrer a uma instância superior é assumir que você não acredita ser capaz de lidar com uma situação e passar o bastão de Indivíduo Responsável para alguém. O seu superior poderá, então, decidir se vai orientar você ao longo do processo, assumir ele mesmo o controle, pôr outra pessoa a cargo da questão ou tomar outra atitude.

É fundamental que isso não seja visto como um fracasso, mas como uma responsabilidade. Em algum momento todos os Indivíduos Responsáveis enfrentarão testes em que terão dúvidas sobre suas capacidades; o importante é apresentar suas preocupações e os riscos, para que o seu superior e o Indivíduo Responsável que assumirão a questão possam entrar em sincronia sobre que atitude tomar. Certifique-se de que o seu pessoal seja proativo; exija que se manifestem quando não puderem cumprir com o que havia sido acordado ou honrar os prazos estabelecidos. Essa comunicação é essencial para que se compreenda o caso com que estão lidando e o indivíduo que detém a responsabilidade.

11 Identifique e não tolere problemas

Na trilha rumo ao sucesso os problemas são inevitáveis, mas percebê-los e não tolerá-los é fundamental. Problemas são como combustível: sua queima — quando você elabora e põe em prática soluções contra eles — é o que nos impulsiona adiante. Em essência, cada problema é então uma oportunidade de melhorar sua máquina. Identificar e não tolerar problemas é uma das coisas mais importantes e desagradáveis que se deve fazer.

Para muita gente esse é um aprendizado difícil. A maioria prefere celebrar todas as coisas que vão bem e varrer os problemas para debaixo do tapete. Creio que as prioridades de quem age assim são retrógradas e poucas atitudes podem ser mais nocivas a uma organização do que essa. Não enfraqueça seu progresso buscando tapinhas nas costas; celebre a descoberta do que *não* está indo bem. Pensar em problemas difíceis de solucionar pode deixá-lo ansioso, mas *não* pensar (e, portanto, não lidar com eles) deveria ser fonte de uma ansiedade ainda maior.

É extremamente útil sentir-se assim em relação ao que pode dar errado. É isso o que nos leva a desenvolver sistemas e métricas e que estimula os bons gerentes a analisar os *outputs* do sistema em busca de todo tipo de problemas. Checar meticulosamente o ambiente ajuda a manter o controle de qualidade. Pequenos problemas, quando perpetuados, se transformam em grandes problemas. Para reforçar essa ideia, vou contar um caso no qual a princípio deixamos de manter a excelência. Quando percebemos o problema, saímos em busca das causas raízes, projetamos mudanças e avançamos até obter os resultados excelentes esperados.

Quando fundei a Bridgewater, era eu o responsável por tudo. Tomava sozinho as decisões administrativas e de investimento da companhia. Em seguida, construí a organização para me dar suporte e, por fim, fiz com que fosse capaz de continuar avançando com excelência sem mim. Enquanto a Bridgewater crescia, o padrão que determinei era simples e não dava margem para concessões: a análise que a equipe fornecia aos clientes tinha que ter sempre a mesma qualidade da análise que eu teria feito sozinho. Quando perguntam o que "nós" achamos, os clientes não estão se referindo a qualquer um, mas a mim e aos demais diretores de investimentos encarregados dos investimentos.

Com esse objetivo, o departamento de atendimento ao cliente da Bridgewater lida diretamente com as questões ou as repassa às pessoas com vários níveis de conhecimento responsáveis por responder perguntas com base no nível de dificuldade. O consultor do cliente (que é um profissional bem-informado designado para ser a interface com a Bridgewater) tem que entender as questões bem o bastante para saber a quem encaminhá-las e precisa analisar as respostas antes de voltar ao cliente para garantir que sejam excelentes. Para se certificar de que isso aconteça sistematicamente, criei um sistema de pesos e contrapesos. Através dele, nossos melhores pensadores de investimento redigem memorandos para os clientes e também fazem o controle de qualidade do trabalho dos colegas, atribuindo notas para criar métricas monitoráveis.

Em 2011, como parte da transição da minha saída da administração, deleguei a supervisão desse processo, e vários meses depois um integrante do atendimento ao cliente começou a notar problemas. O primeiro sintoma foi o fato de dois consultores de investimento seniores terem notado que um memorando havia sido enviado com erros ao cliente. Embora fossem pequenos, eram erros relevantes para mim.

Instei que a nova equipe de administração analisasse outros memorandos e logo descobrimos que não se tratava de um caso isolado; era sintomático de um colapso maior na máquina de controle de qualidade. Pior ainda, a investigação revelou que os Indivíduos Responsáveis não estavam percebendo e diagnosticando esses problemas. E, o mais preocupante, não ficou claro se, sem a minha intervenção, alguém teria se dedicado a investigar.

Essa falha inicial em perceber e não tolerar problemas não ocorreu por falta de cuidado, mas porque a maioria dos profissionais no processo deu mais atenção à realização da tarefa do que à garantia de que os objetivos estavam sendo atingidos. Tinham deixado de ser artesãos e se transformado em burocratas mais interessados em se livrar das tarefas. Ao mesmo tempo, os "chefs", que deveriam "provar a sopa" para garantir que estivesse boa, estavam focados em outras coisas.

Essa descoberta foi frustrante para todos, porque revelou que os elevados padrões que por tanto tempo haviam sido o motivo de nosso sucesso estavam derrapando. Foi doloroso enfrentar essa realidade, mas, no fim, também foi saudável. A existência de um problema desses — seja por causa de uma falha no projeto da máquina de alguém ou de incapacidades pessoais — não é motivo de vergonha. Perceber uma fraqueza não é o mesmo que aceitá-la. É o passo inicial necessário rumo à superação do problema. A dor causada pela vergonha e pela frustração diante da incapacidade é parecida com a dor de se achar muito acima do peso — é ela que irá motivá-lo a se mexer! Como você verá nos capítulos seguintes, o enfrentamento desse problema gerou inovações e aperfeiçoamentos importantes.

Os princípios seguintes aprofundam as maneiras de perceber e não tolerar os problemas que surgem no caminho.

11.1 Se não estiver preocupado, comece a se preocupar — e, se estiver preocupado, fique tranquilo.

Porque se preocupar com o que pode dar errado vai protegê-lo e não se preocupar com o que vai dar errado vai deixá-lo exposto.

11.2 Desenvolva e supervisione uma máquina capaz de perceber se as coisas estão indo bem ou não, ou, então, faça isso você mesmo.

Essa percepção em geral é alcançada contratando as pessoas certas — pessoas que irão questionar, que não suportam trabalhos ou resultados inferiores e que conseguem sintetizar bem — e tendo boas métricas.

a. Designe pessoas cuja tarefa seja identificar problemas e lhes dê tempo para que façam suas pesquisas e independência para que possam evidenciar problemas sem qualquer medo de recriminação. Sem isso, você não pode ter confiança de que elas irão destacar todos os problemas dos quais você precisa estar ciente.

b. Fique atento à "Síndrome do Sapo na Água Fervente". Se você jogar um sapo em uma panela de água fervente, ele vai saltar para fora na mesma hora; mas, se colocá-lo em água à temperatura ambiente e esquentá-la aos poucos, ele permanecerá na panela até morrer. Independentemente de isso ser verdade ou não em relação aos sapos, vejo algo semelhante acontecer o tempo inteiro com gerentes. As pessoas estão muito condicionadas a irem se acostumando aos poucos com coisas inaceitáveis que, se fossem expostas de uma só vez, as deixariam chocadas.

c. Cuidado com o pensamento coletivo: o fato de ninguém parecer preocupado não significa que esteja tudo certo. Se vir algo que lhe parece inaceitável, não presuma que não há problema algum só porque não tem ninguém gritando. Essa é uma armadilha na qual é fácil cair — além de mortal. Sempre que vir algo ruim, alerte o Indivíduo Responsável e cobre dele uma atitude. Nunca pare de dizer: "Algo aqui não está cheirando bem!"

d. Para identificar problemas, compare como os resultados se alinham aos objetivos. Isso significa comparar os resultados que a máquina está produzindo com a visualização dos resultados que você esperava em busca de possíveis desvios. Se você espera que a melhora fique dentro de uma determinada variação...

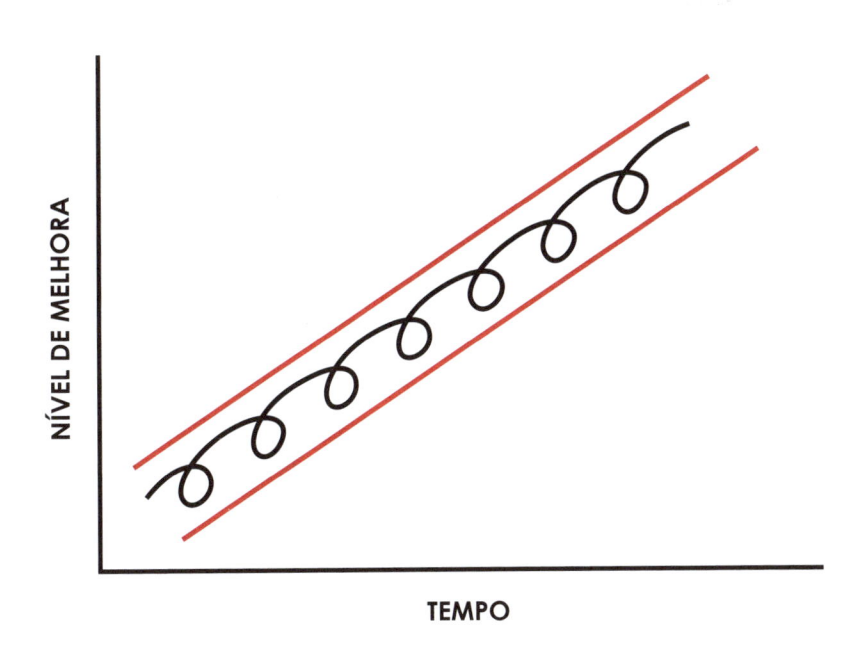

... e ela acaba parecendo com isso...

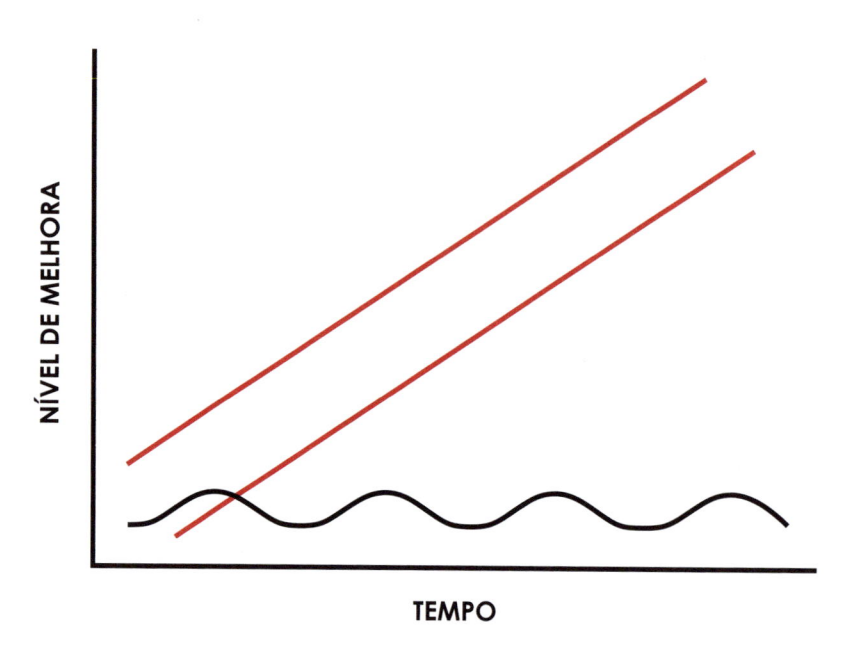

... você precisa procurar a causa raiz e lidar com ela; caso contrário, a trajetória provavelmente permanecerá a mesma.

e. "Prove a sopa." Pense em si mesmo como um chef e prove a sopa antes de mandá-la para os clientes. Está muito salgada ou insossa? Os gerentes precisam fazer ou designar quem faça isso em cada operação sob sua responsabilidade.

f. Tenha o maior número possível de pessoas procurando por problemas. Encoraje as pessoas a levarem os problemas até você. Se todos na sua área se sentirem responsáveis pelo bem-estar dela e ninguém tiver medo de se manifestar, você ficará sabendo dos problemas quando ainda forem fáceis de resolver e quando ainda não tiverem causado danos sérios. Fique sincronizado com aqueles que estão mais perto das funções mais importantes.

g. "Abra as comportas." É atribuição sua garantir o livre fluxo das comunicações do seu pessoal. Estimule esse diálogo dando amplas oportunidades para que a equipe se manifeste. Não fique simplesmente esperando que lhe deem um feedback franco e constante — peça por ele explicitamente.

h. Tenha em mente que as pessoas mais próximas de determinados trabalhos provavelmente são as que melhor os conhecem. No mínimo, elas têm perspectivas que você precisa compreender, busque sempre saber quais são seus pontos de vista.

11.3 Seja bem específico sobre os problemas; não comece com generalizações.

Por exemplo, não diga "Os consultores dos clientes não estão se comunicando bem com os analistas". Seja específico: diga o nome dos consultores que não estão fazendo isso bem e explique o por quê. Comece com as especificidades e, então, observe os padrões.

a. Evite o uso de "nós" e "eles", pronomes anônimos que mascaram a responsabilidade individual. As coisas não acontecem do nada — elas acontecem porque indivíduos específicos fizeram ou deixaram de fazer coisas específicas. Ser vago enfraquece a obrigação individual de prestar contas; portanto em vez de proferir generalizações passivas ou o plural majestático "nós", atribua ações específicas a pessoas específicas: "Harry não lidou bem com isso." Evite também dizer "Nós deveríamos…" ou "Nós estamos…" etc. Como as pessoas são o elemento mais importante de qualquer organização e também responsáveis pelas maneiras como as coisas são feitas, erros devem ser atribuídos nominalmente. Alguém criou o procedimento que deu errado ou tomou uma decisão equivocada. Não lidar com isso apenas dificultará o processo de aperfeiçoamento.

11.4 Não tenha medo de solucionar questões difíceis.

Em alguns casos, problemas inaceitáveis são tolerados por serem considerados muito difíceis de resolver. Contudo, solucionar problemas inaceitáveis é muito mais fácil do que deixá-los como estão. Permitir que persistam levará a mais estresse, mais trabalho e resultados ruins que podem causar sua demissão. Lembre-se de um dos primeiros princípios da administração: analise o feedback sobre a sua máquina e conserte os problemas ou leve-os ao seu superior, se necessário fazendo isso repetidamente. Não há alternativa mais fácil do que lançar luz sobre o problema e levá-lo a quem pode solucioná-lo bem.

a. Entenda que problemas com soluções boas e planejadas são mais simples do que problemas ignorados. Problemas não identificados são a pior espécie de problema, enquanto que problemas identificados, mas sem soluções planejadas são menos piores, porém ruins para o moral. Problemas identificados com uma boa solução planejada são melhores, mas não ideais, enquanto que os problemas solucionados são excelentes. É realmente importante saber a qual categoria um problema pertence. As métricas que monitoram o progresso da solução devem ser claras e intuitivas a ponto de parecerem extensões óbvias do plano.

b. Pense nos problemas identificados como problemas na máquina. Há três passos para fazer isso bem: notar o problema; determinar quem são os Indivíduos Responsáveis a quem deve ser levado; e decidir qual é o momento certo para discuti-lo. Em outras palavras: o quê, quem, quando. Em seguida, avance até a solução.

OBJETIVOS ⟶ MÁQUINA ⟶ RESULTADOS

PESSOAS ⟶ PROJETO

12 Diagnostique os problemas para chegar às causas raízes

Ao encontrar problemas, seu objetivo é identificar especificamente suas causas raízes — as pessoas ou projetos específicos que os provocaram — e ver se essas pessoas ou projetos têm um padrão que gera problemas.

Quais são as razões mais comuns para que não se consiga diagnosticar bem?

O erro mais habitual que vejo é quando as pessoas lidam com os problemas como se fossem incidentes isolados em vez de usá-los para diagnosticar o funcionamento da máquina. Elas se põem a resolver os problemas sem chegar às causas raízes, o que é uma receita para fracassos contínuos. Embora consuma mais tempo, um diagnóstico preciso e completo renderá enormes dividendos no futuro.

O segundo erro mais comum é despersonalizar o diagnóstico. Não atrelar os problemas aos indivíduos que falharam e não analisar o que neles causou a falha é contraproducente.

O terceiro principal motivo é não conectar o aprendizado atual com diagnósticos obtidos em análises anteriores. É importante determinar se a causa raiz de um problema particular ("Harry foi descuidado") é parte de um padrão mais amplo ("Harry costuma ser descuidado") ou não ("É improvável que Harry seja descuidado").

No caso da equipe de análise do atendimento ao cliente, eu sabia que, a menos que chegássemos à causa raiz do problema, os padrões continuariam a cair. Os demais líderes da Bridgewater concordaram. Assim, conduzi uma série de sessões de diagnóstico com a equipe, trazendo todo mundo, de todos os níveis, para reuniões a fim de investigar e descobrir o que havia acontecido de errado. Comecei apresentando meu mapa mental de como as coisas deveriam ter ocorrido — tendo por base a máquina que tinha construído — e pedi aos novos gerentes que descrevessem o que de fato havia acontecido. Resultados ruins não surgem *do nada*; eles ocorrem quando pessoas específicas tomam, ou deixam de tomar, decisões específicas. Um bom diagnóstico sempre identifica quais características das pessoas ou decisões tomadas por elas geraram os maus resultados. Isso pode ser desconfortável, porém, se alguém não é talhado para uma função, precisa ser removido para que os mesmos erros não se repitam. É claro que ninguém é perfeito e que todo mundo erra; por isso é importante que os diagnósticos levem em consideração os pontos fortes e fracos de todos os envolvidos.

Após essas sessões, alguns pontos ficaram claros: vários gerentes de linha recentemente incorporados por gerentes superiores não possuíam as habilidades certas, a capacidade de síntese ou o nível de atenção adequados para supervisionar o processo de controle de qualidade. Os gerentes superiores, por sua vez, estavam muito distantes da área e não estavam fazendo sondagens adequadamente a fim de garantir que tudo corresse bem. Estava identificado o "o que é" — a realidade diante de nós que produzia os problemas. Não era um quadro bonito, porém era exatamente o que precisávamos saber para dar o próximo passo.

12.1 Para diagnosticar bem, faça as seguintes perguntas:

1. O resultado é bom ou ruim?
2. Quem é responsável pelo resultado?
3. Se o resultado é ruim, oIndivíduo Responsável é incapaz e/ou o projeto é ruim?

Se mantiver essas perguntas fundamentais em mente e voltar a elas constantemente, é provável que você se saia bem. O que se segue é um guia para obter as respostas para tais questionamentos de quadro geral, que em sua maioria utiliza uma série de indagações "ou-ou" para ajudar a chegar à síntese procurada em cada etapa. Pense nelas como meios de obter as respostas necessárias para avançar rumo à etapa seguinte, percorrendo todo o caminho até o diagnóstico final.

Não é obrigatório seguir essas perguntas ou esse formato específicos. Dependendo das circunstâncias, passe rapidamente pelas perguntas ou, caso necessário, aumente o nível de detalhamento delas.

O resultado é bom ou ruim? E quem é o responsável pelo resultado? Se não conseguir entrar em sincronia depressa sobre esses dois pontos, você provavelmente já estará a meio caminho andado para uma discussão focada em detalhes pequenos e irrelevantes.

Se o resultado for ruim, o Indivíduo Responsável é incapaz e/ou o projeto é ruim? O objetivo é chegar a essa síntese, mas talvez você precise analisar como a máquina funcionou nesse caso e elaborar a síntese a partir daí.

Como a máquina deveria ter trabalhado? Você pode ter um mapa mental de quem deveria ter feito o que ou pode precisar completá-lo usando os mapas mentais de terceiros. Seja como for, descubra quem era responsável pelo que e o que os princípios dizem sobre os resultados que eram esperados. Não complique! Nesse estágio, uma armadilha comum é mergulhar a fundo em detalhes relacionados ao procedimento em vez de permanecer no nível da máquina (o nível de quem era responsável por fazer o quê). Cristalize seu mapa mental em apenas poucas afirmações, cada uma delas vinculada a um indivíduo específico. Se estiver mergulhando em detalhes neste ponto, provavelmente você saiu dos trilhos. Após estabelecer o mapa mental, a pergunta-chave é:

A máquina funcionou como deveria? Sim ou não.

Se a resposta for não, o que não aconteceu como deveria? O que quebrou? Isso é chamado de causa imediata e esta etapa deve ser fácil de alcançar se o mapa mental foi definido com clareza. Esse questionamento do tipo sim ou não também é eficiente por fazer com que se trilhe o caminho de volta aos pontos essenciais do seu mapa mental e se determine o que o Indivíduo Responsável, ou os Indivíduos Responsáveis, não fez bem.

Digamos que o seu mapa mental de como a máquina deveria ter funcionado tenha duas etapas: que Harry deveria: 1) ter feito sua tarefa a tempo ou 2) comunicado ao chefe que não conseguiria cumpri-la no prazo. Tudo o que você precisa fazer é determinar as duas etapas. 1) Ele fez a tempo? Sim ou não. E, caso não tenha feito, 2) ele levou a questão ao nível superior? Sim ou não.

Deveria ser simples assim. Mas é neste ponto que em geral alguém começa a explicar detalhadamente aquilo que fez e a conversa cai no nonsense. É sua função conduzir a conversa rumo a uma síntese precisa e clara.

Você também precisa sintetizar se o problema era significativo — ou seja, se alguém capaz teria cometido o mesmo erro dadas as circunstâncias ou se é sintomático de algo que valha a pena investigar. Não foque demais em eventos raros ou problemas triviais — nada é perfeito, nem ninguém —, porém tenha certeza de não estar deixando passar uma pista de um problema sistêmico da máquina.

Por que as coisas não aconteceram como deveriam? Aqui é onde você sintetizou a causa raiz a fim de determinar se o Indivíduo Responsável é capaz ou não — ou se o problema está no projeto. Para retomar a síntese você pode:

- Tentar relacionar a falha ao Processo de Cinco Etapas. Qual etapa não foi bem feita? No fim, tudo volta para essa lista, mas você precisa ser mais específico, então:
- Tente cristalizar a falha como um atributo-chave ou um conjunto de atributos específicos. Faça perguntas do tipo sim ou não: O Indivíduo Responsável gerenciou bem? Não percebeu bem os problemas? Não executou bem?
- É importante se questionar: Se o atributo X for bem feito da próxima vez, o resultado ruim se repetirá? Esse é um bom jeito de garantir que você esteja conectando de uma maneira lógica o resultado ao caso. Pense da seguinte forma: se o mecânico trocasse aquela peça do carro, resolveria o problema?
- Se a causa raiz for um projeto falho, não pare por aí. Questione quem foi o responsável pelo projeto e se esse profissional realmente tem capacidade de projetar.

A causa raiz é um padrão? (Sim ou não.) Qualquer problema pode ser uma imperfeição isolada — ou sintoma de uma causa raiz que despontará repetidamente. Em outras palavras, se Harry deixou de fazer a tarefa por motivos de confiabilidade:

- Harry tem um problema de confiabilidade de modo geral?
- Caso sim, a confiabilidade é necessária para o cargo?
- A falha de Harry se deve ao treinamento ou às suas capacidades?

Como as pessoas/a máquina deveriam evoluir em consequência? Certifique-se de que a resolução de curto prazo foi devidamente trabalhada. Determine os passos a serem seguidos para as soluções de longo prazo e o responsável por sua execução. Especificamente:

- Existem responsabilidades que precisam ser designadas ou esclarecidas?
- Existem projetos da máquina que precisam ser retrabalhados?

- Existem pessoas cuja adequação a suas funções precisa ser reavaliada?

Por exemplo, se você determinou que: 1) trata-se de um padrão; 2) falta ao Indivíduo Responsável um atributo exigido pela função; e 3) a ausência do atributo se deve à capacidade do Indivíduo Responsável (e não ao treinamento) — então, você provavelmente descobriu a resposta para a pergunta mais relevante: o indivíduo não é capaz e precisa ser tirado da função.

Os princípios a seguir aprofundam ainda mais como diagnosticar bem.

a. Pergunte-se: "Quem deveria fazer o quê de maneira diferente?" Com frequência escuto gente reclamando de um resultado específico sem tentar compreender a máquina que o causou. Em muitos casos, tais reclamações são feitas por alguém que está vendo os pontos negativos de uma decisão, porém não os positivos e não sabe como o Indivíduo Responsável os ponderou para chegar a ela. Como no fim todos os resultados decorrem de pessoas e projetos, questionar-se "Quem deveria fazer o quê de maneira diferente?" trará a compreensão necessária para de fato mudar os resultados no futuro (em vez de apenas fazer barulho a respeito).

b. Identifique em que fase do Processo de Cinco Etapas ocorreu a falha. Se um profissional está falhando cronicamente, isso se deve à falta de treinamento ou à falta de capacidade? Em qual das Cinco Etapas a pessoa falhou? Etapas distintas exigem capacidades distintas; se conseguir identificar quais capacidades estão faltando, você terá avançado muito no diagnóstico do problema.

c. Identifique quais princípios foram violados. Identifique quais princípios se aplicam ao caso à mão, repasse-os e veja se teriam ajudado. Estabeleça os princípios que seriam mais adequados para lidar com casos semelhantes — isso ajudará a resolver o caso à mão e outros parecidos que se apresentarem no futuro.

d. Não seja comentarista de um jogo que já acabou. Avalie os méritos de uma decisão tomada no passado com base somente nas informações de que você dispunha naquele momento. Toda decisão tem prós e contras e não se deve avaliar escolhas em retrospecto sem contextualizar. Se pergunte: "O que uma pessoa deveria saber e ter feito naquela situação?" Além disso, é preciso ter também um profundo conhecimento a respeito de quem tomou a decisão (como pensa, o tipo de pessoa que é, se aprendeu com a situação etc.).

e. Não confunda a qualidade das circunstâncias de alguém com a qualidade da abordagem adotada para lidar com elas. Uma pode ser boa e a outra, má — e é fácil confundir qual é qual. Essa confusão é especialmente comum em organizações que estão fazendo coisas novas e evoluindo depressa, mas que ainda não têm tudo definido.

Sempre descrevi a Bridgewater como uma experiência ao mesmo tempo "terrível e incrível". Por quase quarenta anos, produzimos resultados extraordinários enquanto lutamos contra muitos problemas. É fácil ver circunstâncias confusas, achar que as coisas devem estar péssimas e sentir-se frustrado. No entanto, o verdadeiro desafio é ver os êxitos de longo prazo produzidos por essas circunstâncias confusas e compreender como são fundamentais para o processo evolutivo da inovação.

f. Descobrir que alguém não sabe o que fazer não significa que você saiba. Uma coisa é apontar um problema; outra é ter um diagnóstico preciso e uma solução de qualidade. Como já foi dito, o teste decisivo para um bom solucionador de problemas é ver se: 1) ele é capaz de descrever logicamente como lidar com o problema; e 2) se já resolveu problemas semelhantes no passado.

g. Lembre-se de que uma causa raiz não é uma ação, mas uma razão. Causas raízes são descritas com adjetivos, não com verbos, então não pare de perguntar "por que" até chegar a elas. Como a maioria das coisas são feitas ou não porque alguém decidiu fazê-las ou não de determinada maneira, a maior parte das causas raízes pode ser rastreada até indivíduos específicos com padrões específicos de comportamento. Obviamente alguém que em geral é confiável pode cometer um erro ocasional e, se esse for o caso, pode ser perdoado. Se, no entanto, o problema tiver origem em alguém com histórico de erros, você precisa perguntar por que ele cometeu o erro — e ser tão preciso no diagnóstico de uma falha humana quanto seria no de uma falha mecânica.

O processo de descoberta de uma causa raiz pode se dar da seguinte maneira:

O problema se deveu à má programação.

Por que houve má programação?
Porque Harry programou mal.

Por que Harry programou mal?
Porque não foi bem treinado e porque fez correndo.

Por que ele não foi bem treinado?
O gerente dele sabia que Harry não tinha sido bem treinado e permitiu que fizesse o trabalho assim mesmo ou não sabia?

Observe como o interrogatório personaliza. Ele não termina em "Porque Harry programou mal". É necessário ir mais fundo para entender o que nas pessoas e/ou no projeto levou à falha. Isso é difícil tanto para quem faz o diagnóstico quanto para os Indivíduos Responsáveis e costuma resultar em pessoas apresentando todos os tipos de detalhes irrelevantes. Fique alerta: essa montanha de detalhes geralmente é uma tentativa de camuflagem.

h. Para diferenciar um problema de função de um problema de capacidade, imagine como a pessoa se sairia nessa função específica se tivesse ampla capacidade. Analise em retrospecto e pense em como o profissional se saiu em funções similares para as quais era amplamente capaz. Se ocorreram os mesmos tipos de problemas, então é provável que se trate de uma questão relacionada à capacidade.

i. Gerentes em geral falham ou ficam aquém de suas metas por uma (ou mais) de cinco razões.

1. Ficam distantes demais.
2. Têm dificuldade em perceber a queda no padrão de qualidade.
3. Perderam a noção da queda de qualidade dos processos porque se acostumaram com isso.
4. Têm tanto orgulho de seu trabalho (ou um ego tão grande) que não conseguem admitir que são incapazes de resolver os próprios problemas.
5. Temem as consequências adversas de admitir falhas.

12.2 Diagnostique continuamente para obter síntese.

Se não analisar os resultados ruins importantes à medida que ocorrerem, você não será capaz de entender os problemas dos quais são sintomáticos ou como eles estão mudando ao longo do tempo (estão melhorando ou piorando)?

12.3 Tenha em mente que diagnósticos devem produzir resultados.

Caso não produzam, eles não têm propósito. No mínimo, um diagnóstico deve se apresentar como uma teoria sobre as causas raízes e ser claro sobre quais informações precisam ser reunidas para se descobrir mais. Na melhor das hipóteses, deve conduzir diretamente a um plano ou projeto para solucionar o problema.

a. As mesmas pessoas fazendo as mesmas coisas só podem produzir os mesmos resultados. Einstein definia a insanidade como fazer a mesma coisa várias vezes e esperar resultados diferentes. Não caia nessa armadilha porque será bem difícil sair dela.

12.4 Use a seguinte técnica de "exploração descendente" para obter uma compreensão 80/20 de um departamento ou subdepartamento que esteja com problemas.

Uma exploração descendente é um processo que gera compreensão das causas raízes dos maiores problemas em um departamento ou área, de modo que você possa elaborar um plano para tornar o setor excelente. Explorações descendentes não são diagnósticos, mas uma forma de investigação ampla e profunda cuja intenção é descobrir somente cerca de 20% das causas que produzem 80% dos efeitos abaixo do esperado. Ela é feita em duas fases e é seguida por etapas de projeto e execução. Quando bem-feita, pode ser concluída em cerca de quatro horas. É muito importante que as etapas sejam realizadas em separado e independentemente, para que não tomem muitas direções ao mesmo tempo. Deixe-me leva-lo através desse processo, dando orientações e exemplos sobre cada etapa.

Etapa 1: Liste os problemas. Faça depressa um inventário com os principais sendo bem específico, já que este é o único jeito efetivo de encontrar soluções. Não generalize ou use as formas plurais "nós" ou "eles". Especifique os nomes de quem está enfrentando os problemas.

- Faça com que todas as pessoas relevantes da área sob escrutínio participem da exploração descendente; você se beneficiará com seus insights e isso evidenciará que são donas da solução.
- Não foque em eventos raros ou problemas triviais — nada é perfeito —, porém tenha certeza de que não se trata de sintomas de problemas sistemáticos da máquina.
- Não tente encontrar soluções ainda. Seu foco nessa etapa é unicamente listar os problemas.

Etapa 2: Identifique as causas raízes. Para cada problema, descubra o motivo enraizado por trás das ações que o provocaram. A maioria ocorre por uma de duas razões: 1) Não está claro quem é o Indivíduo Responsável; ou 2) o Indivíduo Responsável não está lidando bem com suas responsabilidades.

É preciso discernir as causas imediatas das causas raízes; as imediatas são os motivos ou ações que levaram ao problema. Quando começar a descrever as qualidades por trás desses motivos ou ações, você estará se aproximando da causa raiz.

Para chegar à causa raiz, não pare de perguntar "Por quê?". Por exemplo:

Problema:
A equipe está continuamente trabalhando até tarde e em vias de entrar em colapso físico ou mental.

Por quê?
Porque não temos capacidade suficiente para atender à demanda.

Por quê?
Porque herdamos essa nova responsabilidade sem contar com mais funcionários.

Por quê?
Porque o gerente não entendeu qual seria o volume de trabalho antes de aceitar a responsabilidade.

Por quê?
Porque o gerente tem dificuldade em antecipar problemas e elaborar planos. [Causa raiz]

Não exclua nenhuma pessoa relevante da exploração descendente: além de perder o benefício de suas ideias, você a alienará do projeto e reduzirá seu senso de propriedade. Ao mesmo tempo, lembre-se de que as pessoas tendem a ficar mais na defensiva do que a ser autocríticas. Sua função como gerente é chegar à verdade e à excelência, não é deixar os outros felizes. Por exemplo, a atitude correta a ser tomada pode ser a demissão de alguns funcionários, substituindo-os por profissionais melhores, ou sua transferência para trabalhos de que talvez não gostem. O objetivo de todos tem que ser a obtenção das melhores respostas, não das respostas que vão deixar a maioria contente.

Você pode descobrir que problemas múltiplos identificados na Etapa 1 possuem a mesma causa raiz. Como você está fazendo uma exploração descendente em uma sessão rápida, seus diagnósticos da causa raiz podem ser apenas temporários — em essência, alertas sobre coisas nas quais é necessário prestar atenção.

Após a Etapa 2, pare um pouco para refletir e depois parta para a elaboração do plano.

Etapa 3: Elabore um plano. Distancie-se do grupo e desenvolva um plano que trate das causas raízes. Planos são como roteiros de filmes, nos quais você visualiza quem vai fazer o quê ao longo do tempo para atingir os objetivos. São desenvolvidos pela iteração através de múltiplas possibilidades, pesando a probabilidade da concretização de um objetivo em relação a custos e riscos. Os planos devem ter tarefas, resultados, Indivíduos Responsáveis, métricas de monitoração e prazos específicos. Permita que as pessoas-chave envolvidas o discutam exaustivamente. Não é necessário que todos concordem com o plano, mas os Indivíduos Responsáveis e outras pessoas-chave precisam estar em sincronia.

Etapa 4: Execute. Execute o plano acordado e monitore seu progresso de maneira transparente. Pelo menos uma vez por mês, faça um relatório do progresso planejado e do que de fato se verificou, apresente as expectativas para o próximo período e, de maneira pública, cobre das pessoas sua responsabilidade em produzir resultados com sucesso e dentro do cronograma. Se necessário, faça ajustes para que o plano seja condizente com a realidade.

12.5 Tenha em mente que o diagnóstico é fundamental para o progresso e para as relações de qualidade.

Se você e os demais tiverem mente aberta e se engajarem em diálogos de qualidade, não apenas encontrarão melhores soluções, como também se conhecerão melhor. É a sua oportunidade de avaliar a equipe e de ajudá-la a crescer — e vice-versa.

13 Aperfeiçoe sua máquina para superar problemas

Após ter diagnosticado bem os problemas que impedem a concretização dos objetivos, é preciso projetar diretrizes para resolvê-los. Os projetos têm que se basear em entendimentos profundos e precisos (razão pela qual o diagnóstico é tão importante); para mim, é um processo quase visceral de encarar os problemas e usar a dor causada por eles como estímulo para o pensamento criativo.

Foi exatamente assim que aconteceu com a equipe responsável pelo serviço de análises para os clientes — e sobretudo com David McCormick, o co-CEO da Bridgewater que na época era o chefe do Departamento de Atendimento ao Cliente. Após o diagnóstico, ele logo passou a projetar e a implementar mudanças. Demitiu os membros da equipe que haviam permitido a queda dos padrões e refletiu a fundo sobre que projetos poderia criar para alocar as pessoas certas nas funções certas. Ao selecionar novos Indivíduos Responsáveis para o serviço de análises, ele escolheu um dos nossos principais pensadores de investimentos, que também tinha padrões altíssimos (e era bem franco ao perceber uma queda neles) e o colocou para trabalhar em dupla com um dos nossos gerentes mais experientes, que sabia como construir os fluxos de processo certos e garantir que tudo ocorresse exatamente conforme o planejado.

Mas isso não foi tudo. Ao se criar um projeto, é importante reservar um tempo para refletir e ter certeza de que você está olhando para o problema a partir do ponto mais elevado. David sabia que seria um erro olhar apenas para essa parte específica do departamento, porque a mesma queda de qualidade que acontecera ali provavelmente se repetiria em outros pontos. Ele precisou pensar de maneira criativa para montar um projeto cujo objetivo era construir uma cultura duradoura e disseminada de excelência em todo o departamento. Isso levou à invenção do "Dia da Qualidade", encontros semestrais nos quais os integrantes do Departamento de Atendimento ao Cliente avaliavam memorandos e apresentações simulados dos colegas e davam feedback direto sobre o que era bom ou não. Mais importante, as reuniões eram uma chance de se distanciar e avaliar se o controle de qualidade estava funcionando conforme o esperado — ao juntar vários pensadores independentes rigorosos prontos para oferecer críticas e realinhar o processo.

Obviamente houve muito mais detalhes em todos os planos de David para transformar o departamento. Entretanto, o relevante é que todos eles surgiram a partir de uma visualização de nível superior do que era necessário. Somente quando se tem um esboço desses é possível começar a preenchê-lo com as especificidades. Essas especificidades serão tarefa sua; coloque-as no papel para não esquecê-las.

Embora os melhores projetos sejam criados a partir de uma rica compreensão dos verdadeiros problemas, quando se está começando algo, em geral é necessário projetar com base em problemas previstos. Por isso é tão útil ter modos sistemáticos de monitorar questões (o Registro de Ocorrências) e de como as pessoas são (o Coletor de Pontos): em vez de simplesmente confiar nos seus melhores palpites sobre o que pode dar errado, dá para você olhar os dados do seu histórico e das demais pessoas e começar a projetar tendo certo embasamento em vez de partir do zero.

Os projetistas mais talentosos que conheço conseguem visualizar ao longo do tempo, passando por diferentes grupos de profissionais, de equipes pequenas até organizações inteiras, antecipando com precisão os tipos de resultado que produzirão. Eles se sobressaem no projeto e na sistematização. Daí vem o princípio geral deste capítulo: projete e sistematize a sua máquina. A criatividade também é algo valioso, assim como o caráter, porque os problemas mais importantes que exigem um projeto costumam ser os mais difíceis e é preciso lidar com eles com criatividade e estar disposto a tomar decisões duras (sobretudo quando se trata de pessoas e de quem deveria fazer o quê).

Os princípios a seguir mergulham nos projetos e em como fazê-los bem.

13.1 Desenvolva a sua máquina.

Se focar em cada tarefa ou caso à mão, você acabará empacado, lidando com eles um a um. Em vez disso, construa uma máquina observando o que você está fazendo e por que, extrapolando os princípios relevantes dos casos em questão e sistematizando o processo. Em geral, o tempo usado para se construir uma máquina é o dobro do que se gasta para resolver o caso à mão, porém fazer isso vale a pena porque o aprendizado e a eficiência aumentam no futuro.

13.2 Sistematize os seus princípios e a maneira como serão implementados.

Quando se é norteado por bons princípios e valores ao tomar as decisões do dia a dia, mas não se consegue assegurar que sejam aplicados de maneira regular e sistemática, eles não servem para muita coisa. É fundamental transformá-los em hábitos e ajudar os outros a fazer o mesmo. As ferramentas e a cultura da Bridgewater são projetadas para fazer exatamente isso.

a. Crie máquinas excelentes para a tomada de decisões pensando a fundo sobre os critérios que usa no momento em que as está tomando. Sempre que tomo uma decisão de investimento, me observo nesse processo e reflito sobre os critérios que utilizei. Pergunto-me como lidaria com mais uma dessas situações e coloco no papel meus princípios para agir dessa maneira. Depois os transformo em algoritmos. Agora estou adotando o mesmo procedimento ao administrar e adquiri o hábito de fazer isso sempre que tenho que tomar uma decisão.

Algoritmos são princípios em ação em uma base contínua. Acredito que um processo decisório sistematizado e baseado em evidências irá melhorar radicalmente a qualidade da administração. Gerentes humanos processam informação de forma espontânea empregando critérios pouco racionais e são afetados por seus vieses emocionais, o que muitas vezes gera pouca produtividade. Tudo isso leva a decisões inferiores. Imagine como seria ter um processador de dados de alta qualidade utilizando princípios/critérios de alta qualidade em uma tomada de decisão. Da mesma forma que o GPS do seu carro, essa ferramenta teria um valor inestimável, independentemente de você seguir ou não todas as sugestões. Creio que sistemas assim serão essenciais no futuro e, enquanto escrevo estas palavras, estou a uma curta distância de disponibilizar um protótipo on-line.

13.3 Lembre-se de que um bom plano deve ser parecido com um roteiro de cinema.

Quanto mais vividamente você puder visualizar o desenrolar do cenário que criou, maiores serão as chances de que tudo ocorra conforme o planejado. Visualize quem fará o quê, quando e o resultado que produzirá. Esse é o mapa mental da sua máquina. Reconheça que algumas pessoas são melhores ou piores em visualizar. Avalie com precisão as suas próprias capacidades e as dos demais, assim poderá alocar os indivíduos mais capazes para criar os seus planos.

a. Coloque-se por um instante no lugar de quem está enfrentando o problema: isso lhe dará uma compreensão mais rica da situação para a qual você está projetando. De maneira literal ou indireta (por meio de relatórios, descrições de funções etc.), coloque-se temporariamente dentro do fluxo de trabalho da área que está analisando a fim de obter um melhor entendimento de com que está lidando. Ao projetar, você será capaz de aplicar o que aprendeu e, como resultado, de revisar a máquina de forma adequada.

b. Visualize máquinas alternativas e seus resultados e, então, escolha. Um bom projetista é capaz de visualizar a máquina e seus resultados em várias iterações. Primeiro, ele imagina como Harry, Larry e Sally podem operar de várias maneiras com várias ferramentas e diferentes incentivos e penalidades; depois, ele troca Harry por George, e assim por diante, avaliando em detalhes como os produtos, as pessoas e as finanças reagiriam mês a mês (ou trimestre a trimestre) em cada cenário. Somente depois de feito isso ele escolhe.

c. Considere também as consequências de segunda e terceira ordens. O resultado que você obtém como consequência imediata pode ser desejável, enquanto as de segunda e terceira podem ser o oposto. Por isso, focar exclusivamente nas consequências imediatas — o que se tende a fazer — pode levar a um mau processo decisório. Por exemplo, se você me perguntasse se eu prefiro não ter dias de chuva, provavelmente eu diria que sim se não levasse em conta as consequências de segunda e terceira ordens.

d. Recorra a reuniões contínuas para ajudar sua organização a funcionar como um relógio suíço. Reuniões regulares aumentam a eficiência geral porque garantem que interações importantes e listas de tarefas não sejam negligenciadas, eliminando assim a necessidade de coordenação ineficiente e melhorando as operações (já que a repetição leva ao refinamento). Vale a pena ter um padrão preestabelecido de reuniões e repetir as mesmas perguntas de feedback (por exemplo, sobre quão produtivo o encontro foi) e reuniões não padronizadas que versem sobre coisas feitas com menos frequência (como análises trimestrais de orçamento).

e. Lembre-se de que uma boa máquina leva em conta o fato de que os seres humanos são imperfeitos. Projete de modo a produzir bons resultados mesmo quando as pessoas cometem erros.

13.4 Reconheça que projetar é um processo iterativo. Entre um "agora" ruim e um "depois" bom há um período de "estamos trabalhando nisso".

Durante o período de "estamos trabalhando nisso", você testa diferentes processos e pessoas, observando o que dá certo ou não, aprendendo com as iterações e avançando rumo ao projeto sistemático ideal. Mesmo se tendo em mente um bom retrato de projeto futuro, obviamente serão necessários alguns erros e aprendizado para se chegar a um bom estado de "depois".

As pessoas costumam reclamar desse tipo de processo iterativo, porque em geral se sentem mais felizes sem nada do que com algo imperfeito, apesar de ser mais lógico optar pela coisa imperfeita. Esse tipo de pensamento não faz sentido, então não permita que ele o distraia.

a. Entenda o poder da "tempestade que limpa". Na natureza, tempestades são eventos grandiosos, pouco frequentes e que eliminam todos os excessos acumulados durante os tempos bons. As florestas precisam dessas tempestades para serem saudáveis — sem elas, haveria mais árvores fracas e um acúmulo de vegetação que sufocaria o crescimento. O mesmo vale para companhias. Tempos ruins forçam cortes de modo que apenas os funcionários (ou empresas) mais fortes e essenciais sobrevivam. Eles são inevitáveis e podem ser ótimos mesmo que na hora pareçam terríveis.

13.5 Construa a organização em torno de objetivos, não de tarefas.

Dar a cada departamento um foco claro e os recursos apropriados para atingir seus objetivos simplifica o diagnóstico de alocação de recursos e reduz a degeneração de função. Na Bridgewater, por exemplo, temos um Departamento de Vendas (objetivo: vender) que é separado do Departamento de Atendimento ao Cliente (objetivo: servir ao cliente), apesar de fazerem tarefas semelhantes e de haver vantagens em colocar os dois trabalhando juntos. Contudo, vender e servir ao cliente são objetivos distintos; se fossem fundidos, o chefe do departamento, vendedores, consultores de clientes, analistas e outros profissionais iriam dar e receber feedbacks conflitantes. Se fosse questionado por que os clientes estavam recebendo pouca atenção, a resposta poderia ser: "Recebemos incentivos para aumentar as vendas." Se fosse questionado por que não estava havendo mais vendas, o departamento fundido poderia argumentar que precisava cuidar dos clientes.

a. Construa sua organização de cima para baixo. Uma organização é o oposto de um prédio: sua fundação está no topo; por isso certifique-se de contratar os gerentes antes de contratar seus subordinados. Gerentes podem ajudar no projeto da máquina e na escolha de profissionais que o complementam. Aqueles que supervisionam os departamentos precisam ser capazes de pensar estrategicamente e também de administrar o dia a dia. Se não anteciparem as coisas, gerenciarão o dia a dia à beira do precipício.

b. Lembre-se de que todos precisam ser supervisionados por alguém crível e com padrões elevados. Sem forte supervisão, é possível que o controle de qualidade, o treinamento e a apreciação de trabalho excelente não sejam feitos de forma adequada. Jamais se limite a confiar que as pessoas farão bem seus trabalhos.

c. Garanta que os ocupantes do topo de cada pirâmide tenham as habilidades e o foco necessários para gerenciar seus subordinados diretos e um profundo conhecimento de suas funções. Alguns anos atrás, alguém na Bridgewater propôs que o grupo de instalações (os funcionários que cuidam do prédio, do terreno, da alimentação, dos suprimentos etc.) deveria passar a se reportar ao chefe de tecnologia por causa da sobreposição das duas áreas (computadores também fazem parte das instalações, usam eletricidade etc.). No entanto, ter os funcionários responsáveis pelos serviços de zeladoria e alimentação se reportando a um gerente de tecnologia seria tão inapropriado quanto ter os profissionais de tecnologia se reportando ao encarregado das instalações. Essas funções, ainda que sejam todas "instalações" no sentido mais amplo, são muito distintas, bem como os respectivos conjuntos de habilidades que demandam. De maneira similar, em outra oportunidade, conversamos sobre pôr o pessoal que trabalha em acordos com clientes sob o mesmo gerente que comanda os encarregados de acordos com contrapartes. Todavia, isso teria sido um erro, já que as habilidades exigidas são muito diferentes nesses casos. Seria um equívoco misturar os dois departamentos sob um título geral de "acordos", porque cada um exige conhecimento e habilidades específicos.

d. Ao projetar sua organização, lembre-se de que o Processo de Cinco Etapas é o caminho para o sucesso e que pessoas diferentes são boas em etapas diferentes. Designe profissionais para cumprir cada etapa com base em suas inclinações naturais.

Por exemplo, o visionário de quadro geral deve ficar responsável pela determinação das metas, o avaliador de qualidade deve receber a função de identificar e não tolerar problemas, o detetive lógico que não se incomoda de investigar pessoas deve ser o diagnosticador, o projetista criativo deve elaborar o plano para implementar melhoras enquanto o intendente confiável deve se responsabilizar por executar o plano. É claro que algumas pessoas podem fazer mais de uma coisa ao mesmo tempo — em geral, elas fazem bem duas ou três, mas ninguém consegue fazer todas bem. Uma equipe deve ser formada por indivíduos com todas essas capacidades, em que cada um saiba quem é responsável por cada etapa.

e. Não construa a organização de modo a encaixar as pessoas. Com frequência os gerentes consideram as pessoas que trabalham na sua organização um fato dado e tentam fazer a organização funcionar bem com elas. Não deve ser assim. Em vez disso, eles deveriam imaginar a melhor organização possível e, então, garantir que as pessoas certas fossem escolhidas. As funções devem ser criadas tendo por base o trabalho que precisa ser realizado, não o que os indivíduos desejam ou quem está disponível. Você sempre pode procurar fora da companhia os profissionais que se encaixam melhor em determinada função. Primeiro, monte o melhor projeto de fluxo de trabalho, depois esboce um gráfico organizacional, visualize como as partes interagem e especifique quais qualidades são exigidas para cada função. Somente depois de tudo isso é que se deve escolher os indivíduos para preencher as vagas.

f. Tenha em mente a escala. Seus objetivos devem ser do tamanho certo para justificar os recursos que você aloca. Uma organização pode não ser grande o suficiente para justificar a existência de grupos de vendas e de análise, por exemplo. A Bridgewater evoluiu com sucesso de uma organização de uma célula, na qual a maioria estava envolvida em tudo, para uma organização multicelular porque mantivemos a capacidade de focar de maneira eficiente enquanto crescíamos.

Não há problema em compartilhar e alternar recursos temporariamente e isso não é a mesma coisa que uma fusão de responsabilidades. Em contrapartida, a eficiência de uma organização diminui à medida que se aumenta o número de integrantes e/ou sua complexidade. Por isso, mantenha as coisas com o máximo de simplicidade. Quanto maior for a organização, mais importantes são o gerenciamento da tecnologia da informação e a comunicação interdepartamental.

g. Organize os departamentos e os subdepartamentos em torno dos agrupamentos mais lógicos de acordo com a "força gravitacional". Alguns grupos gravitam naturalmente na direção de outros. Essa força gravitacional pode ser baseada em metas comuns, capacidades e habilidades compartilhadas, fluxo de trabalho, localização física e daí por diante. Impor sua própria estrutura sem reconhecer essas atrações provavelmente gerará ineficiência.

h. Dê o máximo de autonomia possível aos departamentos para que tenham controle sobre os recursos necessários para atingir suas metas. Fazemos isso porque não queremos criar uma burocracia que os obrigue a requisitar recursos a um grupo que não tem o foco para realizar esse trabalho.

i. Estabeleça a proporção correta de gerentes seniores para gerentes juniores e de gerentes juniores para seus subordinados a fim de manter uma comunicação de qualidade e entendimento mútuo. De modo geral, a proporção não deve ser maior que 1:10 e preferencialmente ela fica mais em torno de 1:5. É claro que a medida adequada varia de acordo com o número de funcionários que se reportam aos seus subordinados diretos, da complexidade do trabalho e da capacidade do gerente de lidar com vários indivíduos ou projetos ao mesmo tempo. O número de camadas de cima para baixo e a proporção entre gerentes e subordinados diretos é o que limita o tamanho de uma organização eficiente.

j. Avalie a sucessão e o treinamento no seu projeto. Esse é um tema no qual eu gostaria de ter pensado muito mais cedo na minha carreira.

Para garantir que sua organização continue a produzir resultados, é preciso construir uma máquina de moto-perpétuo capaz de funcionar bem sem você. Isso envolve mais do que as mecânicas da sua própria "saída", incluindo a seleção, o treinamento e a governança dos novos líderes que "sobem" e, mais importante, a preservação da cultura e de seus valores.

A melhor abordagem que vi é a adotada por empresas e organizações como GE, 3G e o Politburo chinês, que constroem uma "rota sucessória" em forma de pirâmide, na qual a geração seguinte de líderes é exposta ao pensamento e processo decisório dos líderes do momento, de forma que possam aprender e ser testados ao mesmo tempo.

k. Não se limite apenas ao seu trabalho; preste atenção em como ele será feito depois que você sair. Escrevi em páginas anteriores sobre o risco do homem-chave, que se aplica sobretudo àqueles com as maiores áreas de responsabilidade, em especial o diretor de uma organização. Se esse é o seu caso, preocupe-se em designar os profissionais que possam sucedê-lo e fazer com que realizem seu trabalho por um tempo a fim de serem analisados e testados. Esses resultados devem ficar registrados em um manual ao qual as pessoas apropriadas possam recorrer se você for atropelado por um ônibus. Se todas as pessoas-chave na organização fizerem isso, você terá um "time reserva" forte, ou pelo menos um claro entendimento das vulnerabilidades e um plano para lidar com elas. Lembre-se de que um gerente ninja é alguém que pode se afastar e ficar apenas apreciando a beleza em ação — ou seja, um maestro. Se você está permanentemente tentando contratar alguém que seja tão bom ou melhor que você na sua função, ganhará tempo para fazer outras coisas e construir a sua rota sucessória.

Além disso, visualizar a sua substituição é uma experiência iluminadora e produtiva. Além de realizar uma avaliação do que você está fazendo e montar uma lista com nomes bons e ruins, você passará a pensar em como colocar os melhores integrantes da sua equipe em vagas que ainda não existem. Por saber que terá que testá-los deixando-os fazer o seu trabalho sem interferência, você se sentirá motivado a treiná-los adequadamente. E, é claro, os testes de estresse irão ensiná-lo a se adaptar, o que levará a melhores resultados.

l. **Recorra à "dupla realização", em vez de à "dupla checagem", para garantir que tarefas críticas para a missão sejam feitas corretamente.** A dupla checagem tem uma taxa de erros muito maior do que a dupla realização, que consiste em pôr duas pessoas para fazer a mesma tarefa, de forma que produzam duas respostas independentes. Isso não apenas garante que haja respostas melhores, como permite que se esclareça diferenças nos desempenhos e capacidades de cada um. Recorro à dupla realização em áreas críticas como finanças, em que vastas somas de dinheiro estão em risco.

Como uma auditoria é tão eficiente quanto o conhecimento do auditor, lembre-se de que uma boa dupla checagem só pode ser feita por alguém capaz de fazer uma dupla realização. Se o encarregado da dupla checagem do trabalho não for capaz de fazer o serviço ele mesmo, como pode avaliá-lo?

m. **Recorra a consultorias com sabedoria e fique atento para não se viciar nelas.** Às vezes, contratar uma consultoria externa é a melhor opção para o seu projeto. Ela pode fornecer a quantidade exata de conhecimento especializado necessário para dar conta de um problema. Ao terceirizar o trabalho, você não precisa se preocupar com o gerenciamento — o que é uma vantagem clara. Se uma vaga não é de tempo integral e exige conhecimento altamente especializado, prefiro que fique a cargo de consultorias ou gente de fora.

Ao mesmo tempo, fique atento ao uso crônico de consultorias fazendo aquilo que deveria ficar a cargo de funcionários. No longo prazo, isso sairá caro e vai erodir a sua cultura. Certifique-se também de ter cuidado para não pedir a consultores que façam coisas que não costumam fazer. Quase certamente eles vão retroceder, fazendo as coisas da maneira usual; seus próprios empregadores exigirão isso.

Ao avaliar a conveniência de usar consultorias, considere os seguintes fatores:

1. **Controle de qualidade.** Quando alguém que trabalha para você faz parte do quadro da empresa, você é responsável pela qualidade do trabalho dele. Mas, quando a pessoa é funcionária de terceiros, você passa a operar de acordo com os padrões deles — por isso é importante saber se os padrões deles são tão ou mais elevados do que os seus.

2. **Economia.** Se é necessário ter alguém em tempo integral, é quase certo que valerá mais a pena em termos de custos abrir uma vaga. As taxas diárias de consultorias atingem um valor consideravelmente mais alto do que o custo anual de um funcionário em tempo integral.
3. **Institucionalização do conhecimento.** Alguém que fica dentro do seu ambiente de forma contínua vai receber um conhecimento e desenvolver uma apreciação da sua cultura que ninguém de fora terá.
4. **Segurança.** Ter gente de fora fazendo o trabalho aumenta substancialmente os riscos de segurança, sobretudo se você não pode vê-los trabalhando (nem monitorar se estão seguindo as precauções adequadas, como não deixar documentos sensíveis largados na mesa).

Avalie se é melhor terceirizar ou desenvolver capacidades internamente. Apesar de serem bons para uma solução rápida, funcionários temporários e consultores não vão aumentar as capacidades da sua organização no longo prazo.

13.6 Crie um organograma que se pareça com uma pirâmide, com linhas retas descendentes que não se cruzam.

A organização inteira deve se parecer com uma série de pirâmides descendentes, mas o número de camadas deve ser limitado a fim de minimizar a hierarquia.

a. Ao identificar problemas entre departamentos ou intradepartamentos, envolva a pessoa que está no topo da pirâmide. Imagine um gráfico organizacional como uma pirâmide formada por várias pirâmides.

Quando os problemas envolvem indivíduos que não fazem parte do mesmo setor da pirâmide, em geral é desejável recorrer a quem está no topo e que, portanto, tem a perspectiva e o conhecimento para avaliar os prós e contras da situação e tomar decisões informadas.

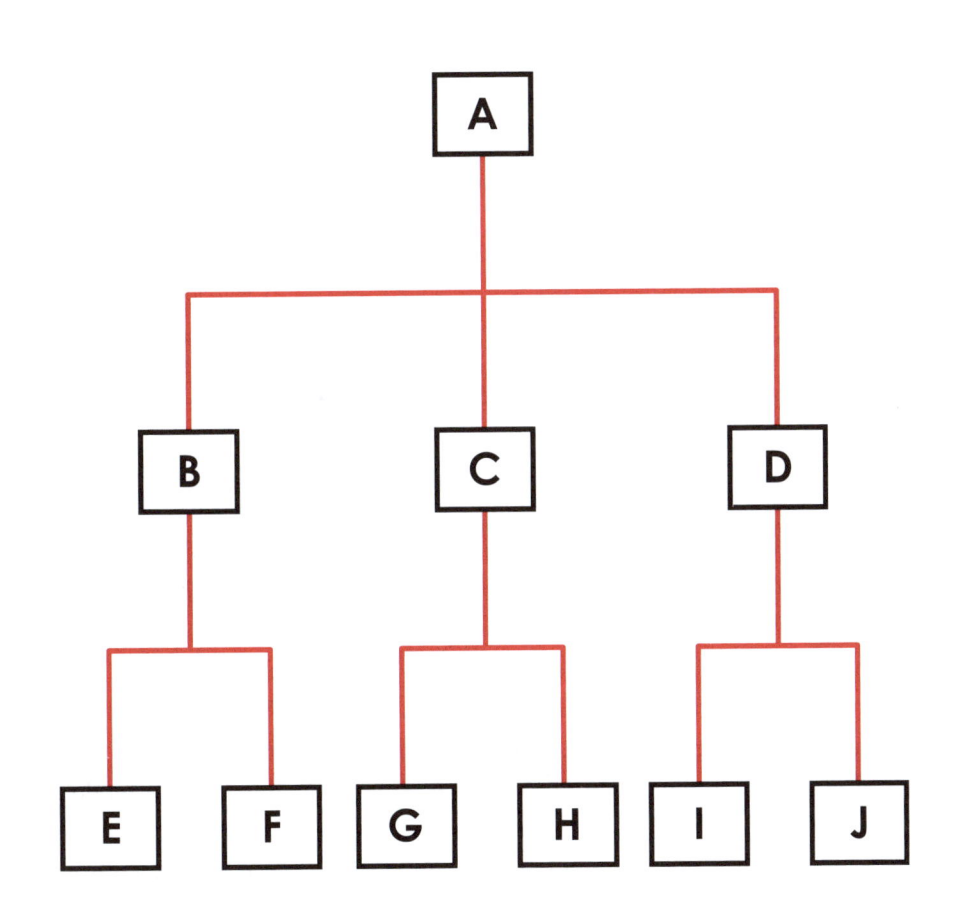

b. Não faça trabalhos para integrantes de outro departamento nem use funcionários de outro departamento para fazer algo para você sem antes conversar com o responsável pela supervisão do outro departamento. Se houver uma disputa a esse respeito, ela precisa ser resolvida no topo da pirâmide.

c. Fique atento à "degeneração de departamento". Isso ocorre quando um departamento de apoio confunde dar apoio com a autorização para determinar como a coisa à qual dá suporte deveria ser feita. Um exemplo desse tipo de erro seria se o grupo de instalações achasse que deveria determinar o tipo de instalações que deveríamos ter. Embora os departamentos de apoio devam conhecer os objetivos daqueles a quem servem e dar feedback sobre possíveis alternativas, não são eles que determinam a visão.

13.7 Crie proteções onde for necessário — e lembre-se de que o melhor é não ter proteções.

Mesmo quando achar pessoas que são encaixes ótimos ao seu projeto, haverá ocasiões em que você vai querer erguer proteções ao redor delas. Ninguém é perfeito, todos têm pontos fortes e fracos e, por mais que procure, você nem sempre encontrará em um profissional tudo o que busca. Por isso, analise sua máquina e as pessoas que escolhe para cada função e pondere a possibilidade de agregar ao projeto pessoas ou processos a fim de garantir excelência.

Lembre-se: o objetivo das proteções é ajudar indivíduos que de modo geral conseguem fazer bem seu trabalho — a intenção é auxiliar gente boa a ter um desempenho melhor; não ajudar quem está falhando a atingir o nível mínimo. Se você está tentando proteger alguém que não tem as capacidades básicas para desempenhar a função, é melhor demiti-lo e procurar quem se encaixe melhor.

Uma boa proteção geralmente é um integrante da equipe cujas forças compensam as fraquezas do protegido. Uma boa relação de proteção deve ser firme sem ser rígida ao extremo. Idealmente, deve funcionar como duas pessoas dançando — elas estão se empurrando, mas com muitas trocas. É claro que ter alguém em uma função que precisa de proteções não é tão bom quanto ter alguém que vai naturalmente fazer as coisas certas. É isso que você deve buscar.

a. Não espere que as pessoas reconheçam os próprios pontos cegos e façam compensações. Constantemente vejo gente formar opiniões erradas e tomar decisões ruins apesar de já terem cometido o mesmo tipo de erro antes — apesar de saberem que fazer isso não tem lógica e é prejudicial. Eu costumava achar que as pessoas evitariam cair em ciladas como essa quando tivessem consciência dos próprios pontos cegos, mas geralmente não é assim que acontece. É muito raro ver alguém se recusar a dar uma opinião por ser incapaz de formar um bom julgamento em determinada área. Não aposte que as pessoas vão se salvar; seja proativo e erga proteções para elas ou, ainda melhor, coloque-as em funções em que seja impossível tomarem o tipo de decisão que não deveriam tomar.

b. Considere o projeto do tipo "trevo". Nas situações em que for incapaz de identificar um Indivíduo Responsável excelente para determinada função (o que sempre é o melhor), arranje duas ou três pessoas críveis que se preocupem de verdade em produzir resultados excelentes e que estejam dispostas a discutir entre si e, se necessário, levar seus desacordos a um nível acima na hierarquia. Depois monte um projeto no qual elas possam servir de peso e contrapeso umas às outras. Embora não seja ótimo, um sistema desses tem alta probabilidade de filtrar bem as questões que você precisa examinar e resolver.

13.8 Mantenha sua visão estratégica inalterada e faça as mudanças táticas apropriadas à medida que as circunstâncias se alterarem.

Os valores e objetivos estratégicos da Bridgewater têm sido os mesmos desde o início (produzir resultados excelentes e trabalho e relações relevantes por meio da sinceridade e da transparência radicais), porém suas pessoas, sistemas e ferramentas mudaram ao longo de mais de quarenta anos à medida que crescemos de uma empresa de um homem só para uma organização de 1.500 indivíduos. Tudo isso continua a mudar conforme as novas gerações assumem o lugar das anteriores, mas os valores e os objetivos seguem inalterados. Isso pode acontecer com organizações de modo muito semelhante ao que ocorre em famílias e comunidades. Para estimular isso é desejável reforçar as tradições e motivos para elas, bem como assegurar que os valores e os objetivos estratégicos sejam incutidos nos sucessivos líderes e na população como um todo.

a. Não coloque o que é urgente na frente do que é estratégico. Com frequência, as pessoas me dizem que não podem lidar com os problemas estratégicos de longo prazo porque têm muitas questões urgentes a resolver de imediato. Só que buscar soluções provisórias enquanto se empurra a situação com a barriga é uma "trilha para o matadouro". Os gerentes eficazes prestam atenção tanto nos problemas iminentes quanto naqueles que ainda não estão no horizonte. Eles são constantemente atraídos para a trilha estratégica porque se preocupam com a possibilidade de não concretizarem o objetivo final e estão determinados a seguir com o processo de descoberta até atingi-lo. Embora possam não ter a resposta na hora e não serem capazes de consegui-la sozinhos, por meio de uma combinação de criatividade e caráter acabam cumprindo todos os ciclos ascendentes necessários.

b. Pense tanto no quadro geral quanto nos detalhes mais específicos e entenda as conexões entre eles. Evite focar nos detalhes: determine o que é importante e o que não é em cada nível. Por exemplo, imagine que você esteja projetando uma casa. Primeiro comece com o quadro geral: a casa será erguida em um terreno e você tem que pensar bem sobre de onde virá a água, como será feita a ligação à rede elétrica etc. Depois precisa decidir quantos cômodos terá, onde ficarão as portas, onde será necessário colocar janelas, e daí por diante. Ao elaborar o projeto, você precisa pensar em todas essas coisas e conectá-las, mas isso não significa que tenha que ir à loja comprar as dobradiças. Você só tem que saber que vai precisar de uma porta com dobradiças e como ela vai se encaixar dentro do quadro geral da casa.

13.9 Tenha bons controles, de forma a não ficar exposto à desonestidade dos outros.

Não presuma que as pessoas estão agindo de acordo com os seus interesses — em geral elas agem segundo os próprios. A porcentagem da população que vai trapacear se tiver a oportunidade é maior do que você imagina. Diante da alternativa de escolher entre ser justo ou garantir uma fatia maior do bolo, a maioria ficará com a segunda opção. Portanto, considere intoleráveis até as menores trapaças e saiba que sua felicidade e o seu sucesso dependerão dos seus controles. Eu várias vezes aprendi essa lição do jeito mais difícil.

a. Investigue e deixe que as pessoas saibam que vai investigar. Deixe isso claro para que não haja surpresas. As pessoas não devem levar os controles de segurança para o lado pessoal, do mesmo modo que um caixa não deve encarar a contagem do dinheiro pelo banco (em vez de simplesmente aceitar a soma do caixa) como um sinal de que a empresa o considera desonesto. Explique esse conceito aos seus funcionários para que eles entendam isso.

No entanto, saiba que até os melhores controles nunca serão à prova de falhas. Por essa razão (entre muitas outras), a confiabilidade é uma qualidade que deve ser valorizada.

b. Lembre-se de que não faz sentido haver leis sem ter policiais (auditores). Os encarregados da auditoria devem prestar contas a pessoas de fora do departamento auditado, e os procedimentos de auditoria não devem ser revelados a quem está sendo checado. (Essa é uma das nossas poucas exceções à transparência radical.)

c. Fique alerta contra a aprovação automática. Quando a função de alguém pressupõe a análise ou a auditoria de um alto volume de transações ou coisas que outros estão fazendo, há um risco real de que haja aprovações automáticas — em que itens são aprovados sem ter havido uma análise de fato. Um exemplo particularmente arriscado são as aprovações de gastos. Certifique-se de auditar seus auditores.

d. Tenha em mente que pessoas que fazem compras em seu nome provavelmente não gastarão seu dinheiro com sabedoria. Porque: 1) o dinheiro não é delas; e 2) é difícil saber qual deveria ser o preço certo. Por exemplo, quando alguém propõe o valor de 125 mil dólares por um projeto de consultoria, é desagradável, difícil e confuso determinar qual é a taxa de mercado para se negociar um preço melhor. Mas a mesma pessoa que reluta em negociar com a consultoria vai barganhar fervorosamente na hora de contratar alguém para pintar a própria casa. Você precisa ter controles apropriados ou, melhor ainda, uma parte da organização especializada nesse tipo de processo. Existe o varejo e existe o atacado, e o preço ideal a ser pago é sempre o do segundo.

e. Use punições públicas para coibir o mau comportamento. Por mais cuidado que você tenha ao projetar seus controles e por mais rigor que tenha ao aplicá-los, indivíduos mal-intencionados e negligentes às vezes encontrarão brechas. Ao pegar alguém violando suas regras e controles, garanta que todo mundo veja as consequências.

13.10 As cadeias de comando e a atribuição de responsabilidades devem ser delineadas com a maior clareza possível.

Isso se aplica tanto intra quanto inter departamentos. Reportar-se a duas pessoas causa confusão, complica a priorização, diminui o foco em metas claras e embaralha as linhas de supervisão e de prestação de contas — sobretudo quando os supervisores estão em departamentos diferentes. Quando situações exigem que um funcionário se reporte a duas pessoas, os gerentes precisam ser informados. Pedir a alguém de outro departamento para que faça algo sem consultar seu gerente é rigidamente proibido (a menos que o pedido tome menos de uma hora). No entanto, a nomeação de dois chefes de departamento ou de subdepartamento pode funcionar bem se os gerentes estiverem em sincronia e combinarem forças complementares e essenciais; com coordenação adequada, se reportar a duas pessoas pode funcionar bem nesse caso.

a. Delegue responsabilidades com base no projeto de fluxo de trabalho e nas capacidades dos indivíduos, não com base em títulos de cargos. Só porque alguém é responsável por "Recursos Humanos", "Recrutamento", "Jurídico", "Programação" etc., não significa necessariamente que seja a pessoa apropriada para fazer tudo associado a tais funções. Por exemplo, embora o pessoal do Recursos Humanos ajude com contratação, demissão e pagamento de benefícios, seria um erro atribuir a esse departamento a responsabilidade de determinar quem é contratado e demitido e quais benefícios serão concedidos aos funcionários.

b. Pense constantemente em como gerar alavancagem. A alavancagem em uma organização não é diferente da alavancagem nos mercados; você quer obter mais por menos. Na Bridgewater, eu costumo trabalhar com uma alavancagem de 50:1, no sentido de que, para cada hora que passo com alguém que trabalha para mim, esse profissional passa cerca de cinquenta horas trabalhando para fazer o projeto avançar. Em nossas sessões, examinamos a visão e os produtos, depois ele trabalha em cima do acordado, nós revisamos o trabalho e em seguida ele prossegue tendo por base o meu feedback — o processo é repetido várias vezes. Aqueles que trabalham para mim normalmente têm relações semelhantes com seus subordinados, embora suas taxas costumem ficar entre 10:1 e 20:1. Sempre estou ávido por encontrar pessoas que consigam fazer as coisas quase tão bem quanto (e idealmente melhor do que) eu, a fim de maximizar minha produção por hora.

A tecnologia é outra grande ferramenta para se gerar alavancagem. Para facilitar o máximo possível a alavancagem do treinamento, documente as perguntas e respostas mais comuns por meio de áudio, vídeo ou diretrizes por escrito e depois designe alguém para organizá-las e incorporá-las a um manual, que deve ser atualizado regularmente.

Os próprios princípios são uma forma de alavancagem — eles são uma maneira de aprimorar sua compreensão das situações, de modo que não precise dispender o mesmo esforço cada vez que deparar com um problema.

c. Tenha em mente que é melhor descobrir poucas pessoas inteligentes e oferecer a elas a melhor tecnologia do que ter um número maior de gente comum e menos bem equipada. Pessoas excelentes e tecnologia excelente aumentam a produtividade. Reúna esses dois itens em uma máquina bem projetada e eles a melhorarão de forma exponencial.

d. Utilize alavancadores. Alavancadores são indivíduos que conseguem colocar as teorias em prática e fazem o máximo para implementar seus conceitos. Conceituação e gerenciamento consomem apenas cerca de 10% do tempo necessário para a implantação. Por isso, ao contar com bons alavancadores, você pode dedicar muito mais do seu tempo àquilo que lhe é mais importante.

13.11 Lembre-se de que quase tudo vai consumir mais tempo e dinheiro do que o esperado.

Nada sai de acordo com o planejado porque ninguém se planeja para as coisas que dão errado. Eu sempre parto do princípio de que as coisas vão demorar e custar uma vez e meia a mais do que o estipulado porque foi isso que vi por experiência própria. Suas expectativas serão determinadas pela capacidade de gerenciamento da sua equipe e da sua.

14 Faça o que você se propôs a fazer

A organização, assim como o indivíduo, tem que avançar com determinação até o sucesso — essa é a etapa cinco do Processo de Cinco Etapas.

Recentemente, ao fazer a limpeza de uma pilha enorme de coisas dos anos 1980 e 1990 relacionadas ao trabalho, encontrei caixas e mais caixas cheias de pesquisas. Havia milhares de páginas, a maioria coberta com meus garranchos, e me dei conta de que representavam apenas uma fração do esforço que empreguei. Na festa de comemoração do nosso aniversário de quarenta anos, recebi cópias das quase dez mil *Observações diárias* da Bridgewater que publicamos. Cada uma delas expressa nossos pensamentos profundos e pesquisas sobre mercados e economias. Também deparei com o manuscrito de um livro de oitocentas páginas que escrevi, mas que depois fiquei tão ocupado que não publiquei, e incontáveis outros memorandos e cartas a clientes, relatórios de pesquisas e versões do livro que você agora lê. Por que fiz tudo isso? Por que as pessoas trabalham tanto para conquistar seus objetivos?

Pelo que sei, fazemos isso por diferentes razões. Para mim, o principal motivo é que, por ser capaz de visualizar com tamanha nitidez os resultados de avançar com determinação, eu sinto a empolgação do sucesso ainda quando estou lutando para chegar lá. De modo similar, consigo visualizar os resultados trágicos da desistência. Também sou motivado por um senso de responsabilidade; é muito difícil para mim deixar na mão as pessoas com as quais me preocupo. Entretanto, isso é apenas o que vale para mim. Outros descrevem sua motivação como o vínculo à comunidade e à sua missão. Alguns o fazem em busca de aprovação e outros, de compensações financeiras. Todas essas são motivações perfeitamente aceitáveis e devem ser usadas e harmonizadas de forma consistente com a cultura.

A maneira como se combina pessoas para fazer isso é crucial. É o que a maioria chama de "liderança". Quais são as coisas mais importantes que um líder precisa fazer para que sua organização chegue aos resultados? Para mim trata-se de recrutar indivíduos que estejam dispostos a fazer o trabalho que o sucesso exige. Embora seja mais glamoroso criar ideias novas e brilhantes, a maior parte do sucesso vem da realização das tarefas comuns e frequentemente desagradáveis, como identificar e lidar com problemas e perseverar por um longo tempo. Esse sem dúvida foi o caso do nosso Departamento de Atendimento ao Cliente. Por meio de incansável trabalho árduo nos anos seguintes ao surgimento do problema original, o departamento se tornou um exemplo para outras equipes na Bridgewater — e as taxas de satisfação dos clientes se mantêm consistentemente elevadas. A grande ironia de tudo isso é que nenhum dos clientes chegou a notar os problemas que identificamos nos memorandos. Entregar um trabalho que não estava à altura dos padrões foi péssimo — e fico contente por isso ter sido corrigido. Todavia, poderia ter sido muito pior, o que mancharia nossa reputação de fornecer excelência total. Quando isso acontece, é muito mais difícil reconquistar a confiança.

14.1 Trabalhe por objetivos que empolguem você e a sua organização...

... e pense em como suas tarefas se relacionam com esses objetivos. Se estiver focado e empolgado para atingir seus objetivos e reconhecer que é preciso realizar algumas tarefas indesejáveis durante o caminho, você tem a perspectiva certa e está motivado. Se não estiver empolgado com o objetivo pelo qual está trabalhando, pare na mesma hora. Pessoalmente, gosto de visualizar coisas estimulantes, novas e maravilhosas que quero tornar realidade. A empolgação de visualizar essas ideias e o desejo de concretizá-las é o que me motiva a superar as espinhosas realidades da vida e, assim, fazer meus sonhos acontecerem.

a. Seja organizado e consistente ao motivar os outros. Administrar grupos para que cheguem aos resultados pode ser feito de maneira emocional ou intelectual: com cenouras ou porretes. Embora cada um de nós tenha os próprios motivos para trabalhar, há desafios e vantagens específicos para se motivar uma comunidade. O principal desafio é a necessidade de coordenar; ou seja, de entrar em sincronia quanto aos motivos para perseguir um objetivo e à melhor maneira de fazer isso. Um exemplo: você não vai querer que um grupo seja motivado e compensado de uma forma muito desigual em relação a outro (por exemplo, um ganha ótimos bônus e o outro, nas mesmas circunstâncias, não), a ponto de tais diferenças causarem problemas. A principal vantagem de se trabalhar em equipe é o fato de ser mais fácil projetar uma que inclua todas as qualidades necessárias para ser bem-sucedido do que buscá-las em um só indivíduo. Assim como nas etapas do Processo de Cinco Etapas, algumas pessoas são ótimas em uma etapa enquanto outras são péssimas. Isso, no entanto, não importa quando todos visualizam claramente os pontos fortes e fracos dos companheiros e o grupo é projetado para lidar com tais realidades.

b. Não aja sem refletir. Tire o tempo que for necessário para montar um plano de jogo. O tempo que você investe para pensar o seu plano em detalhes será praticamente nada em relação ao tempo necessário para concretizá-lo, e fazer isso tornará sua realização muitíssimo mais eficaz.

c. Procure soluções criativas, que criem atalhos. Quando se veem diante de problemas espinhosos ou de uma demanda excessiva, as pessoas costumam achar que precisam trabalhar com mais afinco. Contudo, se algo parece difícil, trabalhoso e frustrante, distancie-se por um tempo e triangule para ver se pode haver um jeito melhor de lidar com a situação. É claro que muitas coisas de fato exigem mais afinco, porém, em geral há soluções melhores que você não está enxergando.

14.2 Reconheça que todos têm muita coisa para fazer.

Descobrir como fazer mais do que acreditamos ser capazes de dar conta é um enigma. Além de trabalhar com mais intensidade e por mais tempo, há três soluções para resolver o problema: 1) ao priorizar e dizer não, ficar com menos coisas para fazer; 2) encontrar as pessoas certas a quem delegar; e 3) melhorar a produtividade.

Algumas pessoas gastam muito tempo e esforço para produzir muito pouco, enquanto outras fazem muita coisa no mesmo espaço de tempo. O que diferencia quem consegue fazer muito de quem não consegue é criatividade, caráter e sabedoria. Quem é mais criativo inventa jeitos de fazer as coisas de modo mais eficiente (por exemplo, arranjando bons profissionais, tecnologias boas e/ou projetos bons). Quem tem mais caráter está mais habilitado a enfrentar desafios e demandas. E quem tem mais sabedoria consegue manter a serenidade, elevando-se para um nível superior e avaliando a si mesmos e seus desafios a fim de priorizar, projetar realisticamente e fazer escolhas ponderadas.

a. Não se sinta frustrado. Se não está acontecendo nada de ruim com você agora, espere um pouco que acontecerá. Simplesmente essa é a realidade. A vida é o que é. Diante disso, o mais importante para mim é descobrir o que fazer a respeito e não perder tempo reclamando do quanto eu gostaria que as coisas fossem diferentes. Winston Churchill acertou na mosca quando declarou que o "sucesso consiste em ir de fracasso em fracasso sem perder o entusiasmo". Você vai acabar gostando desse processo de oscilar entre sucesso e fracasso, pois isso determinará a sua trajetória.

Não faz sentido ficar frustrado quando há tanta coisa que se pode fazer e quando a vida oferece tanto a ser desfrutado. Seu caminho através de qualquer problema está delineado por esses princípios — e por tantos outros que você descobrirá sozinho. Não há nada que você não possa conquistar se pensar com criatividade e tiver o caráter para fazer as coisas difíceis.

14.3 Faça listas.

Ao designar tarefas é desejável que estas sejam registradas em listas. Ter que riscar itens de uma lista servirá de lembrete e também de confirmação do que já foi feito.

a. Não confunda listas de coisas a fazer com responsabilidade pessoal. Deve-se esperar que as pessoas façam seu trabalho bem, e não apenas as tarefas que constam de suas listas.

14.4 Reserve tempo para descanso e renovação.

Se ficar o tempo inteiro *fazendo* coisas, você terá um *burn out* e não conseguirá trabalhar bem. Abra um espaço na agenda para descansar, da mesma forma que arranjaria tempo para todas as outras coisas que precisam ser feitas.

14.5 Solte rojão.

Quando você e a sua equipe tiverem persistido com sucesso até alcançar as metas, comemore!

15 Utilize ferramentas e protocolos para formatar a execução do trabalho

Somente palavras não bastam.

Isso é algo que aprendi observando pessoas se esforçando para fazer coisas que são do seu interesse. Após compartilhar esses princípios com os integrantes da Bridgewater e refiná-los, praticamente todo mundo percebeu a conexão entre eles e nossos excelentes resultados e quis agir de acordo com eles. Mas há uma grande diferença entre *querer* fazer algo e de fato ser capaz de fazê-lo. Presumir que as pessoas conseguirão realizar aquilo que desejam no plano intelectual é o mesmo que presumir que vão emagrecer simplesmente porque sabem dos benefícios de perder peso. Isso só será possível depois que os hábitos adequados forem desenvolvidos. Em organizações, isso ocorre com a ajuda de ferramentas e protocolos.

Pare um minuto para pensar em como isso se aplica à leitura desta obra, ou à leitura de livros em geral. Com que frequência você já leu um texto que descrevia uma mudança que queria implementar na sua vida, mas depois não conseguiu incorporar? Quanta mudança comportamental você acha que resultará da leitura deste livro se você não tiver ferramentas e protocolos para lhe ajudar? Meu palpite é o de que dificilmente haverá alguma. Assim como não dá para aprender muita coisa apenas com a leitura de um livro (como andar de bicicleta, falar outro idioma etc.), é quase impossível alterar um comportamento sem prática. É por isso que pretendo disponibilizar para todo mundo as ferramentas descritas no Apêndice.

15.1 Ter princípios sistematizados embutidos em ferramentas é especialmente valioso para uma meritocracia de ideias.

Uma meritocracia de ideias precisa operar em conformidade com princípios acordados em consenso, ser baseada em evidências e justa, em vez de seguir as decisões mais autocráticas e arbitrárias do CEO e de seus auxiliares. Em vez de pairar acima dos princípios, o responsável pela administração da organização tem que ser avaliado, escolhido e — se necessário — substituído segundo evidências e de acordo com regras, assim como todos os demais integrantes da organização. Seus pontos fortes e fracos, como os de todos, têm que ser levados em conta. A coleta de estatísticas pessoais irrestrita é essencial nesse sentido, além de boas ferramentas para converter tais dados em decisões. Além disso, as ferramentas permitem que as pessoas e o sistema trabalhem em simbiose rumo ao aperfeiçoamento.

a. Para de fato produzir mudanças comportamentais, entenda a importância do aprendizado internalizado ou obtido por meio do hábito. Felizmente a tecnologia tornou o aprendizado internalizado muito mais fácil do que no tempo em que os livros constituíam o modo primário de transmitir conhecimento. Não me entenda mal, os livros são uma invenção poderosa. A prensa de Johannes Gutenberg possibilitou tamanha capacidade de disseminar conhecimento que ajudou as pessoas a aprimorarem mutuamente seus aprendizados. Contudo, o aprendizado experimental é muito mais poderoso. Agora que a tecnologia facilita a criação de aprendizado experimental/virtual, acredito que estamos à beira de outra melhora significativa na qualidade do aprendizado que será tão grande quanto ou ainda maior que a de Gutenberg.

Tentamos criar aprendizado internalizado na Bridgewater há muito tempo, então nossas abordagens evoluíram bastante. Como gravamos praticamente todas as reuniões, tivemos como elaborar estudos de caso de aprendizado virtual que permitem que todos participem sem estar de fato na sala. As pessoas assistem ao desenrolar da reunião como se estivessem nela e, então, há uma pausa no estudo de caso e elas são indagadas sobre o que acham do assunto. Em alguns casos, elas disponibilizam suas reações em tempo real. Essas opiniões são registradas e comparadas por meio de sistemas especializados que nos ajudam a compreender melhor o nosso modo de pensar. Com tais informações, conseguimos ajustar melhor o aprendizado e a atribuição das tarefas tendo em mente o estilo de raciocínio de cada um.

Esse é apenas um exemplo de uma série de ferramentas e protocolos que desenvolvemos para ajudar nosso pessoal a aprender e a agir segundo nossos princípios.

b. Use ferramentas para coletar dados e transforme-os em conclusões e ações. Imagine que absolutamente tudo de importante que acontece na empresa possa ser convertido em dados e que estes possam ser usados para elaborar algoritmos que irão instruir o computador, abrindo a possibilidade de se analisar os resultados e usá-los da maneira acordada em consenso. Desse modo, você e o computador, trabalhando no seu lugar, poderiam analisar cada indivíduo e todas as pessoas e providenciar uma orientação específica. Você não precisa tornar obrigatório o respeito a essa orientação. Em termos gerais, o sistema age como um treinador, e o treinador pode aprender sobre o seu time: os dados são coletados à medida que as pessoas agem; por isso, conforme forem tomando atitudes mais ou menos perspicazes, será gerado o aprendizado sobre como são e a partir daí poderão ser feitos aprimoramentos. Como o pensamento por trás dos algoritmos está disponível a todos, qualquer um pode avaliar se a lógica é justa e de qualidade, bem como participar da sua elaboração.

c. Estimule um ambiente de confiança e justiça adotando princípios definidos com clareza e que sejam implementados em ferramentas e protocolos. Desse modo, as conclusões podem ser avaliadas pela monitoração da lógica e dos dados subjacentes. Em todas as organizações, sempre acontece de alguns funcionários considerados ineficientes reclamarem que tal julgamento está equivocado. Quando isso ocorre, um sistema baseado em dados e regras e com critérios claramente definidos dá menos margem para esse tipo de discussão e gera uma maior confiança quanto à sua justiça. Embora não seja perfeito, o sistema é muito menos arbitrário — e pode ser analisado com mais facilidade em busca de vieses — do que o processo decisório bem menos especificado e aberto dos indivíduos com autoridade. Meu ideal é ter um processo em que todos contribuam com critérios para a boa tomada de decisões e em que esses critérios sejam avaliados e selecionados por indivíduos adequadamente designados (críveis). Se as pessoas mantiverem o equilíbrio certo entre abertura mental e assertividade, compreendendo quando têm ou não de credibilidade para tomar decisões, ter discussões francas sobre os critérios para avaliar e gerenciar pessoas pode ser bem impactante na construção e no reforço da meritocracia de ideias.

Temos ferramentas em estágio inicial que obtêm tudo isso e estamos lutando para aperfeiçoá-las a fim de que nosso sistema de gerenciamento de pessoas opere com tanta eficiência quanto nosso sistema de gestão de investimentos.

Mesmo com suas imperfeições, nossa abordagem baseada em evidências para aprender sobre as pessoas, orientá-las e selecioná-las é muito mais justa e eficaz do que os sistemas de gerenciamento arbitrários e subjetivos nos quais a maioria das organizações ainda confia. Acredito que as forças da evolução motivarão a maioria das organizações a desenvolver sistemas que combinem inteligência humana e artificial para programar princípios em algoritmos que melhorem substancialmente nosso processo decisório.

No Apêndice, apresento descrições detalhadas de uma série de ferramentas e protocolos que auxiliam essa abordagem baseada na meritocracia de ideias e que reforçam os comportamentos necessários para se trabalhar de acordo com ela. Tudo isso foi projetado para nos ajudar a atingir nossos objetivos de: 1) descobrir como as pessoas são; 2) compartilhar como as pessoas são; 3) fornecer treinamento e desenvolvimento personalizados; 4) oferecer orientação e supervisão em situações específicas; e 5) ajudar os gerentes a alocar os profissionais nas funções certas ou a dispensá-los com base em como são e no que é exigido.

Você não precisa usar essas mesmas ferramentas e protocolos na sua meritocracia de ideias, porém deve ter meios de produzir o aprendizado internalizado que ela exigirá. Embora os nossos tenham evoluído muito, suas ferramentas e protocolos não precisam ser tão elaborados ou automatizados. Por exemplo, fornecer um formulário ou um modelo para guiar os funcionários ao longo das etapas exigidas para administrar seu trabalho ou desenvolver um processo renderá resultados melhores do que simplesmente esperar que eles se lembrem — ou descubram — sozinhos.

Você decide a melhor forma de utilizar ferramentas e protocolos. O principal ponto que quero destacar aqui é que ambos são importantes.

16 E, pelo amor de Deus, não negligencie a governança!

Tudo o que disse até agora será inútil se você não tiver boa governança. Governança é o sistema de supervisão que retira indivíduos e processos se não estiverem funcionando bem. É o processo de freios e contrafreios para o poder, cuja finalidade é garantir que os princípios e interesses da comunidade como um todo sejam sempre colocados acima dos interesses e poder de qualquer indivíduo ou facção. O poder sempre irá prevalecer, por isso ele precisa ser posto nas mãos de pessoas capazes em funções-chave — pessoas com os valores certos, que façam seu trabalho bem e que servirão de freios e contrafreios para o poder de outros.

Só percebi a importância desse tipo de governança depois de fazer a transição para deixar o cargo de CEO, porque eu era ao mesmo tempo empresário e desenvolvedor da companhia (assim como gestor de investimento) e na maior parte do tempo fazia o que acreditava ser o melhor. Apesar de precisar e ter desenvolvido um mecanismo de freios e contrafreios contra mim mesmo — criei um comitê de administração como instância superior a mim e a quem eu tinha de prestar contas —, sempre tive o poder de mudar as coisas, embora nunca o tenha usado. Alguns podem dizer que eu era um déspota benevolente porque, apesar de ter todo o poder (todos os direitos de voto), o exerci dentro de uma meritocracia de ideias, reconhecendo que o bem do todo era melhor e que eu também precisava ser submetido a freios e contrafreios. Certamente não criei o tipo de sistema de governança apropriado para a Bridgewater, dada a sua escala.

Por exemplo, a Bridgewater não tinha uma diretoria supervisionando os CEOs, não havia regulamentos internos, um sistema jurídico ao qual as pessoas pudessem apelar e nem um sistema de coerção, porque não precisávamos de nada disso. Eu, com a ajuda de outros integrantes, simplesmente criei as regras e fiz com que fossem respeitadas, apesar de todos terem o direito de apelar e derrubar quaisquer julgamentos, até os meus. Nossos princípios eram o equivalente do que foram os Artigos da Confederação nos primeiros anos dos Estados Unidos, e nossas políticas eram como nossas leis; porém nunca elaborei um modo formal de operar, como uma "Constituição" ou um sistema jurídico, para garantir que fossem respeitadas e para resolver disputas. Como resultado, quando me afastei e passei o poder a terceiros, surgiram confusões sobre direitos de decisão. Após conversar com alguns dos maiores especialistas do mundo em governança, adotamos um novo sistema baseado nesses princípios. Ainda assim, quero deixar claro que não me considero um especialista em governança e que não posso atestar os princípios que se seguem com a mesma autoridade com que posso atestar os anteriores pois, no momento em que escrevo este livro, eles ainda são uma novidade para mim.

16.1 Para serem bem-sucedidas, todas as organizações precisam ter freios e contrafreios.

Quando digo isso, me refiro a pessoas que sirvam de freios para garantir que as demais estejam desempenhando bem suas funções, e por contrafreios me refiro a equilíbrios de poder. Até os líderes mais benevolentes são suscetíveis à tentação de se tornarem autocráticos por terem que gerenciar muita gente e disporem de pouco tempo para isso, além de precisarem fazer inúmeras escolhas difíceis com rapidez, o que faz com que às vezes percam a paciência com discussões e questões relacionadas ao comando. E os líderes, em sua maioria, não são tão benevolentes a ponto de se poder confiar que colocarão os interesses da organização acima dos próprios.

a. Até em uma meritocracia de ideias o mérito não pode ser o único fator determinante para a atribuição de responsabilidade e autoridade. Também é preciso levar em consideração os interesses próprios. Por exemplo, os donos de uma companhia podem ter interesses próprios (o que é um direito legítimo deles) conflitantes com interesses próprios dos funcionários que, com base na meritocracia de ideias, têm mais credibilidade. Isso não significa que os proprietários simplesmente devem entregar as chaves da companhia a esses líderes: esse conflito precisa ser negociado. Como o propósito da meritocracia de ideias é produzir os melhores resultados e os donos têm o direito e o poder para avaliá-los, obviamente eles é que determinarão como proceder — embora minha recomendação seja a de que o façam com sabedoria.

b. Certifique-se de que ninguém seja mais poderoso do que o sistema ou tão importante a ponto de se tornar insubstituível. Para uma meritocracia de ideias é especialmente importante que seu sistema de governança seja mais poderoso do que qualquer indivíduo — e que ele guie e limite seus líderes, e não o inverso. O líder chinês Wang Qishan chamou minha atenção para o que aconteceu na Roma Antiga quando Júlio César se revoltou contra o governo, derrotou seu colega general Pompeu, tomou do Senado o controle da República e se proclamou imperador perpétuo. Mesmo depois do seu assassinato e da restauração da governança pelo Senado, Roma jamais voltaria a ser a mesma; a era de conflitos civis que se seguiu foi mais prejudicial do que qualquer guerra internacional.

c. Cuidado com feudos. Embora seja ótimo que equipes e departamentos sintam um forte elo de propósito compartilhado, não permita que a lealdade a um chefe ou diretor de departamento entre em conflito com a lealdade à organização como um todo. Feudos são contraproducentes e contrários aos valores de uma meritocracia de ideias.

5-7 MEMBROS DO GABINETE

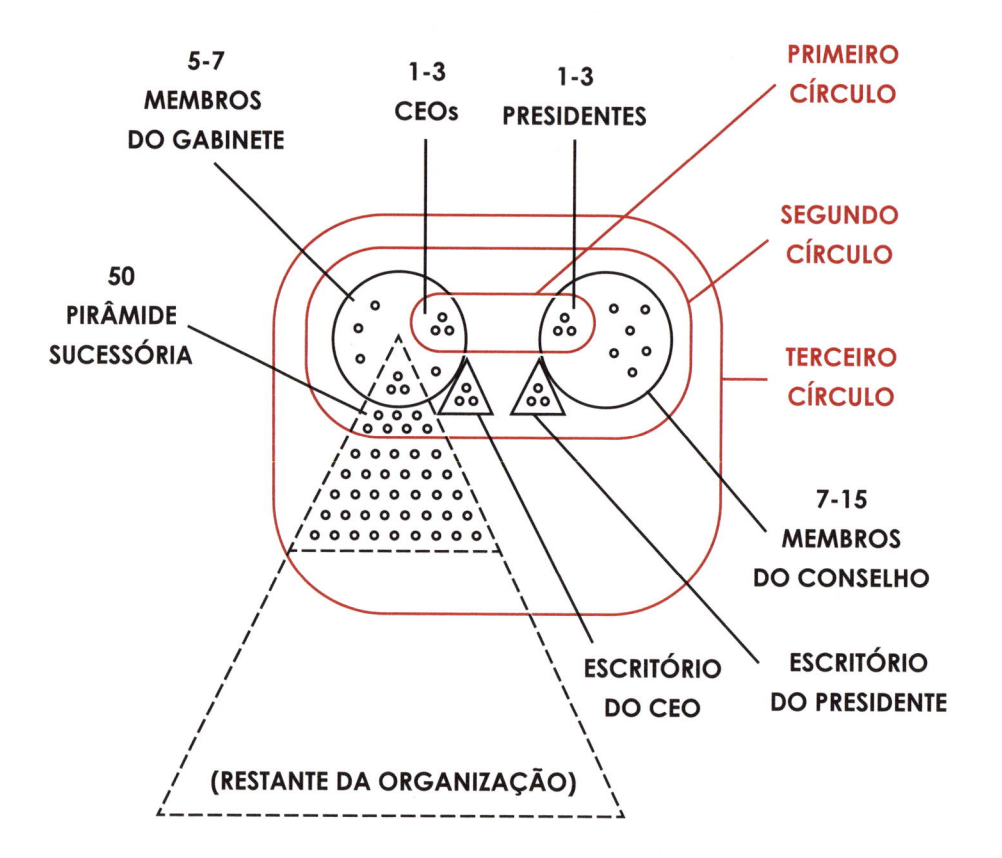

1-3 CEOs

1-3 PRESIDENTES

PRIMEIRO CÍRCULO

SEGUNDO CÍRCULO

TERCEIRO CÍRCULO

50 PIRÂMIDE SUCESSÓRIA

7-15 MEMBROS DO CONSELHO

ESCRITÓRIO DO CEO

ESCRITÓRIO DO PRESIDENTE

(RESTANTE DA ORGANIZAÇÃO)

d. Deixe claro que as regras e a estrutura da organização devem garantir que seu sistema de freios e contrafreios funcione bem. Cada organização tem o próprio jeito de fazer isso. O diagrama na página anterior é um esboço do conceito que desenvolvi para a Bridgewater, que atualmente é uma organização com cerca de 1.500 integrantes. No entanto, os princípios que ele segue são universais; acredito que toda organização precisa de uma versão desta estrutura básica.

Há de um a três presidentes trabalhando com de sete a quinze membros do conselho auxiliados por assessores, cujo propósito é sobretudo avaliar se: 1) as pessoas que administram a empresa são capazes; e 2) a empresa está operando segundo os princípios e as regras acordados. O conselho tem o poder de selecionar os CEOs, porém não entra no microgerenciamento da empresa nem daqueles que a gerenciam, embora em casos de emergência possa assumir um papel mais ativo. (Ele também pode ajudar os CEOs na medida em que estes quiserem.) Apesar de a meritocracia de ideias da Bridgewater idealmente ser aberta a todos, é necessário que existam vários círculos de autoridade, confiança e acesso à informação e autoridade para a tomada de decisões, mostrados nos três círculos do gráfico.

e. Certifique-se de que os canais de prestação de contas sejam claros. Embora isso seja fundamental em toda a companhia, é especialmente importante que os canais de prestação de contas do conselho (aqueles que supervisionam) sejam independentes dos de prestação de contas dos CEOs (aqueles que administram), embora deva existir cooperação entre eles.

f. Certifique-se de que os direitos de decisão sejam claros. Garanta que esteja bem claro o peso que o voto de cada um tem para que, quando uma decisão tiver que ser tomada diante da persistência de um desacordo, não reste dúvida sobre como resolver a questão.

**g. Certifique-se de que as pessoas que fazem avaliações: 1) disponham do tempo para estar inteiramente informadas sobre o desempenho do funcionário analisado; 2) tenham a capacidade de fazer as avaliações; e 3) não tenham conflitos de interesses que impossibilitem o bom desempe-

nho da supervisão. Para avaliar bem é preciso adquirir um nível mínimo de conhecimento, e isso toma tempo. Alguns profissionais têm a capacidade e a coragem de cobrar a responsabilidade dos outros, mas a maioria não; é essencial ter essa habilidade e coragem. O avaliador não pode ter conflitos de interesses — como estar em uma posição subordinada ao alvo do escrutínio — que inviabilizem a cobrança de responsabilidades, incluindo a possibilidade de recomendar que seja demitido.

h. Tenha em mente que os tomadores de decisão precisam ter acesso à informação necessária e precisam ser confiáveis o suficiente para lidar com ela de maneira segura. Isso não significa que todo mundo precisa ter acesso e ser confiável. Dá para contar com subcomitês que façam recomendações substanciais ao conselho, de modo a garantir bons julgamentos sem que detalhes muito sensíveis sejam revelados.

16.2 Lembre-se de que, em uma meritocracia de ideias, um único CEO não é tão bom quanto um grupo de líderes.

Ser dependente de uma só pessoa gera um alto risco de homem-chave, limita a amplitude do conhecimento (porque ninguém é bom em tudo) e impede que freios e contrafreios adequados sejam estabelecidos. Também cria um fardo, já que em geral há muita coisa a ser feita. É por isso que temos na Bridgewater um modelo de co-CEO, que em essência é uma parceria de duas ou três pessoas na liderança da firma.

Na Bridgewater, os CEOs são supervisionados por um conselho — na maior parte dos casos, por intermédio do(s) presidente(s)-executivo(s). Na nossa meritocracia de ideias, os CEOs também são cobrados pelos funcionários mesmo quando estes são seus subordinados. O desafio de ter duas ou três pessoas nessa posição é que elas precisam dançar bem juntas. Caso contrário, e também se não estiverem bem alinhadas com o(s) presidente(s), elas precisam notificar o(s) presidente(s)-executivo(s) para que mudanças possam ser feitas.

Pelo mesmo motivo, temos mais de um CEO supervisionando a administração da companhia e mais de um diretor de investimentos (CIO) — no momento eles são três.

16.3 Nenhum sistema de governança com princípios, regras e freios e contrafreios pode substituir uma parceria excelente.

Todos esses princípios, regras, freios e contrafreios não terão muita serventia se você não contar com indivíduos capazes em posições de poder; indivíduos que instintivamente queiram trabalhar pelo bem da comunidade com base nos princípios acordados. Os líderes de uma empresa precisam ter sabedoria, competência e a capacidade de manter relações próximas, cooperativas e que funcionem de fato caracterizadas por desacordos respeitosos e pelo compromisso de dar sequência àquilo que for decidido pela meritocracia de ideias.

Nós trabalhamos em equipe para conseguir três coisas:

1) Alavancagem para realizar as missões que escolhemos de um jeito melhor e mais significativo do que conseguiríamos fazer sozinhos.

2) Relações de qualidade que, juntas, contribuem para uma comunidade excelente.

3) Dinheiro que nos permite comprar o que precisamos e desejamos para nós e para outros.

PRINCÍPIOS DE TRABALHO: JUNTANDO TUDO

Como a importância relativa desses três aspectos varia de pessoa para pessoa, cabe a você determinar a quantidade de cada um e a combinação desejada. O mais importante é estar ciente de que eles se apoiam mutuamente. Se quiser realizar sua missão, será muito melhor para você ter relações de qualidade com profissionais comprometidos com ela e os recursos financeiros necessários. Da mesma forma, se quiser ter uma comunidade de trabalho excelente, você precisará de uma missão compartilhada e dos recursos financeiros; já se quiser faturar o máximo de dinheiro possível, precisará ter objetivos claros e relações fortes. Eu tive a sorte de conseguir muito mais de todas essas três coisas do que jamais poderia ter imaginado. Tentei transmitir a abordagem que funcionou para mim — uma meritocracia de ideias na qual trabalho e relações relevantes são o objetivo e sinceridade e transparência radicais, os meios de atingi-los —, para que, se for o caso, você possa decidir o que lhe será útil.

Por reconhecer que ofereci uma pilha de princípios que poderiam ser confusos, quero ter certeza de que a mensagem principal tenha ficado clara: de todas as abordagens relacionadas ao processo decisório, **a melhor é a**

meritocracia de ideias.[40] É quase óbvio demais para ser preciso dizer, mas aqui vai: saber o que você pode ou não esperar de cada pessoa e saber o que fazer para garantir que as melhores ideias vençam é a melhor maneira de tomar decisões. Em quase todos os casos, o processo decisório baseado na meritocracia de ideias é melhor do que os tradicionais processos autocráticos ou democráticos.

Isso não é apenas teoria. Apesar de a perfeição ser uma utopia, existe sim a excelência — e não há muita dúvida de que os resultados da meritocracia de ideias foram bem excelentes para a Bridgewater durante mais de quarenta anos. Como essa abordagem pode funcionar igualmente bem na maioria das organizações, quis apresentá-la de forma clara e detalhada. Embora você não precise segui-la da mesmíssima forma que eu fiz, a grande questão é: você quer trabalhar em uma meritocracia de ideias? Se sim, qual é o melhor jeito de fazer isso?

Esse sistema exige que as pessoas façam três coisas: 1) exponham diante de todos seus pensamentos sinceros; 2) tenham desacordos respeitosos na forma de diálogos de qualidade, nos quais os indivíduos aprimorem seu pensamento em busca das melhores respostas coletivas possíveis; e 3) sigam as instruções desse sistema para superar os desacordos restantes (tais como o processo decisório ponderado pela credibilidade). Embora não tenha que operar exatamente segundo um modo específico, em geral uma meritocracia de ideias precisa seguir essas três etapas. Não se preocupe em se lembrar de todos os princípios compartilhados aqui, porém trabalhe para implementar a meritocracia de ideias e estabeleça o que funciona para você ao descobrir quais são as concessões possíveis e criar os princípios para lidar com elas.

No meu caso, eu queria ter trabalho e relações relevantes e acreditava que, para consegui-los, era necessário ser radicalmente sincero e transparente. Quando parti em busca disso, deparei com problemas que me forçaram a fazer escolhas. Ao passar para o papel o modo como fiz tais escolhas, consegui dar forma aos meus princípios e isso me levou a delinear a meritocracia de ideias da Bridgewater junto com meus colegas

---

40 Não estou dizendo que sempre seja a melhor, já que há alguns casos em que não é. Estou dizendo que na minha opinião quase sempre é a melhor quando pode ser bem implementada.

de trabalho de modo que funcionasse bem para todos. Ao encontrar os próprios obstáculos, talvez você queira consultar de novo esses princípios, já que são grandes as chances de que eu tenha deparado com eles também, lutado para aprender a lidar com eles e estabelecido o meu raciocínio em princípios. E, então, escreva os seus próprios princípios.

Obviamente, a capacidade das pessoas de influenciar como o seu grupo trabalha varia e eu não sei como é o seu contexto. Contudo, sei que, se quiser trabalhar tendo por base uma meritocracia de ideias, é possível fazer isso a seu modo. Talvez ajudando a formatar sua organização de cima para baixo, talvez escolhendo a organização certa para você, ou talvez simplesmente aplicando a meritocracia de ideias no seu ambiente de trabalho atual. Independentemente da sua posição, você sempre pode tentar abrir sua mente e ser assertivo, além de pensar na credibilidade que você e os demais têm na hora de decidir o que fazer.

Acima de tudo, desejo que você: 1) possa transformar o seu trabalho e a sua paixão em uma coisa só; 2) faça parte de uma equipe que lute em prol da missão comum de produzir as recompensas anteriormente mencionadas; 3) possa saborear tanto as lutas quanto as recompensas; e 4) se aprimore depressa, contribuindo de forma significativa para a evolução do todo.

Cabe a você decidir o que quer obter da vida e o que quer dar.

CONCLUSÃO

Como disse no início, meu objetivo é transmitir os princípios que deram certo para mim; o que você fará com eles é uma questão sua.

Obviamente espero que eles ajudem você a visualizar os próprios objetivos audaciosos, a transitar pelos erros dolorosos, a ter reflexões de qualidade e a criar bons princípios a serem seguidos de forma sistemática em busca de resultados excelentes. Espero que eles ajudem você a fazer essas coisas individualmente e em equipe. E, como a sua jornada e a sua evolução com certeza serão uma batalha, espero que esses princípios ajudem você a lutar e evoluir bem. Talvez até inspirem você e outras pessoas a pôr no papel os próprios princípios e a descobrir coletivamente, lançando mão da meritocracia de ideias, o que é melhor. Se conseguisse tornar o mundo um pouquinho mais inclinado a adotar esse sistema, eu já ficaria entusiasmado.

Ainda há mais por vir nesse sentido. Como sei que é necessário ter ferramentas e protocolos para ajudar as pessoas a converter desejos em ações concretas e bem-sucedidas, em breve irei disponibilizar os que criamos.

Sinto que fiz o meu melhor para transmitir meus Princípios de Vida e de Trabalho. Obviamente, nossas lutas só terminam quando morremos. Como a minha mais recente foi transmitir qualquer mensagem que lhe possa ser valiosa, sinto certa sensação de alívio por ter passado esses princípios a você. E sinto também enorme contentamento por ter finalizado este livro, podendo agora voltar a minha atenção para a transmissão dos meus princípios econômicos e de investimento.

APÊNDICE

FERRAMENTAS E PROTOCOLOS PARA A MERITOCRACIA DE IDEIAS DA BRIDGEWATER

O que se segue é uma rápida visão geral de muitas das ferramentas e processos atualmente em uso na Bridgewater. Pretendo compartilhar em breve muitos deles com o público em geral por meio de um aplicativo chamado Principles, em inglês, para que você possa testá-los por si mesmo.

TREINADOR

Como existem princípios demais para decorar e é mais fácil pedir conselhos do que procurá-los em um livro, eu criei o Treinador. Sua plataforma é abastecida com um acervo de situações comuns, as "mais uma daquelas" (por exemplo, discordar de uma avaliação, alguém ter mentido ou feito algo antiético etc.), que são vinculadas aos princípios relevantes para assim ajudar os usuários a lidar com elas. À medida que utilizam o Treinador, as pessoas dão feedback sobre a qualidade do conselho fornecido, basicamente treinando a ferramenta para que forneça conselhos cada vez melhores. Com o tempo, o Treinador se tornou cada vez mais eficiente, lembrando muito os resultados da Siri, da Apple.

APÊNDICE

COLETOR DE PONTOS

O **Coletor de Pontos** é um aplicativo usado em reuniões que permite aos participantes expressar seus pensamentos e ver os dos outros em tempo real; então ele os ajuda a chegar a uma decisão coletiva tomada com base na meritocracia de ideias. Essa ferramenta traz à tona o pensamento das pessoas, os analisa e utiliza a informação para ajudá-las a tomar melhores decisões, em alguns aspectos, em tempo real. Especificamente:

- Os usuários registram continuamente suas avaliações sobre os demais participantes, atribuindo-lhes "pontos" positivos ou negativos em relação a qualquer um de várias dezenas de atributos. Esses pontos são computados em uma tabela atualizada dinamicamente para que todos no encontro possam ver o que os demais pensam à medida que o debate avança. Fazer isso ajuda as pessoas a alterar sua perspectiva ao desprenderem-se das próprias opiniões para analisar os pontos de vista de todos. Ver as coisas através dos olhos dos outros naturalmente faz com que a maioria das pessoas adote a visão de nível superior, na qual reconhece que sua própria perspectiva é apenas uma de muitas e questiona que critérios são os melhores para decidir como resolver o caso à mão. O aplicativo promove uma tomada de decisão coletiva, de mente aberta, com base na meritocracia de ideias.
- Ajuda as pessoas a tomar decisões melhores ao fornecer conselhos da mesma maneira que um GPS faz. Ao coletar dados sobre todos os presentes na sala, o aplicativo consegue prover treinamento individualizado, o que é importantíssimo quando suas opiniões têm pouca chance de estarem certas. Descobrimos que é muito útil ajudar as pessoas a superar momentos assim.
- O Coletor de Pontos destaca o que chamamos de "questões salientes" — casos em que o padrão de respostas e atributos dos indivíduos em lados distintos de uma questão sugere que há um desacordo importante a ser resolvido. Por exemplo, o aplicativo automaticamente soará o alerta se você discordar da maioria ponderada pela credibilidade e então fornecerá orientação sobre

os passos apropriados para resolver esse desacordo baseando-se em evidências.
- Permite votação ponderada pela credibilidade. O Coletor de Pontos fornece uma interface de votação na qual os usuários podem escolher sim ou não (ou atribuir uma classificação numérica) e também um sistema final de ponderação pela credibilidade que permite visualizar os resultados de uma votação tanto pelo método de peso igual quanto pelo de ponderação pela credibilidade — não pela maioria simples, mas com base no voto de pessoas mais críveis. Embora pareça complicado descrito desse jeito, o mecanismo é bem simples e ajuda os usuários a monitorar a credibilidade sem ter que recorrer apenas à memória.

APÊNDICE

CARTAS DE ESTATÍSTICAS DE DESEMPENHO

Além de coletar "pontos" sobre os participantes em reuniões, nós juntamos dados sobre nosso pessoal de inúmeras outras formas (análises, testes, as escolhas feitas pelos indivíduos etc.). Todos esses pontos são analisados via algoritmos baseados em uma lógica submetida a testes de estresse a fim de criar retratos detalhados das pessoas. Normalmente essa lógica é compartilhada com todos e examinada pelos integrantes da empresa para ajudar na sua objetividade e credibilidade. Nós, então, capturamos esses retratos em **Cartas de Estatísticas de Desempenho**, que são uma maneira simples de apresentar as forças e as fraquezas de alguém e as evidências por trás delas.

Descobri que nós precisávamos ter essas cartas e consultá-las regularmente porque sem elas as pessoas tendem a interagir entre si sem considerar quem é bom ou ruim em determinados aspectos. As cartas são úteis em reuniões porque nos permitem avaliar as qualidades de quem está expressando um ponto de vista, determinando então o mérito dessa opinião. Como um suplemento dessas cartas, desenvolvemos outra ferramenta chamada Perfil das Pessoas, que pega todos os dados das cartas (que, com o tempo, se tornaram complexos) e gera um resumo simples, em forma de texto, sobre como cada indivíduo é. Ao longo do tempo, a intenção é dar aos funcionários uma síntese sistematizada que captura o melhor pensamento da Bridgewater sobre o jeito de ser de cada profissional. Comparamos os retratos do avaliado com as próprias perspectivas dele sobre si mesmo. Ao buscar esse alinhamento entre o processo e a autopercepção da pessoa, tanto os processos quanto a confiança nas percepções são aprimorados.

Para casar profissionais e funções, desenvolvi o **Combinador**, que pega os dados das cartas e permite que a pessoa seja analisada com base em seus atributos-chave e comparada com outras. Se estiver atrás de um determinado tipo de indivíduo para ocupar uma função, dá para inserir o nome de algumas pessoas que se encaixam no perfil para que o Combinador reúna os dados exatos a respeito delas, sintetize as qualidades essenciais que as fazem ser como são e, então, faça uma busca no banco de dados para ajudar o usuário a encontrar pessoas semelhantes. O Combinador também pode ser usado para gerar especificações para funções (com base no tipo de profissional que você está procurando) passíveis de serem aplicadas tanto dentro quanto fora da empresa.

APÊNDICE

REGISTRO DE OCORRÊNCIAS

O **Registro de Ocorrências** é nossa ferramenta primária para registrar nossos erros e aprender com eles. É utilizado para destacar todos os problemas a fim de que possamos passá-los a solucionadores de problemas em busca de aperfeiçoamentos sistemáticos. Ele age como um filtro de água que retém as impurezas. Qualquer coisa que der errado precisa ser registrada, determinando-se a gravidade da questão e o seu responsável, para que seja fácil classificar a maioria dos problemas. Os registros de ocorrências também fornecem diretrizes para o diagnóstico de problemas e todas as informações relacionadas a eles. Desse modo, também fornecem eficientes métricas de desempenho, já que possibilitam a análise de números e tipos de problemas que surgem (além de identificar os indivíduos que estão contribuindo para que ocorram e os que estão tentando corrigi-los).

O Registro de Ocorrências é um bom exemplo de uma ferramenta que mudou hábitos e percepções. Um desafio comum que as pessoas tinham a princípio era o de apontar erros com franqueza — muita gente via a atitude como uma abordagem nociva a quem os cometera. Depois que se acostumaram, se deram conta dos benefícios e adquiriram o bom hábito de fazer o registro. Agora a maioria não consegue trabalhar sem isso.

BOTÃO DA DOR

Acredito que *Dor + Autoanálise = Progresso*. Em outras palavras, a dor é um sinal importante de que há algo para ser aprendido, e, se refletir bem sobre a sua dor, você quase sempre aprenderá algo relevante. Isso me levou a criar o **Botão da Dor**.

O momento em que alguém sente dor é a melhor hora para registrar suas características, porém a pior para refletir, já que é difícil manter a cabeça fria. Por isso o aplicativo é projetado para deixar as pessoas registrarem as emoções que estão sentindo (raiva, decepção, frustração etc.) na hora em que surgem e mais tarde voltarem para meditar sobre a questão através de perguntas voltadas para reflexão orientada. A ferramenta estimula os usuários a especificar o que pretendem fazer para lidar com a situação para que a dor seja mitigada no futuro (por exemplo, ter uma conversa importante com quem a está causando). O aplicativo tem uma parte que mostra a frequência e as causas da dor e se as medidas foram tomadas e produtivas. Assim o usuário recebe uma espécie de *biofeedback* que associa a dor, o diagnóstico dela, o plano para melhora (de forma a reduzir ou eliminar os problemas), o acompanhamento desse plano e os resultados. A ferramenta cria um modelo para a realização de um ciclo ascendente rumo à melhora. Permite também que o usuário compartilhe seus registros com outros se assim desejar. Algumas pessoas descreveram o Botão da Dor como ter um psicólogo no bolso, mas melhor, já que ele está sempre disponível e é incrivelmente mais barato.

APÊNDICE

SOLUCIONADOR DE DISPUTAS

Disputas precisam de diretrizes claras até a sua solução. Isso é ainda mais válido em uma meritocracia de ideias, em que se espera que as pessoas entrem em desacordo e criem trilhas para a resolução dos conflitos. O **Solucionador de Disputas** fornece diretrizes para que os desacordos sejam solucionados tendo por base a meritocracia de ideias — ele faz uma série de perguntas que conduzirão ao processo de resolução. Uma de suas características é a capacidade de localizar pessoas críveis que podem ajudar a determinar se vale a pena levar um desacordo a um nível superior da hierarquia.

O aplicativo também deixa claro para todos que, se a pessoa tiver um ponto de vista diferente dos demais, cabe a ela expressá-lo e se empenhar para entrar em sincronia — em vez de se agarrar à sua opinião no âmbito privado, ocultando-a. Independentemente de ter ou não uma ferramenta como essa, dispor de um sistema claro e justo para resolver conflitos é essencial. Caso contrário, o indivíduo mais poderoso talvez veja oportunidades de se aproveitar da hierarquia contra quem tem menos poder.

Também temos uma série de ferramentas que nos ajudam a completar e supervisionar nosso trabalho do dia a dia e a ficar em sincronia em relação ao andamento das coisas.

FERRAMENTA DE ATUALIZAÇÃO DIÁRIA

Durante anos, pedi a todos os meus subordinados diretos que investissem de dez a quinze minutos para escrever um breve e-mail sobre o que fizeram em cada dia de trabalho, as questões que lhes competiam e suas reflexões. Ao ler e triangular essas atualizações — em outras palavras, ao observar as diferentes visões das pessoas sobre o que estão fazendo — eu consigo avaliar como estão trabalhando juntas, como está o seu ânimo e que fios devo puxar.

Ao longo dos últimos anos, transformei isso em um software que apresenta essas atualizações em um painel, o que facilita muito mais a monitoração, o registro de métricas e as minhas reações do que se tivesse que lidar com dezenas de e-mails separados. Também permite que os usuários forneçam dados úteis com mais facilidade — por exemplo, como anda seu moral, quão pesada está a carga de trabalho, questões que desejam levar a um nível superior — e em uma base diária. Para mim e meus colegas de trabalho, essa ferramenta é extremamente útil na manutenção da sincronização. Além disso, no nível da companhia, o aplicativo fornece informações valiosas sobre o que está acontecendo (moral, carga de trabalho, questões específicas, quem está fazendo o quê etc.).

FERRAMENTA DE CONTRATO

Com que frequência você termina uma reunião com todo mundo dizendo que isso ou aquilo deveria ser feito e então todos saem da sala e nada acontece porque as pessoas se esqueceram do que tinha sido combinado? Contratos implícitos não valem quase nada; os compromissos assumidos precisam ser explícitos para que tenham valor prático — e ser firmes o suficiente para que todos tenham que prestar contas. A **Ferramenta de Contrato** é um aplicativo simples que permite aos usuários assumir e monitorar os compromissos estabelecidos. Ele ajuda tanto quem fez a demanda quanto quem precisa atendê-la a se manterem informados sobre as questões.

DIAGRAMA DE FLUXO DE PROCESSO

Assim como um engenheiro usa diagramas de fluxo para entender o fluxo de trabalho do que está projetando, um gerente precisa da ajuda de um **Diagrama de Fluxo de Processo** para visualizar a organização como uma máquina. O diagrama pode fazer referência a um gráfico organizacional que mostra quem se reporta a quem ou então este pode suplementar o Diagrama de Fluxo de Processo. Idealmente, o Diagrama de Fluxo de Processo é feito de modo a permitir que as coisas possam ser visualizadas tanto em um nível elevado quanto em níveis inferiores de detalhe se necessário (por exemplo, ao analisar um profissional no diagrama, é possível clicar em sua Carta de Estatística de Desempenho e obter outras informações a seu respeito).

Na Bridgewater, criamos mapas de processos para cada departamento que nos mostram com clareza todas as funções e suas respectivas atribuições e como o trabalho flui entre elas na tentativa de se chegar aos resultados.

MANUAIS DE POLÍTICAS E PROCEDIMENTOS

Ele é o compêndio de políticas e procedimentos que fica disponível para consulta como se fosse um manual de instruções. É um documento vivo no qual o aprendizado da organização é codificado.

MÉTRICAS

Como bem diz o ditado, "Não dá para gerenciar aquilo que não se pode medir". Ao medir como a sua máquina está funcionando, você pode administrá-la com mais facilidade, sobretudo se contar com a ajuda de algoritmos que façam boa parte do trabalho e do raciocínio por você.

Boas métricas são obtidas primeiro ao se pensar nas informações necessárias para responder às questões urgentes e, depois, ao coletá-las e juntá-las para ver o que dizem. Na Bridgewater, seguimos quatro etapas úteis para criar boas métricas: 1) saber qual meta o seu negócio pretende alcançar; 2) entender o processo para concretizá-la (ou seja, sua "máquina" formada por *pessoas* e *projeto*); 3) identificar as partes cruciais no projeto que são os melhores lugares para mensurar, para que você saiba como a sua *máquina* está funcionando; e 4) investigar como criar alavancas vinculadas a essas métricas fundamentais, permitindo o ajuste do processo e a alteração dos resultados. Para tanto, encorajamos os funcionários a construir nossas métricas em conjunto com diagramas de fluxo de processo e manuais de procedimentos.

O teste de eficiência das métricas está em ver se são ou não capazes de dizer o que e quem está indo bem ou mal, até o ponto de determinar pessoas específicas. Nosso objetivo é ter métricas que desçam das questões mais relevantes pelas quais os CEOs são responsáveis no nível da companhia, passando pelos departamentos e finalmente chegando às equipes que os integram e às pessoas responsáveis em cada função.

BIBLIOGRAFIA

AAMODT, Sandra; WANG, Sam. *Bem-vindo ao seu cérebro*. São Paulo: Cultrix, 2008.
BEAUREGARD, Mario. O'LEARY, Denyse. *O cérebro espiritual: Uma explicação neurocientífica para a alma*. Rio de Janeiro: Best Seller, 2010.
CAMPBELL, Joseph. *O herói de mil faces*. São Paulo: Pensamento, 1995.
DALAI LAMA. *Além de religião. Uma ética por um mundo sem fronteiras*. Teresópolis: Lucida Letra, 2016.
DAWKINS, Richard. *O rio que saía do Éden*. Rio de Janeiro: Rocco, 1996.
DUHIGG, Charles. *O poder do hábito*. Rio de Janeiro: Objetiva, 2012.
DURANT, Will; DURANT, Ariel. *The Lessons of History*. Nova York: Simon & Schuster, 1968.
EAGLEMAN, David. *Incógnito. As vidas secretas do cérebro*. Rio de Janeiro: Rocco, 2012.
GARDNER, Howard. *Mentes que mudam*. Porto Alegre: Artmed, 2005.
GAZZANIGA, Michael S. *Who's in Charge?: Free Will and the Science of the Brain*. Nova York: Ecco Books, 2011.
GRANT, Adam. *Originais. Como os inconformistas mudam o mundo*. Rio de Janeiro: Sextante, 2017.
HAIER, Richard J. *The Intelligent Brain*. Chantilly, VA: Great Courses Teaching Company, 2013.
HESS, Edward D. *Learn or Die: Using Science to Build a Leading-Edge Learning Organization*. Nova York: Columbia Business School Publishing, 2014.
KAHNEMAN, Daniel. *Rápido e devagar*. Rio de Janeiro: Objetiva, 2012.
KEGAN, Robert. *The Evolving Self: Problem and Process in Human Development*. Cambridge: Harvard University Press, 1982.

_____. *In Over Our Heads: The Mental Demands of Modern Life*. Cambridge: Harvard University Press, 1998.

_____; LAHEY, Lisa Laskow. *An Everyone Culture: Becoming a Deliberately Developmental Organization*. Cambridge: Harvard Business Review Press, 2016.

LOMBARDO, Michael M.; EICHINGER, Robert W.; PEARMAN, Roger P. *You: Being More Effective in Your MBTI Type*. Minneapolis: Lominger Limited, 2005.

MLODINOW, Leonard. *Subliminar. Como o inconsciente influencia nossas vidas*. Rio de Janeiro: Zahar, 2015.

NEWBERG, Andrew; WALDMAN, Mark Robert. *The Spiritual Brain: Science and Religious Experience*. Chantilly, VA: The Great Courses Teaching Company, 2012.

NORDEN, Jeanette. *Understanding the Brain*. Chantilly, VA: The Great Courses Teaching Company, 2007.

PINK, Daniel H. *A nova inteligência*. Alfragide: Texto Editora, 2013.

PLEKHANOV, G. V. *O papel do indivíduo na história*. São Paulo: Expressão Popular, 2005.

REISS, Steven. *Who Am I? The 16 Basic Desires That Motivate Our Actions and Define Our Personalities*. Nova York: Berkeley, 2002.

RISO, Don Richard; HUDSON, Russ. *A sabedoria do eneagrama*. São Paulo: Cultrix, 2003.

ROSENTHAL, Norman E. *The Gift of Adversity: The Unexpected Benefits of Life's Difficulties, Setbacks, and Imperfections*. Nova York: TarcherPerigee, 2013.

TAYLOR, Jill Bolte. *A cientista que curou seu próprio cérebro*. Rio de Janeiro: Nova Fronteira, 2013.

THOMSON, J. Anderson; AUKOFER, Clare. *Why We Believe in God(s): A Concise Guide to the Science of Faith*. Charlottesville: Pitchstone Publishing, 2011.

TOKORO, M.; MOGI, K. (orgs.) *Creativity and the Brain*. Cingapura: World Scientific Publishing, 2007.

WILSON, Edward O. *O sentido da vida humana*. Lisboa: Clube do Autor, 2016.

ÍNDICE

1 + 1 = 3, 382

abertura, 343
abertura de mente, 177-178, 212-216, 376
   assertividade e, 376-378, 379
   radical, 154-155, 198-216, 392
   sinais de, 210-212, 376
administração, 460-483
   autoritária, 478
   conhecimento na, 470
   delegação na, 467-468
   distância e, 470
   e gerentes como engenheiros, 463
   ser puxado para baixo e, 480-481
   gerenciamento, microgerenciamento e não gerenciar na, 467-468
   gerentes seniores e juniores, 517
   liderança, 476-478
   razões para falhas na, 503
afirmações "no geral", 258-260
alavancadores, 528
alavancagem, 527-528
algoritmos, 271-275
algoritmos de computador, 271-275
alinhamento, 383
   ver também sincronia, entrar em
aluno, 391
ameaças, 475
amor duro, 170-171, 319-321, 439-440
amostragem do trabalho das pessoas, 445-446
aperfeiçoamento para o todo, 165
apostas, 266
aprendizado, 154, 204
   baseado em erros, 367
   inadequado, 447
   internalizado, 437, 538-539
aprovação automática, 525-526
aproximações, 258-260
assertividade, 376-378, 379
atributos, aspectos positivos e negativos de, 224-228
atualizações, 471
atualizações diárias, 471
auditores, 525

autoadministração, 245-247
autoanálise, 367
autoavaliação, 239-245
avaliações, 439, 441-442, 450
avaliações de outras pessoas, 192, 239-245, 442-446, 450, 547-548
avaliações de personalidade, 243-244, 424

barreira do ego, 199-200
barreiras, 199-203
    ponto cego, 201-203, 213, 523
"bom", 159
bom senso, 265

capacidade de assumir a responsabilidade pelos acontecimentos, 189
capacidades, 313, 427-428, 502
caráter, 313, 427-428
cérebro, 232-239
circuitos, 218-247
circunstâncias, 501
cobrança de responsabilidades, 416, 480-481
coisas difíceis, fazer, 474
colaboração, 382-383, 428
comemoração, 535
competências, 421-422, 447
comportamento:
    mudança de, 538-539
    padrões de, 400-401
compras, 526
compreender *versus* discutir, 205
comunicação:
    alavancando a, 381
    clareza na, 482
    com o objetivo de conseguir a melhor resposta, 396
    com o objetivo de educar ou aumentar a coesão, 396
    e modos diferentes de pensar, 472
    oportunidades para, 491

    precisão na, 378-379
    tipos de, 379
    ver também conversas
comunicações precisas, 378-379
concessão, 319-321
confiança, 468-469, 539-541
conflitos:
    importantes, 402-403
    relações e, 374
    ver também desacordos
conselho, 401
consequências:
    de segunda e terceira ordens, 171-172, 513
    Indivíduos Responsáveis e, 416
consideração, 357-358, 430
consultorias, 519-520
contratação, 418-431
    abordagem sistemática e científica na, 422
    capacidade e caráter na, 427-428
    de pessoas extraordinárias, 423
    e adequação a diferentes funções, 422, 423-425
    e apresentação do quadro real aos candidatos, 428
    e combinação das pessoas com o projeto, 420-423
    e objetividade nos candidatos, 424
    e sucesso do candidato em outros lugares, 427
    entrevistas e, 424
    históricos e, 425-428
    influência pessoal na, 423
    para missão de longo prazo, 428
controles, 525-526
conversas:
    acima da linha e abaixo da linha, 261
    administrando, em reuniões, 378-381
    conclusão das, 381

lógica das, 380
sobre erros, 445
transitar entre os níveis da, 379-380
ver também comunicação
conversas abaixo da linha, 261
conversas acima da linha, 261
credibilidade, 205
    comparando a sua com a de outras pessoas, 199
    e a compreensão do raciocínio dos outros, 389-390
    escolha de pessoas críveis, 381
    históricos em, 393
    Indivíduos Responsáveis e, 394
    no processo decisório, 270, 321-328, 384-397
    supervisão e, 515
    triangulação e, 207-210
crédito e culpa, 366
criadores, 241
críticas, 343-344, 378, 438, 440
culpa e crédito, 366
cultura e pessoas, 313-319

dados, 539-541
dar sem receber, 204
debates, 394, 401
    ver também desacordos
decisões, tomada de:
    acesso à informação e, 548
    adiamento, avaliar benefícios *versus* custos do, 268
    algoritmos e, 271-275
    apoio a, apesar de desacordo, 403-404
    como cálculo de valor esperado, 265-267
    como processo de duas etapas, 204, 250-251
    considerar contexto mais amplo para contestar, 401
    critérios para, 511-525
    de Indivíduos Responsáveis, 394
    direito de decidir na, 547
    e a quem fazer perguntas sobre, 252
    e desacordo com consenso, 395
    eficientes, 248-279
    em grupo, 380
    emoções e, 250-251
    escolha de Indivíduos Responsáveis, 415
    evidências nas, 215
    fé nas, 215-216
    justeza *versus* prevalência nas, 397
    níveis e, 260-264
    passadas, avaliação das, 501
    ponderadas pela credibilidade, 270, 321-328, 384-397
    prós e contras nas, 267
    reclamações, aconselhamento e debates, 401
declarações do tipo "Eu acho que...", 393
degeneração de função, 469-470
delegação, 467-468
demitindo pessoas, 451-452
departamentos, 517, 520, 522
desacordos, 398-411
    apoiando decisões apesar de, 403-404
    e sincronização, 374-375
    eficácia em, 395-395
    empacar em, 402-403
    externar, 313-319, 375
    importantes, 402-403
    respeitosos, 206-207
    sobre coisas pequenas, 402
    triangulação e, 207-210
descanso e renovação, 535
desejos, 188-189
desempenho escolar, 426
desonestidade, 343-344, 525-526
determinação, 152, 177

"deverias", 158-159, 481
dinheiro, 526, 528
discutir *versus* procurar entender, 205
distanciamento do tópico, 380
distrações, 464
dono, pensar como, 474
dor, 168-169, 170, 190, 446, 512
    reflexão sobre a, 169-171, 212-213, 366-367
dupla realização, 519

elogios, 438, 440
emoções, 233-234, 240, 250-251
empatia, 204-205
equipes, 425
erros, 362-369
    aceitáveis *versus* inaceitáveis, 368
    aprendizado e, 367
    conversas sobre, 445
    deixar as pessoas cometerem, 437
    no processo evolutivo, 365
    padrões de, 195, 366
    sentindo-se por causa de, 365
escala, 516-517
esquiar, 467
estilo *versus* essência, 377
"eus", dois, 200-201
evidências, 177, 214-215
evolução, 159-162, 435-437
    como conquista e recompensa, 164-167
    erros como parte da, 365
    maximização, 167-168
    morte e, 162-164
executores, 241-242
expectativas, 189, 192
experiência, 390, 426-427
extraordinário *versus* novo, 252
extroversão, 239-240

faladores rápidos, 380-381
falar mal dos outros, 341-342

fazer o que se determinou a fazer, 530-535
feedback, 437
férias, 474
ferramentas, 536-541
feudos, 545
finalização, avançar até a, 193-194
fios suspeitos, 471-471
flexibilidade, 189
flexores, 241-242
força gravitacional, 517
fracasso, 365, 452-453, 480
freios e contrafreios, 544-548
frustração, 534

generosidade, 358, 430
gentileza, 438-439
governança, 542-549
gráfico organizacional, 520-522

habilidades, 421-422, 447
hábitos, 193-194, 234-236, 237
hiper-realista, sendo, 152
histórias, dois lados das, 375
históricos, 425-428
humildade, 196-197, 392

idealistas, 427
ideias, 390
    ver também opiniões
inconsciente *versus* consciente, 232-233
Indivíduos Responsáveis, 394, 415, 416, 473, 482-483
informação, 204, 548
inimigos, 349
integridade, 341-342
inteligência artificial, 276-279
interrupções, 380
introdutores, 241
introversão, 239-240
intuição *versus* sensitividade, 240

Inventário de Personalidade no Local de Trabalho, 243-244

juízos de valor, 204-205, 396-397, 448
justiça, 346-347, 358-359, 397, 429, 539-541

lealdade, 342, 356
lei marcial, 405
levar à instância superior, 482-483
liderança, 476-478
líderes, grupo de, 548-549
limites, expandir os, 168-169
linchamentos, 404
listas de coisas a fazer, 535
lógica, 265, 380, 390, 539-541

manifestar-se, 343
mapas mentais, 196-197
máquina, 173
    administração da, 460-483
    analisando a, a partir de um nível superior, 462-464
    aperfeiçoamentos da, 508-528
    dando atenção à, 464
    desenvolvimento da, 511
    designer *versus* operador da, 175
    e comparação dos resultados com os objetivos, 173
    foco na meta *versus*, 465
    imperfeição e, 513
    investigação e, 470-473
    período de "estamos trabalhando nisso" e, 513-514
    perspectiva elevada e, 173-178
    problemas e, 192, 488-491, 492
    visualizando a, 512-513
    ver também organização
mau comportamento, 526
medidas de desempenho, 429, 441-444
meditação, 214

medo do que os outros pensam, 154-155
mente consciente *versus* mente inconsciente, 232-233
meritocracia de ideias, 321-328, 334
    anarquia na, 404
    atribuição de responsabilidade e autoridade na, 545
    compreendendo as ideias de cada um na, 388-389
    e bem-estar da organização, 405
    e princípios embutidos em ferramentas, 538-541
    governança e, 545
    líderes na, 548-549
métricas, 194, 429, 441-442, 463-464, 482
modos de operar, 446-447
motivação, 532-533
motivações individuais, 165
mudança, 154, 258, 425, 446, 538-539

natureza, 155-164, 167-169
"necessário" e "prazeroso", 268
níveis, 260-265
nível superior, 173-178, 403-404, 462-464
no pain, no gain, 168
"nós" anônimo, 471, 491
novo *versus* extraordinário, 252

objetivo(s):
    caminhos para conquistar, 192
    clareza dos, 188-190
    concretizar *versus* ter boa imagem, 204, 366, 377
    construção da organização ao redor dos, 514-520
    desejos e, 188-189
    do grupo e incentivos individuais, 165

e administrar como alguém que opera uma máquina, 460-483
foco nos, 242-243, 464
inatingíveis, 189
motivação para alcançar, 532-533
pessoas certas nas funções certas em apoio aos, 245
resultados e, 173, 463-464, 489
tarefas *versus*, 242-243, 481, 514-520
visualização e, 192
opiniões, 252, 389
conquistas passadas e, 388, 389-390
credibilidade das, *ver* credibilidade
críticas, 343-344
raciocínio por trás das, 392-393
organização:
alavancagem na, 527-528
bem-estar da, 405
construindo para acomodar pessoas, 516
cultura e pessoas na, 313-319
departamentos na, 517, 520, 522
freios e contrafreios na, 544-548
objetivos *versus* tarefas na, 514-520
organização de cima para baixo na, 515
pessoas no topo das pirâmides na, 515, 520
sucessão e treinamento na, 475, 517-518
tamanho da, 360, 516-517
ver também máquina

padrão mínimo, 454
pagamento, 359, 429
papel do colega, 390-391
parceria, 549
pensamento, 237
sentimento *versus*, 233-234, 240

pensamento coletivo, 489
perceber *versus* planejar, 241
perfeccionismo, 260
perspectiva, 166, 252
pessoas:
avaliações de, 239-245, 442-446, 450, 547-548
certas nas funções certas, 245-247
circuitos das, 218-247
como elas trabalham *versus* o que fizeram, 447
confiança nas, 468-469
construir a organização para acomodar, 516
contratação de, *ver* contratação
demissão, 451-452
descobrir função mais adequada *versus* demitir, 452
entender as, 468-469
evolução pessoal, 435-437
extraordinárias *versus* comuns, 423, 528
históricos das, 425-428
Indivíduos Responsáveis, 394, 415, 416, 473, 482-483
manter, 430
manter em trabalho inadequado, 451
observações sobre, 440-442
permitir que retrocedam de função após fracassar, 452-453
pesquisas de desempenho, métricas e análises de, 429, 441-444
preocupar-se com as, 475-476
QUEM é mais importante do que O QUÊ, 412-417
transferências de, 453-454
tratando adequadamente, 475-476
treinamento, testes, avaliações e filtragem, 432-439
pessoas de mente fechada, 210-212, 376
pessoas honradas, 361

ÍNDICE

pior cenário, 208-210
planejar *versus* perceber, 241
plano, 192-194
    clareza na comunicação, 482
    reflexão e, 482
    semelhança com roteiro de cinema, 193, 512-513
    tempo necessário para elaborar, 193, 533
planos de carreira, 435-436
poder, 406, 545
políticas, 466
ponto de vista objetivo, 175-177, 367, 443
pontos, 251-260, 441
pontos cegos, 201-203, 213, 523
pontos fortes:
    dos outros, 177
    na evolução pessoal, 435-436
    pontos fracos e, 477
pontos fracos, 175, 448-450
    dos outros, pontos fortes e, 177
    e descoberta de soluções, 194-195
    força e, 477
    na evolução pessoal, 435-436
    o desconforto de explorar os, 446
    padrões de erros e, 365
possibilidades *versus* probabilidades, 268
precisão em avaliações, 438-439
preocupação, 488
princípios, 269, 539-541
    algoritmos e, 271-275
    concordando em ignorar, 400-401
    ferramentas e, 538-541
    poder e, 406
    políticas e, 466
    regras e, 465
    sistematização de, 511-512
    suspensão de, 405
    violação de, 500
Princípios de Vida, 149-291

priorização, 188
probabilidades, 267, 268
problemas, 484-493
    como conjunto de resultados, 192
    com soluções *versus* sem, 492
    diagnosticando questões, 497-503
    diagnóstico das causas raízes de, 191-192, 504-507
    difíceis, solucionando, 492
    dois níveis de discussão de, 465
    e capacidades, 502
    especificidade na identificação de, 190, 491
    grandes *versus* pequenos, 191
    identificação de, 190-191, 488-492
    identificar antes de resolver, 191
    imediatos *versus* causas raízes dos, 192
    máquina e, 192, 488-491, 492
    pensamento coletivo e, 489
    projetando melhorias da máquina para superar, 508-528
    Síndrome do Sapo na Água Fervente e, 488
    sondagem e, 471
    técnica de exploração descendente e, 504-506
    tolerando, 191
    versus suas causas, 191
Processo de Cinco Etapas, 184-197, 500, 516
professor, 391
programação genética, 229
progresso, 169-171, 507
projeto do tipo trevo, 523
proteções, 522-523
protocolos, 536-541
provando a sopa, 490
punições públicas, 526

quadro geral, 524-525
questionamento, 393, 470-473, 525

questões, 252, 378, 393, 428
questões estratégicas *versus* urgentes, 524

razão, 265
razoabilidade, 377-378
reabilitação, 450-453
realidade(s), 152-153
    aceitando e lidando com, 150-183
    dura(s), não encarar, 190
    sintetizando, *ver* síntese
    ver também verdade
reclamações, 375, 401
referências, checagem de, 426
refinadores, 241-242
reflexão, 192, 482
    sobre dor, 169-171, 212-213, 366-367
regra dos dois minutos, 380
regra 80/20, 260, 504-506
regras, criação de, 465
relações:
    conflitos e, 374
    diagnóstico e, 507
    ver também trabalho e relações relevantes
remuneração, 429-430
responsabilidade(s), 439, 467
    atribuindo, 469-470, 527, 545
    de compreender coisas importantes, 395-397
    e confiança nas pessoas, 469
    hierarquias e definição de, 526-528, 547
    listas de coisas a fazer *versus*, 535
    "nós" e "eles" anônimos e, 491
    pessoal, 380
    recorrer ao superior e, 482-483
respostas, 205, 471
resultado de fazer as mesmas coisas, 503
resultados, 172, 192, 446-447
    diagnósticos e, 503

e questionar quem deveria fazer o que de maneira diferente, 500
    objetivos e, 173, 463-464, 489
reuniões, 378-381, 513
reveses, 244-245
risco do homem-chave, 475, 518

saber e não saber, 203-204, 377
sentimentos, 233-234, 240, 250-251
sentir *versus* intuir, 240
simplificação, 268-269
sinais verbais, 471
sincronia, entrar em, 370-383, 480
    como investimento, 374
    como responsabilidade de via de mão dupla, 377
    desacordo e, 374-375
    diferenças substanciais e, 383
    externar questões, 375
    sobre avaliações, 445
Síndrome do Sapo na Água Fervente, 488
síntese, 251-252, 503
    construindo, a partir das especificidades, 440-441
    lógica, razão e bom senso na, 265
    tempo na, 252-260
soluções, 194-195, 492, 533
sonhos, 152
sucessão, 475, 517-518
sucesso:
    aprendendo com o, 439
    e pessoas certas nas funções certas, 245-247
    na vida, 152
    parafernálias do, 189
    Processo de Cinco Etapas e, 195, 516
sugestões, 378, 390
supervisão, 515

tamanho do grupo, 382-383

ÍNDICE

tarefas:
    dupla realização de, 519
    objetivos *versus*, 242-243, 481, 514-520
    técnica de exploração descendente, 504-506
tempestade que limpa, 514
tempo, 268, 528, 534
    síntese e, 252-260
tentativa e erro, 165-166
testando habilidades, 447
teste de estresse, 390
títulos de cargos, 527
trabalho:
    ferramentas e protocolos para, 536-541
    hábitos no, 193-194
    paixão e, 331
    princípios de, 283-553
    quantidade de, 534
    relevante, *ver* trabalho e relações relevantes
    remuneração por, 359, 429
trabalho e relações relevantes:
    cultivando, 352-361
    e pessoas agindo segundo interesses próprios, 360-361
    e tamanho da organização, 360
    fortalecendo-se mutuamente, 350
    programação genética para, 229-231
    sinceridade e transparência radicais e, 155
transferências, 453-454
transparência, 346-347
    radical, 154-155, 322-328, 336-340, 344-349
treinamento, 436, 447, 450-453
triangulação, 207-210
tudo e nada, ser do tipo, 166
turbas, 404

valores, 383, 421-422
verdade, 153-154, 340-341
    radical, 154-155, 322-328, 336-344, 350
    ver também realidade
visão, 523-525
visualização, 192, 244, 512-513

AGRADECIMENTOS

Meus Princípios de Vida e Trabalho são o resultado de meus encontros com a realidade ao longo de muitos anos. Como esses encontros foram moldados principalmente com Bob Prince, Greg Jensen, Giselle Wagner, Dan Bernstein, David McCormick, Eileen Murray, Joe Dobrich, Paul Colman, Rob Fried, Ross Waller, Claude Amadeo, Randal Sandler, Osman Nalbantoglu, Brian Kreiter, Tom Sinchak, Tom Waller, Janine Racanelli, Fran Schanne e Lisa Safian, eles são as pessoas a quem sou mais grato.

Bob, Greg e eu passamos a maior parte de da vida adulta tentando descobrir as leis atemporais e universais das economias e mercados. No processo, tivemos interações diárias que em geral eram respeitosas, algumas poucas vezes sangrentas e ocasionalmente eufóricas. Embora nossas reuniões fossem sobretudo focadas em economias e mercados e tenham levado à descoberta de inestimáveis princípios econômicos e de investimentos, elas também nos ensinaram muito sobre nós mesmos e sobre como as pessoas devem agir umas com as outras. Registramos essas lições como princípios de vida e trabalho que se revelaram ainda mais úteis. Mais recentemente, fizemos isso com Eileen Murray e Dave McCormick, que, juntos, me substituíram como co-CEOs. Obrigado, Dave e Eileen, por contribuírem para, receberem e cuidarem da bênção.

Quando pensei pela primeira vez em fazer a transição da Bridgewater da primeira para a segunda geração, decidi reunir minha dispersa coleção de princípios neste livro de receitas a fim de ajudar outros membros da empresa. Coletar e transformar o que começou como uma confusa pilha de princípios neste maravilhoso livro foi um esforço épico no qual Mark Kirby, mais do que qualquer outra pessoa, me ajudou. Agradeço ainda a contribuição de Arthur Goldwag e Mike Kubin para a melhoria e refinamento de todo o manuscrito. (Mike fez isso por amizade.) Também agradeço a Arianna Huffington, Tony Robbins, Norm Rosenthal e Kristina Nikolova, por dedicarem tempo à leitura da obra e fornecerem valiosas sugestões.

Quem mais me ajudou no dia a dia foram os "Anjos do Ray" (Marilyn Caufield, Petra Koegel, Kristy Merola e Christina Drossakis), os "Alavancadores do Ray" (Zack Wieder, Dave Alpert, Jen Gonyo e Andrew Sternlight — e os ex-alavancadores Elise Waxenberg, David Manners-Weber e John Woody) e os "Pesquisadores do Ray" (Steven Kryger, Gardner Davis e Brandon Rowley — e o ex-pesquisador Mark Dinner). Sou igualmente grato a Jason Rotenberg, Noah Yechiely, Karen Karniol-Tambour, Bruce Steinberg, Larry Cofsky, Bob Elliott, Ramsen Betfarhad, Kevin Brennan, Kerry Reilly e Jacob Kline, que fazem parte da próxima geração que ajuda a polir e a formatar nossos princípios de investimento; a Jeff Gardner, Jim Haskel, Paul Podolsky, Rob Zink, Mike Colby, Lionel Kaliff, Joel Whidden, Brian Lawlor, Tom Bachner, Jim White, Kyle Delaney, Ian Wang, Parag Shah e Bill Mahoney, que personificaram nossos princípios aos clientes; a Dave Ferrucci, que, mais do que qualquer um, me ajudou a converter os Princípios de Trabalho em algoritmos; e a Jeff Taylor, Steve Elfanbaum, Stuart Friedman e Jen Healy, que estão me ajudando a convertê-los em bom senso para muita gente. Embora meus interesses e direcionamento sempre tenham sido variados, essas equipes fizeram de minhas missões as suas e me mantiveram seguindo firme. Sem a ajuda delas eu não teria conseguido nada nem de longe parecido com o que conquistei. Obrigado por me aguentarem e por me apoiarem de forma abnegada.

A beleza que porventura você encontrar no design deste livro é fruto da generosidade e do talento de Phil Caravaggio. Quando disponibilizei

AGRADECIMENTOS

on-line a versão original dos Princípios como um PDF, este então desconhecido me deu de presente uma edição impressa maravilhosamente diagramada, criada com a ajuda do criativo designer de livros Rodrigo Corral. Phil, que é um empresário brilhante, queria simplesmente me agradecer porque os princípios haviam lhe ajudado. A beleza do livro me surpreendeu e o relato de Phil do que esses princípios representaram para ele foi outro presente que me incentivou a transformar o projeto em realidade. Após decidir escrevê-lo, Phil passou a trabalhar de forma incansável com Rodrigo para dar forma à estética do que agora você tem em suas mãos — mais uma vez agindo unicamente com a intenção de me presentear. Obrigado, Phil!

Há seis anos, Jofie Ferrari-Adler, editor-executivo da Simon & Schuster, leu os princípios on-line, considerou-os úteis e me explicou por que compartilhar esta obra seria importante para ajudar os outros. Ele foi um parceiro inestimável na concretização deste projeto. Ao explorar minhas opções para publicação, triangulei com outras pessoas para descobrir o melhor agente disponível, e essa busca me levou a Jim Levine. Ao ver a maneira como dedica seu tempo, conhecimento e empatia, entendi por que ele é tão admirado por seus clientes. Jim me guiou pelo processo de publicação, o que me levou a Jon Karp, presidente da Simon & Schuster. Desde o início, Jon quis que o livro refletisse mais o que eu queria do que as vontades dele e me ajudou a transformá-lo em realidade.

Por fim, gostaria de agradecer à minha mulher, Barbara, e meus filhos, Devon, Paul, Matt e Mark, por aturarem a mim e aos meus princípios — e por me darem o tempo e o espaço para criar tanto eles quanto esta obra.

SOBRE O AUTOR

Ray Dalio teve uma infância bem comum de classe média em Long Island e fundou a firma de investimentos Bridgewater Associates no seu apartamento de dois cômodos aos 26 anos, transformando-a ao longo dos 42 anos seguintes no que a revista *Fortune* avaliou como a quinta mais importante empresa privada dos Estados Unidos. Fez isso por meio da criação de uma cultura singular — uma meritocracia de ideias baseada na sinceridade e transparência radicais e no processo decisório ponderado pela credibilidade —, que acredita poder ser utilizada pela maioria das pessoas e organizações para melhor atingir seus próprios objetivos.

Nessa jornada, Dalio se tornou uma das cem pessoas mais influentes (segundo a *Time*) e um dos cem maiores bilionários (segundo a *Forbes*) do mundo. Além disso, por seus princípios de investimento únicos terem transformado a indústria, a revista *CIO* o chamou de "o Steve Jobs do investimento". (Esses princípios serão transmitidos em seu próximo livro, que tratará dos Princípios Econômicos e de Investimento.) Dalio crê que seu sucesso não se deve a nenhuma característica pessoal especial, mas que são resultado dos princípios que aprendeu, principalmente ao cometer erros. Ele também acredita que a maioria das pessoas possa se beneficiar deles.

Aos 68 anos, o principal objetivo de Dalio é transmitir esses princípios, para o caso de outras pessoas os considerarem úteis.

intrinseca.com.br

@intrinseca

editoraintrinseca

@intrinseca

@editoraintrinseca

intrinsecaeditora

1ª edição	AGOSTO DE 2018
reimpressão	DEZEMBRO DE 2024
impressão	GEOGRÁFICA
papel de miolo	OFFSET 75 G/M²
papel de capa	COUCHÉ FOSCO 150 G/M²
tipografia	ADOBE CASLON